WANDA MAND

LITERATURA POLSKA

Dla klas gimnazjalnych polskich szkół w USA

z elementami wiedzy ogólnej
z zakresu historii, kultury i językoznawstwa

STAROŻYTNOŚĆ
ŚREDNIOWIECZE
ODRODZENIE
BAROK
OŚWIECENIE

WSiP

Warszawa 1999
Wydawnictwa Szkolne i Pedagogiczne
Spółka Akcyjna

Okładkę i stronę tytułową projektowała MAŁGORZATA ZACHOROWSKA
Redaktor EWA POKORSKA
Redaktor techniczny MARIOLA KASZKOWIAK
Ilustracje na s. 30, 46 i 101 wykonał JANUSZ OBŁUCKI

ISBN całość: 83-02-07032-7

ISBN t. I: 83-02-07448-9

Wydawnictwa Szkolne i Pedagogiczne
Spółka Akcyjna
Warszawa 1999
Wydanie pierwsze
Ark. druk. 22,5
Skład i łamanie: Agencja Poligraficzno-Wydawnicza „AMIGO", Warszawa
Druk i oprawa: Toruńskie Zakłady Graficzne „ZAPOLEX" Sp. z o.o.
87-100 Toruń, tel./fax (0-56) 659-89-63

SPIS TREŚCI

ŚREDNIOWIECZE

BAROK

OŚWIECENIE

WYPISY

Polska

Europa po roku 1993

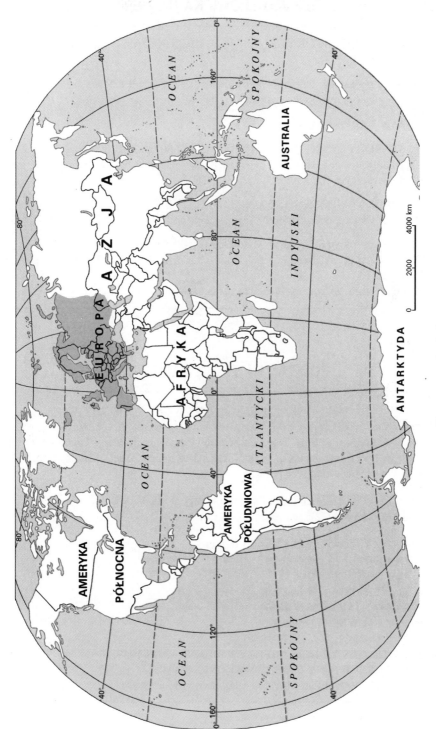

Europa na tle świata

DZIEJE CZŁOWIEKA NA ZIEMI

I. CZASY PREHISTORYCZNE – od ok. 35 000 p.n.e. do ok. 4500 p.n.e. [ok. 30 000 lat]

Okres od początków dziejów *homo sapiens sapiens*, czyli człowieka inteligentnego, do powstania pierwszych cywilizacji.

II. CZASY HISTORYCZNE

A. STAROŻYTNOŚĆ – od ok. 4500 p.n.e. do 500 n.e. [ok. 5000 lat]
Ukształtowanie się pierwszych cywilizacji: Mezopotamia, Egipt, Indie, Chiny, potem Persja, Izrael, Grecja, Rzym.

B. ŚREDNIOWIECZE – od 500 do 1500 [1000 lat]
Francja, Włochy, Niemcy; od X wieku – Polska.

C. NOWOŻYTNOŚĆ – od 1500 do dzisiaj [500 lat]
Okres obejmuje aż dziewięć epok – od Odrodzenia do współczesności (patrz tablica niżej).
Wynika z tego, że zmiany zachodzą coraz szybciej...

PODZIAŁ NA EPOKI LITERACKIE

A. STAROŻYTNOŚĆ (na zachodzie Europy wiek XV p.n.e.-V n.e.)
Starożytne cywilizacje europejskie rozwijały się w rejonie Morza Śródziemnego (ang. Mediterranean Sea). Dorobek kulturowy trzech narodów – Grecji (epika, dramat), Rzymu (język łaciński, liryka) oraz starożytnego Izraela (Biblia) – miał duży wpływ na rozwój literatury polskiej.

B. ŚREDNIOWIECZE (na zachodzie Europy wiek V-XV)
   1. ŚREDNIOWIECZE (w Polsce wiek X-XV)

C. NOWOŻYTNOŚĆ (od 1500 do dzisiaj)
   2. ODRODZENIE (1500-1620)
   3. BAROK (1620-1764)
   4. OŚWIECENIE (1764-1822)
   5. ROMANTYZM (1822-1863)
   6. POZYTYWIZM (1864-1890)
   7. MŁODA POLSKA (1890-1918)
   8. DWUDZIESTOLECIE MIĘDZYWOJENNE (1918-1939)
   9. OKRES II WOJNY ŚWIATOWEJ (1939-1944)
   10. OKRES WSPÓŁCZESNY (od 1944 do dzisiaj)

UWAGA: Wszystkie daty są umowne (przybliżone).

MONARCHIA W POLSCE

ŚREDNIOWIECZE (X-XV w.)

Dynastia Piastów

Książęta i królowie Polski (960-1795)	Lata panowania	Wiek	Uwagi
Mieszko I, książę	ok. 960-992	X	Stolica Polski – Gniezno
Bolesław I Chrobry, Wielki, od 1025 król	992-1025	XI	Stolica Polski – Kraków
Mieszko II, król	1025-1034		
Kazimierz I Mnich, Odnowiciel, książę	1034-1058		
Bolesław II Śmiały, Szczodry, od 1076 król (zm. 1081)	1058-1079		
Władysław I Herman, książę	1079-1102		
Zbigniew, książę	1102-1107	XII	
Bolesław III Krzywousty, książę	1107-1138		Bolesław Krzywousty podzielił Polskę między swoich synów, powierzając władzę zwierzchnią księciu krakowskiemu.
Władysław II Wygnaniec, książę krakowski (zm. 1159)	1138-1146		Panowanie Władysława Wygnańca rozpoczyna okres tzw. rozbicia dzielnicowego w Polsce. Kończy je panowanie Wacława III.
Bolesław IV Kędzierzawy, książę krakowski	1146-1173		
Mieszko II Stary, książę krakowski (z przerwami)	1173-1177		
Kazimierz II Sprawiedliwy, książę krakowski (z przerwami)	1177-1194	XIII	
Leszek Biały, książę krakowski (z przerwami)	1194-1227		
Henryk I Brodaty, książę krakowski	1232-1238		
Konrad I Mazowiecki, książę krakowski (zm. 1247)	1229-1232, 1241-1243		Sprowadził Zakon Krzyżacki do Polski (1226).
Henryk II Pobożny, książę krakowski	1238-1241		

Bolesław V Wstydliwy, książę krakowski	1243-1279		
Leszek Czarny, książę krakowski	1279-1288		
Henryk IV Probus, książę krakowski	1288-1290		
Przemysław II, książę krakowski, od 1295 król	1290-1296		
Wacław II, król	1300-1305	XIV	Król czeski z dynastii Przemyślidów
Wacław III, król	1305-1306		Król czeski, syn Wacława II
Władysław I Łokietek, od 1320 król	1306-1333		Książę łęczycki i kujawski, przejściowo krakowski, koronowany w 1320 na króla Polski zjednoczył większość ziem polskich.
Kazimierz III Wielki, król	1333-1370		Ostatni z dynastii Piastów, dokończył dzieła Władysława Łokietka.

Dynastia Andegawenów

Ludwik I Węgierski, król	1370-1382		Król węgierski z dynastii Andegawenów (Anjou), syn Elżbiety, córki Władysława Łokietka, i Karola II Roberta, króla węgierskiego
Jadwiga	1384-1399		Córka Ludwika Węgierskiego, koronowana w 1384 na króla (!) Polski, w 1386 poślubiła Wielkiego Księcia Litewskiego Jagiełłę.

Dynastia Jagiellonów

Władysław II Jagiełło, król	1386-1434	XV	Wielki Książę Litewski (1377-1401), mąż Jadwigi i król Polski od 1386, założyciel dynastii Jagiellonów
Władysław III Warneńczyk, król	1434-1444		Syn Władysława II Jagiełły, od 1440 król węgierski
Kazimierz IV Jagiellończyk, król	1447-1492		Syn Władysława II Jagiełły, od 1440 Wielki Książę Litewski
Jan Olbracht, król	1492-1501		Syn Kazimierza IV Jagiellończyka

ODRODZENIE (1500-1620)

Aleksander, król	1501-1506	XVI	Syn Kazimierza IV Jagiellończyka, od 1492 Wielki Książę Litewski
Zygmunt I Stary, król	1506-1548		Syn Kazimierza IV Jagiellończyka, od 1506 Wielki Książę Litewski
Zygmunt II August, król	1548-1572		Syn Zygmunta I Starego, ostatni z dynastii Jagiellonów

Królowie elekcyjni

Henryk Walezy	1573-1574		Z dynastii francuskiej Valois [czyt. walua], w 1574 potajemnie opuścił Polskę i objął tron we Francji.
Anna Jagiellonka	1575		Córka Zygmunta I Starego, wybrana na królową Polski z przeznaczeniem jej na męża Stefana Batorego, który został faktycznym władcą
Stefan Batory	1576-1586		Z dynastii książąt siedmiogrodzkich Bathory
Zygmunt III Waza	1587-1632	XVII	Z dynastii szwedzkiej Vasa, król Szwecji 1592-1599, syn Katarzyny, córki Zygmunta I Starego, i Jana III, króla Szwecji. Stolica Warszawa (od 1596)

BAROK (1620-1764)

Władysław IV Waza	1632-1648	XVII	Syn Zygmunta III Wazy
Jan Kazimierz (zm. 1672)	1648-1668		Syn Zygmunta III Wazy, abdykował w 1668.
Michał Korybut Wiśniowiecki	1669-1673		Syn księcia Jeremiego Wiśniowieckiego
Jan III Sobieski	1674-1696		Syn Jakuba, kasztelana krakowskiego
August II Mocny	1697-1704, 1709-1733	XVIII	Z dynastii saskiej Wettinów, panował z przerwą 1704-1709.
Stanisław Leszczyński	1704-1709, 1733-1735		Zmuszony do emigracji w 1709, ponownie wybrany na króla Polski w 1733, w 1735 abdykował i opuścił kraj.
August III	1733-1763		Syn Augusta II Mocnego

OŚWIECENIE (1764-1822)

	1764-1795	XVIII	
Stanisław August Poniatowski (zm. 1798)			Ostatni monarcha Polski; w 1795 abdykował.

W latach 1772, 1793, 1795 następują trzy kolejne rozbiory Polski. Po pierwszym rozbiorze podjęto wysiłki zmierzające do przeprowadzenia reform i umocnienia państwa, uwieńczone Konstytucją 3 Maja w 1791. Interwencja wojsk rosyjskich w 1792 doprowadziła do II rozbioru. W 1794 wybuchło Powstanie Kościuszkowskie, a po jego upadku nastąpił III rozbiór. Polska utraciła niepodległość i znalazła się pod zaborami Rosji, Prus i Austrii.

POLSKA POD ZABORAMI (1795-1918)

OŚWIECENIE cd. (do 1822)

Polska znajduje się pod zaborami Rosji, Prus i Austrii.

W 1807 z części ziem polskich zostaje utworzone przez Napoleona Księstwo Warszawskie.

Po upadku Napoleona w 1815 na Kongresie Wiedeńskim w miejsce Księstwa Warszawskiego utworzono Królestwo Polskie, zwane Kongresowym, pod berłem Rosji, Wielkie Księstwo Poznańskie pozostające pod władzą Prus (w 1848 wcielone z powrotem do Prus) oraz Rzeczpospolitą Krakowską pod kontrolą trzech zaborców (w 1846 wcieloną do Austrii).

Zaborcy prowadzą politykę wynaradawiania Polaków, trwa rusyfikacja i germanizacja narodu polskiego.

ROMANTYZM (1822-1863)

W 1830 wybucha Powstanie Listopadowe, w 1863 Powstanie Styczniowe, oba zakończone klęską. Zaostrza się polityka zaborców wobec Polaków.

POZYTYWIZM (1864-1890)

W zaborach rosyjskim i pruskim władze stosują ostre represje wobec uczestników Powstania Styczniowego, nasila się rusyfikacja i germanizacja, Polacy stosują różne formy oporu. W zaborze austriackim od 1867 wprowadzono tzw. autonomię galicyjską, umożliwiającą rozwój polskiej kultury i prowadzenie legalnego życia politycznego.

MŁODA POLSKA (1890-1918)

Na terenie zaboru austriackiego powstają polskie organizacje wojskowo-niepodległościowe.

W 1914 wybucha I wojna światowa, w wyniku której następuje nowy podział Europy.

W 1918 po 123 latach niewoli Polska odzyskuje niepodległość.

PREZYDENCI POLSKI I INNI PRZYWÓDCY
(1918-1997)

DWUDZIESTOLECIE MIĘDZYWOJENNE (1918-1939)

II RZECZPOSPOLITA POLSKA (1918-1939)

1918-1922	**Józef Piłsudski**, naczelnik państwa
1922	Gabriel Narutowicz, prezydent
1922-1926	Stanisław Wojciechowski, prezydent
1926-1939	Ignacy Mościcki, prezydent
1.09.1939	wybuch II wojny światowej

OKRES II WOJNY ŚWIATOWEJ

W okupowanym kraju
1939-1945   Polskie Państwo Podziemne

Na emigracji
1939-1947   Władysław Raczkiewicz, prezydent Rzeczypospolitej Polskiej

OKRES WSPÓŁCZESNY (1944-1997)

W wyniku II wojny światowej powstał nowy układ sił politycznych na świecie – formalnie niezależna Polska znalazła się w orbicie wpływów sowieckich.

PREZYDENCI RZECZYPOSPOLITEJ POLSKIEJ NA EMIGRACJI

do 1947	Władysław Raczkiewicz
1947-1972	August Zaleski
1972-1979	Stanisław Ostrowski
1979-1986	Edward Raczyński
1986-1989	Kazimierz Sabbat
1989-1990	Ryszard Kaczorowski

POLSKA RZECZPOSPOLITA LUDOWA (1944-1989)

1944-1952	Bolesław Bierut
1944	– przewodniczący Prezydium Krajowej Rady Narodowej
1945-1947	– prezydent KRN
1947-1952	– prezydent Rzeczypospolitej Polskiej

Przewodniczący Rady Państwa PRL
1952-1964   Aleksander Zawadzki
1964-1968   Edward Ochab
1968-1970   Marian Spychalski
1970-1972   Józef Cyrankiewicz
1972-1985   Henryk Jabłoński
1985-1989   Wojciech Jaruzelski

I Sekretarze KC PZPR
1948-1956   Bolesław Bierut
1956   Edward Ochab
1956-1970   Władysław Gomułka
1970-1980   Edward Gierek
1980-1981   Stanisław Kania
1981-1989   gen. Wojciech Jaruzelski
1989-1990   Mieczysław Rakowski

1956 i 1970 strajki i protesty społeczeństwa, stłumione przez władze
1980   fala strajków i protestów, powstanie NSZZ ,,Solidarność[1] z przewod-
             niczącym Lechem Wałęsą
1981-1983   stan wojenny (13 XII 1981-22 VII 1983)
1989   **obrady tzw. okrągłego stołu, zmiany ustrojowe**

III RZECZPOSPOLITA POLSKA (od 1989)
Prezydenci
1989-1990   Wojciech Jaruzelski
1990-1994   **Lech Wałęsa**
1995-   Aleksander Kwaśniewski

Premierzy
1989-1990   Tadeusz Mazowiecki
1991   Jan Krzysztof Bielecki
1991-1992   Jan Olszewski
1992-1993   Hanna Suchocka
1993-1995   Waldemar Pawlak
1995-1996   Józef Oleksy
1996-1997   Włodzimierz Cimoszewicz
1997-   Jerzy Buzek

[1] **NSZZ ,,Solidarność"** – Niezależny Samorządny Związek Zawodowy ,,Solidarność".

OD AUTORKI

Niniejszy tom otwiera trzytomowy cykl podręczników zatytułowanych „Literatura polska". Ukazuje on dzieje literatury ojczystej na tle europejskim i – w mniejszym stopniu – amerykańskim. W okresie otwarcia się Polski na Europę i świat taki kontekst wydaje się potrzebny. Polska kultura nie rozwijała się bowiem w próżni. Na nasze „rdzenne" prasłowiańskie tradycje nakładały się różne wpływy cywilizacyjne. Zanim wytworzyliśmy własną literaturę, czerpaliśmy z dorobku narodów, które ukształtowały się wcześniej. I tak przeniknęły do nas: a l f a b e t   ł a c i ń s k i, m i t o l o g i a   g r e c k a,   w z o r y   l i t e r a c k i e   g r e c k i e   i   r z y m s k i e, k o n c e p c j e   i   t e r m i n y   n a u k o w e oraz r e l i g i a   c h r z e ś c i j a ń s k a. Chronologicznie uporządkowane nawiązania do tych elementów znajdziecie w części pt. STAROŻYTNOŚĆ.

W wiekach późniejszych sięgaliśmy do wzorów włoskich i francuskich, a także do kultury ukraińskiej, białoruskiej, litewskiej, a nawet orientalnej. Obce kiedyś elementy przetopiły się w „polskość". Chociaż b e z k r y t y c z n e naśladowanie wzorów uważamy za cechę negatywną, to ich t w ó r c z e wykorzystanie jest wartością pożądaną. Żaden naród nie powinien trwać w izolacji, ale – otwierając się na osiągnięcia innych społeczeństw – powinien czerpać z ich dorobku impulsy do dalszego rozwoju. Tak, jak ma to miejsce w Stanach Zjednoczonych, gdzie współistnieją dziesiątki kultur, języków i religii.

My, Polacy, w pełni korzystamy z klimatu tolerancji kulturowej w Stanach Zjednoczonych. Założyliśmy sieć polskich szkół sobotnich oraz polskojęzycznych programów w szkołach publicznych. Mamy swoje czasopisma, muzea, programy radiowe i telewizyjne, wystawy, koncerty, festiwale filmów, parady historyczne (Konstytucji 3 Maja w Chicago, IL i Pułaskiego w Nowym Jorku, NY), kościoły polskie lub tam, gdzie są mniejsze skupiska Polaków – msze św. w języku ojczystym, fundacje, księgarnie, wydawnictwa, organizacje polityczne i kulturalne, biblioteki lub co najmniej działy książek i filmów polskich w bibliotekach amerykańskich, katedry języka polskiego i kluby kultury polskiej na uniwersytetach, niezliczone ilości restauracji, moteli, sklepów i zakładów usługowych. Twórcy i uczeni o polskim rodowodzie obecni są w różnych dziedzinach życia, wnosząc ważny wkład w polityczną i gospodarczą potęgę Ameryki. Przyczyniają się tym samym do dobrego samopoczucia mieszkających w USA Polaków, dumnych ze swojego pochodzenia.

I oto ze sfery życia publicznego doszliśmy do indywidualnych potrzeb człowieka. Żeby dobrze funkcjonować w społeczeństwie, potrzebujemy duchowego i kulturowego „zakorzenienia" (ang. roots). Zaczyna się ono już w d o m u r o d z i n n y m, a przekazicielami wartości są rodzice, zwłaszcza matka. To ona organizuje ognisko domowe i pielęgnuje tradycje, jak choćby celebrowanie Wigilii z zachowaniem jej pięknej obrzędowości. Nasza polskość wzmacnia się w kręgach przyjaciół, z którymi łączy nas wspólny język i podobny sposób widzenia rzeczywistości. Szkoła, kościół oraz udział w wydarzeniach kulturalnych dopełniają naszej potrzeby „zakorzenienia".

Tak w e w n ę t r z n i e o k r e ś l e n i jesteśmy gotowi podjąć się zadań, jakie stawia przed nami życie. Będąc Polakami z urodzenia lub wychowania i a k c e p- t u j ą c t o, na pewno potrafimy zbudować dla siebie i bliskich nam ludzi szczęśliwą przyszłość.

Powyższe refleksje skierowane są d o u c z n i ó w, głównych adresatów moich książek. W ludzkiej naturze w ogóle, a w naturze imigranta w szczególności, leży skłonność do zadawania sobie pytań: „Kim jestem?" i „Co tu robię?" Te pytania powracają. Starajcie się, by odpowiedzi na nie inspirowały was do dalszych wysiłków.

*

Podręczniki (tomy I, II i III) pisane są przystępnym językiem literackim. Dla młodzieży, która niedawno przybyła z Kraju, język ten nie będzie przedstawiał trudności. Natomiast dla młodzieży urodzonej w USA, owszem, tak. Ale dlatego podjęliści naukę w polskim gimnazjum, żeby wzbogacić swój język mówiony i pisany i wykorzystać go jako narzędzie w poznawaniu polskiej literatury. Przewodnikami po książkach będą dla was – nauczyciel (w klasie) i rodzice (w domu).

Dlaczego ważne jest poznawanie literatury? Ponieważ jest ona o d b i c i e m m y ś l e n i a n a r o d u. Polską literaturę cechuje przy tym historyczność. A zatem poznając polskie utwory literackie, będziecie w tym samym czasie uczyć się o dziejach Polski.

W każdym z trzech tomów cyklu jest dużo materiału. Nauczyciel wybierze treści obowiązujące uczniów w waszej klasie. Z dodatkowymi materiałami zapoznacie się samodzielnie. Jeżeli was zainteresują, szukajcie dalszych informacji – w książkach, albumach, na CD-ROM i Internecie...

Życzę wam, abyście byli zawsze ciekawi.

Wanda Mandecka

OBJAŚNIENIA UŻYTYCH W PODRĘCZNIKU ZNAKÓW:

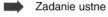 Zadanie ustne   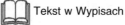 Tekst w Wypisach

 Zadanie pisemne   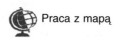 Praca z mapą

19

WSTĘP

Najpierw były **przekazy ustne**, czyli o p o w i e ś c i o zdarzeniach mitycznych, legendarnych i historycznych. Podawano je z u s t d o u s t, z p o k o l e n i a n a p o k o l e n i e. To tak jakby babcia opowiadała wnukowi baśnie. Bywało, że podczas kolejnego opowiadania jakiś fakt został pominięty, inny dodany...

Snucie opowieści nie jest wyłącznie domeną ludzi starszych. Od najdawniejszych czasów, gdy jeszcze nie było książek, radia i telewizji [zatrzymaj się na chwilę: czy jesteś w stanie wyobrazić sobie takie czasy?], człowiek odczuwał potrzebę uczestniczenia w **kulturze duchowej**. Ludzie zbierali się na jarmarku[1] lub pod figurą na rozstaju dróg[2] i słuchali opowieści płynących z ust wędrowców. Na dwory książęce przybywali z dalekich stron bardowie[3] i trubadurzy[4], którzy śpiewali o dziwnych zdarzeniach, towarzysząc sobie grą na instrumencie. Mieli oni dar rozbudzania wyobraźni słuchaczy, przenosząc ich w miejsca odległe w czasie i przestrzeni.

 WAŻNE: Już dziś zaprowadź sobie teczkę pt. MÓJ PRYWATNY SŁOWNIK JĘZYKA POLSKIEGO. Wpisuj do niego trudne wyrazy, które będziesz poznawać na lekcjach i w trakcie samodzielnego czytania literatury. Przy każdym podaj krótkie objaśnienie. **Chodzi o pojedyncze wyrazy trudne pod względem znaczenia, ortografii, form użycia, a także o idiomy oraz utarte wyrażenia i zwroty.** Przy objaśnianiu możesz prosić o pomoc rodziców, nauczycieli w polskiej szkole lub korzystać ze słowników, których tytuły znajdziesz dalej. Słowniki powinieneś mieć w domowej biblioteczce – ich zakup to inwestycja na całe życie. Już teraz, z pomocą rodziny, zacznij kompletować taką biblioteczkę.

Objaśnione wyrazy zapisuj na kartkach ułożonych w porządku alfabetycznym. Na początek przygotuj **32 kartki**. Każdą z nich oznacz jedną literą alfabetu, pomijając **ą, ę, ń**[5]. Kartki włóż do teczki (ang. binder); w miarę potrzeby będziesz dołączać kolejne kartki[6]. Pamiętaj, że w nauce ważny jest twój wysiłek – przepisywanie, szukanie znaczenia, kojarzenie to elementy n a u k i.

---

[1] **jarmark** – targ; ang. market

[2] **figura na rozstaju dróg** – rzeźba lub kapliczka poświęcona świętej postaci. Znajdowała się ona zwykle w pobliżu krzyżujących się traktów (dróg), którymi przechodziło wielu ludzi.

[3] **bardowie**, od **bard** – celtycki śpiewak wędrowny; ang bard, minstrel.

[4] **trubadurzy**, od **trubadur** – starofrancuski śpiewak wędrowny; ang. troubadour, minstrel.

[5] w języku polskim nie ma wyrazów rozpoczynających się na litery **ą, ę, ń**.

[6] alternatywnie, kup 100-kartkowy zeszyt i na każdą literę przeznacz 3 kratki.

W twojej klasie są uczniowie o różnym stopniu znajomości języka polskiego. Jedni urodzili się i wychowali w USA, inni przybyli z Polski zupełnie niedawno. MÓJ PRYWATNY SŁOWNIK JĘZYKA POLSKIEGO jest o s o b i s t ą pomocą ucznia – każdy tworzy go dla siebie!

A oto alfabet języka polskiego. Jest on – podobnie jak angielski – oparty na wzorze alfabetu łacińskiego. Alfabet polski zaczął formować się w XII wieku, jednakże ostateczna liczba 32 liter ustaliła się w XIX wieku:

a, ą, b, c, ć, d, e, ę, f, g, h, i, j, k, l, ł, m, n, ń, o, ó, p, (q), r, s, ś, t, u, (v), w, (x), y, z, ź, ż

Zwróć uwagę na litery w nawiasach: **q, v, x**. Nie zaliczamy ich do alfabetu polskiego, ale możemy je spotkać w wyrazach obcych. Dla porządku litery te umieściliśmy w należnych im miejscach. Do zagadnienia alfabetu wrócimy w innym miejscu tej książki.

Przykłady haseł, które wpiszesz do SŁOWNIKA:
(na kartce z literą **b**) **bard** – wędrowny śpiewak; ang. bard, minstrel.
(na kartce z literą **r**) **Rzeczpospolita** – nazwa używana wyłącznie w odniesieniu do państwa polskiego – Rzeczpospolita Polska; ang. Republic.

Trudne wyrazy występujące w tekście podręcznika będą objaśniane na dole stron, w tzw. przypisach. Czytaj je uważnie i staraj się jak najwięcej z nich zapamiętać. Możesz je przepisywać do swojego SŁOWNIKA, gdyż *repetitio est mater studiorum*[1]. Objaśniaj inne wyrazy i zwroty, z którymi się zetkniesz w mowie i piśmie, i uznasz za trudne.

Zalecane słowniki i encyklopedie przedmiotowe w języku polskim

Dąbrówka, Andrzej, Ewa Geller i Ryszard Turczyn. Słownik synonimów. Wydanie II, poprawione. Warszawa: MCR, 1995.
Doroszewski, Witold. Słownik poprawnej polszczyzny PWN. Warszawa: PWN, 1995.
Encyklopedia szkolna. Historia. Warszawa: WSiP, 1995.
Encyklopedia szkolna. Literatura i nauka o języku. Warszawa: WSiP, 1995.
Kopaliński, Władysław. Słownik mitów i tradycji kultury. Warszawa: PIW, 1993.
Markowski, Andrzej. Nowy słownik poprawnej polszczyzny PWN. Warszawa: Wydawnictwa Naukowe PWN, 1999.
Polański, Edward. Nowy słownik ortograficzny PWN. Warszawa: Wydawnictwa Naukowe PWN, 1998.
Rysiewicz, Zygmunt. Słownik wyrazów obcych. Warszawa: PIW, 1961. (Jeśli nie ma tego słownika na rynku, można kupić: Kopaliński, Władysław. Słownik wyrazów obcych i zwrotów obcojęzycznych. Warszawa: Wiedza Powszechna, 1989.)
Skorupka, Stanisław. Słownik frazeologiczny języka polskiego. Tom I-II. Warszawa: Wiedza Powszechna, 1987. (Dla osób bardziej zaawansowanych językowo.)
Stanisławski, Jan. Wielki słownik polsko-angielski i angielsko-polski. Tom I-IV. Warszawa: Wiedza Powszechna, 1989.
Szymczak, Mieczysław. Słownik języka polskiego. Tom I-III. Warszawa: PWN, 1978-1984.
Szymczak, Mieczysław. Słownik ortograficzny języka polskiego. Warszawa: PWN, 1986.

---

[1] *repetitio est mater studiorum* (łac.) – powtarzanie jest matką wiedzy.

Powyższe pozycje uważa się za najlepsze na polskim rynku wydawniczym. Oczywiście, przybywają nowe opracowania, należy więc zasięgnąć rady doświadczonego księgarza, który pomoże dokonać wyboru.

Skróty w języku polskim (ang. Polish abbreviations)

ang. – angielski (ang. English language)

czes. – czeski (ang. Czech language)

fr. – francuski (ang. French language)

gr. – grecki (ang. Greek language)

łac. – łaciński (ang. Latin language)

pol. – polski (ang. Polish language)

ros. – rosyjski (ang. Russian language)

wł. – włoski (ang. Italian language)

płd. – południe, południowy (ang. south)

płn. – północ, północny (ang. north)

wsch. – wschód, wschodni (ang. east)

zach. – zachód, zachodni (ang. west)

płn.-wsch. – północno-wschodni

płn.-zach. – północno-zachodni

płd.-wsch. – południowo-wschodni

płd.-zach. – południowo-zachodni

am. – amerykański

cd. – ciąg dalszy

cdn. – ciąg dalszy nastąpi

cm – centymetr (skrót piszemy bez kropki), np. 1 cm [czyt. jeden centymetr], 2 cm [czyt. dwa centymetry], 5 cm [czyt. pięć centymetrów]; ang. cm; zobacz też hasło „m"

czyt. – czytaj, wymawiaj

dawn. – dawniej

dr – doktor, w Mianowniku skrót piszemy bez kropki, np. dr Adam Piotrowski, ale we wszystkich pozostałych przypadkach stawiamy kropkę po skrócie, np. Zamówiłem wizytę u dr. [czyt. doktora] Adama Piotrowskiego. Poprawny jest także skrót, który odmienia się przez przypadki, np. Zamówiłem wizytę u dra [czyt. doktora] Adama Piotrowskiego. W języku angielskim występuje skrót Dr. – doctor (zauważ, że po angielsku skrót piszemy wielką literą i z kropką na końcu)

etc. – [czyt. et cetera lub et cetera], skrót używany przy wyliczaniu; nie stawiamy przed nim przecinka, np. Zbieram wszystko, co dotyczy żółwi – książki, plakaty, znaczki etc.; z łac. *et cetera* – i tak dalej; ang. etc. – and so forth; zobacz też hasło „itd."

gen. – generał; ang. Gen. – general

godz. – godzina

gr – grosz, setna część złotego (skrót piszemy bez kropki), np. 1 gr [czyt. jeden grosz], 2 gr [czyt. dwa grosze], 5 gr [czyt. pięć groszy]; zobacz też hasło „zł"

im. – imienia (nie: imieniem), np. Polska Szkoła im. Emilii Plater

i in. – i inne (przy wyliczaniu; przed skrótem nie stawiamy przecinka)

in. – inaczej

itd. – i tak dalej (przy wyliczaniu; przed skrótem nie stawiamy przecinka), np. Chciałbym zobaczyć wszystkie stolice europejskie – Paryż, Londyn, Rzym itd.; zobacz też hasło „etc."

itp. – i tym podobne (przy wyliczaniu; przed skrótem nie stawiamy przecinka)

jw. – jak wyżej

książk. – książkowe (gdy zaznaczamy, że dane wyrażenie używane jest tylko w literaturze, a nie w języku potocznym)

m – metr (piszemy bez kropki), np. 1 m [czyt. jeden metr], 2 m [czyt. dwa metry], 5 m [czyt. pięć metrów]; ang. m; zobacz też hasło „cm"

m. – miasto, (skrót używany na mapach i w przewodnikach turystycznych)

mgr	– magister (piszemy bez kropki), tytuł naukowy równoważny amerykańskiemu M.A. lub MA, czyli Master of Arts, z łac. *Magister Artium*; w Mianowniku piszemy: pan mgr [czyt. magister] Kowalski, w pozostałych przypadkach piszemy mgr., np. Mówimy o mgr. [czyt. magistrze] Kowalskim, albo odmieniamy skrót, np. Mówimy o mgrze [czyt. magistrze] Kowalskim; nie myl polskiego skrótu „mgr" z angielskim skrótem „mgr." (pisanym z kropką), który znaczy „manager"
min	– minuta (piszemy bez kropki); w języku angielskim dozwolone są dwie formy: min oraz min.
min.	– minister (piszemy z kropką); ang. min. (też z kropką)
m.in.	– między innymi (piszemy z dwiema kropkami)
n.e.	– naszej ery; chrześcijanie używają też wyrażenia „po Chrystusie" albo *Anno Domini* (łac.), co znaczy „Roku Pańskiego"; ang. Anno Domini, anno Domini, AD, A.D. lub CE – Common Era; porównaj hasło „p.n.e."
np.	– na przykład (przy wyliczaniu, przed skrótem stawiamy przecinek)
n.p.m.	– nad poziomem morza, np. Schronisko znajduje się 500 m n.p.m.; ang. SL – sea level
nr	– numer, w Mianowniku piszemy bez kropki, np. To jest klucz do pokoju hotelowego nr 10 [czyt. numer dziesięć], natomiast w pozostałych przypadkach z kropką, np. To jest klucz do pokoju oznaczonego nr. 10 [czyt. numerem dziesiątym]; można też skrót odmieniać, np. To jest klucz do pokoju oznaczonego nrem 10 [czyt. numerem dziesiątym]
ok.	– około, przyimek ten zawsze łączy się z formą w Dopełniaczu (kogo? czego? ilu?), np. Słyszałem, że film trwa ok. trzech godzin (nie: trzy godziny)
p.	– patrz
pkt	– punkt; podobnie jak dr, mgr i nr, w Mianowniku skrót ten piszemy bez kropki, np. A teraz zaczynamy pkt 4 [czyt. punkt czwarty] programu, w pozostałych przypadkach z kropką, np. Temat omówiono w pkt. 4 [czyt. w punkcie czwartym] programu
pn.	– pod nazwą
p.n.e.	– przed naszą erą, chrześcijanie używają też wyrażenia „przed Chrystusem"; ang. Before Christ, before Christ, BC, B.C. lub BCE – before the Common Era; porównaj hasło „n.e."
por.	– porównaj
PS	– znaczy: po napisaniu; skrótu PS (bez kropki) używamy, gdy chcemy wprowadzić dopisek po zakończeniu listu lub artykułu; z łac. *postscriptum* – po napisaniu; ang. PS, P.S., p.s., postscript
pt.	– pod tytułem
r.	– rok, roku
rozdz.	– rozdział (ang. chapter of the book, section)
rys.	– rysunek
s.	– strona
św.	– święty, świętym, świętego, np. w tytule „Legenda o św. Aleksym"
tj.	– to jest (przed skrótem stawiamy przecinek)
tzn.	– to znaczy (przed skrótem stawiamy przecinek)
tzw.	– tak zwany (przed skrótem stawiamy przecinek)
ul.	– ulica
ur.	– urodził się, urodzony (w notatkach biograficznych)
w.	– wers, czyli linijka w wierszu
w.	– wiek, wieku

zł — złoty, jednostka monetarna w Polsce równa 100 [czyt. stu] groszom (skrót piszemy bez kropki), np. 1 zł [czyt. jeden złoty], 2 zł [czyt. dwa złote], 5 zł [czyt. pięć złotych]; zobacz też hasło „gr"

zm. — zmarł, data śmierci (w notkach biograficznych)

Zwróć uwagę na kropki, będące integralną częścią wielu skrótów. Wymienione skróty należą do najczęściej używanych w języku polskim, zapamiętaj ich jak najwięcej. Znaczeń innych skrótów szukaj w „Słowniku poprawnej polszczyzny PWN" Witolda Doroszewskiego.

Ćwiczenie. Przeczytaj zdania:

1. Snucie opowieści nie jest wyłącznie domeną ludzi starszych.
2. Ludzie słuchali opowieści płynących z ust wędrowców.
3. Trubadurzy mieli dar rozbudzania wyobraźni słuchaczy, przenosząc ich w miejsca odległe w czasie i przestrzeni.

Czy trzeba znać definicję wyrazu „domena", aby zrozumieć sens pierwszego zdania? Czy wyraz „płynących" został użyty w podstawowym znaczeniu? Jakie jest podstawowe znaczenie wyrazu „przenosić", a w jakim występuje on w tekście? Każdy przykład zastąp własnym zdaniem o identycznej treści.

STAROŻYTNOŚĆ

WPROWADZENIE

„**Europa** była córką władcy Tyru, miasta znajdującego się w dzisiejszym Libanie, a niegdysiejszej Fenicji[1]. Zakochał się w niej grecki bóg Zeus. Pewnego dnia, gdy piękna Europa zbierała kwiaty nad brzegiem morza, Zeus przyjął postać białego byka i zbliżył się do stada jej ojca. Dziewczynę urzekła dostojność zwierzęcia. Podeszła do niego, a gdy byk ukląkł przed nią i skłonił złote rogi, wsiadła na jego grzbiet. Nagle byk zerwał się, uniósł dziewczynę w morze i popłynął na **Kretę**[2]. Tam uczynił ją królową. Europa urodziła Zeusowi trzech synów. Jeden z nich, Minos, rozpoczął dynastię królów kreteńskich, którzy rozwinęli na wyspie cywilizację. Ośrodek nowej kultury znajdował się w mieście Knossos, znanym później z luksusowych pałaców, wielkiego zbytku oraz legendy o Ikarze i Dedalu. Knossos był wielokrotnie niszczony wskutek najazdów obcych plemion z oraz trzęsień ziemi, interpretowanych jako wynik gniewu bogów. Minojska (od imienia króla Minosa) kultura kwitła na Krecie od XXX do XIII wieku p.n.e."

Dla historyków legenda o porwaniu Europy jest odbiciem procesów kulturotwórczych sprzed kilku tysięcy lat, kiedy to rozwijały się cywilizacje na terenach od Mezopotamii, poprzez rejony zajmowane przez ludy semickie, aż po Egipt. **Wielki północny kontynent – jeszcze bez nazwy – czekał na zaludnienie.** Elementy przyszłej kultury europejskiej, jak sugeruje legenda, były przenoszone przez ludy z obszarów Środkowego Wschodu i Zachodniej Azji. Legendę o Europie i Zeusie przekazał w VIII wieku p.n.e. grecki poeta Hezjod, współczesny Homerowi. Przez wieki „porwanie Europy" pozostawało popularnym tematem malarstwa wazowego, ściennego i sztalugowego[3].

*

---

[1] **Fenicja** – starogrecka nazwa nadana krainie leżącej na wschodnim wybrzeżu Morza Śródziemnego; gr. *Phoenicia*; ang. Phoenicia.

[2] **Kreta** – wyspa na Morzu Śródziemnym, na której w ciągu kolejnych wieków ścierały się wpływy egipskie, greckie, bizantyńskie, arabskie, weneckie i tureckie. Dziś Kreta należy do Grecji; nazwa gr. *Kriti*; ang. Crete.

[3] **malarstwo wazowe, ścienne i sztalugowe** – ang. vase painting, wall-painting, and (regular) paintings.

Kolejny okres kształtowania się kultury europejskiej zawdzięczamy **Grekom**[1], ludowi, który w rejon Morza Śródziemnego (ang. Mediterranean Sea) przybył w 2. tysiącleciu p.n.e. Rozróżniamy kilka etapów rozwoju kultury greckiej, począwszy od **cywilizacji mykeńskiej**[2], która istniała w tym czasie co minojska i była wobec niej konkurencyjna. Z tego okresu pochodzą takie zdarzenia i późniejsze motywy literackie, jak wojna trojańska, skarb króla Priama i „grób" Agamemnona. Następne wieki przyniosą rozwój miast, zwłaszcza **Sparty, Koryntu i Aten**, intensywną kolonizację obszarów w rejonie Morza Śródziemnego oraz pierwsze igrzyska olimpijskie (776 rok p.n.e.). Wiek V p.n.e. to złoty okres Aten (ang. Athens) za czasów Peryklesa. Po przesileniu się **kultury helleńskiej** (tej najwspanialszej, ateńskiej, z V w. p.n.e.), przyjdzie czas na **kulturę hellenistyczną**, propagowaną przez Aleksandra Wielkiego i jego kontynuatorów od IV do II w. p.n.e. W roku 146 p.n.e. Grecy zostaną podbici przez Rzymian i przez kilka wieków będą częścią Cesarstwa Rzymskiego. Tak w skrócie wygląda historia wielkiej greckiej cywilizacji. Przyjrzyjmy się bliżej niektórym jej elementom, zaczynając od warunków naturalnych, w jakich żyli starożytni Grecy.

Grecja obejmowała stały ląd oraz 2000 wysp na morzach Egejskim, Jońskim i Śródziemnym. Górzyste tereny i mało urodzajne gleby nie były w stanie zaspokoić potrzeb mieszkańców. Żeby się wyżywić, Grecy sadzili drzewa cytrusowe i krzewy winogron, w morzach zaś łowili ryby, skorupiaki[3] i ośmiornice[4]. Część plonów swojej pracy przeznaczali na eksport, by w zamian w obcych krajach kupić potrzebne produkty. W dawnych czasach (mówimy o okresie od ok. XII do VIII wieku p.n.e.) Grecy ładowali towary na statki i ruszali w morze, zawijając do brzegów starożytnej Lydii, Syrii, Fenicji i na Sycylię. Przy wymianie towarów potrzebne były przeliczniki, zwłaszcza wtedy, gdy handlowano większą ilością owoców lub ryb. Kupcy greccy podpatrzyli, że Fenicjanie (ang. Phoenicians) pomagali sobie rylcem[5] i na glinianych tabliczkach stawiali kreski przy liczeniu towaru. Czasem używali dodatkowych znaków.

Fenicjanie nie przetrwali do naszych czasów. Wyginęli. Był to mały żywotny naród, zajmujący nadmorskie tereny należące dziś do Libanu, Syrii i Izraela. Ich starożytna nazwa brzmiała: Kananejczycy (ang. Canaanities). W języku prasemickim *kena'ani* znaczyło „kupiec". Fenicjanie zajmowali się kupnem i sprzedażą towarów, głównie drewna cedrowego[6], owoców południowych, darów morza,

---

[1] **Grecy** – nazwa nadana dopiero przez Rzymian. Grecy wyodrębnili się z plemion indoeuropejskich. W okresie migracji przebywali dłużej na terenach naddunajskich, tj. w okolicach rzeki Dunaj; ang. Danube, skąd skierowali się na południe.

[2] nazwa pochodzi od grodu Mykeny (ang. Mycenae), założonego na półwyspie Peloponez (ang. Peloponnesus).

[3] **skorupiak** – ang. schellfish.

[4] **ośmiornica** – ang. octopus.

[5] **rylec** – narzędzie o ostrym zakończeniu.

[6] **drewno cedrowe** – ang. cedar wood.

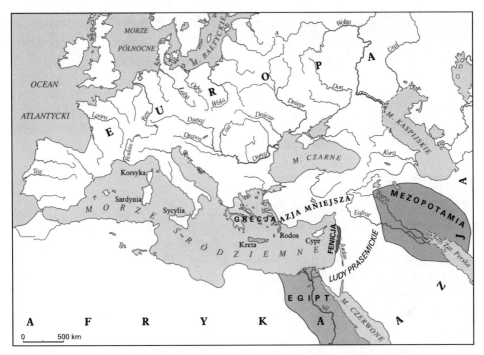

Początki cywilizacji. Kultura europejska narodziła się w rejonie Morza Śródziemnego: na Krecie i w Grecji. Kultury Egiptu, Fenicji i Mezopotamii rozwijały się p o z a E u r o p ą. Fenicjanie to lud prasemicki, który pośredniczył w procesach kulturotwórczych.

surowej miedzi[1], wyrobów ze szkła i metali, a także materiałów barwionych na purpurowo. Mieli wspaniałe szybkie statki, którymi pływali wzdłuż brzegów Morza Śródziemnego, gdzie zakładali swoje kolonie. Zbudowali miasta Tripolis i Kartaginę, dotarli do Gibraltaru. Ich ślady odnaleziono też u wybrzeży Kornwalii (późniejszej Anglii). Fenicjanie przez setki lat nieświadomie przenosili idee z jednego kraju do drugiego. W ten sposób **przekazali Grekom wzór spółgłoskowego pisma**, opartego na znakach p r a s e m i c k i c h, używanych do kupieckich transakcji. Grecy odwrócili niektóre litery, gdyż Fenicjanie pisali je na sposób semicki – od prawej strony do lewej. Żeby zakończyć historię tego narodu, dodajmy, że Fenicja, która przez wieki była terenem obcych podbojów, została pokonana w 332 roku p.n.e. przez Aleksandra Wielkiego. Wyprawiając się na podbój Persji (dzisiejszy Iran i Afganistan), po siedmiu miesiącach oblężenia król macedoński Aleksander zdobył i zburzył miasto Tyr[2]. W 64 roku p.n.e. Fenicja przeszła pod panowanie rzymskie.

Jak wspomnieliśmy, ok. IX wieku p.n.e. za pośrednictwem Fenicjan Grecy przejęli „alfabet" prasemicki, który zawierał 22 spółgłoski (ang. consonants). Stopniowo dodali do niego samogłoski (ang. vowels), co było faktem o doniosłym

---

[1] **miedź** – ang. copper; ciężki, ciągliwy metal, używany dawniej do wyrobu naczyń oraz uzbrojenia dla żołnierzy; symbolem chemicznym miedzi są litery Cu; łac. *cuprum*.

[2] **Tyr** – ang. Tyre; obecnie na tym miejscu znajduje się małe miasterczko Sür.

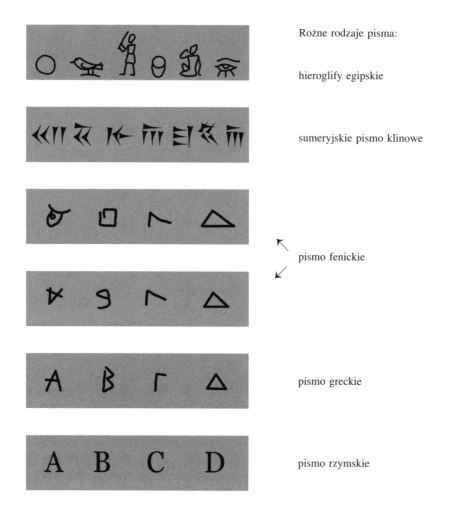

Rożne rodzaje pisma:

hieroglify egipskie

sumeryjskie pismo klinowe

pismo fenickie

pismo greckie

pismo rzymskie

znaczeniu, ponieważ stąd już tylko krok do **narodzin literatury europejskiej**. W VIII wieku p.n.e. żył w Grecji **Homer**, który napisał dwa eposy – „Iliadę" i „Odyseję" [omówimy je dalej]. O Homerze wiemy niewiele poza tym, że na starość był ślepy i ubogi. Czyżby mitologiczni bogowie ukarali go za to, że wdarł się do ich krainy szczęśliwości? [Jakie znasz inne przykłady literatury starożytnej? Spróbuj teraz odpowiedzieć.]

W odległych historycznie czasach, które dziś nazywamy Starożytnością albo czasami antycznymi, powstało niewiele tekstów, a zapewne jeszcze mniej się zachowało. **Za najstarszy utwór literacki świata uważamy „Epos o Gilgameszu"**, królu sumeryjskiego miasta Uruk w płd. Mezopotamii[1], pochodzący z ok. XX wieku

---

[1] **Mezopotamia** – ang. Mesopotamia; starożytna kraina położona na żyznych ziemiach między rzekami Tygrys i Eufrat, na której przez 2500 lat rozwijały się potężne cywilizacje. Kolejne kultury i imperia to m.in. Akad, Sumer, Babilonia i Asyria; obecnie tereny te wchodzą w skład Iraku i Syrii oraz – w mniejszym stopniu – Iranu i Turcji; gr. *Mesopotamia* – międzyrzecze; od gr. *mesos* – śród i od gr. *potamos* – rzeka.

p.n.e. Czy wiesz, że w utworze sumeryjskim znajduje się opis potopu podobny do tego z Biblii? Tekst eposu zapisano pismem klinowym[1] (ang. cuneiform) na glinianych tabliczkach, które odkryto dopiero w 1853 roku na terenach starożytnej Babilonii. Dziś można je oglądać w Muzeum Brytyjskim w Londynie. Zauważ, że „Epos o Gilgameszu" jest starszy od „Iliady" i „Odysei", a nawet od Biblii, ale nie omawiamy go, gdyż pochodzi z innego kręgu kulturowego. Trzeba jednak o nim pamiętać, bo jest ważnym świadectwem cywilizacyjnego rozwoju człowieka.

Utworem o ogromnym znaczeniu dla cywilizacji europejskiej, a także amerykańskiej, jest **Biblia**. Wyobraź sobie książkę pisaną przez 1000 lat! Tak długo powstawała część zwana Starym Testamentem (XII-II w. p.n.e.). Nowy Testament napisano w ciągu kilkudziesięciu lat (I w. n.e.).

➡ Na podstawie objaśnienia podanego w przypisie 2. powiedz, gdzie w tej klasyfikacji mieści się pismo polskie i angielskie.

Praca z mapą

 Wskaż na mapie:
- miejsca powstania czterech pierwszych cywilizacji: **Mezopotamię, Egipt, Indie i Chiny**,
- ośrodki wczesnych cywilizacji w rejonie Morza Śródziemnego: dzisiejszy **Izrael** i **Palestynę**,
- **Fenicję** (obecnie część Libanu, Syrii i Izraela), wyspę **Kretę** (dziś największa wyspa Grecji),
- obszar starożytnej **Grecji**, w tym ląd, wyspy i zachodnie wybrzeże dzisiejszej Turcji,
- Cieśninę Beringa i przybliżone drogi przemieszczania się ludów nomadycznych (koczowniczych) z Azji do Ameryki, a potem z północy Ameryki na południe kontynentu.

Wędrówka po czasach starożytnych nie jest łatwa. Był to bardzo długi etap w dziejach przemian cywilizacyjnych człowieka – od czasów prymitywnych do ukształtowania się wyrafinowanej sztuki.

---

[1] rozróżniamy następujące rodzaje pisma: **piktograficzne** (czyli o b r a z k o w e, np. część hieroglifów egipskich, hieroglify Majów i obrazki Azteków), **ideograficzne** (wyrażające idee za pomocą s y m b o l i, np. sumeryjskie pismo klinowe, część hieroglifów egipskich, pismo chińskie), **fonograficzne** (które dalej dzielimy na s y l a b i c z n e, np. pismo minojskie na Krecie, i a l f a b e t y c z n e, np. pismo fenickie, greckie, łacińskie).

➡ Przestudiuj poniższe zestawienie:

- Naukowcy uważają, że **Wszechświat** powstał około 15 000 000 000 lat temu.
- Wiek **Ziemi** sięga 4 600 000 000 lat.
- Pierwsze **istoty człowiekopodobne** pojawiły się na Ziemi ok. 4 000 000 lat temu.
- Ślady pierwszego *homo sapiens* (człowieka myślącego, ang. Neanderthal Man), który mieszkał w Afryce, pochodzą sprzed ok. 100 000 lat.
- *Homo sapiens sapiens* (człowiek inteligentny, ang. Cro-Magnon Man) pojawił się w zachodniej części Europy ok. 35 000 lat temu.
- Ostatni **lodowiec** ustąpił z obszaru Europy ok. 10 000 lat temu.
- 4500 lat p.n.e. powstały cztery pierwsze, odrębne, ośrodki cywilizacyjne: w **Mezopotamii, Egipcie, Indiach i Chinach**.
- Cywilizacja na **Krecie** narodziła się w XXX wieku p.n.e.
- Za **najstarsze dzieło literackie świata** uważa się sumeryjski **„Epos o Gilgameszu”** z ok. XX wieku p.n.e.
- Starożytna kultura **Grecji** narodziła się w XV wieku p.n.e.
- **Stary Testament** powstał między XII a II wiekiem p.n.e., głównie w Palestynie i Izraelu.
- Eposy **„Iliada” i „Odyseja”** pochodzą z VIII wieku p.n.e., a ich autorem był grecki poeta Homer.
- **Rzym** został założony w 753 roku p.n.e., czyli w VIII wieku p.n.e.
- **„Złoty wiek Aten”** przypada na V w. p.n.e. – zbudowano wtedy Partenon i powstał teatr antyczny.
- **Jezus Chrystus**, Syn Boży, był postacią historyczną – żył od 4 roku p.n.e. do 29 roku n.e.
- **Nowy Testament** powstał w I wieku n.e. na ziemi greckiej, wchodzącej wtedy w skład Cesarstwa Rzymskiego.
- Pierwszy historyczny **książę polski Mieszko I** panował od ok. 960 do 992 roku n.e., czyli w X w. n.e.
- **Krzysztof Kolumb (ang. Christopher Columbus)** odkrył w 1492 roku **Amerykę**, a dokładniej wyspy San Salvador, Kubę (ang. Cuba) i Hispaniolę.
- Pierwszą t r w a ł ą **kolonię europejską** w Ameryce Północnej założyli **Hiszpanie** w 1565 roku w St. Augustine na Florydzie.
- Pierwsza t r w a ł a **kolonia Brytyjczyków** składająca się z ok. 100 ludzi powstała w 1607 roku w Jamestown w stanie Virginia. Za pierwszych p o l s k i c h osadników na ziemi amerykańskiej uważa się pięciu mężczyzn sprowadzonych do Jamestown w 1608 roku przez założyciela kolonii, Johna Smitha.

 Przerysuj do zeszytu l i n i ę c h r o n o l o g i c z n ą[1] i umieść na niej te daty z ramki, które uważasz za najważniejsze. Na koniec zaznacz swój rok urodzenia. Lewą część linii będziesz musiał z n a c z n i e wydłużyć; użyj do tego celu kilku sklejonych kartek.

───►
                                    0

UWAGA: Wykonaj starannie to zadanie. Za kilka lekcji na tej samej linii zaznaczysz (innym kolorem) daty z najdawniejszych dziejów Polski.

---

[1] **linia chronologiczna** – linia ukazująca upływ czasu; od gr. *chronos* – czas.

za moment narodzin Jezusa Chrystusa przyjmuje się fikcyjny punkt „zero", chociaż żył On od 4 roku p.n.e. do 29 roku n.e.? Naukowcy ustalili, że błąd w obliczeniach popełnił w VI wieku n.e. zakonnik rzymski Dionizy Mały, jednakże zdecydowano się nie wprowadzać poprawek do kalendarza z obawy przed zbyt dużym zamieszaniem w datach. Punkt zerowy jest obecnie granicą między czasami **przed naszą erą** (p.n.e.) a okresem **naszej ery** (n.e.).

Nazwy wielkich liczb w Polsce (Europie) oraz USA

Istnieją różnice w nazywaniu wielkich liczb w Polsce i USA.
Amerykański system numeracji oparty jest na starym systemie francuskim. Niedawno Francja zmieniła swój system nazw dostosowując go do tego, który istnieje w Wielkiej Brytanii, Niemczech oraz innych krajach Europy. Polska też ma europejski (nowoczesny) system liczenia. Porównaj:

Zapis cyfrowy	Ilość zer w liczbie	Nazwa amerykańska	Ilość zer w liczbie	Nazwa brytyjska	Nazwa polska
am., eur. 100	2	hundred	2	hundred	sto
am., eur. 1000	3	thousand	3	thousand	tysiąc
am., eur. 1 000 000	6	million	6	million	milion
am., eur. 10^9	9	billion	9	milliard	miliard
am., eur. 10^{12}	12	trillion	12	billion	bilion
am. 10^{15}, eur. 10^{18}	15	quadrillion	18	trillion	trylion
am. 10^{18}, eur. 10^{24}	18	quintillion	24	quadrillion	kwadrylion

UWAGA: Jeśli przed liczebnikiem występuje przyimek około", wtedy liczebnik przyjmuje formę Dopełniacza (odpowiadającego na pytania: kogo? czego? ilu?), np. W tym domu mieszkam **około dziesięciu** lat (nie: dziesięć lat).

➡ Przeczytaj głośno: Obecnie żyje na świecie ok. 6 000 000 000 ludzi.

Cyfry i liczby rzymskie

I	=	1	XX	=	20
II	=	2	XXX	=	30
III	=	3	XL	=	40
IV	=	4	L	=	50
V	=	5	LX	=	60
VI	=	6	LXX	=	70
VII	=	7	LXXX	=	80
VIII	=	8	XC	=	90
IX	=	9	C	=	100
X	=	10	D	=	500
			M	=	1000

Chociaż cyfry arabskie[1] są łatwiejsze do stosowania, zwłaszcza w matematyce [czyt. w matematyce], to cyfry starożytnych Rzymian wcale nie wyszły z użycia. Do niedawna za ich pomocą zapisywano lata. Dziś oznaczamy nimi wieki, np.:

- **wiek XX** [czyt. dwudziesty], czyli lata od 1901 [czyt. tysiąc dziewięćset pierwszego] roku do 2000 [czyt. dwutysięcznego] roku włącznie,
- **wiek XXI** [czyt. dwudziesty pierwszy], czyli lata od 2001 [czyt. dwa tysiące pierwszego] roku do 2100 [czyt. dwa tysiące setnego] roku włącznie.

Oto przykłady dawnego zapisu lat:

1500 = MD	1950 = MCML
1666 = MDCLXVI	1960 = MCMLX
1900 = MCM albo MDCCCC	1970 = MCMLXX
1910 = MCMX	1980 = MCMLXXX
1920 = MCMXX	1990 = MCMXC
1930 = MCMXXX	2000 = MM
1940 = MCMXL	3000 = MMM

 Za pomocą cyf rzymskich napisz swój rok urodzenia.

Wróć do tekstu w ramce zaczynającego się od słów „Naukowcy uważają..." i przeczytaj go głośno, zwracając uwagę na liczebniki.

Czego nas uczy smutna historia Fenicjan?

W czasach starożytnych Fenicjanie byli silnym narodem. Niestety, w perspektywie historycznej ich obecność trwała krótko. **Fenicjanie nie stworzyli oryginalnej kultury, która pomogłaby im przetrwać trudny okres podbojów przez agresywnych sąsiadów.** Znali alfabet prasemicki, a mimo to nie ma śladów fenickiej literatury. O losach Fenicjan dowiadujemy się z zabytków piśmienniczych innych narodów, m.in. z Biblii.

Studiując literaturę i historię Polski dowiesz się, że nasz kraj też miał agresywnych sąsiadów. Przez Polskę przetaczały się burze wojenne, ziemie były niszczone przez obce wojska. Na pewien czas kraj nasz w ogóle zniknął z mapy Europy. A jednak Polska przetrwała pod zaborami i okupacją i odrodziła się na nowo. Dzięki swojej kulturze, literaturze, językowi i religii. Wielka w tym zasługa polskich rodziców, którzy uczyli dzieci miłości do kraju i języka polskiego, sami nie dając się zrusyfikować ani zgermanizować. Przyczynili się do tego również polscy pisarze i poeci, których utwory rozbudzały patriotyzm i przekazywały wiedzę o historii i osiągnięciach narodu. Przeżyjesz wzniosłe uczucia, gdy będziesz poznawać utwory

---

[1] **cyfry arabskie** – ang. arabic numerals. Cyfry 1, 2, 3 itd. są wynalazkiem hinduskim (pochodzącym z kraju o pol. nazwie Indie; ang. India), jednakże między IX a XIII w. n.e. do Europy przynieśli je A r a b o w i e – stąd nazwa.

Adama Mickiewicza, Henryka Sienkiewicza i innych polskich twórców. Zwłaszcza epopeja pt. „Pan Tadeusz" Adama Mickiewicza zawiera głębokie przesłanie patriotyczne. Jest to przy tym utwór doskonały pod względem formy i treści i Polacy uważają go za narodowe arcydzieło. Poeta napisał Pana Tadeusza" przebywając n a e m i g r a c j i. Z takiej perspektywy podobno lepiej widać problemy narodu. Książka Mickiewicza trafiła do Polaków na całym świecie i wielu z nich pomogła przetrwać ciężkie chwile.

Czy wiesz, jaka jest nasza, tu – w Ameryce, powinność wobec polskiej kultury? Zachowanie jej stanu i mądre wzbogacanie.

Żeby być świadomym uczestnikiem kultury, trzeba poznać wszystkie jej elementy. W tym celu musimy wrócić do samych źródeł. W przypadku polskiej kultury źródła te sięgają starożytnej Grecji i Rzymu oraz początków chrześcijaństwa. Im poświęcimy pierwsze rozdziały podręcznika. W tych czasach na terenach między Bałtykiem a Karpatami[1] wciąż szumiała puszcza, a lasy były pełne dzikiego zwierza...

➡ A teraz odpowiedz na postawione wyżej pytanie: **Czego nas uczy smutna historia Fenicjan?**

HOMER I POCZĄTKI LITERATURY EUROPEJSKIEJ. „ILIADA" I „ODYSEJA". PIERWSI WYBITNI MYŚLICIELE GRECCY

Mitologia to zbiór podań i legend o bogach, bohaterach, demonach i duchach, występujących w wierzeniach starożytnych narodów.

Istnieją mitologie Egiptu i Mezopotamii, Indii i Japonii, Celtów i Słowian... Jednakże w potocznym rozumieniu pojęcie „mitologia" odnosi się głównie do wierzeń starożytnych Greków i Rzymian. Motywy z greckiej i rzymskiej mitologii są obecne w kulturach wielu narodów.

Homer, poeta grecki żyjący na przełomie IX i VIII wieku p.n.e., zajmuje ważne miejsce w dziejach kultury. **To on nadał imiona greckim bogom, bóstwom i herosom[2] oraz wprowadził wśród nich hierarchię[3] i porządek.** Homer umiał połączyć wierzenia i historię w spójną całość. Mitologia przekazała, a literatura utrwaliła wzory postaw i zachowań, które dziś uważamy za ogólnoludzkie i etyczne,

---

[1] tzn. tam, gdzie później (w X w. n.e.) powstało państwo polskie.
[2] **heros** – półbóg i półczłowiek; bohater.
[3] **hierarchia** – tu: uszeregowanie bogów według ich ważności.

Homer. Fot.: Agencja BE&W

np. czułość macierzyńska (Demeter[1]), wierność małżeńska (Penelopa[2]), poświęcenie dla innych (Prometeusz[3]). Odsłoniła też negatywne cechy ludzkich charakterów, takie jak mściwość lub zazdrość.

W VIII w. p.n.e. Homer napisał **„Iliadę i „Odyseję"[4]. Są to pierwsze utwory literackie w kręgu naszej cywilizacji.** „Iliada" liczy ok. 15 000 wersów (linijek), a „Odyseja" – ok. 12 000 wersów.

„Iliada". Tematem „Iliady" jest wojna o piękną Helenę. Trzy boginie – Hera, Atena i Afrodyta spierały się ze sobą, która z nich jest najpiękniejsza. Spór wywołała bogini niezgody Eris, rzucając między nie jabłko z napisem „Dla najpiękniejszej". Sędzią w tym sporze był Parys-Aleksander, syn króla Troi, który przyznał jabłko Afrodycie. Z wdzięczności za wybór Afrodyta pomogła Parysowi porwać do Troi piękną Helenę, żonę króla Sparty, Menelaosa. Wybuchła wojna. Brat Menelaosa, Agamemnon, wyruszył na czele wojska achajskiego (greckiego) i przez 10 lat oblegał Troję[5], by odzyskać Helenę. W czasie oblężenia Troi Agamemnon zabrał Achillesowi jego brankę Bryzeidę. Odważny i dumny Achilles, który bił się po stronie Agamemnona, wpadł w gniew i wycofał się z walki. W obozie trojańskim, gdzie trzymano Helenę, było wielu znakomitych wojowników, m.in. Antenor, doradca królewski. Mądry Antenor radził swoim ludziom, aby uwolnili Helenę i zakończyli wojnę. Nikt go jednak nie słuchał. Po wielu perypetiach i śmierci bliskiego przyjaciela, Patroklosa, który zginął z rąk Hektora, brata Parysa, Achilles powrócił na pole walki i zabił Hektora. Zwłoki zbezcześcił[6], wlokąc je naokoło Troi przymocowane do rydwanu[7].

---

[1] **czułość macierzyńska** – uczucia matki do dziecka; **Demeter** – grecka bogini rolnictwa. Gdy bóg podziemi Hades porwał jej córkę Persefonę, zrozpaczona Demeter zaniedbała plony i na ziemi zapanował głód. Na jej prośbę bóg Zeus pozwolił Persefonie wracać do matki na okres wiosny i lata, czyli na czas siewów oraz dojrzewania zbiorów.

[2] **Penelopa** – wierna żona Odyseusza, czekająca na powrót męża przez 20 lat.

[3] **Prometeusz** – tyta, który wykradł bogom ogień, by dać go ludziom, za co Zeus okrutnie go ukarał (p. s. 51).

[4] angielskie tytuły: „Iliad" and „Odyssey".

[5] **Troja** – inne nazwy: gr. *Illios* i *Ilion*, łac. *Ilium*, stąd tytuł „Iliada". Miejsce, o którym mowa, znajduje się na wschodnim wybrzeżu dzisiejszej Turcji i można je zwiedzać; turecka nazwa Truva; ang. Troy.

[6] **zbezcześcić** – pozbawić czci, dosłownie: zrobić bez czci; forma „czci" pochodzi od rzeczownika „cześć" i oznacza szacunek, respekt, honor; inaczej: sprofanować; ang. to profane.

[7] **rydwan** – dwukołowy wóz używany w czasach starożytnych.

Uprowadzenie Bryzeidy przez Agamemnona. Mal. Hiron, V w. p.n.e. Fot.: Arch. WSiP

„Iliada" kończy się pogrzebem Hektora. (Ojcem Parysa i Hektora był król Troi, Priam, który miał 50 synów i 50 córek, w tym wieszczkę złych wiadomości, Kasandrę.)

„Odyseja". „Odyseja" to kontynuacja jednego z wątków Iliady". Jej bohaterem jest Grek Odyseusz (łac. *Ulisses*), za którego namową zbudowano olbrzymiego konia (trojańskiego, ang. Trojan Horse). W środku drewnianego olbrzyma ukryła się część żołnierzy greckich. Reszta wojska udała się w podróż powrotną. Mimo że Kasandra ostrzegała, by pozostawić drewnianego konia poza murami miasta, Trojańczycy wprowadzili go do środka, spodziewając się łupów. Z konia wyskoczyli żołnierze, by splądrować i spalić miasto. Z pomocą przyszła im pozostała część armii, która wcześniej pozorowała odpłynięcie do Grecji. Troja upadła. Helenę, przyczynę długiej i krwawej wojny, zwrócono mężowi. Odyseusz, król Itaki, jeden z uczestników wojny, wracał do swojego domu przez następnych 10 lat. (Wliczając czas trwania wojny, Odyseusz był nieobecny w domu przez 20 lat, a mimo to żona Penelopa wiernie na niego czekała!) W drodze powrotnej spotkało go wiele niebezpiecznych przygód. Do najsłynniejszych należy przepłynięcie przez cieśninę między potworami Scyllą i Charybdą. Odyseusz został rozpoznany przez syna – Telemacha. Przy jego pomocy zabił zalotników Penelopy i odzyskał ją dla siebie.

Warto zapamiętać przewodnie wątki „Iliady" i „Odysei" oraz imiona głównych bohaterów! **Przez kolejne stulecia poeci, pisarze, malarze, rzeźbiarze i kompozytorzy nawiązywali do tematów, które zostały przedstawione w utworach Homera**. Wojna trojańska rzeczywiście miała miejsce w XII w. p.n.e., wykazały to badania wykopaliskowe. Jako pierwszy odkopał Troję w 1873 roku niemiecki archeolog Heinrich Schliemann[1], który znał na pamięć „Iliadę" i „Odyseję". Historia jego odkryć jest niezwykle ciekawa, obfituje w momenty dramatyczne i skandale. Cenne zbiory H. Schliemanna znajdowały się później w muzeum w Berlinie, w Niemczech, i podobno zostały w całości zniszczone w czasie II wojny światowej (1939-1945). Ostatnio mówi się o wywiezieniu części zbiorów przez sowieckich żołnierzy i ukryciu ich prawdopodobnie w St. Petersburgu, w Rosji. Sprawa skarbu króla Priama pozostaje zatem otwarta.

*

Homer otworzył epokę, którą badacze nazywają „eksplozją grecką". Dotyczy ona nie tylko osiągnięć na polu literatury, lecz także filozofii, geometrii i innych dziedzin.

Pierwszym znanym nam myślicielem i filozofem, który zajmował się materią, geometrią oraz porządkiem kosmicznym, był **Tales z Miletu** (gr. *Thales*, ang. Thales of Miletus), żyjący w VII-VI w. p.n.e. Obserwował on trzy stany wody: gazowy (para), ciekły (płyn) i stały (lód), po czym wysunął hipotezę[2], że „wszystko jest wodą" i podlega zmianom fizycznym. Rozważał też własności trójkąta równo-ramiennego (ang. isosceles triangle); jest autorem znanych nam dziś z geometrii pięciu „twierdzeń Talesa". Obliczał wysokość piramid egipskich na podstawie długości rzucanego przez nie cienia.

Sto lat później, w VI wieku p.n.e., w Krotonie, greckiej kolonii w południowej Italii, istniało koło pitagorejczyków, skupionych wokół matematyka i filozofa **Pitagorasa z Samos** (gr. *Pythagoras*, ang. Pythagoras of Samos). Pitagorejczycy uważali, że zajmowanie się pracą naukową „oczyszcza duszę". Do dziś w geometrii przetrwało „twierdzenie Pitagorasa" dotyczące obliczania długości boków trójkąta prostokątnego (ang. right angle): $a^2 + b^2 = c^2$. W kręgu pitagorejczyków powstała tabliczka mnożenia (ang. multiplication table) od 1 do 100, np. 1 x 2 = 2, 2 x 2 = 4, 3 x 2 = 6, 4 x 2 = 8, 5 x 2 = 10 itd. Pitagoras jako pierwszy wysunął tezę, że Ziemia jest kulista [p. też Odrodzenie (Kopernik)].

Budowa utworów Homera

Przeczytaj znajdujący się w Wypisach fragment eposu Homera pt. **„Iliada" (Pieśń 1. Inwokacja)**, w. 1-12. Wskaż w tekście osobę, do której zwraca się poeta (znajdziesz ją w pierwszym wersie). Czego jeszcze dowiadujemy się z początkowego fragmentu tekstu? [odpowiedz teraz]

A zatem – czym jest i n w o k a c j a?

---

[1] **Heinrich Schliemann** – (1822-1890). Miał 7 lat, gdy w książce, którą dostał od ojca, zobaczył rysunek płonącej Troi. Obraz ten głęboko zapadł mu w pamięci. Gdy w wieku 14 lat przyuczał się do zawodu sprzedawcy, po raz pierwszy usłyszał w sklepie recytację utworu Homera w języku greckim. Obydwa fakty wpłynęły na silne postanowienie poznania tajemniczej Grecji. Mając 46 lat zaczął realizować dziecięce marzenia. Po pięciu latach prowadzenia prac archeologicznych odnalazł Troję.

[2] **hipoteza** – przypuszczenie; gr. *hypothesis*

> **Inwokacja** to o t w a r c i e utworu poetyckiego, zawierające ekspozycję dzieła i wezwanie autora o pomoc w jego tworzeniu. Prośba taka może być skierowana do bóstwa, muzy, idei lub istoty nadprzyrodzonej.

Zauważ, że już w czasach starożytnych p i s a n i e u w a ż a n o z a a k t n a - t c h n i o n y, w którym istnieje p o r o z u m i e n i e między artystą a istotą wyższą (tj. bóstwem, muzą, a potem – w czasach chrześcijańskich – Bogiem lub Matką Boską). Elementem inwokacji jest a p o s t r o f a.

> **Apostrofa** to b e z p o ś r e d n i e zwrócenie się poety do bóstwa, muzy, idei lub istoty nadprzyrodzonej.

Przykłady:

W „Iliadzie" Homera apostrofą są następujące słowa: „Gniew, b o g i n i, opiewaj Achilla..."[1]

W „Odysei" Homera apostrofą są słowa: „M u z o! męża wyśpiewaj, co święty gród Troi / Zburzywszy, długo błądził [...]/ Jak było? Powiedz, córo Diosa, coś o tem!"

Następcy Homera również stosowali inwokacje z apostrofami. Wymieńmy tutaj dwa przykłady z zakresu literatury polskiej:

[t. I] W „Wojnie chocimskiej" Wacława Potockiego apostrofą są słowa: „B o ż e! którego nieba, ziemie, morza chwalą, [...] / Ciebie proszę, abyś [...] / Szczęścić raczył."

[t. II] W „Panu Tadeuszu" Adama Mickiewicza odnajdujemy w inwokacji dwie apostrofy: 1) apostrofę pomocniczą: „L i t w o! O j c z y z n o m o j a! ty jesteś jak zdrowie; / Ile cię trzeba cenić, ten tylko się dowie, / Kto cię stracił" oraz 2) apostrofę główną: „P a n n o ś w i ę t a, co Jasnej bronisz Częstochowy / I w Ostrej świecisz Bramie! [...] / Tymczasem przenoś moją duszę utęsknioną..."

Lektura uzupełniająca. Przeczytaj fragmenty „Iliady" Homera (**Pieśń 18. Tarcza Achillesa**), w. 480-617. Skomentuj sposób opisania tarczy Achillesa. Czy jest to opis statyczny, czy dynamiczny? Czy ten sposób prezentacji tarczy uważasz za ciekawy? Uzasadnij odpowiedź.

Lektura uzupełniająca. Przeczytaj fragment „Odysei" Homera (**Pieśń 9. W jaskini Kyklopa**), w. 109-496. Jest w nim mowa o jednej z wielu przygód, jakie miał Odyseusz w drodze z wojny trojańskiej do domu. Jak wyglądał i jak zachowywał się Kyklop[2]? W jaki sposób Odyseusz zdołał go pokonać?

---

[1] współcześnie powiedzielibyśmy: „B o g i n i, opowiadaj o gniewie Achillesa..."
[2] **Kyklop** lub **Cyklop** – potwór o jednym oku; gr. **Kyklops** – okrągłooki; od gr. *kyklos* – krąg i od gr. *ops* – oko; łac. *Cyclops*; ang. Cyclops.

Akcja „Iliady" i „Odysei" rozrasta się w miarę czytania – dzięki opisom przedmiotów, np. złotej tarczy Achillesa wykutej przez boga Hefajstosa, relacjom z narad wojennych, opowieściom retrospektywnym[1]. Niezwykle żywa i plastyczna jest narracja – czytelnik ma wrażenie, że widzi sceny bitewne, słyszy okrzyki ludzi i szczęk broni. Słynne są tzw. **porównania homeryckie**, w których drugi człon jest samodzielnym obrazem; często taki szeroki opis wstrzymuje akcję, ale za to dostarcza czytelnikowi przyjemności estetycznych. Rytm **heksametru**[2] będzie przez kontynuatorów kunsztu Homera stosowany w funkcji stylizacyjnej, w celu podkreślenia powagi utworu.

Do tematu porównań homeryckich oraz heksametru powrócimy w dalszej części podręcznika, gdy będziemy poznawać twórczość rzymskich, a potem polskich poetów.

Twórcze nawiązania do osiągnięć wybitnych poprzedników są częścią składową **tradycji literackiej** (w szerszym znaczeniu: **tradycji kulturowej**).

Tradycja literacka to wybitne osiągnięcia literackie, przejmowane przez autorów w kolejnych epokach i stanowiące o twórczej ciągłości narodów. W skład tradycji literackiej wchodzą tematy, motywy, idee, wartości, gatunki literackie (ich kontynuacje lub rozbijanie), a także koncepcje bohatera, wersyfikacja, metaforyka itd. Nawiązania są na ogół świadome, wynikają z oczytania pisarza, jego wiedzy ogólnej oraz uzdolnień. Wyrobiony czytelnik potrafi właściwie odczytać sens utworu i odebrać sygnały nawiązań do tradycji literackiej.

Tradycja kulturowa jest pojęciem szerszym niż tradycja literacka. Poza literaturą obejmuje jeszcze takie dziedziny działalności ludzkiej, jak muzyka, malarstwo, architektura, rzeźba, tańce, zwyczaje ludowe, wspólnota poglądów, religia, związek z miejscem zamieszkania przodków itd. Świadomość przynależności do tradycji kulturowej czyni ludzi bogatszymi intelektualnie i duchowo.

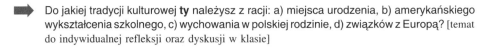 Do jakiej tradycji kulturowej ty należysz z racji: a) miejsca urodzenia, b) amerykańskiego wykształcenia szkolnego, c) wychowania w polskiej rodzinie, d) związków z Europą? [temat do indywidualnej refleksji oraz dyskusji w klasie]

 Czy założyłeś już MÓJ PRYWATNY SŁOWNIK JĘZYKA POLSKIEGO? Wpisz do niego kolejne wyrazy, które uważasz za trudne. Objaśnij je. Pamiętaj, że s y s t e m a t y c z - n o ś ć i w y t r w a ł o ś ć to ważne cechy w procesie uczenia się!

Praca z mapą

 Odszukaj na fizycznej mapie Europy:
• **Troję** (tur. Truva) w dzisiejszej Turcji i wyspę **Itakę** na Morzu Jońskim,
• wyspę **Samos** u wybrzeży Turcji, miasto **Milet** na lądzie w pobliżu tej wyspy i miasto Kroton na płd. stronie włoskiego „buta",

---

[1] **retrospektywne** – ukazujące przeszłość; od łac. *retrospicere* – spoglądać w tył; ang. retrospective.
[2] **heksametr** – miara wierszowa złożona z sześciu stóp (tj. specjalnego układu sylab)); gr. *heksametros*; od gr. *heks* – sześć i od gr. *metron* – miara.

- górę **Olimp** (ang. Mt. Olympus), która znajduje się na północ od miasta Larisa, blisko Morza Egejskiego, w masywie górskim w północnej Grecji oddzielającym Tesalię od Macedonii – jest to najwyższa góra Grecji (2917 m n.p.m. / 9571 ft); zwróć uwagę, że istnieje kilka szczytów o nazwie Olimp, ale – według wskazówek zawartych w ,,Iliadzie'' Homera – to właśnie tutaj znajdowała się siedziba bogów greckich.

LIRYKA I DRAMAT ANTYCZNY. PERYKLES – ZŁOTY WIEK ATEN – PARTENON. FILOZOFOWIE ATEŃSCY. TEATR JAKO SZTUKA

Po eposach (epice) Homera przyszła kolej na **lirykę** grecką. Jej narodziny przypadają na VII wiek p.n.e.

- Za największą poetkę starożytnej Grecji uważamy **Safonę** (gr. i ang. Sappho), która żyła na wyspie Lesbos i pisała subtelne wiersze. Skupiała wokół siebie piękne dziewczęta, dbając o ich wychowanie i wykształcenie muzyczne. Safonę i dziewczęta łączyła przyjaźń, która w późniejszych wiekach została źle zinterpretowana i dziś kojarzy nam się z odmianą miłości.
- W tym samym czasie co Safona żył w mieście Sparta poeta **Tyrtajos** (inaczej Tyrteusz, gr. i ang. *Tyrtaeus*), piszący patriotyczne wiersze. Jego utwory zagrzewały Spartan do walki. Od imienia autora wywodzi się nazwa **poezji tyrtejskiej**, która w późniejszej polskiej rzeczywistości nawoływała do waleczności i poświęcenia życia w o b r o n i e kraju. Do pojęcia ,,poezji tyrtejskiej'' wrócimy omawiając utwory polskiego Romantyzmu.
- Interesującym poetą był **Anakreont** (gr. i ang. *Anacreon*), żyjący w VI wieku p.n.e. Związany z dworskim życiem tyranów[1] (na wyspie Samos, a potem w Atenach) pisał krótkie wierszyki o tematyce miłosnej i biesiadnej[2]. Od imienia twórcy nazywamy je **anakreontykami**.

Lektura uzupełniająca

Przeczytaj zamieszczone w Wypisach drobne utwory **Safony, Tyrtajosa i Anakreonta**. Jaką tematykę podejmowali w swych utworach wymienieni poeci?

Wkrótce dominującym rodzajem literatury stał się **dramat antyczny**. Reprezentują go tacy wielcy tragicy greccy, jak **Sofokles** (gr. i ang. *Sophocles*), **Ajschylos** (gr. i ang. *Aeschylus*) i **Eurypides** (gr. i ang. *Euripides*). Tworzyli oni w V wieku p.n.e., w tzw. z ł o t y m   o k r e s i e   A t e n.

*

---

[1] **tyran** – władca, despota, dyktator; od gr. *tyrannos* – władca, król; ang. tyrant.
[2] **biesiadna**, od **biesiada** – książk. uczta, przyjęcie, bankiet, często połączone z recytacją poezji lub grą na instrumencie muzycznym.

Zajrzyjmy na chwilę do s t a r o ż y t n y c h A t e n. Do rozwoju potężnego miasta-państwa (ang. city-state) przyczynił się wódz **Perykles** (gr. i ang. *Pericles*, 495-429 p.n.e.). Na jego polecenie przebudowano zaniedbane dzielnice, a **na wzgórzu Akropol[1] wzniesiono świątynię Partenon[2]**, która po dziś dzień jest symbolem świetności Aten i całej Grecji. Partenon został poświęcony Atenie, opiekunce miasta. Jest to wspaniałe dzieło architektury w stylu d o r y c k i m, autorstwa architektów Iktinosa i Kallikratesa[3]; w środku budowli znajdowały się rzeźby wykonane przez największego rzeźbiarza wszechczasów **Fidiasza[4]** (gr. *Pheidias*, ang. Phidias). W V wieku n.e. pogańska świątynia Partenon została przemianowana na kościół chrześcijański, a w 1460 roku – na meczet islamski. Daje to pewne pojęcie o burzliwej historii Aten. Partenon przetrwał w dobrym stanie do 1687 roku, kiedy to Wenecjanie walcząc z Turkami, którzy zajmowali ten teren, wysadzili proch składowany wewnątrz świątyni. Dziś Partenon nadal góruje nad Atenami, ściągając tłumy turystów z całego świata. Budowlę poddaje się renowacji, w związku z czym rzeźby i pozostałe elementy wyposażenia znajdują się nie wewnątrz Partenonu, ale w muzeum obok, gdzie można je podziwiać. Niestety, nie dotrwał do naszych czasów wielki posąg Ateny, wykonany przez Fidiasza z kości słoniowej (ang. ivory) i jednej tony złota (ang. gold; 1 long ton = 2240 pounds). Posąg mierzył 12 m (39 feet) i jeszcze dotąd w podłodze świątyni widoczny jest otwór, w którym znajdowały się fundamenty statui. Ogromny posąg Ateny zabrano do Konstantynopola, gdzie później uległ zniszczeniu.

Wielki wódz Perykles miał wizję miasta, po którym spacerują poeci i filozofowie, i potrafił swoje plany wprowadzić w czyn. Po wzniesieniu wspaniałych budowli obywatele Aten przyjęli i praktykowali d e m o k r a t y c z n e[5] formy rządzenia miastem-państwem. Tutaj wielcy filozofowie ateńscy, tacy jak **Sokrates**

---

[1] **Akropol** – górne miasto; gr. *akropolis*; od gr. *akros* – najwyższy i od gr. *polis* – miasto; ang. Acropolis. Porównaj przy okazji słowa pochodzące od gr. *polis*: policja, polityka, metropolia.

[2] **Partenon** – świątynia grecka poświęcona bogini wojny i mądrości Atenie, od której imienia wywodzi się nazwa miasta Ateny: gr. *Athina* lub *Athenai*, ang. Athens; gr. *Parthenon*, od gr. *parthenos* – dziewica Atena; ang. Parthenon.

[3] ang. Ictinus and Callicrates.

[4] **Fidiasz** – (ok. 490-420 r. p.n.e). Był genialnym rzeźbiarzem oraz doradcą artystycznym Peryklesa do spraw przebudowy akroplu. Stworzył wiele innych dzieł, m.in. posąg Zeusa Olimpijskiego, zaliczany do siedmiu cudów starożytnego świata. Posąg Zeusa siedzącego na tronie był o 1 m (3,28 ft) wyższy od posągu Ateny. Został wykonany z kości słoniowej i złota, z dodatkiem szlachetnych i półszlachetnych kamieni oraz drzewa cedrowego i hebanowego, i też zagrabiony później do Konstantynopola. Tam spłonął w czasie pożaru miasta. Jak wielu wybitnych ludzi, Fidiasz miał przeciwników. Oskarżyli go oni o zagrabienie materiałów rzeźbiarskich i skazali na więzienie, a potem wygnali do miasta Elea na Peloponezie, gdzie artysta zmarł.

[5] **demokratyczne** – oparte na demokracji, czyli takiej formie rządzenia, w której władza jest w rękach w s z y s t k i c h l u d z i. Pojęcie **demokracja** jest w opozycji do rządów j e d n o s t k i (tyrania lub monarchia), rządów ludzi b o g a t y c h (oligarchnia), rządów s t a r c ó w (gerontokracja) itd. Warto przy okazji zaznaczyć, ze w d e m o k r a t y c z n y c h Atenach nie dopuszczano do udziału w rządach ani kobiet, ani niewolników – wiele się zatem zmieniło od tego czasu; gr. *demokratia* – demokracja; od gr. *demos* – lud i od gr. *katos* – władza.

Zabudowa wzgórza Akropol w Atenach (rekonstrukcja). Po prawej stronie, wysoko, Partenon

Wzgórze Akropol – stan obecny. Fot.: Agencja BE&W

(gr. i ang. *Socrates*), **Platon** (gr. i ang. *Plato*) i **Arystoteles** (gr. *Aristoteles*, ang. Aristotle) rozważali tajemnice bytu i niekiedy ginęli w obronie prawdy (głośna była sprawa śmierci Sokratesa, który wolał wypić truciznę niż wyrzec się swoich przekonań). W 387 roku p.n.e. Platon, uczeń Sokratesa, założył pierwszą szkołę filozoficzną i nazwał ją **akademia** (gr. *Akademeia*). Znajdowała się ona w gaju Akademosa[1] (stąd nazwa) i istniała do 529 roku n.e. W 335 roku p.n.e. Arystoteles, uczeń Platona, otworzył w Atenach kolejną szkołę, tzw. **liceum** (gr. *Lykeion*, łac. *Lyceum*). Nazwa pochodzi od *Lykeios*, przydomka Apollina, greckiego boga światła. Była to szkoła perypatetycka[2], w której rozmyślano i dyskutowano w czasie przechadzki.

*

Grecja dała kulturze światowej **teatr** (gr. *theatron*, łac. *theatrum*, ang. theatre). U podnóża Akropolu wciąż czynny jest teatr Dionizosa, w którym odbywają się przedstawienia. Do dziś w całej Grecji podziwiać można dziesiątki amfiteatrów starożytnych, najlepiej z nich zachowany jest *theatron* w Epidauros (gr. *Epidauros*, ang. Epidaurus), na półwyspie Peloponez. Położony wśród zieleni półkolisty amfiteatr ma doskonałą akustykę [czyt. akustykę]. Na scenie zaznaczona jest przestrzeń, z której aktorzy wygłaszali kwestie – mimo braku mikrofonów 15-tysięczna widownia słyszała nawet ich szepty! Fascynującą próbę akustyczną może dziś przeprowadzić każdy turysta.

Teatr grecki wywodzi się z religijnych rytuałów związanych ze składaniem hołdów bogom. W perspektywie historycznej ważne okazały się ceremonie ku czci **Dionizosa**, boga wina i biesiad (gr. *Dionysos*, ang. Dionysus), w czasie których chór śpiewał pieśni dytyrambiczne[3]. Zdarzyło się, że w VI w. p.n.e., w czasie wykonywania dytyrambu, przed chór wystąpił niejaki **Tespis** (gr. i ang. *Thespis*) i zamiast opowiadać lub śpiewać o bohaterze s a m s t a ł s i ę b o h a t e r e m i prowadził dialog z chórem. Tak narodził się pierwszy aktor i – teatr. 100 lat później, tj. w V wieku p.n.e., tragediopisarz Ajschylos wprowadził **dwóch**, a Sofokles **trzech aktorów** mogących być jednocześnie na scenie. Grali tylko mężczyźni ze szlachetnych rodów. (W starożytnym Rzymie aktorami będą niewolnicy.) Aktorzy używali wyrazistych masek oraz butów na koturnach, żeby się podwyższyć. Sofokles jako pierwszy wprowadził do przedstawienia **postać kobiecą** – odtwarzał ją młody chłopiec! Z boku sceny stał zawsze męski **chór** (gr. *choros*, łac. *chorus*, ang. choir), który swoim śpiewem zapowiadał lub komentował wydarzenia.

Wymieńmy trzech najsłynniejszych tragediopisarzy greckich i tytuły ich niektórych utworów: **Ajschylos** (gr. i ang. *Aeschylus*) – „Prometeusz w okowach"

---

[1] *Akademos* – heros Akademos z mitologi greckiej; **heros** to półbóg, którego jeden z rodziców był bogiem, a drugi – człowiekiem.

[2] **perypatetycka**, od **perypatetyk** – tak nazywano Arystotelesa i jego uczniów, dyskutujących na tematy filozoficzne, podczas przechadzania się po ogrodzie; od gr. *peripatetikos* – przechadzający się, spacerujący; od gr. *peri* – koło, okrąg i od gr. *patein* – chodzić; ang. peripatetic.

[3] śpiew **dytrymbiczny**, od **dytyramb** – w starożytnej Grecji uroczysta pieśń ku czci boga Dionizosa, śpiewana przez chór złożony z 50 mężczyzn; gr. *dithyrambos*; ang. dithyramb. Dziś „dytyramb" używany jest w znaczeniu przenośnym i oznacza utwór przesadnie pochwalny lub entuzjastyczny.

Teatr w Epidauros – stan obecny. Fot.: Elżbieta Sęczykowska

i „Oresteja", **Sofokles** (gr. i ang. *Sophocles*) – „Antygona" i „Król Edyp" oraz **Eurypides** (gr. i ang. *Euripides*) – „Medea" i „Ifigenia". W wymienionych utworach tragicy rozwijali tematy podjęte wcześniej przez Homera, a także przetwarzali inne ustne przekazy. Następowała dalsza popularyzacja tematyki mitologicznej.

Poza tragediami pojawiły się **komedie**. Największym komediopisarzem starożytnej Grecji był **Arystofanes** (gr. i ang. *Aristophanes*), autor „Chmur" i „Lizystraty". W przeciwieństwie do tragików Arystofanes podejmował w swych utworach tematy a k t u a l n e i ośmieszał, czasem niesprawiedliwie, znane osoby z życia publicznego, np. Sokratesa i Eurypidesa.

Lektura uzupełniająca

 Przeczytaj fragment **„Antygony"** Sofoklesa w trzech wersjach przekładowych. Skomentuj wynik pracy tłumaczy.

Praca z mapą

 Na fizycznej mapie Europy:
- odszukaj ponownie Ateny i Spartę – dwa miasta, które rywalizowały ze sobą,
- pokaż wyspy Lesbos i Samos na Morzu Egejskim i miasto Epidauros na Półwyspie Peloponez.

Kolumny greckie: dorycka, jońska i koryncka. Nazwy pierwszej i drugiej pochodzą od nazw greckich plemion – dorów, mieszkających na południu Grecji, i Jonów, do których należeli m.in. Ateńczycy, nazwa trzeciej – od greckiego miasta Korynt.

Czy wiesz, że...

pierwsza **olimpiada starożytna** odbyła się w **776 r. p.n.e.** w miejscowości Olympia, w zachodniej części Peloponezu? Konkurencje sportowe rozgrywane były co cztery lata aż do 393 r. n.e., kiedy to zlikwidował je cesarz rzymski Teodozjusz I, uważając zawody za przeżytek pogański. Minęło 15 wieków i dopiero w **1896 roku** rozegrano w Atenach pierwszą **olimpiadę nowożytną**. Odrodzenie idei olimpijskiej zawdzięczamy baronowi francuskiemu o nazwisku Pierre de Coubertin.

Style architektoniczne w Grecji

W starożytnej Grecji istniały **trzy porządki architektoniczne** (ang. orders of architecture). Najłatwiej rozpoznać je po wyglądzie kolumn:
- kolumna w **stylu doryckim** jest pogrubiona, ma prostą, niekiedy malowaną głowicę, nie posiada podstawy
- kolumna w **stylu jońskim** jest smukła, głowica ma kształt zwojów przypominających skorupę ślimaka, oparta jest na podstawie
- kolumna w **stylu koryncikim** jest również smukła, wyróżnia ją ozdobna głowica pokryta liśćmi akantu[1], oparta jest na podstawie

Czy wiesz, że...

wytrawnym znawcą architektury klasycznej był **Thomas Jefferson**, autor „Declaration of Independence" z 1776 roku i trzeci prezydent amerykański?
    Z wykształcenia prawnik, z zamiłowania architekt, Jefferson zbudował kolumnadę w swoim ukochanym domu Monticello w stanie Virginia, a także wprowadził kolumny do planów White House w Washington, DC. Głównym architektem White House był Irlandczyk James Hoban – to jego plan realizowano od 1790 roku. W 1824 roku Hoban dobudował od

---

[1] **akant** – roślina zwana niekiedy „niedźwiedzią łapą" ze względu na kształt liści; gr. *akanthos*.

strony południowej portyk[1]. Obecnie z tej strony mieści się Diplomatic Reception Room. Andrew Jackson został prezydentem w 1829 roku i wraz z Hobanem przystąpił do budowy kolumnady od strony północnej (wejście główne). Zasłużony architekt James Hoban zmarł w 1831 roku, pozostawiwszy po sobie dzieło, które należy dziś do najważniejszych amerykańskich symboli patriotycznych.

➡ Wypożycz album o White House i przyjrzyj się kolumnom na zewnątrz i w środku budynku. Do jakiego porządku architektonicznego je zaliczysz? Przypomnij sobie, w jakim stylu architekci Iktinos i Kallikrates zbudowali Partenon w Atenach.

Rodzaje i gatunki literackie

W czasach starożytnych wykształciła się klasyfikacja literatury, która w ogólnych zarysach przetrwała do dzisiaj. A zatem literaturę dzielimy na trzy rodzaje: **epikę, lirykę i dramat.** Każdy rodzaj dzieli się na **gatunki**.

Epika to rodzaj literacki obejmujący utwory, w których ukazane są z d a r z e n i a. W utworze epickim ważną funkcję pełni n a r r a t o r (czyli podmiot literacki), który wprowadza i opisuje b o h a t e r ó w (czyli postacie). Zdarzenia składają się na f a b u ł ę (układ zdarzeń) – j e d n o w ą t k o w ą (w noweli) lub w i e l o w ą t k o w ą (w powieści). Formą podawczą jest o p o w i a d a n i e lub o p i s. Prototypem epiki było ustne przedstawienie wydarzeń mających miejsce w przeszłości. Utwory epickie pisane są prozą lub wierszem.

W skład epiki wchodzą takie gatunki literackie, jak **epopeja (epos), kronika, powieść**[2], **opowiadanie**[3]**, nowela**[4]**, pamiętnik, dziennik, baśń, bajka, satyra, legenda, przypowieść, mit i anegdota. Powieść poetycka i ballada** mają cechy epicko-liryczne. Na pograniczu literacko-publicystyczno-naukowym znajdują się **traktat, rozprawa, esej, artykuł, felieton.**

---

[1] **portyk** – wejście do budynku z dachem wspartym na kolumnach; łac. *porticus*; ang. portico.

[2] **powieść** – długi utwór prozą, zawierający wiele wątków; ang. nowel, that is, a long story with a few plots that are unfolded by the actions, speech, and thoughts of the characters.

[3] **opowiadanie** – krótki utwór prozą, zawierający zwykle jeden wątek i charakteryzujący się dużą swobodą kompozycyjną (tym się różni od noweli, patrz niżej); ang. story.

[4] **nowela** – krótki utwór prozą, zawierający jeden wątek i wyraziście zarysowaną akcję; ang. short story.

➡ Zwróć uwagę, że po angielsku **novel** i po polsku **nowela** to r ó ż n e gatunki epickie!

Liryka to <u>rodzaj literacki</u> obejmujący utwory, które ukazują n a s t r o j e , u c z u c i a
i r e f l e k s j e poety. P o d m i o t l i r y c z n y (odpowiednik narratora) jest często
również b o h a t e r e m l i r y c z n y m (główną postacią wiersza). W utworach lirycz-
nych nie ma akcji rozumianej jako ciąg przyczyn i skutków, poeta koncentruje się tu na
s y t u a c j i w y w o ł u j ą c e j e m o c j e i n a s t r o j e. Formą podawczą jest zwykle
m o n o l o g, zawierający wynurzenia podmiotu lirycznego. Utwory liryczne mogą być
pisane wierszem tradycyjnym (z rymem i rytmem) lub wierszem białym (bezrymowym),
a także dzielić się na wersy (linijki) i strofy (zwrotki). Język liryczny jest skonden-
sowany, cechuje go nagromadzenie środków stylistycznych (metafor, porównań, epite-
tów itd.). Prototypem liryki były starożytne formy obrzędowe. Ze względu na sytuację
podmiotu lirycznego lirykę dzielimy na b e z p o ś r e d n i ą (pokazanie osobistego
„ja") i p o ś r e d n i ą (ukrywanie „ja"). Ze względu na podejmowany temat możemy
wyróżnić lirykę m i ł o s n ą , p a t r i o t y c z n ą , r e l i g i j n ą , s p o ł e c z n ą , r e -
f l e k s y j n ą i o p i s o w ą.
W skład liryki wchodzą takie <u>gatunki literackie</u>, jak **pieśń, tren, psalm, hymn, elegia**[1],
oda, fraszka, epigramat[2]**, anakreontyk, erotyk i sonet. Gatunek o nazwie sielanka**
ma cechy liryczno-dramatyczne.

Dramat to <u>rodzaj literacki</u> obejmujący utwory przeznaczone do wystawienia na scenie.
Podstawowym wyróżnikiem dramatu jest a k c j a b e z p o ś r e d n i a, ukazująca
bohaterów w działaniu. Formą podawczą są m o n o l o g i i d i a l o g i. Nie istnieje narrator, jego funkcję pełnią d i d a s k a l i a, czyli tekst poboczny zawierający
wskazówki dla reżysera. Utwór podzielony jest na akty, sceny i odsłony. W sztukach
scenicznych obowiązuje zasada k o n f l i k t u d r a m a t y c z n e g o, w którym ście-
rają się sprzeczne siły lub idee. Konflikt dramatyczny współtworzą trzy istotne
elementy: wolno budowane napięcie, kulminacja oraz rozwiązanie. Prototypem dramatu były starogreckie obrzędy religijne ku czci boga Dionizosa. Utwory dramatyczne
pisane są wierszem lub prozą. W Starożytności w skład dramatu wchodziły <u>dwa gatunki
literackie</u>: **tragedia** (gdy bohater postawiony wobec konfliktu musiał zginąć bez
względu na to, jakiego dokonał wyboru) i **komedia**. W ciągu wieków wykształciło się
wiele odmian tematycznych i kompozycyjnych dramatu: **jasełka, misterium, mo-
ralitet, opera, operetka, dramat właściwy** (łączący elementy tragedii i komedii),
**musical, melodramat, groteska, farsa, słuchowisko radiowe, przedstawienie tele-
wizyjne i happening**.

Trzy jedności w dramacie greckim

Do ważniejszych elementów dramatu antycznego zaliczamy tzw. trzy jedności – miejsca,
czasu i akcji. Wyjaśnijmy bliżej te pojęcia:

---

[1] **elegia** – utwór utrzymany w tonie smutnym; od gr. *elegos* – pieśń żałobna.
[2] **epigramat** – napis na nagrobku lub pomniku; od gr. *epigramma* – napis.

- **Jedność miejsca** – akcja rozgrywała się w jednym miejscu, np. na dziedzińcu pałacowym, i widzowie oglądali bohaterów tylko w tej scenerii. O wydarzeniach, które miały miejsce gdzie indziej, widzowie dowiadywali się z relacji przybywających postaci. Najczęściej byli to posłańcy.
- **Jedność czasu** – czas akcji równał się czasowi przedstawienia. W niektórych sztukach akcja trwała kilka godzin, a nawet parę dni.
- **Jedność akcji** – w czasie przedstawienia koncentrowano się na jednym wątku fabularnym, np. na jednym wydarzeniu.

Jak myślisz, czym był dla Greków teatr?

Przypomnij sobie, że budynek teatralny nie miał dachu i znajdował się wśród zieleni, a klimat grecki jest przecież wyjątkowo ciepły. Na widowni byli prawdopodobnie sami mężczyźni, choć jeden zapis podaje, iż oglądająca tragedię kobieta przestraszyła się i zaczęła przedwcześnie rodzić dziecko. Teatr wywodził się z kultu boga Dionizosa, na którego cześć pito wino. Czy – z naszej perspektywy – nie wygląda to na festiwal albo piknik? Na marginesie dodajmy, że w czasach największego rozwoju tragedii greckiej popularne były w Atenach konkursy przedstawień (ang. competition). To one wyłoniły najlepszych autorów, m.in. znanych nam Ajschylosa, Sofoklesa i Eurypidesa.

MOTYWY MITOLOGICZNE W LITERATURZE GRECKIEJ

Literatura grecka prezentuje bogatą galerię bogów, herosów i ludzi. W odniesieniu do bohaterów tej literatury używa się niekiedy określenia: **bogowie jak ludzie, ludzie jak bogowie**. Wskazuje ono, że bogowie greccy – tak jak zwykli śmiertelnicy – mieli pragnienia i żądze, siłę i słabość, kochali, rywalizowali ze sobą, snuli intrygi, nienawidzili i mścili się. Dawali się przekupić i zmieniali podjęte decyzje.

Przyjrzyjmy się kilku postaciom z mitologii greckiej i pojęciom, które się z nimi kojarzą:

- **Achilles** – to bohater „Iliady" Homera. Był synem Peleusa i Tetydy. Miał naturę porywczą i namiętną, umiał kochać i był prawdomówny. Stanowi prototyp męskiej odwagi i urody. Był prawie doskonały, ale miał jeden słaby punkt – swoją piętę. Pewnego razu matka wykąpała go w świętej rzece Styks, by uodpornić jego ciało na ciosy. Zanurzywszy syna w wodzie trzymała go za piętę, która nie została obmyta cudowną wodą. Achilles zginął pod koniec wojny trojańskiej, bo Parys ugodził go strzałą w tę właśnie niezabezpieczoną piętę.

  Dziś istnieje pojęcie **pięta Achillesa** (ang. Achilles' heel) na oznaczenie słabej, czułej strony.

- **Syzyf** – był okrutnym królem Koryntu, bogowie uważali go za najchytrzejszego z ludzi (wg innej wersji – Syzyf miał półboskie pochodzenie). Za jego liczne sprawki Zeus skazał go na pokutę, o której Odyseusz mówił w „Odysei" w następujący sposób: „I Syzyfa widziałem cierpiącego srodze. Oburącz dźwigał głaz olbrzymi. Zapierając się rękami i nogami, pchał go pod górę, ale kiedy był już u szczytu, bezwstydny głaz odwracał się i własnym ciężarem znów spadał w dół. A on znów, napięty jak łuk, toczył go w górę, ciało oblewało się potem, głowa dymiła kurzem"[1].

Do dzisiejszego dnia powiedzenie **syzyfowa praca** (ang. Sisyphus' eternal punishment) oznacza wciąż ponawiane, bezskuteczne wysiłki. W kulturze polskiej określenie to rozsławił pisarz Stefan Żeromski, który w 1897 (1898) roku wydał autobiograficzną powieść pt. ,,Syzyfowe prace". Akcja utworu toczy się pod zaborami. Rolę Syzyfa odgrywa tu rosyjska administracja szkolna, której mimo wysiłków nie udaje się osiągnąć celu – rusyfikacji polskiej młodzieży.

- **Herakles** (w wersji rzymskiej Herkules) – syn Zeusa i Alkmeny, odznaczał się zarówno nadludzką siłą i odwagą, jak i porywczością, która okazała się tragiczna w skutkach. Hera, żona Zeusa, nienawidziła Heraklesa, bo był nieślubnym synem jej męża. Dlatego gdy się urodził, posłała dwa węże, aby go zabiły, ale dzielne niemowlę udusiło je. W dzieciństwie Herakles zabił Hydrę, potwora o wielu głowach, które po ścięciu odrastały.

Do siły bohatera nawiąże w 1820 roku Adam Mickiewicz w wierszu pt. ,,Oda do młodości": ,,Dzieckiem w kolebce kto łeb urwał Hydrze, ten młody zdusi Centaury"; w ten sposób polski poeta wzywał swoje pokolenie do hartowania ducha i do działania przeciwko rosyjskiemu zaborcy.

Zazdrość Hery prześladowała Heraklesa przez całe życie. Ona wywołała w nim napad szału, w którym zabił swoją żonę i dzieci, za co, zgodnie z wyrocznią, musiał odpokutować. Aby zmyć winę zbrodni, wykonał 12 trudnych prac, do których liczne nawiązania znajdujemy w literaturze światowej. Najbardziej znana jest praca czyszczenia stajni Augiasza. Augiasz był królem Elidy i posiadał 3000 sztuk bydła w stajniach nie czyszczonych od 30 lat. Herakles miał je doprowadzić do porządku w ciągu jednej doby i dokonał tego, przepuszczając przez nie spiętrzone wody rzek Alfejos i Penejos.

Zwrot **oczyścić stajnie Augiasza** (ang. to cleanse the Augean stables) znaczy uporać się z bałaganem, wielkim nieporządkiem lub – w kontekście politycznym – z korupcją[2].

*

Przeogromna jest skarbnica mitów greckich. Z nich wywodzą się i d e e (myśli), a r c h e t y p y (postawy i działania ludzkie) oraz t o p o s y (motywy w literaturze). Zauważ, że w opowieści mitycznej nie znajdujemy prostych pouczeń ani bezpośrednich wskazówek. Mamy za to do czynienia z pojęciami i ideami wyrażonymi za pomocą metafor i symboli. W pierwszym przykładzie nie interesuje nas **pięta Achillesa** jako fizyczna część ciała bohatera, ale jako pojęcie słabej strony, czułego punktu; w **pracy Syzyfa** dźwigającego głaz nie przyczyna kary jest ważna, ale bezowocność włożonego w pracę wysiłku; **stajnie Augiasza** wyrażają wielkie zaniedbanie lub zło, z którym trzeba się uporać.

---

[1] tłumaczenie Jana Parandowskiego.
[2] **korupcja** – przekupstwo, sprzedajność; od łac. *corruptio* – zepsucie, skażenie; ang. corruption.

Poszerzenie wiadomości

W kulturze polskiej, amerykańskiej i innych, które wywodzą się z europejskiej kultury śródziemnomorskiej, znajduje się wiele odniesień do **mitologii i historii greckiej**. Powyżej omówiliśmy szczegółowo trzy przykłady, oto pobieżna charakterystyka następnych:

- **Ciemności Tartaru** – groza, straszne miejsce. Pojęcie odnosi się do najgłębszej części Hadesu, czyli greckiego świata podziemi, gdzie odbywano ciężkie kary.

  Porównaj z biblijnym piekłem – miejscem odbywania kary za grzechy.

  UWAGA: Naucz się oddzielać dwa różne źródła pojęć – MITOLOGIĘ GRECKĄ oraz CHRZEŚCIJAŃSKĄ BIBLIĘ. Ponadto spróbuj zapamiętać jak najwięcej haseł – przydadzą ci się!

- **Róg obfitości** – inaczej: róg Amaltei, atrybut[1] Dionizosa, boga wina, patrona płodności ziemi i obfitości. Był to stale napełniający się płodami ziemi ułamany róg kozy[2] Amaltei, która karmiła swoim mlekiem młodego Zeusa, gdy ten przebywał na Krecie. Zeus przypadkowo złamał kozie róg, dlatego później napełniał go owocami, nektarem i ambrozją[3].

  Róg obfitości jest częstym tematem malarskim. Ponadto pojawia się w USA jako motyw dekoracyjny w okolicach święta Thanksgiving Day.

- **Olimpijski spokój** – majestatyczny, natchniony. Dotyczy siedziby bogów na górze Olimp, w północnej części Grecji, koło miasta Larisa. Na ziemi były ciągłe intrygi i wojny, w których bogowie zachowywali się jak ludzie, ale Olimp był inny – tam zawsze panował niezakłócony spokój.

- **Prometeusz, prometejski** – Prometeusz to gigant[4], który z rydwanu Heliosa, boga słońca, ciepła i światła, wykradł iskierkę ognia i podarował ją ludziom, aby zmienić ich nędzny byt. Za karę Zeus rozkazał przykuć Prometeusza łańcuchami do skały na Kaukazie i nasłał orła, który wyszarpywał mu stale odrastającą wątrobę.
  Prometejski – znaczy śmiały, twórczy, buntowniczy, występujący w obronie praw ludzkości.

- **Puszka Pandory** – gdy Prometeusz wydarł bogu słońca ogień, mściwy Zeus nakazał Hefajstosowi, który zajmował się kowalstwem, ulepić z gliny pierwszą kobietę o imieniu Pandora (z gr. obdarzona wszystkim), a każdy z bogów miał

---

[1] **atrybut** – istotna cecha, właściwość, przedmiot charakteryzujący bohatera; łac. *attributum*.
[2] **koza** – ang. goat.
[3] **ambrozja** – pokarm bogów, dający im młodość i nieśmiertelność; gr. *ambrosia*.
[4] **gigant** – jolbrzym, wielkolud; gr. w Mianowniku – *Gigas*, w Dopełniaczu – *Gigantos*.

przygotować dla niej własny sposób na unieszczęśliwienie ludzi. Zeus zebrał ich „podarunki" i ofiarował kobiecie puszkę, którą ta miała przekazać mężowi w posagu. Mężem Pandory został Epimeteusz, brat Prometeusza. Gdy Epimeteusz otworzył puszkę, na świat wyfrunęły wszystkie nieszczęścia trapiące odtąd ludzi, z wyjątkiem Nadziei, która przywarła do dna.

Przenośnie **puszka Pandory** to źródło niekończących się kłopotów i nieszczęść.

Zwróć uwagę, że pierwszą kobietą wg mitologii greckiej była Pandora, natomiast wg Biblii – Ewa.

- **Dedal i Ikar** – ojciec i syn, uwięzieni przez króla Minosa na Krecie. Dedal był wynalazcą – wymyślił koło garncarskie, piłę i cyrkiel, a potem dla siebie i syna sporządził skrzydła z piór i wosku, żeby wydostać się z Krety[1] i powrócić do Grecji. Ikar wzniósł się za wysoko i słońce roztopiło spojenie piór, co było przyczyną jego śmierci.

Dedal jest uosobieniem wynalazczości (kreatywności), zaś **Ikar** – niezależnej myśli.

- **Koń trojański** – ogromny drewniany koń z ukrytymi wewnątrz wojownikami, którzy zniszczyli Troję [p. „Odyseja" Homera].

Przenośnie **koń trojański** to niebezpieczny podarunek, zdobycz przynosząca nieszczęście.

- **Olimpiada** – w starożytnej Grecji był to czteroletni okres m i ę d z y igrzyskami, ale my dziś określamy tak same igrzyska. Nazwa pochodzi od miejscowości Olimpia w zachodniej części półwyspu Peloponez, koło miasta Pyrgos, gdzie w 776 roku p.n.e. rozegrano pierwsze zawody.

- **Spartańskie wychowanie** – w starożytnej Sparcie wychowywanie dzieci podporządkowano prowadzeniu ustawicznych wojen. Matkom zabierano siedmioletnich synów i szkolono w obozach wojskowych do trzydziestego roku życia, gdzie w ciężkich warunkach hartowano ich na ból i niewygody i uczono podstępów.

Dziś wyrażenie to oznacza proste, surowe, hartujące wychowanie.

- **Z tarczą lub na tarczy** – śmierć na polu bitwy dawała Spartanom tytuł do chwały. Gdy syn szedł na wojnę, matka wręczała mu tarczę ze słowami: „Wróć z tarczą (czyli jako zwycięzca) lub na tarczy" (czyli zabity). Ucieczka z pola walki lub dostanie się do niewoli okrywało rodzinę hańbą.

- **Lakoniczny** – oszczędny w słowach. Sparta leżała w krainie greckiej zwanej Lakonią, a jej waleczni mieszkańcy odznaczali się nie tylko odwagą, lecz również małomównością. Król Filip II Macedoński napisał kiedyś do przywódców Sparty: „Gdy wkroczę do Lakonii, zrównam ją z ziemią." Dostojnicy spartańscy odpowiedzieli mu jednym słowem: Gdy".

---

[1] dokładniej: z Labiryntu w pałacu króla Minosa; ang. Maze.

Lektura uzupełniająca

📖 Przeczytaj kolejno dwa mity[1] pióra Jana Parandowskiego[2] pt. „**Prometeusz**" i „**Lot Ikara**". Streść obydwa teksty. Dlaczego ważna jest znajomość mitów również w czasach współczesnych?

PODBOJE FILIPA II MACEDOŃSKIEGO I ALEKSANDRA III WIELKIEGO. OŚRODEK KULTURY W ALEKSANDRII. OKRES HELLENISTYCZNY

W roku 359 p.n.e. na południu Europy pojawiła się nowa potęga – Macedonia. Doszedł tam wtedy do władzy król **Filip II Macedoński** (ang. Philip II; Philip of Macedon), który, poznawszy zasady polityki greckiej oraz strategię stosowaną w jej armii (przez kilka lat przebywał w niewoli w greckich Tebach), umiał zdobytą wiedzę wykorzystać. Wkrótce Filip II pokonał Ateny w bitwie pod **Cheroneą**. Miało to miejsce w 338 roku p.n.e. i od tego wydarzenia zaczyna się schyłek potęgi Grecji. W dwa lata później król Filip II został zamordowany i jego miejsce zajął 20-letni syn, **Aleksander**, zwany później **Wielkim** (ang. Alexander the Great, 356-323 p.n.e.), jeszcze genialniejszy od ojca. Nauczycielem Aleksandra był słynny filozof grecki Arystoteles, uczony-niewolnik, sprowadzony przez Filipa II po podboju Aten. Arystoteles zaszczepił swojemu uczniowi miłość do „Iliady" Homera oraz podziw dla bohaterów eposu, zwłaszcza Achillesa, który znalazł chwałę w walce „w życiu krótkim, lecz pełnym sławy".

Aleksander Wielki podbił Azję Mniejszą, Syrię, Fenicję, Egipt, Babilonię, Persję i dotarł do Indii. Prowadził połączone armie macedońską i grecką, zakładając na podbitych terenach nowe miasta i ustanawiając w nich greckich namiestników. Jeszcze dziś, gdy będziemy wędrować opisanym szlakiem, natrafimy na amfiteatry i inne budowle w stylu greckim.

Aleksander Wielki był świadom swojej wyjątkowości. Przed wyruszeniem na podbój Persji postanowił – ówczesnym zwyczajem – zasięgnąć rady wyroczni w Delfach. Gdy udał się tam i nie zastał kapłanki Pytii, postanowił ją odnaleźć i siłą sprowadzić do świątyni. „Synu – powiedziała opierająca się Pytia – nie ma na ciebie rady." „Dość – odrzekł Aleksander – to wystarczy za wyrocznię!" I ruszył na Persję. I zwyciężył.

W 332 roku p.n.e. Aleksander Wielki założył w delcie Nilu miasto, które miało odegrać ważną rolę w dziejach kultury. Nazwano je **Aleksandria** (ang. Alexandria), od imienia wielkiego wodza. W mieście powstało wiele bibliotek, teatrów, pałaców i innych wspaniałych budowli. Na pobliskiej wyspie Faros zbudowano wkrótce

---

[1] mit – opowieść starożytnych narodów o bogach i legendarnych bohaterach; od gr. *mythos* – słowo, legenda.

[2] **Jan Parandowski** – (1895-1978), wybitny polski pisarz i tłumacz, znawca starożytnej kultury greckiej i rzymskiej, wspaniały stylista. Przybliżył polskim czytelnikom świat kultury antycznej, ukazując jego ład i harmonię. Do najwybitniejszych utworów autora należy wielokrotnie wznawiana „Mitologia" (1924), lektura obowiązkowa polskiej młodzieży szkolnej.

słynną latarnię morską – jeden z siedmiu cudów starożytnego świata. Aleksander Wielki, znawca literatury greckiej, rozmiłowany w niej bez granic, kazał w największej bibliotece aleksandryjskiej zgromadzić wszystkie utwory, jakie kiedykolwiek powstały, następnie zrobić ich kopie (przepisywano ręcznie!) i skatalogować. W ten sposób otrzymaliśmy **pierwsze wyjątkowej wartości zapisy stanu posiadania kultury starożytnej**. Tu przeprowadzono badania literackie nad „Iliadą", którą uczeni po raz pierwszy opracowali krytycznie i podzielili na 24 księgi. W tym samym miejscu zestawiono wczesne teksty Starego Testamentu zapisane w językach aramejskim, hebrajskim i greckim na pergaminie i papirusie. Przetłumaczono to dzieło na dominujący wówczas język grecki i powstała wersja zwana **Septuagintą**[1]. Pracę Aleksandra Wielkiego kontynuowali po jego przedwczesnej śmierci następcy z rodu Ptolemeuszy; ostatnią z rodu była słynna królowa Egiptu Kleopatra VII.

Jesteśmy pełni podziwu dla żmudnej pracy aleksandryjskich badaczy, którzy ocalili wielki skarb kulturowy. Zgromadzili oni w sumie 500 000 ksiąg i zwojów (ang. scrolls). Niestety, w późniejszych czasach, zwłaszcza w okresie podbojów rzymskich i arabskich, miasto Aleksandria znalazło się w zasięgu działań żołnierzy, ludzi prymitywnych, ignorantów[2]. Zamienili oni wielką bibliotekę na koszary. W czasie swojego pobytu niszczyli cenne wazy, rozbijali rzeźby, zaś znalezione księgi i zwoje... palili w ogromnym palenisku łaźni. Wprawdzie zachowały się ukryte kopie dzieł i część katalogów, przepadły jednak na zawsze oryginały starych utworów, a także nowych, powstałych w dobie hellenistycznej. Tych ostatnich, niestety, nie zdążono już skopiować i są dla nas bezpowrotnie stracone.

*

Wspomnijmy jeszcze o n a u c e w okresie hellenistycznym.
- W Aleksandrii działał **Eratostenes** (gr. i ang. *Eratosthenes*), dyrektor głównej biblioteki aleksandryjskiej, a jednocześnie wybitny pisarz, filozof i matematyk. Był on autorem historii komedii oraz podręcznika do geografii, który badacze nazwali „pierwszym naukowym opisem świata". Stosując własne metody matematyczne, Eratostenes obliczył obwód Ziemi (ang. circumference) z błędem wynoszącym 15%.
- W mieście pracował też **Euklides** (gr. *Eucleides*, ang. Euclid), wielki matematyk i znawca geometrii płaszczyzn, oraz astronomowie **Ptolemeusz** (gr. *Ptolemaeus*, ang. Ptolemy) i **Aristarchus**.
- W Syrakuzach **Archimedes** rozwijał zainteresowania geometrią, zwłaszcza kształtami kulitymi i owalnymi, ustalając stałą wartość $\pi = 3.14159...$
- W Atenach pracował **Epikur** (gr. i ang. *Epicurus*) – znana jest jego filozofia przyjemności, czyli epikureizm.

---

[1] źródłem tej nazwy jest legenda, według której przekładu dokonało 72 uczonych mężów w ciągu 72 dni; pracowali oddzielnie i uzyskali identyczny rezultat; od łac. *septuaginta* – siedemdziesiąt.

[2] **ignorant** – człowiek nie mający wiadomości, nieuk; łac. *ignorans*.

- Duży krok naprzód uczyniono w zakresie medycyny. Działający w Aleksandrii lekarze **Herophilus** i **Erasistratus** nawiązali do swojego poprzednika, wielkiego **Hipokratesa** (gr. i ang. *Hippocrates*), który żył w Atenach w tym samym czasie co Sokrates (V wiek p.n.e.). Do czasów Hipokratesa ludzie byli przekonani, że chorobę zsyłają bogowie, wystarczy zatem modlić się do nich o wyzdrowienie. Tymczasem Hipokrates zwracał uwagę na warunki życia ludzi chorych, którym zalecał... odpowiednią dietę, gimnastykę i kąpiel. Od jego imienia pochodzi tzw. przysięga Hipokratesa (ang. Hippocratic oath), składana do dziś przez lekarzy. Wspomniany wyżej Herophilus z Aleksandrii wykonywał sekcje zwłok i jest uważany za „ojca anatomii[1]", natomiast Erasistratus, który badał ludzki mózg i układ nerwowy, był pierwszym fizjologiem[2].

   Okres hellenistyczny to czas od założenia miasta Aleksandria w roku 332 p.n.e. do opanowania Grecji i jej kolonii przez wojska rzymskie w roku 146 p.n.e.[3] Kultura grecka (helleńska) została rozpropagowana z wielkim rozmachem przez Aleksandra Wielkiego który podbił ziemie od Egiptu i Fenicji po Indie. Po wpływem kultur Wschodu kultura h e l l e ń s k a uległa p r z e o b r a ż e n i o m – dlatego nazywamy ją kulturą h e l l e n i s t y c z n ą:

   Dzieje cywilizacji greckiej powiązane były z wydarzeniami politycznymi:

starożytna Grecja → (okres helleński)	okres hellenistyczny →	starożytny Rzym
XV w. p.n.e – IV w. p.n.e.	332 p.n.e. – 146 p.n.e.	II w. p.n.e. – V w. n.e.

Praca z mapą

Wskaż na mapie:
- **Macedonię** – ojczyznę królów Filipa II i Aleksandra III Wielkiego; w późniejszych wiekach została ona rozczłonkowana przez Grecję, Bułgarię i Jugosławię,
- **Egipt, Syrię, Fenicję, Babilonię, Persję i Indie** – były to tereny podbite przez Aleksandra Wielkiego,
- miasto **Babilon** w Mezopotamii – miejsce śmierci Aleksandra Wielkiego,
- miasto **Aleksandria** nad Nilem – wielki ośrodek kultury hellenistycznej i miejsce pochowania Aleksandra Wielkiego,
- miasto Syrakuzy na Sycylii – miejsce pochodzenia Archimedesa.

---

[1] **anatomia** – nauka o b u d o w i e organizmu; od gr. *anatome* – krajanie; ang. anatomy.

[2] **fizjolog**, od *fizjologia* – nauka o f u n k c j a c h organizmu; gr. *physiologia*; od gr. *physis* – natura i od gr. *logos* – słowo, nauka; ang. physiology. Porównaj przy okazji: ang. physician (pol. lekarz). Polska nazwa **doktor** (ang. doktor) ma pochodzenie późniejsze, łacińskie, i początkowo oznaczała człowieka uczonego lub nauczyciela.

[3] źródła podają różne granice czasowe tego okresu w zależności od przyjętych kryteriów.

Poszerzenie wiadomości

Aleksander Wielki pozostawił po sobie krótkotrwałe imperium i wielką legendę. Przeczytałeś wyżej o kapłance Pytii. A czy znasz powiedzenie **węzeł gordyjski** (ang. Gordian knot)? Objaśnienie tego wyrażenia znajdziesz zarówno w źródłach amerykańskich, jak i polskich, przedstawił je m.in. Władysław Kopaliński w „Słowniku mitów i tradycji kultury". Z tej książki dowiesz się też, że Aleksander Wielki wprowadził do Europy obyczaj golenia brody, gdyż nieprzyjaciel potrafił chwycić za nią w czasie walki i ściągnąć wojownika z konia, a wtedy groziła śmierć.

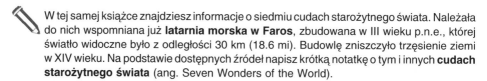 W tej samej książce znajdziesz informacje o siedmiu cudach starożytnego świata. Należała do nich wspomniana już **latarnia morska w Faros**, zbudowana w III wieku p.n.e., której światło widoczne było z odległości 30 km (18.6 mi). Budowlę zniszczyło trzęsienie ziemi w XIV wieku. Na podstawie dostępnych źródeł napisz krótką notatkę o tym i innych **cudach starożytnego świata** (ang. Seven Wonders of the World).

➡ Obejrzyj znakomity film oświatowy na ten temat: The Seven Wonders of the Ancient World. A Questar Home Video Presentation. Color, 1990. (Video 930). Zapytaj o niego w amerykańskiej bibliotece publicznej.

Czy wiesz, że...

gdy dziś ustala się imiona największych zdobywców i dyktatorów wszechczasów, to szereg ten wygląda następująco: Aleksander Wielki, Juliusz Cezar, Karol Wielki (czyli Charlemagne), Napoleon Bonaparte, Hitler oraz Stalin?

➡ O człowieku okrutnym mówi się niekiedy b a r b a r z y ń c a (ang. barbarian). Prawdą jest, że Aleksander Wielki i jego żołnierze byli okrutni, ponieważ prowadzili krwawe wojny. Ale wyraz „barbarzyńca" ma też inne znaczenie. Znajdź je w „Słowniku języka polskiego" Mieczysława Szymczaka lub innym, a następnie spróbuj odpowiedzieć na pytanie: Czy Aleksander Wielki był barbarzyńcą?

ZAŁOŻENIE RZYMU (753 ROK P.N.E.)

Cofnijmy się nieco w czasie. W VIII wieku p.n.e., kiedy grecki poeta Homer tworzył „Iliadę" i „Odyseję", nad rzeką Tybr (ang. Tiber) kształtowała się „legenda rzymska". Jak mówi podanie, żyli wtedy bracia-bliźniacy, **Romulus i Remus**, którzy byli synami boga Marsa i kobiety Rei Sylwii. Obawiał się ich s t r y j Rei, Amuliusz, uzurpator[1] tronu w pobliskim mieście Alba Longa[2], który kazał utopić dzieci w wezbranym Tybrze. Jednakże wody rzeki szybko opadły, a kosz z dziećmi osiadł na mieliźnie. Zaopiekowała się nimi wilczyca i wykarmiła je własnym mlekiem. Gdy bracia dorośli, zabili Amuliusza i rozpoczęli budowę miasta na dwóch wzgórzach – Romulus na Palatynie, a Remus na Awentynie. Miało to miejsce w **753 roku p.n.e.**

---

[1] **uzurpator** – człowiek, który nielegalnie zagarnął władzę; łac. *usurpator* – użytkownik.

[2] na miejscu, gdzie kiedyś była Alba Longa, zbudowano w XVII w. zamek o nazwie **Castel Gandolfo**, który stał się później letnią rezydencją papieży. Znajduje się on w odległości 19 km (12 mi) od Rzymu.

Wilczyca kapitolińska, symbol miasta Rzymu, wykonana z brązu w V w. p.n.e. Figurki Romulusa i Remusa są dziełem A. Pollaiolo i dodane zostały dopiero w XV w. Palazzo dei Conservatori (Pałac Konserwatorów) w Rzymie. Fot.: Agencja BE&W

W czasie wznoszenia murów bracia pokłócili się i Romulus w gniewie zabił Remusa. Aby zaludnić nowe miasto, Romulus sprowadził do niego przestępców i zbiegów, a potem Latynów i Etrusków, tj. ludy zamieszkujące rejon dzisiejszej Toskanii i Umbrii. Osiedlali się głównie mężczyźni. Wkrótce brakowało im kobiet tak bardzo, że dopuścili się podstępnego porwania Sabinek, dziewcząt z sąsiedniego plemienia. Podobno król Romulus był ubóstwiany przez mieszkańców miasta, którzy nazwali je po łacinie **Roma**[1], utrwalając w ten sposób imię założyciela. Romulus rządził przez 40 lat. Pewnego dnia zerwała się wielka burza i – jak mówi legenda – król został porwany żywcem do nieba. W ciągu kolejnych stu lat miasto rozrosło się, zajmując obszar siedmiu wzgórz. W VI wieku p.n.e. król Serwiusz Tuliusz otoczył je murami.

Na pewno znasz tytuł „Od założenia miasta ksiąg 142"[2]. Jest to historia Rzymu napisana przez **Tytusa Liwiusza** (łac. *Titus Livius*, ang. Livy), żyjącego na przełomie

---

[1] ang. Rome, pol. Rzym.

[2] łac. „*Ab urbe condita libri CXXXXII*". Od tytułu tego dzieła wywodzi się wyrażenie „*ab ureb condita*", czyli „od założenia miasta". W Europie aż do VI w. n.e. liczono czas w ten sposób, że podawano liczbę lat, które upłynęły od założenia miasta Rzymu. Liczenie czasu od narodzin Jezusa wprowadzono w VI w. n.e. Zmianom ulegały również koncepcje **kalendarza**, czyli określenie liczby dni w roku, podział na miesiące itd. W 46 r. p.n.e. Juliusz Cezar wprowadził k a l e n d a r z   j u l i a ń s k i (pozostałościami tego systemu są ang. nazwy miesięcy, np. July, August). W 1582 roku papież Grzegorz XIII wprowadził k a l e n a r z   g r e g o r i a ń s k i, którego używamy do dzisiaj.

I w. p.n.e. i I w. n.e. W dziele tym Liwiusz przedstawił legendy rzymskie (m.in. tę podaną wyżej) oraz bohaterów rzymskich i ich śmiałe czyny. Na pracy Liwiusza wzorować się będzie wybitny polski dziejopisarz Jan Długosz, tworząc w latach 1455-1480 dzieło pt. „Historii Polski ksiąg 12"[1]. Do Długosza i jego dzieła nawiążemy omawiając literaturę polskiego Średniowiecza.

Czy znasz stosunki pokrewieństwa w rodzinie?

Z legendy o Rzymie dowiedzieliśmy się, że Amuliusz był s t r y j e m Rei, czyli bratem jej ojca. Brat matki byłby dla Rei – w u j k i e m.

➡ Czy wiesz, jak nazywamy: żonę stryja, żonę wujka, rodziców twoich rodziców, (przyszłe) dzieci twoich dzieci, babcię twojej babci? W jakiej relacji do rodziny pozostają: macocha, pasierb, kuzyn, pradziadek? Kim są dla ciebie: twój brat i siostra (razem)?

Szeregowanie nazw pod względem zabarwienia uczuciowego (dodatniego, obojętnego, ujemnego)

✎ Przepisz i uzupełnij podane ciągi wyrazów:

babunia – babcia – _____
dziadziuś – dziadek – _____
mamusia – mama – matka – _____
tatuś – _____ – ojciec – _____
siostrzyczka – _____
_____ – brat
córeczka – _____ – _____
syneczek – synek – _____

➡ Jak ty się zwracasz do rodziców i rodzeństwa, a jak oni do ciebie?

WZROST POTĘGI I PODBOJE RZYMU.
NARODZINY CHRZEŚCIJAŃSTWA. ROMANIZACJA

W poprzednim rozdziale poznaliśmy legendę o założeniu Rzymu. Wiemy już, że pierwszy król Romulus sprowadził do miasta ludzi pochodzenia latyńskiego (łacińskiego) i etruskiego. Wkrótce zapomnieli oni o własnych korzeniach i z dumą mówili o sobie „My, Rzymianie". **Bycie Rzymianinem** nobilitowało ich. Wszystkie następne pokolenia wychowywano w poczuciu wyższości i wyjątkowości. Rzymianie stworzyli państwo, którym najpierw kierowała **arystokracja**[2], ale później do

---

[1] łac. tytuł: *„Historiae Polonicae libri XII'*, dzieło znane też pod nazwą: „Roczniki, czyli Kroniki sławnego Królestwa Polskiego".

[2] **arystokracja** – najwyższa grupa społeczna, wyniesiona dzięki stanowiskom, majątkom i godnościom przodków; od gr. *aristokratia* – władza najlepszych.

udziału w rządach dopuszczono też **plebejuszy**[1]. Patriotyczni i zdyscyplinowani obywatele-żołnierze tworzyli **legiony**, niezwykle skuteczne siły zbrojne. Każdy legion liczył 4 i pół tysiąca żołnierzy. Dzięki nim Rzymianie podbili Półwysep Apeniński aż po Alpy, a także północną Afrykę i bogatą Kartaginę, założoną niegdyś przez Fenicjan. W **146 roku p.n.e.** Rzymianie skierowali się na południe – zniszczyli miasto Korynt na półwyspie Peloponez, rozwiązali Ligę Achajską (ang. Achaean League) i zagarnęli Grecję. Wtedy właśnie **Grecja utraciła** swoją **niepodległość**, stając się na długie wieki prowincją rzymską. Żeby dokończyć wątek grecki, dodajmy, że gdy w 395 roku n.e. Imperium Rzymskie rozpadnie się na dwie części – zachodnią i wschodnią, to ziemie greckie znajdą się po stronie wschodniej, czyli w obrębie Cesarstwa Bizantyńskiego. Przez 1500 kolejnych lat Grecja będzie „rozrywana" przez południowych Słowian i Gotów, a także Wenecję, Turcję, Austrię i Rosję. Wolność odzyska dopiero w 1829 roku! Walka Greków o niepodległość zainspiruje polskich poetów epoki Romantyzmu.

Powróćmy do starożytnego Rzymu. Na podbitych terenach Rzymianie prowadzili początkowo mądrą, korzystną dla siebie, politykę. Współpracowali z miejscowymi „notablami"[2], którzy sprawowali władzę w ich imieniu oraz ściągali podatki. W zamian otrzymywali oni przywileje, a także cenione obywatelstwo rzymskie i – tym bardziej dbali o interesy Rzymian-zaborców.

Początek kryzysu ujawnił się w II wieku p.n.e. Państwo rzymskie osiągnęło kolosalne rozmiary, ale przestało sobie radzić z administracją[3] podbitych ziem. Mnożyły się krwawe powstania niewolników i chłopów, prowadzące do rozprzężenia[4] w państwie. Interesującym zjawiskiem było pojawienie się zdolnych i ambitnych polityków, którzy chcieli złamać grupowy interes starych rodów rzymskich, zajmujących miejsca w kostniejącym[5] senacie. Ciekawe, że nie doszło do konfrontacji żadnego wodza z senatem. Decydująca walka rozegrała się między dwoma wodzami – Juliuszem Cezarem i Gnejuszem Pompejuszem. Cezar zdobył Galię (dzisiejszą Francję), przeszedł rzekę Rubikon – wyrzekł wtedy słynne słowa *alea iacta est*[6] – i kroczył z armią na południe. Tymczasem Pompejusz, który zwyciężył w Azji Mniejszej, szedł na północ. Doszło do próby sił w Epirze (dzisiejsza Albania), gdzie Pompejusz zginął. **Juliusz Cezar** rządził samodzielnie tylko przez rok, a mimo to potrafił wprowadzić wiele reform. Senat bał się wpływów Cezara. Jego współpra-

---

[1] **plebejusze** – tu: ludzie niżsi społecznie.
[2] **notable** – w liczbie mn.; książk.: znakomici obywatele; od łac. *notabilis* – znaczący, godny uwagi. Porównaj wyrazy: notatka, notariusz, adnotacja, banknot.
[3] **administracja** – kierowanie, zarządzanie; łac. *administratio* – zarząd.
[4] **rozprzężenie** – chaos, bałagan, dezorganizacja.
[5] **kostniejący**, od **kostnieć** (od twardy lub sztywny jak **kość**) – w znaczeniu przenośnym: nie ulegający zmianom, sztywniejący.
[6] *alea iacta est* (łac.) – [czyt. alea jakta est], „kości zostały rzucone". Zwrot ten oznacza pojęcie śmiałej, stanowczej decyzji.

cownicy zawiązali sprzysiężenie[1] i zasztyletowali go 15 marca 44 roku p.n.e. (w tzw. Idy marcowe[2]). Wśród spiskowców Cezar rozpoznał swojego przyjaciela Brutusa, do którego konając skierował pełne wyrzutu słowa: *Et tu, Brute, contra me?*[3]

Po śmierci cesarza walka o władzę rozpoczęła się na nowo, tym razem między współpracownikiem Cezara, Antoniuszem, a adoptowanym synem Cezara – Oktawianem. Po przegranej w 31 r. p.n.e. bitwie pod Akcjum (w zach. Grecji) Antoniusz odebrał sobie życie, a **Oktawian**, przyjąwszy nadane mu przez senat imię August (co znaczy „wywyższony przez bóstwo"), został władcą Imperium.

Oktawian August panował przez 44 lata! Dokonał dalszych podbojów, rozszerzając granice Imperium. **To w czasie jego panowania w rzymskiej prowincji Judea (była to ziemia podbita i administrowana przez Rzymian) przyszedł na świat w Betlejem Syn Boży – Jezus Chrystus.** Miasteczko **Betlejem** (ang. Bethlehem) znajduje się 10 km (6 mi) na południe od Jerozolimy (ang. Jerusalem). Jezus Chrystus żył tylko 33 lata. Po męczeńskiej śmierci Jezusa jego uczniowie, znani też jako apostołowie, rozpropagowali nauki Mistrza. **Nowa wiara szerzyła się w Cesarstwie Rzymskim.** Tam też była zawzięcie prześladowana. Chcąc zniszczyć chrześcijan, cesarz Neron oskarżył ich o podpalenie Rzymu, choć był to czyn dokonany przez jego ludzi na jego rozkaz. O czasach tych dowiesz się więcej, jeśli przeczytasz powieść pt. „Quo vadis", napisaną przez Henryka Sienkiewicza, polskiego pisarza z przełomu XIX i XX wieku; za tę książkę H. Sienkiewicz otrzymał w 1905 roku Literacką Nagrodę Nobla. Do tematyki chrześcijańskiej będziemy wracać, gdyż religia rzymskokatolicka[4] jest ważnym elementem kształtującym polską kulturę.

W okresie największego rozkwitu **Cesarstwo Rzymskie zajmowało cały kontynent europejski na zachód i południe od Renu i Dunaju oraz część Afryki Północnej i Azji Mniejszej od strony Morza Śródziemnego.** Były to ogromne połacie ziemi, które Rzym poddał procesowi **romanizacji**[5]. Na zajętych terenach stosowano rzymskie wzory i techniki budownictwa: powstawały forty[6] i mury obronne, zamki warowne, drogi, akwedukty, areny i łaźnie. Chociaż wiele wzorów architektonicznych Rzymianie przejęli wcześniej od Greków, sami wymyślili kopuły i łukowe sklepienia – zauważ ich zastosowanie w triumfalnych bramach wjazdowych i świątyniach. Popularyzowano rzymski styl ubioru i zachowań, sposoby spędzania wolnego czasu, model wychowania młodzieży. **Rozpowszechnił się język łaciński, który aż do XV wieku będzie językiem oficjalnym całej Europy.**

---

[1] **sprzysiężenie** – spisek, zmowa.

[2] **Idy** – tak w juliańskim kalendarzu nazywano 15. dzień marca, maja, lipca i października oraz 13. dzień w pozostałych miesiącach; od łac. *iduare* – dzielić (na pół). **Idy marcowe** kojarzą się jednoznacznie z dniem zabójstwa Cezara.

[3] *Et tu, Brute, contra me?* (łac.) – [czyt. et tu, brute, kontra me?], „I ty, Brutusie, przeciwko mnie?". Jest to wyraz głębokiego rozczarowania z powodu zdradzonej przyjaźni.

[4] (religia) **rzymskokatolicka: rzymsko-** – pochodząca z Rzymu; **katolicka** – powszechna, uniwersalna; od gr. *katholikos*; od łac. *catholicus*.

[5] **romanizacja** – tu: poddawanie podbitej ludności wpływom kultury starożytnego Rzymu; od łac. *Romanus* – rzymski.

[6] **fort** – umocnienie, punkt oporu, twierdza; fr. fort [czyt. for]; od łac. *fortis* – silny.

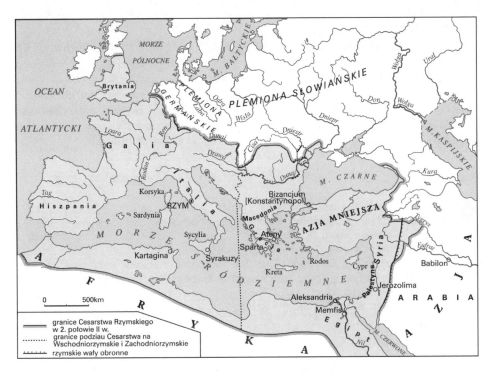

Cesarstwo Rzymskie

Rzymski akwedukt Pont du Gard w południowej Francji koło Nimes, I w. p.n.e. – I w. n.e.
Fot.: Archiwum WSiP

61

Czy wiesz, że...

Cesarstwo Rzymskie miało największy zasięg w 130 roku n.e.? Na podbitych terenach żołnierze rzymscy tworzyli wojskowe miasta-kolonie[1]. Tak powstała *Castra*[2] *Bonnensia* – dzisiejsze miasto **Bonn** w Niemczech i *Castra Vienna* – dzisiejszy **Wiedeń** w Austrii. Wiele małych miasteczek rozwinęło się dzięki wymianie handlowej, prowadzonej dla potrzeb żołnierzy rzymskich, np. **Londyn** (dawne *Londinium*) w Wielkiej Brytanii[3] i **Paryż** (dawna *Lutetia*) we Francji. Jeśli kiedyś odwiedzisz te miasta, będziesz świadom pochodzenia znajdujących się tam jeszcze teatrów rzymskich, łaźni, akweduktów[4] i aren.

Praca z mapą

Wskaż na mapie Europy lub świata:
- **najdalszy zasięg Cesarstwa Rzymskiego**: obejmowało ono dzisiejszą Grecję, Albanię, Bułgarię, Rumunię, Jugosławię, Chorwację, Serbię, Czarnogórę, zachodnią część Węgier, Austrię, Włochy, Belgię, południową część Holandii, Francję, Wielką Brytanię po miasta Edynburg i Glasgow, Hiszpanię, Portugalię oraz część Maroka, Algierii, Tunezji, Libii, Egiptu, całą Palestynę, Izrael i Liban, część Jordanii i Syrii oraz prawie całą Turcję,
- miasta **Bonn, Wiedeń, Londyn i Paryż**.

Dlaczego język łaciński?

Język łaciński należy do wielkiej **rodziny języków indoeuropejskich**. W VIII wieku p.n.e. mówili nim Latynowie, których sprowadził do Rzymu Romulus.

Z biegiem czasu j ę z y k L a t y n ó w z o s t a ł u s z l a c h e t n i o n y przez warstwy wykształcone, przy czym apogeum[5] rozkwitu języka przypadło na lata od 80 roku p.n.e. do 18 roku n.e. Klasyczną łacinę utrwalili wówczas wybitni poeci – Wergiliusz, Horacy i Owidiusz oraz pisarze Cyceron i Juliusz Cezar.

Czy wiesz, skąd pochodzi nazwa Ameryka Łacińska (ang. Latin America)?

Na bazie języka łacińskiego wykształciły się języki narodowe z grupy **romańskich** (od nazwy łac. Roma), do których zaliczamy **francuski, hiszpański, portugalski, włoski i rumuński**.

Gdy w 1492 roku Krzysztof Kolumb dopłynął do Ameryki, otworzył tym samym nowe perspektywy dla Europejczyków. W ślad za nim popłynęli przede wszystkim Portugalczycy i Hiszpanie, osiedlając się na terenach dzisiejszej A m e r y k i P o ł u d n i o w e j i Ś r o d-k o w e j[6]. Odtąd w tym rejonie świata panują języki portugalski i hiszpański. Wywodzą się one z **łaciny**, stąd nazwa – Ameryka Łacińska.

---

[1] **kolonia** – osiedle, osada poza granicami kraju; łac. *colonia* – osiedle. Porównaj późniejsze pojęcie **kolonializm** (ang. colonialism) – podbój krajów zamorskich w XVI-XX w.

[2] pol. obóz, ang. camp.

[3] nazwa Wielka Brytania (ang. Great Britain) istnieje od 1707 r., kiedy to nastąpiło połączenie Anglii ze Szkocją (ang. England and Scotland).

[4] **akwedukt** – wodociąg – od łac. *aqua* – woda i od łac. *ducere* – prowadzić.

[5] **apogeum** – tu: najwyższy stopień, szczyt.

[6] **Ameryka Środkowa** – ang. Central America.

Skąd my to znamy?

Są osoby, które podkreślają różnice dzielące ludzi i narody, chociaż o wiele ciekawsze są wzajemne p o d o b i e ń s t w a. Przyjrzyjmy się choćby sferze języka.

W starożytnej Grecji człowieka, który tworzył wiersze, nazywano *poietes*. Stąd nazwę przeniesiono do Rzymu, gdzie po pewnej zmianie powstało łacińskie słowo *poeta*. W okresie romanizacji nazwa ta została zaadaptowana przez języki podbitych narodów. W związku z tym istnieją dziś w językach romańskich zbliżone słowa: franc. **poête**, wł. **poeta**, hiszp. **poeta**, portug. **poeta**, rum. **poetul**. Jeszcze ciekawsze jest odkrycie, że również w językach nieromańskich to słowo ma podobne brzmienie, np. ang. **poet**, pol. **poeta**, ros. **poet**.

Uważa się, że Grecy utworzyli określenie od starogreckiego czasownika *poieo* – tworzę, czynię, składam. Polacy poszli okrężną drogą. Początkowo używali bardzo starego słowa *cinoti*, które znaczyło czynić, składać, stąd pierwotna nazwa poety w języku polskim brzmiała „składacz". Badania wykazały, że słowo *cinoti* znajduje się też w sanskrycie, starożytnym języku hinduskim, co stanowi jeden z dowodów na to, że **kiedyś istniał wspólny prajęzyk**. W okresie Renesansu, wraz z zainteresowaniem dla dawnej kultury, Polacy przyswoili sobie nie tylko idee starożytne, ale i nazewnictwo. Ponieważ czerpaliśmy wzory greckie p r z e - t w o r z o n e   p r z e z   R z y m i a n, przejęliśmy nazwę łacińską *poeta*, a nie grecką *poietes*. Nazwa „składacz" wkrótce zanikła.

Istnieje dział językoznawstwa zwany **etymologią**[1], zajmujący się ustalaniem pochodzenia wyrazów i tym samym śledzeniem splotów kulturowych. Wybitnym etymologiem i autorem pierwszego słownika etymologicznego języka polskiego był **Aleksander Brückner** (1856- -1939).

Rodzina języków indoeuropejskich

Do XVIII wieku uważano, że język hebrajski to prajęzyk, z którego wywodzą się wszystkie języki Europy i Azji. Opinie te okazały się błędne.

Przełom w myśleniu zawdzięczamy Anglikowi o nazwisku **William Jones** (1746-1794), który przebywał w Indiach w okresie dominacji brytyjskiej w tym rejonie. Sir[2] Jones był utalentowanym poliglotą[3] – znał grekę, łacinę, język hebrajski, arabski i perski. Najpierw zajmował się tłumaczeniem literatury, a potem prawem. Gdy w 1783 roku został sędzią Sądu Najwyższego (ang. Supreme Court) w mieście Kalkuta, w Indiach, poznał tam kolejne języki i dialekty, w tym sanskryt (ang. Sanskrit), święty język hinduskiej religii[4]. Zastanowiło go wielkie **podobieństwo sanskrytu do greki i łaciny**. Jego publikacje zapoczątkowały szerokie badania, w wyniku których ustalono, że dawno temu istniał jeden wspólny **język praindo- europejski**. Wywodzą się z niego zarówno języki starożytne, tj. sanskryt, greka i łacina, jak i języki nowożytne. **Język praindoeuropejski był językiem mówionym**, używanym ok. XXX wieku p.n.e. Z niego wywodzi się najstarsza warstwa **słów** w języku polskim.

---

[1] **etymologia** – nauka o pochodzeniu i pierwotnym znaczeniu wyrazów; gr. i łac. *etymologia*; od gr. *etymon* – prawda, istota, znaczenie i od gr. *logos* – słowo, nauka; ang. etymology.

[2] tu: tytuł szlachecki w W. Brytanii.

[3] **poliglota** – osoba władająca wieloma językami; od gr. *polyglottos* – wielojęzyczny; od gr. *polys* – liczny i od gr. *glotta* – język (w obydwu znaczeniach: tongue and language); ang. polyglot.

[4] pod koniec życia Sir William Jones władał 28 językami i dialektami.

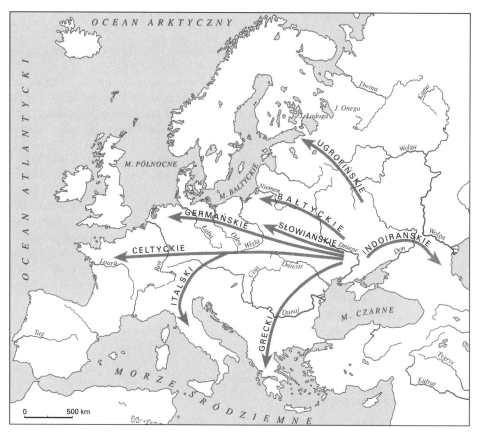

Rodzina języków indoeuropejskich wywodzących się z języka praindoeuropejskiego: ugrofińskie, bałtyckie, słowiańskie, germańskie, celtyckie, italski, grecki, indoirańskie. Języki te rozpadały się na mniejsze grupy, z których z kolei kształtowały się języki narodowe, np. język polski wykształcił się z grupy zachodniosłowiańskiej.

Watykan – państwo kościelne

Wiesz już, że religia chrześcijańska ukształtowała się w czasach starożytnego Cesarstwa Rzymskiego. Nazwa państwa kościelnego pochodzi od rzymskiego wzgórza *Vaticanum*, w którego rejonie znajdował się grób św. Piotra[1]. W IV wieku cesarz rzymski Konstantyn I – władca, który chrześcijaństwo uznał za religię państwową – przekazał to miejsce pod

---

[1] **św. Piotr** – był pierwszym papieżem (w latach 30-64). Zginął na krzyżu tuż po wielkim pożarze Rzymu, wznieconym przez ludzi Nerona i wykorzystanym przez cesarza jako pretekst do wymordowania chrześcijan. Relację z pożaru i prześladowania chrześcian przekazał wybitny historyk rzymski **Tacyt** (łac. i ang. *Publius Cornelius Tacitus*, ok. 55 – ok. 120): „A śmierci ich przydano to urągowisko, że okryci skórami dzikich zwierząt ginęli rozszarpywani przez psy albo przybici do krzyżów, albo przeznaczeni na pastwę płomieni i gdy zabrakło dnia, palili się służąc za nocne pochodnie. Na to widowisko ofiarował Neron swój park i wydał igrzysko w cyrku [...]".

Bazylika św. Piotra w Rzymie
zbudowana w XVI-XVII w.
Fot.: Agencja BE&W

Kolumnada G.L. Berniniego wokół Bazyliki św. Piotra. Fot.: W. Fondaliński/Agencja „Delta"

65

budowę bazyliki[1]. Ukończona w czasach Renesansu **Bazylika św. Piotra** jest największą świątynią chrześcijańską na świecie.

Poczet biskupów Rzymu, czyli papieży, otworzył wspomniany wyżej św. Piotr. W 1978 roku 264 papieżem został **Polak Karol Wojtyła, który przyjął imiona Jan Paweł II.**

Dzisiejszy Watykan to minipaństwo znajdujące się w środku Rzymu, prawie w całości otoczone zabytkowymi murami. Posiada ono własną gazetę, programy radiowe, pocztę, policję, bank i służby dyplomatyczne. W 1929 roku premier Benito Mussolini w imieniu Włoch i kardynał Gaspari w imieniu Stolicy Apostolskiej podpisali Układy Laterańskie uznające zwierzchnictwo papieża nad Państwem Watykańskim.

➡ Warto przeczytać: Mercier, Jacques. Dwadzieścia wieków historii Watykanu. Tłumaczył Jerzy Pieńkoś.Warszawa: Instytut Wydawniczy PAX, 1986. Autorem książki jest francuski historyk, pracujący przez wiele lat w Watykanie i mający dostęp do interesujących materiałów źródłowych.

DZIEDZICTWO LITERATURY RZYMSKIEJ

Rzymianie wcześnie zetknęli się z kulturą grecką i ulegli jej czarowi. Najpierw ją będą n a ś l a d o w a ć, później wykażą się oryginalnością.

Historia literatury łacińskiej z a c z y n a   s i ę w II wieku p.n.e. od prze-tłumaczenia „Odysei" Homera i greckich dramatów na użytek rodzącego się teatru rzymskiego. Natomiast r o z k w i t literatury łacińskiej przypadnie na lata pano-wania Oktawiana Augusta (wiek I p.n.e.-I n.e.). Przyjacielem Oktawiana był **Gajusz Maecenas** (łac. i ang. *Gaius Maecenas*), bogaty rzymski arystokrata. To właśnie Maecenas[2], człowiek o wysublimowanym[3] smaku artystycznym, odkrył utalen-towanych poetycko **Wergiliusza** i **Horacego** i otoczył ich opieką.

Oto przegląd najwybitniejszych autorów rzymskich w porządku czasowym:
- **Cyceron** (łac. *Marcus Tullius Cicero*, ang. Cicero, 106-43 p.n.e.) był wybitnym mówcą rzymskim, teoretykiem wymowy, stylistą, filozofem i pisarzem. Jego proza stała się wzorem literackim języków nowożytnej Europy. Maria Konopnicka, polska poetka i pisarka z XIX wieku, zachwycając się tekstami r e t o r y c z n y m i (krasomówczymi) Cycerona pisała o nim, że „ręką tocząc po koryńckiej wazie, uczył się krągłość myśli zamykać w wyrazie". Był także nauczycielem patriotyzmu.

  Nawiązywali do niego polscy poeci i pisarze, m.in. Ignacy Krasicki, Henryk Sienkiewicz i Stefan Żeromski.

- **Juliusz Cezar** (łac. i ang. *Julius Caesar*, 100-44 p.n.e.) to nie tylko słynny wódz i mąż stanu. Był on również doskonałym pisarzem i mówcą. Pozostawił po sobie

---

[1] [czyt. ba<u>z</u>yliki]

[2] **Maecenas** – od tego nazwiska pochodzi polskie słowo **mecenas** (ang. maecenas) na określenie bogatego opiekuna, patrona nauk i sztuk. Mecenas to również tytuł prawnika, adwokata.

[3] **wysublimowany** – tu: wzniosły, doskonały.

„Pamiętniki o wojnie gallickiej" i „Pamiętniki o wojnie domowej" – dzieła, które mają wybitną wartość literacką i historyczną. Cezar używał w nich żywego, prostego języka, bo chciał dotrzeć do jak największej liczby ludzi, zdobyć chwałę i popularność (ang. publicity). Możemy go uważać za p r e k u r s o r a n o w o - c z e s n y c h k a m p a n i i p o l i t y c z n y c h.

- **Wergiliusz** (łac. *Publius Vergilius Maro*, ang. Virgil lub Vergil, 70-19 p.n.e.) pisał różnorodne utwory, m.in. bukoliki (sielanki) o życiu pasterzy i georgiki (wiersze wiejskie) sławiące trud rolnika, jednakże dziełem jego życia była „Eneida", epopeja w 12 księgach. W utworze autor świadomie odwoływał się do greckich eposów Homera „Iliady" i „Odysei". Wykorzystując motywy home-ryckie i wątki mitologii, Wergiliusz stworzył m i t y c z n ą p r z e s z ł o ś ć R z y m u i zgrabnie powiązał ją z osobą imperatora Oktawiana Augusta, które-mu czytał fragmenty utworu w miarę pisania.

Następna epoka, Średniowiecze, uzna Wergiliusza za proroka i mędrca oraz za najwybitniejszego poetę Starożytności. To właśnie Wergiliusz stanie się mistrzem dla pisarza włoskiego Dante Alighieri (1265-1321), gdy ten będzie pisać dzieło pt. „Commedia"[1]. Dante uczyni Wergiliusza swoim przewodnikiem w wędrówce po Piekle i Czyśćcu. Przewodniczką po Raju będzie dla Dantego ukochana ko-bieta – Beatrycze[2].

„Eneida". Akcja największego dzieła Wergiliusza „Eneidy" toczy się przez 7 lat – od upadku Troi aż po zwycięstwo Eneasza (ang. Aeneas). Eneasz był synem człowieka Anchizesa i bogini Afrodyty. Wcześniej wystąpił w „Iliadzie" jako postać drugoplanowa w czasie obrony Troi, gdzie – według Homera – był krewnym króla Priama i najdzielniejszym po Hektorze wodzem trojańskim. Wergiliusz nie podjął jednak tego wątku, lecz rozwinął inną legendę, według której Eneasz wyniósł z płonącej Troi starego ojca, a także zabrał żonę Kreuzę, syna Askaniusza Juliusza i domowe p e n a t y[3]. Żona w tej ucieczce zginęła. Po kilkuletniej wędrówce, pełnej przygód i niebezpieczeństw, Eneasz przybył do Italii. Tam sprzymierzył się z Tarchonem, władcą Etrusków, przeciwko księciu Turnusowi, który pretendował[4] do ręki Lawinii, córki króla Lacjum. Wojna toczyła się ze zmiennym szczęściem, w końcu Eneasz zabił Turnusa w pojedynku. Lawinia została drugą żoną Eneasza, który założył miasto i nazwał je jej imieniem. Syn Eneasza, Askaniusz Juliusz, założył sąsiednie miasto Alba Longa. Kilka pokoleń później przyjdą na świat wnukowie króla Alba Longa – bliźnięta R o m u l u s i R e m u s, którzy założą Rzym. Z julijskiej, „boskiej" linii (matką Eneasza była przecież bogini Afrodyta)

---

[1] Od XVII w. zwane „Divina commedia" (wł.), ang. „Divine Comedy", pol. „Boska komedia".

[2] wł. i ang. Beatrice.

[3] **penaty** – w mitologii rzymskiej: dobre bóstwa domowe; obok nich występowały **lary**, czyli duchy opiekuńcze szczęścia rodzinnego. Stąd wzięło się wyrażenie **lary i penaty** – przenośnie: ognisko domowe, gniazdo rodzinne, dom; ang. Lares and Penates.

[4] **pretendować** – starać się o rękę; od łac. *praetendere* – sięgać po coś.

wywodził się J u l i u s z   C e z a r i adoptowany przez niego siostrzeniec – imperator O k t a w i a n   A u g u s t. Ten ostatni był chlebodawcą Wergiliusza, więc... koło się zamyka. „Eneida” nie została ukończona, bo autor zmarł. Mimo różnorodnych nawiązań do dzieł Homera, utwór Wergiliusza okazał się nowatorski pod względem stylistycznym. Brak tu rozległych wywodów i długich opisów homeryckich, spotykamy za to efekty dramatyczne, jak **kontrastowość scen i patetyczność**[1]. Ponadto autor nie krył **własnych uczuć i refleksji** wobec przedstawianych wydarzeń. „Eneida” stanowi zatem krok naprzód w zakresie ekspresji artystycznej[2].

- **Horacy** (łac. *Quintus Horatius Flaccus*, ang. Horace, 65-8 p.n.e.) to przyjaciel Wergiliusza i podopieczny Maecenasa i Oktawiana Augusta. Do pamięci potomnych przeszedł jako najwybitniejszy liryk starożytnego Rzymu – szczególnie cenne są jego „Pieśni” wydane w czterech księgach. Zbiór ten jest różnorodny pod względem poruszanej tematyki – od pieśni poświęconych bogom mitologicznym po wiersze polityczne adresowane do cesarza Oktawiana Augusta. Dla następnych pokoleń ważny okazał się program poetycki Horacego, akcentujący silny związek z klasyczną poezją grecką. Horacy postrzegał p o e t ę j a k o w y c h o w a w c ę   s p o ł e c z e ń s t w a, przyznawał mu miejsce w historii, nieśmiertelność oraz prawo do entuzjazmu twórczego (łac. *furor poeticus*). Szczególnie znana jest oda 30. pt. *Exegi monumentum*[3], z której pochodzi cytat: ***Non omnis moriar***[4].

Do motywów horacjańskich nawiązywać będą polscy poeci renesansowi, zwłaszcza Jan Kochanowski.

- **Owidiusz** (łac. *Publius Ovidius Naso*, ang. Ovid, 43 p.n.e. – 18 n.e.) również żył w epoce cesarza rzymskiego Oktawiana Augusta. W twórczości poety Owidiusza widać trzy wyraźne etapy. Z pierwszego okresu pochodzi cykl erotyków pt. „Miłostki” (łac. „*Amores*”) i „Sztuka kochania” (łac. „*Ars amatoria*”). Przypuszcza się, że to ostatnie frywolne dziełko i kontakty z niemoralnie prowadzącą się wnuczką Oktawiana były przyczyną jego późniejszego wygnania z Rzymu. W drugim, dojrzalszym okresie, Owidiusz napisał „Przemiany” (łac. i ang. *Metamorphoses*) – utwór epicki w 15 księgach, w którym przedstawił swoją wersję m i t o l o g i i   i   h i s t o r i i od stworzenia świata aż do panowania Oktawiana. W krótkim zakończeniu (epilogu) Owidiusz, tak jak Horacy, wyznał: **„Skończyłem dzieło. [...] Niestarte będzie moje imię.”** W trzecim okresie życia powstały „Żale” i „Listy z Pontu”, to jest z miejsca wygnania. Owidiusz wszedł do historii literatury światowej jako mistrz różnorodności stylistycznej: parodii, żartu, dwuznaczności, polemiki. Łączył ze sobą elementy tragedii, dialogu, monologu, modlitwy i scenek rodzajowych.

---

[1] **patetyczność**, inaczej **patos** – górnolotność, uroczysty ton (w pisaniu lub mównieniu); od gr. *pathos* – cierpienie, wzruszenie, namiętność.

[2] **ekspresja artystyczna** – sposób wyrażania przeżyć, wyrazistość w sztuce; od łac. *expressio*.

[3] [czyt. ekzegi monument].

[4] *Non omnis moriar* (łac.) – Nie wszystek umrę.

Na pięknym **heksametrze**[1] Owidiusza przez całe wieki uczono w Europie łaciny, także w Polsce.

Lektura uzupełniająca

 Przeczytaj fragment „Eneidy" (Księga II. Pożar Troi – opowiadanie Eneasza) Wergiliusza. Która z wersji translacyjnych (jedna prozą, druga wierszem) wydaje się być relacją uroczystą, a która – emocjonalną? Podaj przykłady z tekstu na poparcie swojego stanowiska.

Lektura uzupełniająca

 Przeczytaj odę 30. Horacego pt. *„Exegi monumentum"* – w oryginalnej wersji łacińskiej (jeśli potrafisz) i wierszowanym tłumaczeniu na język polski. Odszukaj łaciński cytat: *Non omnis moriar*. Następnie znajdź analogiczne miejsce w tłumaczeniu polskim. Do czego – w kontekście treści wiersza – odnoszą się te słowa?

Lektura uzupełniająca

 Przeczytaj fragment utworu Owidiusza pt. **„Założenie Rzymu"**. Autor inaczej opisał moment śmierci Remusa, niż uczynił to historyk rzymski Tytus Liwiusz; podaj obydwie wersje zdarzenia.[2]

Owidiusz napisał utwór heksametrem [p. objaśnienie poniżej], natomiast polski tłumacz użył trzynastozgłoskowca[3], tj. wersu złożonego z 13 sylab, ze średniówką[4]. Wskaż w tekście dowolny wers trzynastozgłoskowy i odszukaj średniówkę.

 Obok trudnych słów, w MOIM PRYWATNYM SŁOWNIKU JĘZYKA POLSKIEGO powinny się znaleźć **angielskie odpowiedniki polskich wyrazów**. Bądź tłumaczem! Zwróć uwagę na różnice w pisowni nazwisk starożytnych pisarzy i wynotuj je parami, np. pol. Wergiliusz – ang. Virgil, Vergil; pol. Owidiusz – ang. Ovid; pol. Juliusz Cezar – ang. Julius Caesar itd.

Heksametr

Jest to ważny wyznacznik brzmieniowy wiersza o podniosłej lub uroczystej treści. Twórcą heksametru był grecki poeta Homer, zaś miarę tę uszlachetnił rzymski poeta Owidiusz.

Heksametr to wers, czyli linijka w wierszu, składający się z sześciu[5] stóp.

---

[1] **heksametr** – miara wierszowa.

[2] Owidiusz miał prawo naruszyć prawdę historyczną w ramach tzw. *licentia poetica* [czyt. licencja poetika], która przysługuje artyście; pol. swoboda poetycka. O Tytusie Liwiuszu pisaliśmy w rozdziale „Założenie Rzymu (753 r. p.n.e.)".

[3] typ wersu, którego użył Adam Mickiewicz, pisząc swój słynny poemat pt. „Pan Tadeusz" [p. tom II].

[4] **średniówka** – wewnętrzny przedział wersu – w tym wypadku 7+6, dzielący go na rytmiczne człony; także: miejsce na oddech.

[5] stąd nazwa **heksametr** – od gr. *heks* – sześć i *mètrob* – miara.

Stopa to powtarzający się w szeregu rytmicznym jednakowy układ: a) sylab długich (—) i krótkich (∪) – tak jest w **heksametrze** antycznym lub b) sylab akcentowanych (S) i nieakcentowanych (s) – tak jest w **heksametrze polskim**. Różnice wynikają ze swoistych cech języków łacińskiego i polskiego.

Oto przykład h e k s a m e t r u a n t y c z n e g o (ł a c i ń s k i e g o), pochodzący z utworu pt. „Przemiany" Owidiusza (☐ ∪∪ ☐ ∪∪ ☐ ☐ // ☐ ☐ ∪∪ ☐ ☐):

> *In nova / fert ani / mus mu // tatas / dicere / formas*
> *corpora. / Di coe / ptis nam // vos mu / tastis et / illas.*

Drugi przykład pokazuje h e k s a m e t r p o l s k i i został zaczerpnięty z utworu pt. „Bema pamięci żałobny rapsod" Cypriana Kamila Norwida (Ss, Sss, Ss // Sss, Sss, Ss.):

> Czemu, / Cieniu, od / jeżdżasz, // ręce zła / mawszy na / pancerz,
> Przy po / chodniach, co / skrami // grają o / koło twych / kolan?

Żeby odczuć p i ę k n o r y t m i k i[1] w i e r s z a, przeczytaj go kilkakrotnie – głośno i wyraźnie – akcentując zaznaczone sylaby. Skoncentruj się w tym wypadku na melodii, a nie na treści.

➡ Istnieje oddzielny dział wiedzy pod nazwą **teoria literatury**, który zajmuje się budową utworów literackich. Jeśli interesują cię te zagadnienia, bo np. sam piszesz wiersze, sięgnij do wydawnictw specjalistycznych: Chrząstowska, Bożena i Seweryna Wysłouch. Poetyka stosowana. Warszawa: WSiP, 1978; Sierotwiński, Stanisław. Słownik terminów literackich. (Teoria i nauki pomocnicze literatury.) Wrocław: Ossolineum, 1986; Krzyżanowski, Julian. Nauka o literaturze. Wrocław: Ossolineum, 1984.

BIBLIA – STARY TESTAMENT, NOWY TESTAMENT

Biblia znaczy po grecku „zwoje papirusu, księgi". Biblia jest zbiorem tekstów, które narastały przez ponad 1000 lat. Pisało ją wielu autorów.

Biblia składa się z dwóch części:

Część pierwsza, dłuższa, to **Stary Testament**, w którym przedstawione są stworzenie świata i dzieje narodu żydowskiego. Historie, o których czytamy w Starym Testamencie, były najpierw przekazywane ustnie. Spisano je w okresie od XII do II wieku p.n.e. na glinianych tabliczkach, papirusie, pergaminie i papierze. Jeden z fragmentów pn. „Dekalog", czyli Dziesięcioro Przykazań, objawionych żydowskiemu prorokowi Mojżeszowi na górze Synaj, wykuty został – jak wiemy – na dwóch kamiennych tablicach. Stary Testament zawiera wiele słynnych opisów, takich jak początek świata, stworzenie pierwszych ludzi i potop.

Część druga, krótsza, to **Nowy Testament**, który przybliża nam naukę Jezusa Chrystusa. Część ta powstała w I wieku n.e. Pisali ją uczniowie Jezusa. Zawarte są tu Ewangelie, czyli opis życia i nauk Chrystusa, a także Listy Apostołów do chrześcijan z różnych gmin, Dzieje Apostolskie oraz Apokalipsa św. Jana.

---

[1] [czyt. rytmiki].

Fragment Starego testamentu: rękopis „Księgi Izajasza" odnaleziony w 1947 r. w Qumran.
Fot.: Archiwum WSiP

Fragment Nowego Testamentu: „Ewangelia św. Łukasza" – odpis z IV w. n.e. Fot.: Archiwum WSiP

Na Biblię trzeba spojrzeć z dwóch perspektyw. Po pierwsze, jest to **zbiór ksiąg religijnych judaizmu** (Stary Testament) i **chrześcijaństwa** (Nowy Testament), w którym zawarte są m.in. podstawowe zasady moralne. Po drugie, Biblia jest **dziełem literackim**, stanowiącym podstawowe źródło kultury europejskiej, w tym polskiej. Omawiając twórczość poetów i pisarzy z kolejnych epok przekonasz się, że wielu z nich czerpało motywy z Biblii.

➡ Obejrzyj na lekcji Biblię[1]. Przekartkuj Stary Testament i Nowy Testament i zwróć uwagę, że dzielą się one na księgi. Każda księga ma oznaczenie literowe i oddzielnego tłumacza. Przeczytaj Wstęp, żeby uświadomić sobie, jak w i e l k i m przedsięwzięciem[2] translatorskim było tłumaczenie Biblii.

W Wypisach zamieszczono dwa teksty biblijne – przypowieść o Noem i potopie oraz przypowieść o synu marnotrawnym[3].

---

[1] zaleca się: Pismo Święte Starego i Nowego Testamentu. Biblia Tysiąclecia. Wyd. III. Poznań: Wydawnictwo Pallotinum, 1995 (lub w miarę upływu czasu nowsze wydania).
[2] **przedsięwzięcie** – tu: zadanie, praca, dzieło.
[3] **marnotrawny** – człowiek lekkomyślny, rozrzutny; **syn marnotrawny** – człowiek, który zrozumiał swój błąd, nawrócony grzesznik.

> **Przypowieść**[1] to opowiadanie przekazujące pewną naukę religijną lub moralną; także krótki utwór o charakterze dydaktycznym (pouczającym), w którym osoby i sytuacje ilustrują uogólnione postawy i zdarzenia.

Przeczytaj przypowieść **o Noem i potopie**. Pochodzi ona ze Starego Testamentu – z Księgi Rodzaju. Streść tę przypowieść. Dlaczego Bóg zesłał na ziemię potop? Czym wyróżniał się Noe, że Bóg postanowił go uratować?

Przeczytaj przypowieść **o synu marnotrawnym**. Pochodzi ona z Nowego Testamentu – z Ewangelii według św. Łukasza. Streść ją. Jakie było przewinienie młodszego syna? Jaką przyjął postawę, gdy postanowił powrócić do ojca? Jak został przyjęty przez ojca? A jak przez brata? W jakich kontekstach można dzisiaj używać wyrażenia ,,syn marnotrawny''? [podaj przykłady]

Religia

Słowo to występuje w wielu językach świata i pochodzi od łac. *religio* – więź z Bogiem; łac. *religare* – łączyć, wiązać; starofr. religion – więź, wiara; pol. religia – wiara; ang. religion – wiara. Chodzi tu o wiarę w Boga, czyli istotę nadprzyrodzoną, i wynikające z tego zachowanie się człowieka. Do ważniejszych elementów religii należy oddawanie hołdu Bogu i przestrzeganie zasad (przykazań) moralnych.

Na świecie istnieje wiele religii, wśród nich wyodrębniamy trzy największe: **chrześcijaństwo, buddyzm i islam**. **Chrześcijaństwo**[2] dzieli się na mniejsze grupy, z których najliczniejsze jest **wyznanie rzymskokatolickie**. Na całym świecie jest około 2 [czyt. dwóch] miliardów chrześcijan[3] (ang. 2 billion), w tym 1 mld rzymskokatolików[4]. Wiarę rzymskokatolicką[5] wyznaje około 95% [czyt. dziewięćdziesięciu pięciu procent] Polaków.

Kartka z historii najnowszej

W szkołach Polski Ludowej (1944-1989) obowiązywało ateistyczne[6] wychowanie młodzieży. Wskazywano na tradycje grecko-rzymskie jako j e d y n e źródło kultury europejskiej i polskiej, natomiast Biblię pomijano milczeniem. Jeśli dziecko nie uczęszczało na lekcje religii (a posyłanie dziecka na naukę religii było źle widziane przez władze), to jego edukacja była niepełna i zniekształcona. **Do kanonu lektur szkolnych wprowadził Biblię dopiero program ,,Solidarności'' w roku 1981.**

---

[1] w odniesieniu do literatury współczesnej używa się terminu **parabola**.

[2] ang. Christianity. Nazwa pochodzi od gr. *christos* – namaszczony, stąd pol. Jezus Chrystus, ang. Jesus Christ.

[3] to jest $^1/_3$ ludności świata; obecnie żyje na świecie ok. 6 mld ludzi (1999 r.).

[4] [czyt. rzymskokatolików].

[5] [czyt. rzymskokatolicką].

[6] **ateistyczne** – odrzucające istnienie Boga; od gr. *a* – przeczenie i od gr. *theos* – bóg.

Praca z mapą

 Wskaż na mapie miejsca związane z Biblią:
- **Stary Testament** – Egipt, Palestyna, Izrael aż do Syrii, a potem wzdłuż rzeki Eufrat do Babilonii,
- **Nowy Testament** – Betlejem i Jerozolima (w dzisiejszej Palestynie i Izraelu), Rzym i obszar dzisiejszych Włoch na południe od Rzymu, Sycylia, Malta, Kreta, miasto Korynt na półwyspie Peloponez, Ateny, Saloniki, zach. część dzisiejszej Turcji, Cypr, Syria.

MOTYWY BIBLIJNE

Biblia jest s a c r u m[1], czyli świętością i autorytetem religijnym. Stanowi źródło kultury moralnej, prezentuje wzorce postępowania, uczy nas jak odróżniać dobro od zła.

Biblia jest również z b i o r e m   f a b u ł,   a n e g d o t   i   s y m b o l i. Motywy biblijne występują nie tylko w literaturze i sztuce. Także w naszej codziennej mowie funkcjonują pojęcia przejęte z Biblii, jak np. manna z nieba, hiobowe wieści, Sodoma i Gomora.

Przyjrzyjmy się wybranym motywom:
- **Raj** (lub **Eden**)[2] – pierwsze miejsce pobytu człowieka na ziemi, gdzie rosły drzewa o jadalnych owocach, zaś w środku rosło drzewo życia[3] i drzewo poznania dobra i zła[4]. Ogród otaczały cztery połączone rzeki: Pison, Gehon, Tygrys i Eufrat. Badacze Pisma św. lokalizują to miejsce w starożytnej Mezopotamii[5].

  Przenośnie **raj** (lub **eden**[6], pisane małymi literami) to miejsce dobra i rozkoszy.

- **Adam i Ewa** – Adam to pierwszy człowiek, którego Bóg „ulepił z prochu ziemi i tchnął w jego nozdrza tchnienie życia". Następnie umieścił go w Raju i pozwolił jeść owoce ze wszystkich rosnących tam drzew, z wyjątkiem drzewa poznania dobra i zła. Potem z żebra Adama Bóg stworzył kobietę. Pewnego dnia Ewa uległa pokusie węża i wspólnie z Adamem, którego namówiła do grzechu, zjedli zakazany owoc[7]. Za nieposłuszeństwo Bóg wygnał oboje ludzi z raju. Odtąd Adam

---

[1] [czyt. **sakrum**], (łac.).

[2] Pismo Święte Starego i Nowego Testamentu. Biblia Tysiąclecia. Wyd. III. Poznań: Wydawnictwo Pallotinum, 1995. Księga Rodzaju (Genesis), rozdział 2, wiersze 8-14.
W językach łac. i ang. Księga Rodzaju nazywa się *Genesis*; od gr. *genesis* – pochodzenie. Porównaj przy okazji wyrazy: **geneza** – pochodzenie, rodowód; **gen** – podstawowy element dziedziczenia.

[3] **drzewo życia** – symbol źródła życia, którym jest Bóg.

[4] **drzewo poznania dobra i zła** – symbol osądu moralnego, polegającego na samowiedzy moralnej i samostanowieniu, co przysługuje tylko Bogu.

[5] dzisiejszy Irak; ang. Iraq.

[6] **eden** – od hebr. *edhen*. W języku gr. *paradeisos* – porównaj ang. paradise.

[7] zauważ, że w Biblii jest mowa o o w o c u, a nie – jabłku. Jabłko zostało utrwalone w wyobraźni pokoleń przez artystów malujących tę scenę.

pracował w pocie czoła, a Ewa rodziła dzieci. Stała się matką Kaina, Abla i Seta, a przez nich matką całego rodzaju ludzkiego.

Adam i Ewa dopuścili się grzechu pierworodnego. **Grzech pierworodny** to grzech prarodziców, polegający na okazaniu nieposłuszeństwa Bogu. Konsekwencją pierwszego grzechu było powstanie zła na ziemi, cierpienie i śmierć. Od grzechu pierworodnego uwalnia nas **chrzest św.** – jest to indywidualny skutek chrztu. Ponadto chrzest św. włącza ochrzczonego do wspólnoty Kościoła – jest to społeczny skutek chrztu.

- **Piętno kainowe** – Abel był pasterzem, a Kain uprawiał rolę. Kain był zazdrosny o to, że Pan Bóg darzy Abla miłością. Dlatego któregoś dnia, gdy razem byli w polu, Kain zabił Abla. Za ten czyn Bóg napiętnował Kaina widocznym znakiem na czole, czyli znamieniem.

  Przenośnie **piętno kainowe** to znamię na czole osoby, która zabiła brata (albo siostrę). Motyw kainowej zbrodni oraz piętna odnajdujemy m.in. w tragedii Juliusza Słowackiego pt. ,,Balladyna''.

- **Arka Noego** – ponieważ grzech zapanował na świecie, Bóg postanowił zniszczyć ludzkość, sprowadzając potop. Lecz Noe był dobrym człowiekiem, dlatego Bóg chciał go oszczędzić. Nakazał Noemu zbudować arkę (łódź), potem wprowadzić do niej rodzinę i zabrać po parze zwierząt wszelkiego gatunku. W ten sposób Noe przetrwał potop i odnowił życie na ziemi.

  Po potopie arka Noego osiadła na górze **Ararat** (na granicy dzisiejszej Armenii, Turcji i Iranu).
  Potop to wielka powódź, zalew lub – przenośnie – nawała; porównaj tytuł powieści Henryka Sienkiewicza ,,Potop''. Pisarz przyrównał do potopu najazd Szwedów na Polskę w XVII w.

- **Wieża Babel** – związana jest z biblijną wersją powstania różnych języków na ziemi. Potomkowie Noego postanowili zbudować wieżę tak wysoką, by sięgała nieba. Ale Bóg nie chciał do tego dopuścić. Pomieszał budowniczym języki, aby nie mogli się porozumieć, a następnie rozproszył ich po świecie.

  Dotatkowe znaczenie **wieży Babel** to zamieszanie, bałagan.
  Babel (z hebr. brama Boga) jest także nazwą własną **Babilonu** (ang. Babylon), stolicy Babilonii. Stopniowo Babilon przekształcił się w miasto upadku moralnego. W Nowym Testamencie Babilon jest kryptonimem[1] Rzymu, który również podupadł moralnie.

- **Sodoma i Gomora** – dwa miasta nad Morzem Martwym (ang. Dead Sea), dziś częściowo zatopione, zostały ukarane przez Boga za grzechy mieszkańców, a szczególnie za ich zboczenia seksualne.

  Do dziś określenie **Sodoma i Gomora** oznacza miejsca występne, niemoralne.

- **Żona Lota** – Bóg zamierzał zniszczyć Sodomę, ale chciał ocalić sprawiedliwego Lota i jego rodzinę, którzy tam mieszkali. Aniołowie wyprowadzający z miasta

---

[1] **kryptonim** – sekretna nazwa, pseudonim; od gr. *kryptos* – ukryty i od gr. *onyma* – imię.

Lota z żoną i córkami zabronili im oglądać się za siebie, jednak żona Lota była ciekawa i obejrzała się. Za nieposłuszeństwo została zamieniona w słup soli.

Żona Lota to uosobienie ciekawości kobiecej.

- **Gehenna** – dolina na płd.-zach. od Jerozolimy, gdzie palono żywcem ludzi, także dzieci, w ofierze składanej p o g a ń s k i e m u bóstwu o nazwie Moloch (słychać było „płacz i zgrzytanie zębów"). Kult ten zlikwidowano w VII wieku p.n.e.

Przenośnie **gehenna** to długotrwałe cierpienia fizyczne i psychiczne, męczarnie.

- **Krzak gorejący** – Bóg ukryty w gorejącym (płonącym, palącym się) krzaku na górze Synaj (Horeb) przemówił do proroka Mojżesza i nakazał mu wyprowadzić Żydów z Egiptu.

- **Dziesięcioro Przykazań** – Dekalog. Przykazania objawione Mojżeszowi na górze Synaj (np. piąte – nie zabijaj, szóste – nie cudzołóż, siódme – nie kradnij) były *de facto*[1] zbiorem obowiązków człowieka żyjącego w żydowskiej wspólnocie pasterskiej. Zostały wyryte na kamiennych tablicach, przechowywano je w Arce Przymierza.

- **Arka Przymierza** – skrzynia z drzewa akacjowego o wymiarach 140 cm x 80 cm x 80 cm, zamykana złotą płytą. Po bokach znajdowały się dwa drążki służące do przenoszenia arki, w której przechowywano tablice Dekalogu. Skrzynia stanowiła sprzęt kultowy Żydów w czasie ich wędrówki do Ziemi Obiecanej. Salomon[2] umieścił Arkę w świątyni jerozolimskiej, w „miejscu najświętszym". Stamtąd wywiózł ją do Babilonii król Nabuchodonozor II w 586 roku p.n.e. i zniszczył. Arka Przymierza była symbolem obecności Boga wśród ludzi, stanowiła rękojmię (gwarancję) zwycięstwa Izraela nad wrogami.

Do symboliki Arki nawiąże Adam Mickiewicz w poemacie pt. „Konrad Wallenrod" („O wieści gminna! ty arko przymierza / Między dawnymi a młodszymi laty").

- **Ziemia Obiecana** – ziemia Kaanan[3], obiecana przez Boga Abrahamowi i jego potomkom.

Przenośnie **ziemia obiecana** to miejsce pożądane, upragnione, kraj szczęśliwości.

- **Manna z nieba** – pożywienie Izraelitów w czasie ich 40-letniej wędrówki do Ziemi Obiecanej. Według Biblii – Bóg zsyłał ją z nieba. Na pamiątkę cudownego karmienia naczynie z manną stawiano później przed Arką Przymierza.

Przenośnie manna z nieba to cudowny ratunek, dar Boży.

---

[1] *de facto* (łac.) – [czyt. de fakto], w istocie, w rzeczywistości.

[2] **Salomon** – najwybiniejszy król żydowski, panował w latach 971-930 p.n.e. Zbudował wspaniałą świątynię jerozolimską, o której jest mowa w 1 księdze Królewskiej (1 Kings), rozdz. 5, w. 15 – rozdz. 6, w. 38.

[3] wcześniej w Kaanan mieszkali Fenicjanie.

- **Hiobowe wieści** – Hiob był wiernym czcicielem Boga, lecz Bóg pozwolił szatanowi wystawić go na próbę. Mimo że Hiob został pozbawiony majątku, umarły mu dzieci, dotknął trąd, a żona radziła, „aby przeklął Boga i umarł", znosił swoje cierpienie, nie tracąc wiary w sprawiedliwość Bożą. W nagrodę Hiob odzyskał zdrowie, majątek i urodziło mu się nowe potomstwo. W dramacie Hioba mamy do czynienia z cierpieniem niezawinionym.

  Hiobowe wieści to wiadomości złe, tragiczne, katastrofalne.

- **Niebo, czyściec, piekło**
  Niebo to w S t a r y m T e s t a m e n c i e górna warstwa kosmosu, zwana też firmamentem. W N o w y m T e s t a m e n c i e niebo oznacza nie tyle miejsce fizyczne, co bliskość Boga, którego otaczają aniołowie stanowiący dwór niebieski. Do nieba dostają się dusze ludzi bez grzechu.
  Czyściec (łac. *purgatorium*, w Ewangelii według św. Łukasza nazywany też **łonem Abrahama**) to miejsce, gdzie przebywają dusze zmarłych ludzi pokutujących za grzechy popełnione na ziemi. Grzesznikom znajdującym się w czyśćcu mogą dopomóc odpusty[1] i modlitwy odmawiane w ich intencji przez bliskich.
  Piekło według Starego Testamentu znajduje się pod ziemią. Jest to „kraina cieniów" i miejsce kary za grzechy.

- **Rzeź niewiniątek** – gdy król Herod dowiedział się od mędrców ze Wschodu, że oto przyszedł na świat przyszły król żydowski, kazał wymordować wszystkich nowo narodzonych chłopców. Jezus uniknął śmierci, gdyż anioł objawił się Józefowi we śnie i polecił mu zabrać rodzinę do Egiptu.

  Do tematu **rzezi niewiniątek** (ang. Massacre of the Innocents) nawiązywało wielu malarzy, m.in. Peter Bruegel, Peter Paul Rubens i Nicolas Poussin.

- **Wdowi grosz** – w synagodze[2] ludzie składali dary, takie jak pieniądze, zwierzęta i cenne przedmioty. Pewna uboga wdowa złożyła wszystko, co miała, tj. jeden grosz. Jezus uznał, że ona dała najwięcej.

  Wdowi grosz to dar największy, złożony kosztem wielu wyrzeczeń.

- **Judasz i 30 srebrników** – Judasz z Kariotu (inaczej: Iszkariot) był jednym z dwunastu apostołów (uczniów) Jezusa. Zdradził swojego Nauczyciela, wydając go radzie Sanhedrynu[3] za cenę trzydziestu srebrnych monet. Kiedy zobaczył, że

---

[1] **odpust** – darownie grzechu w zamian za zadośćuczynienie (tj. spełnienie jakichś warunków lub żądań); ang. indulgence.

[2] **synagoga** – miejsce modlitw Żydów, świątynia żydowska, bóżnica, bożnica; od gr. *synagoge* – miejsce zgromadzeń.

[3] **Sanhedryn** – najwyższa żydowska rada religijno-polityczna, istniejąca od czasów niewoli babilońskiej (VI w. p.n.e.). W czasach współczesnych Jezusowi jej kompetencje zostały ograniczone, np. wyrok śmierci musiał być zatwierdzony przez rzymskiego prokuratora (w wypadku Jezusa – przez Piłata). Od gr. *synedrion* – zgromadzenie.

„Ucieczka do Egiptu". Mal. Mistrz Pasji Dominikańskiej ok. 1460 r.

Jezusa skazano na śmierć, porzucił pieniądze w świątyni i z rozpaczy powiesił się na drzewie.

Przenośnie **Judasz** to człowiek podstępny i obłudny. Judasz powiedział żołnierzom, że wskaże Jezusa poprzez czułe z nim powitanie. Stąd **pocałunek Judasza** oznacza fałszywą przyjaźń. Za 30 porzuconych przez niego srebrników zakupiono Haceldamę[1]. **Judaszowe srebrniki** to cena zdrady, opłata otrzymana za zdradę.

- **Obmycie rytualne** – obmywanie ciała oraz przedmiotów kultu było niezbędne dla uzyskania czystości rytualnej (obrzędowej). Jezus obmywał uczniom nogi przed Ostatnią Wieczerzą, by wyrazić swoją służebną rolę wobec ludzi i odpłacić dobrem za zło; zwyczaj ten kontynuuje do dzisiaj papież.

---

[1] **Haceldama** – ziemia w Palestynie, tzw. rola krwi, na której urządzono cmentarz.

- **Golgota** (lub **Kalwaria**)[1] – skaliste wzgórze poza murami Jerozolimy, gdzie ukrzyżowano Jezusa. Wzgórze z wyglądu przypominało czaszkę. W kolejnych wiekach w różnych miejscach w Europie budowano „golgoty" lub „kalwarie", upamiętniające męczeńską śmierć Jezusa Chrystusa.

  Przenośnie golgota to miejsce albo źródło cierpień.

- **Grób Jezusa** – znajdował się w ogrodzie Józefa z Arymatei koło Golgoty, a więc w rejonie miejsca ukrzyżowania. Był to grobowiec wykuty w skale i zasłonięty kamieniem, ciało Jezusa złożono na kamiennej ławie. W 12 lat później król Palestyny Herod Agryppa I rozszerzył granice Jerozolimy i grób znalazł się w obrębie miasta. Gdy na początku II w. n.e. cesarz rzymski Hadrian przebudowywał Jerozolimę, grób zasypano, po czym w pobliżu powstał rynek. W 325 r. grób Jezusa został odnaleziony i wybudowano nad nim bazylikę.

- **Alfa i Omega** – pierwsza i ostatnia litera alfabetu greckiego, czyli A i Ω. Tak „Apokalipsa św. Jana" określa Boga i Jezusa w znaczeniu: Początek i Koniec oraz Pierwszy i Ostatni.

  Przenośnie **alfa i omega** to niewzruszony autorytet, wszystko od a do zet.

- **Mesjasz**[2] – tytuł oczekiwanego króla-pomazańca z rodu Dawida, czyli **Jezusa Chrystusa**. Żydzi wierzyli, że od Boga przybędzie Człowiek, który odnowi ich naród.

  Przenośnie **Mesjasz** to oczekiwany odkupiciel, zbawca.

  Idee mesjanistyczne, wyrażające przekonanie o szczególnej roli Polski w dziejach świata („Polska Mesjaszem narodów"), będą silnie akcentowane w epoce polskiego Romantyzmu. Odnajdziemy je zwłaszcza w twórczości trzech poetów-wieszczów[3]: A d a m a M i c-k i e w i c z a, J u l i u s z a S ł o w a c k i e g o i Z y g m u n t a K r a s i ń s k i e g o.

 [4] **Ćwiczenie**. Bogactwo motywów biblijnych jest niewyczerpane! Korzystając z tekstu **Biblii** i dostępnych słowników objaśnij samodzielnie następujące hasła, do wyboru:
- Diaspora (Ks. Powt. Pr., 30, 4; Ks. Nehemiasza, 1, 9; Ks. Psalmów, 147, 2)
- Samson (Ks. Sędziów, 13-16)
- Krzyż (List św. Pawła do Galatów, 6, 14; 1 List św. Pawła do Koryntian, 1, 18)
- Samarytanin (Ew. wg św. Łukasza, 10, 30-37)
- Ostatnia Wieczerza (Ew. wg św. Mateusza, 26, 26-30; Ew. wg św. Łukasza, 22, 14-30)
- Jeźdźcy Apokalipsy (Apokalipsa św. Jana, 6, 1-8)

---

[1] w jęz. aramejskim *gulgolta* – czaszka, stąd grecka nazwa wzgórza *golgotha*. W późniejszym czasie spopularyzowano łacińską nazwę *Calvaria*, od łac. *calvus* – łysy. polska nazwa **Kalwaria** (lub kalwaria) określa cykl stacji w postaci obrazów lub rzeźb wyobrażających mękę Pańską.

[2] hebr. *Masziah*, gr. *Messias*.

[3] **wieszcz** – poeta genialny, natchniony, przewidujący przyszłość, od **wieścić** – głosić przyszłość.

[4] – symbol ten oznacza, że musisz korzystać z Biblii w wydaniu książkowym. W języku polskim polecany jest tekst: Pismo Święte Starego i Nowego Testamentu. Biblia Tysiąclecia. Wyd. III. Poznań: Wydawnictwo Pallotinum, 1995 (lub nowsze).

Czy wiesz, że...

modlitwa **„Ojcze nasz"** (łac. *„Pater Noster"*, ang. Our Father") znajduje się w N o w y m T e s t a m e n c i e – w Ewangelii wg św. Mateusza, 6, 9-13 (w pełnej wersji) oraz w Ewangelii wg św. Łukasza, 11, 2-4 (w skróconej wersji)?

Imię Maria

Przez setki lat nie nadawano dziewczynkom w Polsce imienia Maria (dawna forma: Maryja) ze względu na cześć, jaką otaczano Matkę Zbawiciela. (Zauważ, że do dzisiejszego dnia w Polsce nie nadaje się chłopcom imienia Jezus.) Jednakże gdy w XVII wieku przybyły do nas z Francji dwie kolejne królowe – Maria Ludwika[1] i Marysieńka[2], nie wypadało zmieniać im imion. Prawdopodobnie przykład królowych zadecydował, że od XVIII wieku polscy katolicy zaczęli nadawać córkom imię Maria i szybko stało się ono popularne. Porównaj: Maria Konopnicka, Maria Skłodowska-Curie, Maria Pawlikowska-Jasnorzewska, Maria Dąbrowska.

ŚWIAT KULTURY STAROŻYTNEJ (KLASYCZNEJ). ZEBRANIE WIADOMOŚCI

W swoich „Wykładach lozańskich" poeta Adam Mickiewicz (1798-1855) napisał: „Należy szukać nowych punktów styczności między cywilizacją starożytną a potrzebami czasów nowożytnych, a wtedy może przekonamy się, że ci autorowie nie są tak starzy, jak się nam wydaje".

Wielu ludzi do dziś odczuwa podziw dla twórców starożytnych, których określamy mianem **klasyków** [czyt. klasyków]. *Classicus* znaczy po łacinie „pierwszorzędny, służący za wzór, doskonały". Okazuje się, że wytwory starożytnej kultury i literatury wciąż jeszcze służą jako punkty odniesienia dla ludzkiej działalności. Grecy i Rzymianie stworzyli trwały kanon poprawności oraz ideał piękna i proporcji. Od nich wywodzą się terminy **klasyczny** [czyt. klasyczny], tj. wzorcowy, i **klasycyzm** [czyt. klasycyzm] na określenie nie tylko twórczości antycznej, lecz także późniejszych prądów, przywołujących starożytne formy i kanony – przykładem jest tu Odrodzenie i Oświecenie.

W Starożytności zajmowano się **człowiekiem**[3]. Interesowano się jego ciałem, a także pragnieniami, ambicją i stanami duszy. To z tamtych czasów wywodzi się organizowanie igrzysk sportowych oraz znane dziś pojęcia, jak „miłość platoniczna" (od imienia Platona), miłość do ojczyzny (poezja tyrtejska), poświęcenie dla ludzkości (Prometeusz) i dążenie do ideału (Ikar).

---

[1] **Maria Ludwika** albo **Ludwika Maria** – (1611-1716), z rodu Gonzaga de Nevers; żona króla Władysława IV, a po jego śmierci – króla Jana II Kazimierza.

[2] **Marysieńka** albo **Maria Kazimiera** – (1641-1716), z domu d'Arquien, dworka królowej Marii Ludwiki, z którą jako młoda dziewczyna przyjechała z Francji; żona wojewody sandomierskiego ordynata Jana Zamoyskiego, a po jego śmierci – króla Jana III Sobieskiego [p. Barok].

[3] łac. *homo* – człowiek, *humanus* – nie mylić z *homos* – jednakowy.

Ze Starożytności wywodzi się też zainteresowanie **filozofią**[1], która bada zagadnienia bytu i miejsce człowieka w świecie. Filozofowie starożytni zajmowali się takimi dziedzinami, jak kosmogonia (narodziny Wszechświata), astronomia, fizyka [czyt. fizyka], fizjologia, biologia, retoryka [czyt. retoryka], gramatyka [czyt. gramatyka] i matematyka [czyt. matematyka]. Zauważ, że część tych dziedzin stała się samodzielnymi kierunkami wiedzy. Niektóre filozoficzne terminy mające swój początek w Starożytności weszły w skład mowy potocznej, np. „ze stoickim spokojem" znaczy niewzruszenie, cierpliwie znosić przeciwności losu, „sceptyczny" to niedowierzający, wątpiący, „cynik" – człowiek o pogardliwym, kpiącym, materialistycznym i antyspołecznym stosunku do wartości, „epikurejczyk" – człowiek umiejący cieszyć się życiem, zwłaszcza wartościami duchowymi, „hedonista" – człowiek kierujący się w życiu przyjemnościami cielesnymi.

I jeszcze kilka słów o komunikacji między ludźmi. W Starożytności ukształtowały się: **znaki** (alfabety i pismo), **nazewnictwo i gramatyka** oraz **formy przekazu artystycznego** (rodzaje i gatunki literackie).

Najpierw wykształciło się **pismo klinowe** (ang. cuneiform), co miało miejsce ok. 3100 roku p.n.e. w Mezopotamii. Następnie w Egipcie, ok. 3000 roku p.n.e., pojawiły się **hieroglify** (ang. hieroglyphs). Używając kilku znaków egipskich, ok. 1000 lat p.n.e. ludy prasemickie stworzyły pierwszy **alfabet abstrakcyjny**, oddający brzmienie spółgłosek. Fenicjanie nieświadomie przekazali alfabet spółgłoskowy Grekom w IX wieku p.n.e., a ci uzupełnili go o samogłoski. **W VIII wieku p.n.e. grecki poeta Homer dał początek literaturze europejskiej, pisząc „Iliadę" i „Odyseję".** Ok. VIII wieku p.n.e. Etruskowie zaadoptowali alfabet grecki do swoich potrzeb, następnie Rzymianie – uszlachetnili go i opracowali kaligrafię, zaś chrześcijaństwo rozpowszechniło **alfabet łaciński** w całej Europie. Po odkryciu nowych lądów (XV w.) alfabet łaciński został przeniesiony na inne kontynenty, w tym do Ameryki Północnej. Tak wygląda w skrócie historia alfabetu. Wziął on swoją nazwę od pierwszych liter w alfabecie greckim: alpha, beta. Głoski Y, Z dołączono do alfabetu łacińskiego dopiero w I wieku p.n.e. Aż do XVII wieku mieszano litery I, J, a także U, V, W. (Spolszczona nazwa alfabetu brzmi „abecadło", od liter: a, b, c, d. W ciągu wieków polski alfabet został poszerzony o litery: ą, ć, ę, ł, ń, ó, ś, ź, ż oraz dwuznaki: ch, cz, dz, dź, dż, rz, sz, które pozwoliły oddać dźwięki występujące w naszym języku).[2]

Dzięki wynalezieniu pisma ludzkość zrobiła ważny krok naprzód – zaczęła **utrwalać wiedzę!** Gromadzono dorobek kolejnych pokoleń, który teraz można było pomnażać, a nie za każdym razem zaczynać wszystko od początku.

Ze Starożytności pochodzą pojęcia dotyczące postrzegania świata i mówienia o nim. Wiąże się z tym nazewnictwo oraz gramatyka. Dla przykładu, zarówno polski „termometr", jak i angielski „thermometer" mają rodowód grecki i pochodzą od *thermos* – ciepły i *metreo* – mierzę. Wiele innych wyrazów wzięło swój początek

---

[1] gr. *philosophia* – umiłowanie mądrości.
[2] ogonki, kropki i kreseczki przy literach nazywamy **znakami diakrytycznymi**, czyli odróżniającymi; od gr. *diakritikos* – odróżniający.

z greki lub łaciny, porównaj choćby: ambulans, dramat, geografia, grafika, historia, ilustracja, metafora, ocean, pozycja, sukces, telewizja, zodiak. Początki **gramatyki jako nauki o strukturze i znaczeniu ludzkiego języka** sięgają roku 400[1] p.n.e., tj. czasów greckich sofistów (filozofów-nauczycieli), do których zaliczamy Platona i Arystotelesa. Zajmowali się oni m.in. **fonetyką**, czyli dźwiękową stroną języka, i **etymologią**, czyli pochodzeniem wyrazów. W I wieku p.n.e. Grek Dionysius Thrax wyodrębnił **cztery pierwsze części mowy** (ang. parts of speech) – były to: r z e c z o w n i k i (ang. nouns), c z a s o w n i k i (ang. verbs), z a i m k i (ang. pronouns) i s p ó j n i k i (ang. conjunctions).

Ze starożytnej Grecji i Rzymu wywodzą się także **rodzaje literackie** (liryka, epika i dramat) oraz **gatunki literackie** (epos, list, pamiętnik, pieśń, tren, tragedia i inne). W następnych wiekach liczba rodzajów literackich pozostanie bez zmian, natomiast powiększeniu ulegnie zasób gatunków literackich.

Poszerzenie wiadomości

Ramy tego podręcznika są za szczupłe, by objąć cały dorobek Starożytności. Niech ten krótki przegląd będzie dla ciebie impulsem do samodzielnych poszukiwań. Możesz zacząć od fascynującej książki: Van Doren, Charles. A History of Knowledge. New York: Ballantine Books, 1992. Jest ona również przetłumaczona na język polski.

Specjalny akcent w słowach obcego pochodzenia

Typowy akcent w języku polskim pada na przedostatnią sylabę.

Jednakże **w słowach obcego pochodzenia zakończonych na -ika, -yka, -yko akcent znajduje się na trzeciej sylabie od końca**, np. akustyka, Ameryka, botanika, charakterystyka, dydaktyka, fizyka, gimnastyka, gramatyka, fabryka, klinika, krytyka, logika, matematyka, mimika, optyka, polityka, retoryka, ryzyko, statystyka.

Weźmy z tej listy słowo „gramatyka" i odmieńmy je przez przypadki i liczby:

Przypadek	Liczba pojedyncza	Liczba mnoga
Mianownik (kto? co?)	gramatyka	gramatyki
Dopełniacz (kogo? czego? nie ma)	gramatyki	gramatyk (2. sylaba od końca)
Celownik (komu? czemu? się przyglądam)	gramatyce	gramatykom
Biernik (kogo? co? widzę)	gramatykę	gramatyki
Narzędnik (kim? czym? się posługuję lub z kim? z czym? idę)	gramatyką	gramatykami (2. sylaba od końca)
Miejscownik (o kim? o czym? mówię)	gramatyce	gramatykach
Wołacz (O!)	gramatyko!	gramatyki!

---

[1] [czyt. czterechsetnego].

Przypatrz się powyższej odmianie i zauważ, że we wszystkich formach przypadkowych równych co do liczby sylab formie w Mianowniku **akcent pada na 3. sylabę od końca**, jeśli jednak liczba sylab jest mniejsza lub większa od tej w Mianowniku – **akcent przesuwa się na 2. sylabę, czyli przedostatnią**.

Uwaga 1. Do powyższej grupy n i e n a l e ż ą słowa biblioteka i nauka, ponieważ n i e k o ń c z ą s i ę one na – ika, – yka, – yko. Akcent w nich z a w s z e pada na 2. sylabę od końca.

Uwaga 2. W języku polskim zdarzają się słowa z tzw. akcentem chwiejnym, np. okolica, okolica; prezydent, prezydent; Fryderyk, Fryderyk.

Ćwiczenie. Napisz odmianę słów ,,Ameryka'' i ,,charakterystyka'' i przećwicz głośno ich poprawną wymowę.

Telefon opatentowano w 1876 roku

a wynalazł go Alexander Graham Bell. Sama nazwa ,,telephone'' powstała jednak wcześniej, w roku 1849, z greckich słów *tele* – daleko i *phone* – głos, dźwięk. Zauważ, że określono ideę porozumiewania się na odległość, z a n i m wynaleziono samo urządzenie, a podstawą do utworzenia nowego wyrazu (neologizmu) był... język starożytnych uczonych.

➡ Doprawdy, warto poznać język g r e c k i (ang. Greek) lub ł a c i ń s k i (ang. Latin), ponieważ ich znajomość ogromnie poszerza horyzont intelektualny. Zorientuj się, czy w twojej amerykańskiej szkole mógłbyś się uczyć któregoś z tych języków.

STAROŻYTNOŚĆ (na zachodzie Europy wiek XV p.n.e.-V n.e.)
GRECJA: HOMER (wiek VIII p.n.e.) – eposy ,,Iliada'' i ,,Odyseja''   SAFONA, TYRTEUSZ, ANAKREONT (wiek VII i VI p.n.e.) – liryka   SOFOKLES, AJSCHYLOS, EURYPIDES (wiek V p.n.e.) – dramat antyczny
RZYM: **Pisarze** (wiek I p.n.e.):   CYCERON – mowy polityczne i sądowe   JULIUSZ CEZAR – pamiętniki   **Poeci** (wiek I p.n.e.-I n.e.):   WERGILIUSZ – epos ,,Eneida''; wiersze o pasterzach i rolnikach   HORACY – pieśni   OWIDIUSZ – epika w 15 księgach ,,Przemiany'', utwory erotyczne, listy poetyckie
IZRAEL: BIBLIA   **Stary Testament** (wiek XII-II p.n.e.)   **Nowy Testament** (wiek I n.e.)

ŚREDNIOWIECZE

NAJAZD BARBARZYŃCÓW NA POŁUDNIOWO-ZACHODNIĄ EUROPĘ. KSZTAŁTOWANIE SIĘ USTROJU FEUDALNEGO

Średniowiecze[1], czyli „wieki średnie", to długa i barwna epoka trwająca w Europie aż 1000 lat! Za p o c z ą t e k Średniowiecza uważa się **rok 476 n.e.** (upadek Zachodniego Cesarstwa Rzymskiego ze stolicą w Rzymie), a za k o n i e c – **rok 1453 n.e.** (upadek Wschodniego Cesarstwa Rzymskiego ze stolicą w Konstantynopolu). Niektórzy za koniec Średniowiecza przyjmują rok 1450 (wynalezienie druku przez Jana Gutenberga) lub 1492 (odkrycie Ameryki przez Krzysztofa Kolumba).

Cesarstwo Zachodnie upadło w V wieku, zamykając epokę starożytną. Oznaki jego słabości pojawiły się dwa wieki wcześniej, kiedy to na coraz bardziej niestabilne politycznie i gospodarczo państwo zaczęli napadać barbarzyńcy[2]. Cesarstwo dźwignął raz jeszcze, pod koniec IV wieku, Teodozjusz Wielki[3], ale przed swoją śmiercią podzielił je między dwóch synów. Nie przewidział, że podział ten będzie trwały. W połowie V wieku wzmogły się najazdy germańskich plemion Wandali[4] na zachodnie ziemie Imperium. Atakujący niszczyli wszystko, co znalazło się na ich drodze. W tym czasie Saksoni podbili Brytanię, Frankowie – Galię (dzisiejszą Francję), a Goci – Italię. Europa podupadła. Z biegiem lat zatarły się różnice między ludnością miejscową a najeźdźcami, którzy się zasymilowali[5].

Na obszarze byłego Cesarstwa Zachodniorzymskiego wyrastały nowe państewka. Chociaż Rzym podlegał formalnie cesarzowi wschodniemu, rządził w nim biskup lokalny, zwany **papieżem**. Miasta nie były już atrakcyjnym miejscem do życia. Poszukując szansy przetrwania, ich mieszkańcy przenosili się na wieś. Tam tworzono wspólnoty gminne, w ramach których rodziny uprawiały przydzieloną ziemię i korzystały ze wspólnych pastwisk i lasów. Na wsi istniały też majątki z nadania

---

[1] ang. Middle Ages.

[2] **barbarzyńcy** – pierwotnie nazywano tak wszystkich ludzi, którzy nie należeli do cywilizacji grecko-rzymskiej, później – ludzi okrutnych lub o niskiej kulturze; od. gr. *barbaros* – cudzoziemiec.

[3] **Teodozjusz Wielki** – (ok. 345 – 395), cesarz rzymski. W 395 r. podzielił państwo między dwóch synów, Arkadiusza i Honoriusza, co dało początek podziałowi na Zachodnie Cesarstwo Rzymskie (trwało do 476 r.) i Wschodnie Cesarstwo Rzymskie (trwało do 1453 r.).

[4] **Wandalowie** – l.mn.; plemię germańskie, które w 455 r. napadło na starożytny Rzym i zniszczyło go doszczętnie; od łac. *Vandalus*. Porównaj współczesne określenia: pol. **wandal** (l. mn. wandale) i ang. vandal – barbarzyńca, niszczyciel, dewastator, człowiek rozmyślnie niszczący rzeczy, zwłaszcza dzieła sztuki.

[5] **asymilować się** – tu: upodabniać się pod względem narodowym.

królewskiego. Ich właściciele (możnowładcy) dawali użytkownikom tereny w dzierżawę w zamian za roczny czynsz[1] lub pracę na pozostałych gruntach. Innym razem bywało, że drobny posiadacz szedł na wojnę i na czas swojej nieobecności (często na zawsze) przekazywał ziemię pod opiekę możniejszemu panu. Jak z tego wynika, różne były okoliczności nabywania praw do ziemi oraz formy jej użytkowania.

Z biegiem czasu zatarły się różnice między dzierżawcami, chłopami i niewolnikami i wszyscy oni stali się poddanymi feudała[2]. Za prawo użytkowania ziemi płacili panu c z y n s z   w   n a t u r z e – zbożu, bydle i wyrobach domowych. Poza tym musieli pracować na jego polu przez określoną liczbę dni w roku, czyli o d r a b i a ć   p a ń s z c z y z n ę.

Kształtowanie się własności feudalnej w Polsce

 Przypomnij sobie ze szkoły podstawowej wiadomości o wojach Mieszka I, Bolesława Chrobrego i Bolesława Śmiałego. Jak ludzie zbrojni – najpierw wojowie, potem rycerze – nagradzani byli przez władców za służbę? [odpowiedz teraz]

Za wierność w służbie i zasługi w wyprawach wojennych ludziom zbrojnym nadawano z i e m i ę. W ten sposób bogacili się polscy wojowie i rycerze, czyli późniejsza **szlachta (ziemianie)**. Majątki ziemskie mogły rosnąć przez kilka pokoleń, zwłaszcza jeśli syn wstępował w ślady ojca i otrzymywał uprzywilejowaną pozycję u boku władcy. Do uprawy gruntów pozyskiwano chłopów, którzy pracowali w jednym majątku przez całe życie. Byli to ludzie niewolni. Gospodarka feudalna długo pozostawała częścią polskiej rzeczywistości. Na przestrzeni wieków pogłębiały się antagonistyczne[3] stosunki między szlachtą a chłopami. Miały miejsce konflikty zbrojne. W XIX wieku zaniedbana sprawa chłopska przyczyni się do upadku dwóch powstań narodowych. Dramatyczny problem pańszczyzny, nędza rodzin wiejskich i odwrócenie się chłopów od sprawy narodowej znajdą swoje odbicie w polskiej literaturze.

Zapisz w SŁOWNIKU terminy, które będą nam towarzyszyć w kolejnych epokach: **feudalizm** (ang. feudalism), **pańszczyzna** (ang. villein service, socage) i **czynsz** (ang. rent payment). Dopisz do nich polskie objaśnienia.

Przejściowe załamanie się statusu[4] miast w Europie

W poprzedniej epoce, Starożytności, rozwijały się miasta-państwa, np. Ateny, Sparta, Rzym oraz miasta-kolonie rzymskie, np. Bonn i Wiedeń. Na przełomie

---

[1] **czynsz** – świadczenia w formie usług, wyrobów lub płatności; niem. Zins.

[2] **feudał** – właściciel ziemski; od łac. *feudum* – lenno (ang. fief); **lenno** – ziemia nadana przez s e n i o r a (ang. feudal lord) w a s a l o w i (ang. vassal).

[3] **antagonistyczne** – wzajemnie niechętne, zwalczające się; od gr. *antagonistes* – przeciwnik; ang. antagonist.

[4] **status** – stan, pozycja, znaczenie; od łac. *status* – stan.

Starożytności i Średniowiecza doszło do stagnacji[1], a nawet upadku miast w Europie, rozwinęły się za to – jak wiemy – tereny poza nimi, czyli majątki ziemskie. Jednakże w XI wieku w o l n y h a n d e l spowodował ożywienie starych i powstanie nowych ośrodków miejskich.

Ponieważ Polska leżała na uboczu ważniejszych traktów handlowych, nie było u nas silnych impulsów do rozwoju miast aż do XIV wieku, kiedy to **król Kazimierz Wielki w ramach kolonizacji sprowadził do Polski ludność niemiecką i żydowską**. Dzięki przypływowi nowych sił oraz doświadczeniu kolonizatorów ożywiły się wtedy w Polsce Kraków, Toruń i Wrocław.

Dwie książki, bez których nie można się obyć

Delouche, Frederic, ed. Illustrated History of Europe. New York: Holt, 1992. Praca napisana przez 12 autorów z różnych krajów europejskich prezentuje wyważony obraz dziejów Europy. Zawiera 520 kolorowych ilustracji i 120 map. Książka została przetłumaczona na co najmniej 28 języków, w tym na język polski (w wersji polskiej wydał ją WSiP).
Wetterau, Bruce. World History. New York: Holt, 1994. Jest to obszerny słownik w układzie alfabetycznym, obejmujący wydarzenia od Starożytności do czasów współczesnych.

CHRZEST ŚWIĘTY FRANKÓW (496).
POWSTANIE PAŃSTWA KOŚCIELNEGO (754). KAROL WIELKI.
POCZĄTKI PAŃSTWA NIEMIECKIEGO

Zatrzymajmy się teraz na terenach opanowanych przez germańskie plemię Franków, aby przyjrzeć się m e c h a n i z m o m p a ń s t w o t w ó r c z y m w średniowiecznej Europie.

Wkrótce po opanowaniu Galii[2] władca Franków, Chlodwig, przyjął w 496 roku chrzest święty. Ludność napływowa wymieszała się z ludnością lokalną i stopniowo, z połączenia łaciny z językiem celtyckim i germańskim, wykształcił się język francuski. Miały pokolenia i z czasem władza królewska osłabła. Dążąc do jej odbudowy kolejny władca, **Pepin Mały** (ok. 715-768; pierwszy z dynastii Karolingów), poprosił papieża o uroczystą koronację – odtąd mógł się tytułować „królem z Bożej łaski". Wdzięczny za ten gest król Pepin pomógł papieżowi przezwyciężyć problemy polityczne (właśnie zaczynała się era podbojów islamskich w Europie), a następnie przyznał mu część odzyskanych terenów i doprowadził do **powstania w 754 roku Państwa Kościelnego**.

W 768 roku do władzy doszedł syn Pepina Małego, Karol, zwany później **Karolem Wielkim** (742-814; ang. Charles the Great, fr. Charlemagne). Był to inteligentny władca, który potęgę swego państwa zbudował w oparciu o przyjazne

---

[1] **stagnacja** – zastój; od łac. *stagnare* – nieruchomieć.
[2] dzisiejsza Francja.

stosunki z papieżem. Do historii Europy przeszedł dzień Bożego Narodzenia 800 roku, kiedy papież Leon III koronował w Rzymie Karola Wielkiego na **imperatora nowego Cesarstwa Zachodniorzymskiego**. Karol Wielki zjednoczył ogromne połacie Europy i wśród podbitych narodów upowszechniał chrześcijaństwo[1]. Jego dwór królewski w Akwizgranie[2] stał się wielkim centrum naukowym. Karol Wielki zasłużył się dla kultury tym, że odnowił w Europie znajomość czytania i pisania, ponieważ po upadku Rzymu w 476 roku umiejętności te prawie zanikły. Na polecenie władcy skrybowie[3] robili kopie starożytnych manuskryptów[4], ocalając w ten sposób dzieła rzymskie dla potomnych. Opracowali także kształty i proporcje słynnej karolińskiej kaligrafii (ang. Carolingian letters). Po śmierci Karola Wielkiego władzę w Cesarstwie Zachodniorzymskim przejął jego syn Ludwik, który jednak nie miał talentów ojca. Trzej synowie Ludwika, tj. wnukowie Karola Wielkiego, doprowadzili do podziału Cesarstwa[5]. Zawarty **w 843 roku** traktat w Verdun[6] zatwierdził powstanie trzech oddzielnych państw, dając początek dzisiejszym granicom w Europie.

Trzy państwa, o których mowa to – w przybliżeniu – **F r a n c j a , N i e m c y i W ł o c h y**, przy czym **Niemcy okazały się najsilniejsze**. Władcy niemieccy, zwłaszcza Otton I, wspomagali kolejnych papieży w ich politycznych roszczeniach wobec Włoch. Z wdzięczności za tę pomoc w roku 962 papież Jan XII koronował Ottona I na cesarza rzymskiego. Odtąd Niemcy mieli odgrywać rolę zbrojnego „ramienia Kościoła”, co jednak zrozumieli opacznie[7]. Uznali bowiem, że posiadają władzę nad światem chrześcijańskim oraz nieograniczone prawo do nawracania pogan ogniem i mieczem. Zwróćmy uwagę, że rzecz działa się w 962 roku, kiedy właśnie polski władca, **Mieszko I**, odczuwał śmiertelne zagrożenie ze strony Niemców, którzy przygotowywali się do narzucenia wiary chrześcijańskiej poganom zza Odry.

Praca z mapą

Na fizycznej mapie Europy lub świata pokaż:
- przybliżone obszary **Francji, Włoch i Niemiec**, następnie **rzekę Odrę** oraz **Polskę**,
- **Bizancjum**, tj. stolicę Cesarstwa Wschodniorzymskiego (późniejszy Konstantynopol, a dzisiejszy Istambuł w Turcji),

---

[1] jedna z wypraw wojsk Karola Wielkiego przeciwko Saracenom (niechrześcijanom) w Hiszpanii została opisana w „Pieśni o Rolandzie”, którą omówimy dalej.

[2] **Akwizgran** – rzymskie uzdrowisko z gorącymi źródłami, dziś – miasto Aachen w Niemczech; w katedrze znajdują się prochy Karola Wielkiego; łac. i ang. *Aquisgranum*.

[3] **skryba** – dawn.: pisarz publiczny, urzędowy; od łac. *scriba* – pisarz.

[4] **manuskrypt** – rękopis; łac. *manuscriptum*; od łac. *manus* – ręka i od łac. *scribere* – pisać. Porównaj wyrazy: manualny, manicure, manipulacja, a także ang. prescription – pisemne zlecenie doktora na wykonanie leku, pol. recepta. Ciekawostka: Polskie określenie **recepta** pochodzi od łac. *receptio* – przyjęcie; tutaj w znaczeniu: przyjęcie przez aptekarza zlecenia na wykonanie leku.

[5] w średniowiecznej Europie państwa były p a t r y m o n i a l n e (od łac. *pater* – ojciec) i uważano je za dziedziczną ojcowiznę. Rozdrobnienie w wyniku egzekucji testamentu (tj. wykonania) doprowadzało do osłabienia państwa.

[6] **Verdun** – [czyt. Werdę], dziś miasto w płn.-wsch. Francji.

[7] **opacznie** – na opak, niewłaściwie.

Katedra w Akwizgranie (Aachen), gdzie został pochowany Karol Wielki. Reprodukcja z fotografii z 1925 r.

- **Wenecję i Dubrownik** w rejonie Morza Adriatyckiego – zwróć uwagę na położenie geograficzne obydwu miast, które rozwinęły się w czasach średniowiecznych krucjat.

➡ Obejrzyj album lub film video, ukazujący sztukę b i z a n t y ń s k ą[1] (duży wybór filmów o sztuce znajdziesz w amerykańskiej bibliotece publicznej).

Rycerstwo, zakony rycerskie, krucjaty

W Średniowieczu ukształtowała się warstwa społeczna zwana **rycerstwem**. Tworzyli ją panowie feudalni, którzy na wezwanie swojego władcy zobowiązani byli ruszyć na wojnę. Z czasem rycerze stali się elitą społeczną ze swoistym stylem życia, etyką i ceremoniałem.

---

[1] **sztuka bizantyńska** albo **bizantyjska** – sztuka rozwijająca się w Bizancjum i w całym Cesarstwie Bizantyńskim (Cesarstwie Wschodniorzymskim) w okresie od IV do XV w. n.e. Wyróżnia ją zamiłowanie do przepychu. Wytworami tej sztuki są mozaiki [czyt. mo<u>za</u>-iki], ikony (malarstwo płaskie), freski (malarstwo ścienne na świeżej zaprawie) i bazyliki kopułowe (np. świątynia Hagia Sophia z VI w. n.e. w Konstantynopolu). Kontynuację sztuki bizantyńskiej odnajdujemy w architekturze i wytworach artystycznych Rosji, Bułgarii i Jugosławii.

Wczesna idea rycerstwa pojawiła się w VIII wieku w drużynie Karola Wielkiego, ale dopiero **krucjaty** (ang. crusades), czyli święte wojny chrześcijan z wyznawcami islamu, ukształtowały rycerstwo.

Krucjaty odbywały się w latach 1096-1291 i miały na celu odebrnie Ziemi Świętej z rąk muzułmańskich. Początkowo były popierane przez papieża i władców poszczególnych państw, ale szybko z wypraw o charakterze religijnym przerodziły się w awanturnicze i brutalne ekspedycje. Odbyło się dziewięć krucjat, do najtragiczniejszych należy tzw. Krucjata Dziecięca z 1212 roku. Wzięło w niej udział co najmniej 50 000 dzieci, głównie francuskich, włoskich i niemieckich. Większość z nich zginęła, nieliczne pozostałe przy życiu dzieci sprzedano do niewoli.

W Średniowieczu powstało wiele zakonów rycerskich, które miały za zadanie szerzenie wiary chrześcijańskiej. Dla potrzeb Trzeciej Krucjaty **powstał w 1190 roku Zakon Krzyżacki.** W 1226 roku książę Konrad Mazowiecki sprowadził członków tego zakonu do Polski. Dał im w lenno ziemię chełmińską w zamian za pomoc w chrystianizacji północnych sąsiadów Prusów, którzy napadali na polskie ziemie. Jakże nieszczęśliwy był pomysł księcia Mazowieckiego! Krzyżacy bowiem pod pozorem szerzenia wiary chrześcijańskiej, której symbole (**czarne krzyże**) nosili na płaszczach, realizowali własne cele polityczne, nie przebierając w środkach. W krótkim czasie wymordowali cały naród pruski, zagarnęli jego ziemie i założyli państwo krzyżackie ze stolicą w Malborku. Następnie stali się ogromnym zagrożeniem dla Polaków i Litwinów. Dopiero w 1410 roku, w bitwie pod Grunwaldem (ang. Battle of Tannenberg[1]), połączone siły polsko-litewskie zmiażdżyły Zakon Krzyżacki, który ostatecznie uległ rozwiązaniu w 1525 roku[2].

Jak umierał rycerz?

Najwcześniej stan rycerski ustalił się na d w o r z e   k a r o l i ń s k i m (w otoczeniu Karola Wielkiego). Tam narodziła się „Pieśń o Rolandzie", ukazująca idealnego rycerza. Do naszych czasów zachowało się kilka innych utworów rycerskich: niemiecka „Pieśń o Nibelungach", hiszpański „Cyd", celtycka „Legenda o królu Arturze" i staroruskie „Słowo o wyprawie Igora".

Poznajmy okoliczności śmierci hrabiego Rolanda – dzielnego rycerza i siostrzeńca Karola Wielkiego.

---

[1] **Tannenberg** (niem.) – pol. Stębark. Bitwa pod Grunwaldem odbyła się na polu pomiędzy wsiami Grunwald i Stębark. Zwróć uwagę na różnice w lokalizowaniu pola walki przez historyków polskich i niemieckich (a także amerykańskich).

[2] **1525 rok** – rozwiązanie Zakonu Krzyżackiego i równoczesne złożenie **hołdu pruskiego** na rynku w Krakowie. **Hołd** to publiczna ceremonia składania przysięgi seniorowi przez wasala; w tym wypadku książę pruski Albrecht Hohenzollern złożył przysięgę królowi polskiemu Zygmuntowi I Staremu z dynastii Jagiellonów. Na mocy tego aktu Zakon Krzyżacki uległ sekularyzacji (tzn. przestał mieć cechy religijne), a książę pruski stał się dziedzicznym lennikiem Polski z ziem nazywanych od tej pory P r u s a m i   K s i ą ż ę c y m i. W XVI wieku hołd pruski był posunięciem śmiałym, ponieważ odcinał protestanckie państwo Prus Książęcych od katolickiego Cesarstwa Niemieckiego. Jednakże z perspektywy historycznej hołd okazał się błędem, gdyż królestwo Prus stało się potęgą polityczną i w XVIII w. wzięło udział w rozbiorach Polski.

Zamek krzyżacki w Malborku. Fot. Z. Błażejczyk / WSiP

 Przeczytaj fragment utworu pt. **„Pieśń o Rolandzie"** zamieszczony w Wypisach. Jest to francuska pieśń bohaterska, tzw. chanson de geste[1], niezmiernie popularna w Średniowieczu, tłumaczona na język polski z wersji ok. XII-XIV wiecznej. Francuski oryginał z XI w. nie zachował się.

Omówienie

Roland stał na czele jednego z oddziałów króla Karola Wielkiego, który w 778 roku wziął udział w wyprawie do Hiszpanii, zajętej wtedy przez Saracenów, tj. wyznawców islamu. Został otoczony przez wroga, ale nie wezwał pomocy, bo byłaby to ujma dla honoru rycerza. Raniony przez Saracena ginie. Przed śmiercią Roland zwraca twarz w stronę Hiszpanii, żałuje za swoje grzechy, Bogu ofiarowuje rękawicę na znak poddaństwa. Na koniec aniołowie odnoszą jego duszę do raju.

Zauważ, że tekst ma przemyślaną k o m p o z y c j ę. Wymieńmy główne sceny: 1. Przygotowanie Saracenów do walki, 2. Ocena szans przez Oliwiera i demonstracja waleczności przez Rolanda, 3. Ukazanie bitwy w całym jej okrucieństwie, 4. Przedśmiertne rozważania Rolanda, 5. Ceremoniał umierania rycerza.

Pomagając sobie tekstem utworu, rozwiń pisemnie jeden z punktów.

---

[1] **chanson de geste** (fr.) – [czyt. sza[n]są dôżest], pieśń bohaterska. W okresie od XI do XIV w. powstało we Francji ponad 80 pieśni, wyrażających ideały feudalne i patriotyczne; „Pieśń o Rolandzie" jest wybitnym przykładam tego gatunku.

➡ Co to jest ceremoniał? Prześledź szczegółowo zachowanie rycerza w minutach poprzedzających śmierć [część CLXVIII i następne].

Cechy, jakimi odznaczał się rycerz Roland:
duma i dbałość o dobre imię,
odwaga i męstwo w czasie walki,
wierność władcy (Karolowi Wielkiemu),
pobożność, bo Roland krzewił wiarę chrześcijańską walcząc z wyznawcami islamu,
a ponadto przed śmiercią powierzał Bogu dusze poległych Francuzów i swoją,
patriotyzm (Nie daj Bóg, aby słodka Francja miała iść w pogardę"),
wierność w przyjaźni.

Literatura średniowieczna prezentowała trzy podstawowe **modele zachowań**
(wzorce do naśladowania): r y c e r z a , w ł a d c y i ś w i ę t e g o. Zapamiętaj
cechy rycerza Rolanda.

Najsłynniejszym p o l s k i m rycerzem był **Zawisza Czarny** z Garbowa, rycerz
„bez skazy i zmazy", zwycięzca wielu turniejów rycerskich, uczestnik bitwy pod
Grunwaldem w 1410 roku, który do dziś pozostał symbolem prawości i honoru.
Porównaj nawiązania do tej postaci: „polegać jak na Zawiszy" (zwrot przy-
słowiowy), „Bitwa pod Grunwaldem" (obraz Jana Matejki z 1878 roku), dramat
„Wesele" Stanisława Wyspiańskiego (osoba dramatu Rycerz Czarny).

Czy wiesz, że...

pojęcie **okrągły stół** pochodzi z celtyckiej legendy o królu Arturze, zamieszczonej w kronice
z XII w. pt. *„Historia Regum Britanniae"*? Stół był prezentem ślubnym od króla Leodegran-
ce'a dla króla Artura, gdy ten pojął za żonę jego córkę Guineverę. Mebel ów umożliwił
zakończenie sporów o pierwszeństwo zasiadania przy nim 150 rycerzy, gdyż **przy okrągłym**
stole wszyscy byli równi.

Kartka z najnowszej historii Polski

Nazwą **„okrągły stół"** określa się również rozmowy prowadzone w dniach od 6 lutego do
5 kwietnia 1989 roku w Warszawie między stroną rządową a opozycyjno-solidarnościową.
Były to obrady o wielkim historycznym znaczeniu. Chodziło w nich o zmiany ustrojowe Polski
oraz poprawę krajowej gospodarki. Przewodniczącym strony opozycyjnej był **Lech Wałęsa**,
który następnie (w 1990 roku) wygrał wybory prezydenckie.

POWSTANIE PAŃSTWA POLSKIEGO. CHRZEST POLSKI (966 r.)

Znamy legendę o Lechu, Czechu i Rusie, w której ukazane są czasy kształtowania się
polskiej odrębności narodowej. Pierwszy ślad tej opowieści znajdujemy w „Kronice
Wielkopolskiej" (ok. 1382). Lech zatrzymał się w okolicach dzisiejszego Gniezna,
gdzie narodziła się później państwowość polska. Inna legenda, o Piaście-Kołodzieju,

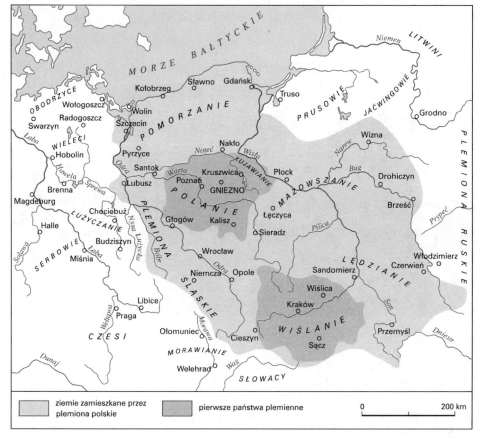

Plemiona polskie i sąsiednie, IV-IX w.; zaznaczono również pierwsze państwa plemienne Polan i Wiślan.

ukazuje próby wprowadzenia na nasze ziemie chrześcijaństwa w o b r z ą d k u w s c h o d n i o r z y m s k i m[1]. Wątek ten znajdujemy po raz pierwszy w „Kronice" Galla Anonima (1113 r.) Legendy to opowieści ludowe, przekazywane ustnie z pokolenia na pokolenie. Chociaż nie mają wartości historycznej, przechowują okruchy naszych dziejów.

Wczesne ośrodki państwowe powstały na ziemiach polskich już w połowie IX wieku. Mowa tu o **Polanach** w Wielkopolsce i **Wiślanach** w Małopolsce; pamiętajmy, że tereny między Wisłą a Odrą zaludniało więcej plemion, były one jednak za słabe, by się usamodzielnić. Wiślanie dostali się wkrótce pod zwierzchnictwo Państwa Wielkomorawskiego[2], w związku z czym **P o l a n o m**[3] przypadły

---

[1] wiarę propagowali przybyli z Bizancjum bracia-misjonarze – św. Cyryl i św. Metody (IX w.).

[2] **Państwo Wielkomorawskie** – wczesne państwo Słowian zachodnich, które istniało w IX i X w. Dziś większość jego terenów wchodzi w skład Czech i Słowacji.

[3] **Polanie** – plemię słowiańskie osiadłe w VIII-X w. nad rzeką Wartą. Było na tyle silne, że połączyło mniejsze plemiona i utworzyło organizację państwową wokół grodu Gniezno; nazwa pochodzi od rzeczownika **pole** – w staropolskim znaczeniu: obszar uprawy rolnej wraz z mieszkańcami; od niej powstała nazwa **Polska** (nazwa ta istniała już w X w.); po łacinie – *Polonia*.

93

Osada w Biskupinie, VII-V w. p.n.e. (rekonstrukcja). Fot.: S. Tarasow/WSiP

w udziale wysiłki państwotwórcze. W przekazach ustnych przetrwały imiona kilku legendarnych władców Polan – Piasta[1], Ziemowita, Leszka i Ziemomysła. P i e r w - s z y m   h i s t o r y c z n y m   w ł a d c ą ,   t j.   t a k i m ,   o   k t ó r y m   z n a j d u j e - m y   z a p i s y   w   d o k u m e n t a c h ,   b y ł   k s i ą ż ę   M i e s z k o   I, panujący od ok. 960 do 992 roku.

W 965 roku Mieszko I zawarł porozumienie z czeskim księciem Bolesławem I z rodu Przemyślidów, na mocy którego odprawił siedem dotychczasowych żon, a następnie poślubił leciwą[2] już córkę Bolesława I – Dobrawę (Dąbrówkę). Dzięki temu mógł wraz z całym krajem przyjąć od Czechów wiarę w obrządku zachodnio-rzymskim. Uroczystość Chrztu św. miała miejsce w **966 roku**.

Zapamiętaj: Chrzest św. przyjęliśmy z Rzymu za pośrednictwem Czech. Płynęły z tego daleko idące korzyści, ponieważ: a) weszliśmy w sferę wpływów zachodnioeuropejskich, b) język i alfabet łaciński, który obowiązywał w Kościele zachodniorzymskim, ułatwiał przenikanie do Polski wysoko rozwiniętej kultury grecko-rzymskiej, c) dwór książęcy uczył się od Kościoła sztuki administrowania młodym państwem, d) zbliżyliśmy się do Czechów, od których przejęliśmy podstawowe słownictwo związane z wiarą, np. ksiądz, ołtarz, ofiara, e) uniezależ-niliśmy się od Niemców, chociaż tylko na krótko.

Zwróć jeszcze uwagę na kulturowo-społeczne koszty wprowadzenia chrześcijań-stwa do Polski. Z jednej strony, **upadła stara oryginalna kultura słowiańska**, gdyż zakazywano dawnych obrzędów religijnych, śpiewania pieśni, czynienia znaków

---

[1] **Piast** – oracz z podgrodzia w Gnieźnie, od niego wywodzi się piastowska dynastia władców polskich.
[2] **leciwa** – książk. w podeszłym wieku, stara.

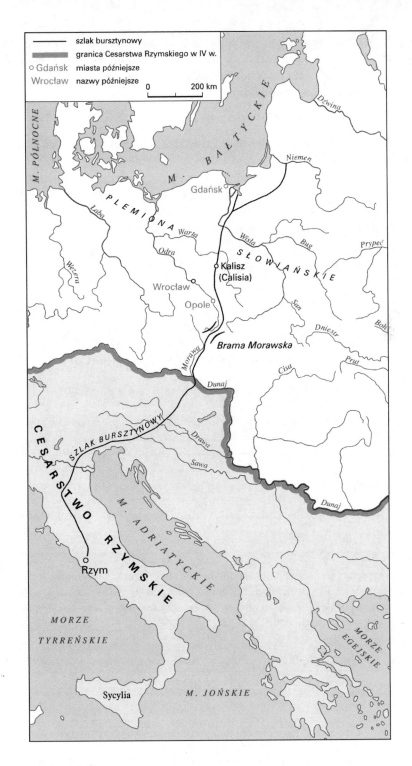

Szlak bursztynowy z Rzymu nad Morze Bałtyckie, I-IV w. n.e.

tajemnych. Wielu ludzi straciło życie broniąc swoich starych wierzeń. Z drugiej strony, nabożeństwa w świątyniach odprawiano po łacinie, czyli w języku obcym ludowi, ale z kolei ten sam **obcy język łaciński wprowadził nas w krąg kultury i cywilizacji zachodnioeuropejskiej**.

*

Otton III, wnuk Ottona I, chciał doprowadzić do politycznej unii narodów, w której egzystowałyby obok siebie cztery niezależne człony: Germania, Galia, Rzym i Słowiańszczyzna Zachodnia. W związku z tym w roku 1000 [czyt. tysiącznym] odbył się prestiżowy **zjazd w Gnieźnie**, w czasie którego Otton III uznał niezawisłość[1] polskiego księcia, Bolesława Chrobrego. Sukces okazał się przejściowy, ponieważ pomysł unii upadł po śmierci Ottona III.

„Tysiączne" pułapki w odmianie liczebnika[2]

Tysiąc (1000), tysiączny albo tysięczny, ale – dwutysięczny (2000), czterotysięczny (4000), wielotysięczny.
Tysiączna lub **tysięczna rocznica** albo inaczej **tysiąclecie** lub **1000-lecie**.
Tysiączna lub **tysięczna (1000)** strona, ale strona **tysiąc pierwsza (1001)**.
W roku **tysiącznym** lub **tysięcznym (1000)**, ale **tysiąc dziewięćset dziewięćdziesiątym dziewiątym (1999)**.
W roku **dwutysięcznym (2000)**, ale w roku **dwa tysiące pierwszym (2001)**.

Przepisz do zeszytu poniższe zdania i uzupełnij je, używając liczebników:
Urodziłem się w roku _____ .
W _____ roku ukończę 20 lat.

Polska prehistoria[3]

Cofnijmy się w czasie, aby prześledzić chronologię wydarzeń **prehistorycznych** na ziemiach polskich:

- Najdawniejsze ślady życia ludzkiego na polskich terenach pochodzą z Jaskini Ciemnej koło Ojcowa i Jaskini Okiennik koło Zawiercia. Mowa tu o n a r z ę - d z i a c h z k r z e m i e n i a sprzed około **200 tys. lat p.n.e.** Trwał wówczas **okres paleolitu** (epoka kamienia łupanego).

  Stopniowo formy życia zmieniały się (pomijamy ten długi okres)

---

[1] **niezawisłość** – niezależność, samodzielność.
[2] **liczebnik** – część mowy, która oznacza liczbę albo kolejność liczbową i odpowiada na pytania: ile? który z kolei?, np. dziesięć (rzędów), dziesiąty (rząd).
[3] **prehistoria** albo **prahistoria** – okres, o którym dowiadujemy się dzięki badaniom archeologicznym (wykopaliskowym). Porównaj: **historia** to okres, o którym dowiadujemy się dzięki źródłom pisanym.

- Około 3000 lat p.n.e. istniał na ziemiach polskich **matriarchat** (ród macierzysty, w którym główną rolę odgrywały kobiety).
- Około 1800 lat p.n.e. istniał na naszych ziemiach **patriarchat** (wspólnota rodowa, w której główną rolę odgrywali mężczyźni).
- Około 650-500 r. p.n.e., czyli w tym czasie, kiedy zaczynała się rozwijać klasyczna kultura Aten, na terenie dzisiejszej Wielkopolski powstała osada obronna **Biskupin**.
- W wiekach od I do IV n.e., czyli w okresie kultury rzymskiej, z Cesarstwa Rzymskiego wiodły na nasze ziemie **szlaki handlowe**, m.in. do Kalisza i nad Bałtyk. Obiektem zainteresowania kupców były futra, skóry i bursztyn[1].
- W wiekach IV i V n.e. miały miejsce **wędrówki plemion słowiańskich**. Z tego okresu (lub nieco późniejszego) pochodzi legenda o Lechu, Czechu i Rusie.
- W IX w. państwo **Wiślan** dostało się pod zwierzchnictwo Państwa Wielkomorawskiego. W tym samym czasie w państwie **P o l a n** rządzą kolejno znani z legend: Piast, Ziemowit, Leszek i Ziemomysł. Z tej linii wywodzi się pierwszy historyczny władca Polski, książę Mieszko I.

 Wróć do linii chronologicznej rysowanej wcześniej [p. Starożytność] i zaznacz na niej czerwonym kolorem daty z prehistorii Polski, które ty uważasz za najważniejsze.

Praca z mapą

 Wskaż na mapie:
- miejsca związane z pierwszymi śladami pobytu ludzi na ziemiach polskich – **okolice Ojcowa, okolice Zawiercia, Biskupin**,
- tereny zajmowane przez plemiona a) **Polan**, b) **Wiślan**,
- najstarsze stolice Polski – **Gniezno, Poznań, Kraków**.

POCZĄTKI LITERATURY POLSKIEJ. PRZEGLĄD TYTUŁÓW

Poniższy przegląd tekstów łacińsko- i polskojęzycznych daje wyobrażenie o literaturze polskiego Średniowiecza, ale nie wyczerpuje wiadomości o twórczości epoki. Kilka tekstów poznamy dokładniej na lekcjach.

Teksty cudzoziemskie z nawiązaniami do Polski:
- GEOGRAF BAWARSKI. Pierwsze informacje na temat naszych ziem pochodzą z niemieckiego przewodnika z IX wieku pt. „Geograf Bawarski". Dzieło zawiera opis Europy w języku łacińskim, ale podaje p o l s k i e n a z w y p l e m i o n, zamieszkujących tereny między Odrą a Wisłą.
- ROCZNIKI. Pierwsze systematyczne ł a c i ń s k i e zapiski dokumentujące polską historię pochodzą z końca X wieku i robione były n a m a r g i n e s a c h c u d z o z i e m s k i c h k s i ą g. Przykładowe notatki: „965 – Dobrawka przybywa do Mieszka", „966 – Mieszko, książę polski, chrzci się". Zapiski te nazywamy rocznikami.

---

[1] ang. amber.

Teksty powstałe na terenie Polski (w języku łacińskim lub polskim):

- **KRONIKI.** C u d z o z i e m c o w i zawdzięczamy naszą pierwszą kronikę, napisaną p o ł a c i n i e. Mowa tu o dziele **Galla Anonima**[1], sekretarza księcia Bolesława Krzywoustego, panującego w latach 1102-1138. Kronika Galla Anonima ma charakter rycersko-dworskiej literatury świeckiej i składa się z trzech ksiąg. Przedstawia dzieje Polski od czasów legendarnych, tj. od księcia Popiela, do roku 1113. W sporym gronie kronikarzy średniowiecznych warto wymienić jeszcze takich autorów, jak **Wincenty Kadłubek, Janko z Czarnkowa** i **Jan Długosz.** Wielką wartość źródłową ma zwłaszcza ł a c i ń s k o j ę z y c z n a *„Historiae Polonicae libri 12"*[2] **Jana Długosza** doprowadzona do roku 1480, a wzorowana na dziele starożytnego historyka rzymskiego Tytusa Liwiusza.

- **BOGURODZICA.** W XIII wieku powstała ustna wersja religijnej pieśni „Bogurodzica", p i e r w s z e g o a r t y s t y c z n e g o u t w o r u w j ę z y k u p o l s k i m. Z 1407 roku pochodzi zachowany rękopis, a z 1506 roku – zachowany druk.

- **KAZANIA I PSAŁTERZ.** XIV wiek przynosi więcej religijnych utworów w j ę z y k u p o l s k i m. Z przekazów wiemy, że królowa Jadwiga, żona Władysława Jagiełły, posiadała wielką bibliotekę pism pobożnych, tłumaczonych specjalnie dla niej z języka łacińskiego na polski. Były to modlitwy, kazania, żywoty świętych i rozmyślania. Niestety, biblioteka ta zaginęła. Do naszych czasów zachowały się inne pisma polskie z tego okresu: **Kazania świętokrzyskie, Kazania gnieźnieńskie i Psałterz floriański.** Ten ostatni można nazwać p i e r w s z ą k s i ę g ą p o l s k ą, gdyż wyróżnia się dużymi rozmiarami. Zawiera przekłady 150 psalmów[3] króla Dawida, tłumaczonych z łaciny na polski za pośrednictwem języka czeskiego.

- **LEGENDA O ŚW. ALEKSYM.** Z XV wieku pochodzi p o l s k a w e r s j a „Legendy o św. Aleksym". Jej pierwowzór powstał w V-VI wieku w Syrii. Od X w. legenda o św. Aleksym stała się popularna w całej chrześcijańskiej Europie, najpierw dzięki wersjom grecko- i łacińskojęzycznym, a potem narodowym, tak jak w przypadku Polski.

- **O ZACHOWANIU SIĘ PRZY STOLE.** W 1415 roku powstał utwór pt. „O zachowaniu się przy stole" Przecława Słoty, szlachcica z Gosławic w ziemi łęczyckiej. Jest to najstarszy p o l s k o j ę z y c z n y wiersz obyczajowo-dydaktyczny, rodzaj poradnika „savoir-vivre'u"[4]. Autor próbował przekazać Polakom obyczaje dworskie i biesiadne Zachodu i połączyć je z rycerskim kultem dla kobiety.

---

[1] **Gall Anonim** – przydomek nieznanego z imienia i nazwiska autora kroniki pochodzi od łac. *Gallus* – Francuz i od łac. *anonymus* – bezimienny, nie podpisany.

[2] [czyt. historie polonike libri duodecim]; polski tytuł: „Historii Polski ksiąg 12".

[3] **psalm** – pieśń należąca do Starego Testamentu lub wzorowana na pieśniach ze Starego Testamentu; gr. *psalmos* – pieśń; łac. *psalmus* – pieśń.

[4] **savoir-vivre** (fr.) – [czyt. sawuar-wiwr], znajomość form towarzyskich; od fr. savoir – wiedzieć, umieć i fr. vivre – żyć.

- **SATYRA NA LENIWYCH CHŁOPÓW.** Z końca XV wieku pochodzi „Satyra na leniwych chłopów", utwór społeczny, napisany przez szlachcica z ziemi poznańskiej.

Zbierzmy wiadomości. Literatura średniowieczna miała przede wszystkim **charakter religijny** (pieśni, modlitwy i żywoty świętych), chociaż przyniosła też zapisy o **charakterze świeckim** (roczniki, kroniki, satyry). Zdecydowana większość tekstów była pisana p o ł a c i n i e, a to z dwóch powodów: po pierwsze, wykształcona elita kościelna swobodnie posługiwała się tym językiem, po drugie, literacki język polski dopiero się kształtował.

Piśmiennictwo polskie epoki Średniowiecza można przyrównać do języka dziecka, które dopiero uczy się składać pierwsze zdania.

Trzy szczególne zabytki języka polskiego

1. „Geograf Bawarski". Jest to niemieckie dzieło napisane w IX wieku, które zawiera pierwsze polskie w y r a z y, a dokładniej nazwy plemion zamieszkujących tereny między Odrą a Wisłą, np. Opolanie, Dziadoszanie.

2. „Księga Henrykowska". Jest to kronika z XIII wieku, opisująca po łacinie dzieje klasztoru cystersów[1] w Henrykowie i zawierająca pierwsze polskie z d a n i e: „day ut ia pobrusa a ti poziwai" („Daj, ać ja pobruszę, a ty poczywaj"[2]). Wypowiedział je właściciel wsi Bruľalica, Bogwał, do żony mielącej ziarno w żarnach.

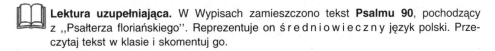

Najstarsze zdanie napisane w języku polskim z 1270 r.

3. „Bogurodzica". Wersja ustna pieśni pochodzi z XIII wieku, natomiast wersja pisana – z XV wieku. Jest to pierwszy oryginalny, tj. nie tłumaczony z języka obcego, u t w ó r w języku polskim o cechach artystycznych.

Różne wersje Psalmu 90 (91)[3]

Lektura uzupełniająca. W Wypisach zamieszczono tekst **Psalmu 90**, pochodzący z „Psałterza floriańskiego". Reprezentuje on ś r e d n i o w i e c z n y język polski. Przeczytaj tekst w klasie i skomentuj go.

---

[1] **cystersi** – zakon założony w 1098 r. w Cîteau (łac. Cistercium) we Francji przez św. Roberta, w Polsce od 1140 r.

[2] we współczesnym języku polskim: „Daj, ja będę rozcierał ziarna, a ty odpocznij." Chodzi o pomoc przy mieleniu ziaren w żarnach. **Żarna** – urządzenie składające się z dwóch kamieni; w zagłębienie dolnego szerokiego kamienia sypano ziarno, które rozcierano kolistym ruchem drugim mniejszym kamieniem.

[3] wszystkie trzy teksty zamieszczone są w Wypisach razem z utworami Jana Kochanowskiego.

📖 **Lektura uzupełniająca.** Porównaj tekst Psalmu 90 z zamieszczonym obok tekstem **Psalmu 91 (90)**, pochodzącym z Biblii Tysiąclecia. Wprawdzie tekst z Biblii jest wcześniejszy w stosunku do tekstu średniowiecznego, ale przekładu na język polski dokonał w s p ó ł c z e s n y n a m t ł u m a c z. Skomentuj język utworu.

📖 **Lektura uzupełniająca.** Przeczytaj **Psalm 91** Jana Kochanowskiego, wybitnego poety polskiego z XVI wieku [p. Odrodzenie]. Co powiesz o formie, treści i języku tego utworu?

Echa historii Polski na kartach utworów średniowiecznych

Każdy tekst jest swoistym okruchem historii bez względu na to, czy mówimy o wierszu, kronice, czy dokumencie z kancelarii królewskiej. Zwłaszcza kroniki są kopalnią wiadomości. Oczywiście, historycy nie przyjmują bezkrytycznie wszystkiego, co zostało napisane przez dawnego autora, ale poddają zapis kronikarski wszechstronnej analizie[1]. Materiałem porównawczym są inne teksty z tej samej epoki oraz odkrycia archeologiczne.

---

[1] [czyt. a_nalizie albo anali_zie].

W Wypisach znajdziesz fragment kroniki Jana Długosza pt. „Historiae Polonicae libri 12'', przedstawiający **życie, obyczaje i ułomności Władysława Jagiełły**. Król ten przybył do Polski z Litwy (ang. Lithuania) i zapoczątkował dynastię Jagiellonów. Fragment ukazuje nam **m o d e l (w z o r z e c) w ł a d c y**.

Napisz charakterystykę króla Władysława Jagiełły, posługując się następującym planem: a) pochodzenie króla, b) wygląd zewnętrzny, c) stosunek do żon, d) cechy charakteru, e) stosunek do Boga, f) upodobania w zakresie jedzenia, picia, rozrywek i ubioru, g) wiara w przesądy.

Lektura uzupełniająca. Przeczytaj **opis bitwy pod Grunwaldem z 1410 roku**, pochodzący z kroniki Jana Długosza pt. „Historiae Polonicae libri 12''.

➡ Opowiedz, jak wyglądała bitwa, w której pokonany został Zakon Krzyżacki. Jaką rolę pełniła wówczas pieśń pt. „Bogurodzica''? Z kroniki Jana Długosza czerpał wiedzę Henryk Sienkiewicz, tworząc swoją słynną powieść pt. „Krzyżacy'' (wyd. 1900). Przeczytaj tę powieść lub obejrzyj film „Krzyżacy''[1]. Dzięki nim poznasz dokładniej tematykę krzyżacką i realia życia rycerskiego.

Rycerze polscy (z lewej) i krzyżacki (z prawej) XII-XV w.

---

[1] **film pt. „Krzyżacy''** – reż. Aleksander Ford, rok produkcji 1960, 1 wideokaseta, kolor, wersja polskojęzyczna z angielskimi napisami (169 min) albo wersja angielskojęzyczna (145 min), w rolach głównych: Urszula Modrzyńska, Grażyna Staniszewska, Mieczysław Kalenik i Andrzej Szalawski.

„BOGURODZICA" (XIII w.) – NAJDAWNIEJSZA POLSKA PIEŚŃ RELIGIJNA I HYMN RYCERSKI. CECHY JĘZYKA „BOGURODZICY"

Przeczytaj tekst „**Bogurodzicy**". „Przetłumacz" pieśń na język w s p ó ł c z e s n y (ustnie lub pisemnie), po czym porównaj swoje tłumaczenie z wersją zaproponowaną poniżej:

B o g a   M a t k o ,   d z i e w i c o, przez Boga sławiona Mario!
Twojego Syna Pana, Matko wybrana, Mario,
pozyskaj dla nas, ześlij nam (z nieba na ziemię).
    Panie, zmiłuj się nad nami.

Z a   p r z y c z y n ą   T w o j e g o   C h r z c i c i e l a, Synu Boży,
usłysz głosy nasze, napełnij ludzkie myśli!
Wysłuchaj modlitwę, którą (do Ciebie) wznosimy,
i daj, o co Ciebie prosimy:
na ziemi pobożne życie,
po śmierci – żywot w raju.
    Panie, zmiłuj się nad nami.

Treść

Pieśń „Bogurodzica" jest modlitwą-prośbą skierowaną do Syna Bożego, tj. Jezusa Chrystusa. Matka Boża i Jan Chrzciciel pełnią funkcję pośredników między człowiekiem a Jezusem. Treścią modlitwy są pragnienia typowe dla ludzi Średniowiecza, czyli pobożne życie na ziemi, a po śmierci – pójście do raju.

Język

Wiele form wyrazowych i konstrukcji zdaniowych, które odnajdujemy w tekście „Bogurodzicy", uległo zmianom lub całkowicie wyszło z użycia. Takie przestarzałe formy i konstrukcje nazywamy **archaizmami**[1]. Pieśń pt. „Bogurodzica" dostarcza nam wiedzy o budowie i rozwoju języka polskiego.
    Wyróżniamy archaizmy:
    a) fonetyczne, czyli dotyczące wymowy, np. sławiena – sławiona,
    b) leksykalne, czyli słownikowe, np. *Gospodzin* – Pan, *zwolena* – wybrana,
    c) słowotwórcze, czyli związane z budową wyrazów, np. *przebyt* – pobyt, *zbożny* – pobożny (lub dostatni),
    d) fleksyjne, czyli związane z odmianą wyrazów, np. *Bogurodzica* – Bogurodzico, *spuści* – spuść,
    e) składniowe, czyli dotyczące budowy zdania, np. *Bogiem sławiena* – przez Boga sławiona.

---

[1] od gr. *archaios* – dawny.

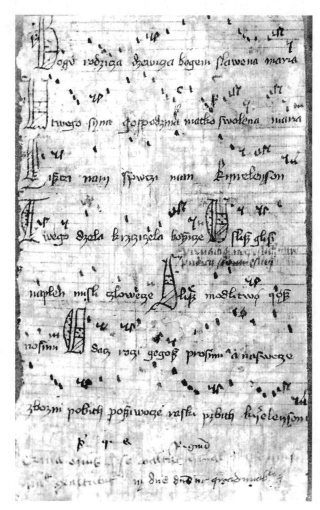

"Bogurodzica", pieśń z XIII w.; najstarszy zachowany rękopis z 1407 roku znajduje się w Bibliotece Jagiellońskiej w Krakowie.
Fot.: Archiwum WSiP

Wartości artystyczne

Jest wiele innych zagadnień, które interesują badaczy analizujących „Bogurodzicę". Należą do nich: paralelizm[1] znaczeniowy i paralelizm kompozycyjny utworu (w każdej strofie apostrofa i prośba), intonacja[2] w wierszu, rymy wewnętrzne i końcowe. [wskaż wymienione elementy]

„Bogurodzica" to pieśń niezwykle dojrzała, dlatego nazywamy ją arcydziełem wczesnej poezji polskiej. Najstarszy rękopis „Bogurodzicy" (z 1407 roku) znajduje się w Bibliotece Jagiellońskiej w Krakowie.

---

[1] **paralelizm** – współrzędność, zgodność, podobny układ elementów; od gr. *parallelismos* – zestawienie, porównanie.

[2] **intonacja** – rytmiczność i melodyjność mowy; od łac. *intonare* – wydawać głos.

Hymn państwowy (narodowy). Przegląd hymnów wybranych państw

> **Hymn** to uroczysta pieśń patriotyczna[1] lub religijna, podniosła w treści i formie, utrwalona przez tradycję i przyjęta za symbol jedności narodowej.

POLSKA. Pierwszym hymnem polskim była **„Bogurodzica"**, znana w wersji ustnej już w XIII w. Rycerze śpiewali ją na polu bitwy pod Grunwaldem (1410 r.) i pod Warną (1444 r.). Obecny hymn pt. **„Mazurek Dąbrowskiego"**, zaczynający się od słów „Jeszcze Polska nie zginęła", pochodzi z 1797 roku.
STANY ZJEDNOCZONE. Amerykański hymn pt. **„The Star-Spangled Banner"** powstał w 1814 r.
WIELKA BRYTANIA. Brytyjski hymn pt. **„God Save the Queen"** powstał w 1740 r.
FRANCJA. Francuski hymn pt. **„La Marseillaise"** („Marsylianka") został napisany w 1792 r.

➡ Każdy kraj (naród) ma swój hymn, często jego powstaniu towarzyszyły dramatyczne zdarzenia w historii. Hymn jest symbolem patriotycznym, podobnie jak godło i flaga narodowa. Istnieją nagrania hymnów narodowych, np. World Anthems. Compact Disc. English Chamber Orchestra. New York: BMG Music, 1992.

Symbole narodowe (państwowe) Polski i Stanów Zjednoczonych[2]

W skład symboli narodowych (państwowych) wchodzą: **hymn, godło i flaga, inaczej barwy**. Symbole narodowe ewokują[3] patriotyzm, poczucie więzi z Ojczyzną. Przy prezentowaniu symboli narodowych powinniśmy zachować godną postawę. Śpiewając hymn narodowy stoimy na baczność, Amerykanie przy wykonywaniu swojego hymnu dodatkowo kładą prawą dłoń na sercu. Istnieje specjalny protokół dotyczący prezentacji flagi, zwłaszcza zawieszania flag kilku krajów jednocześnie. Uszkodzone flagi są wycofywane z użycia ze specjalnym szacunkiem.

POLSKA

Hymn **„Mazurek Dąbrowskiego"** (**„Jeszcze Polska nie zginęła"**) powstał między 15 a 21 lipca 1797 roku w obozie Legionów Polskich, zorganizowanych przez gen. Jana Henryka Dąbrowskiego w miejscowości Reggio Emilia w Lombardii we Włoszech. Autorem słów był pisarz Józef Wybicki, melodia anonimowego mazurka istniała wcześniej. Dokument z 26 lutego 1927 roku zatwierdził pieśń jako polski hymn państwowy.

Godło **„Biały orzeł na czerwonym tle"**. Jego idea wywodzi się z XIII wieku – pierwszy zaadaptował orła jako swój osobisty znak książę Henryk IV Probus, ale dopiero po koronacji Przemysła II w 1295 r. orzeł biały zaczął pełnić funkcję godła państwowego. (Przypomnij sobie przy okazji legendę o Lechu, Czechu i Rusie, w której jest mowa o orle w gnieździe.) Orzeł polski spogląda w prawo (na zachód), ma złotą koronę, dziób i szpony.

---

[1] łac. *patria* – ojczyzna.

[2] badaniem i opisem symboli narodowych zajmuje nauka pomocnicza historii o nazwie **weksylogia**; od łac. *vexillum* – chorągiew, flaga, sztandar.

[3] **ewokują** – książk. wywołują, przypominają, uprzytamniają; od łac. *evocare* – wywoływać; ang. evoke.

Flaga „Biało-czerwona". Kolory zostały przyjęte przez sejm Królestwa Polskiego w lutym 1831 roku (w czasie Powstania Listopadowego), chociaż już w XIII w. używano czerwonej chorągwi z białym orłem. Kształty flagi ustalono w 1918 roku; jest to prostokąt o stosunku długości do szerokości 8:3, składający się z dwóch pasów – białego u góry i czerwonego na dole.

STANY ZJEDNOCZONE

Hymn „The Star-Spangled Banner". Tekst powstał w nocy z 13 na 14 sierpnia 1814 r. w czasie ostrzału Fortu McHenry koło Baltimore, MD (w czasie tzw. War of 1812). Autorem słów był Francis Scott Key, natomiast melodia bachicznej (towarzyszącej piciu wina) pieśni pt. „To Anacreon in Haeven" istniała wcześniej i łączy się ją z osobą Brytyjczyka o nazwisku John Stafford Smith (1777). 3 marca 1931 roku Kongres zatwierdził pieśń jako amerykański hymn narodowy.

    Godło „American Eagle" zostało przyjęte przez Kongres 20 czerwca 1782 r. i przedstawia orła bielika (ang. bald eagle). Orzeł zwrócony jest w prawo (na zachód) i trzyma w dziobie wstęgę z łacińskim napisem „*E pluribus unum*", co znaczy „Jeden (naród) z wielu".

    Flaga „Stars and Stripes". Wzór amerykańskiej flagi został przyjęty przez Kongres Kontynentalny w dniu 14 czerwca[1] 1776 r. Wzór był nowy, oryginalny, natomiast kolory – brytyjskie. Współcześnie, pasy na fladze oznaczają 13 pierwszych stanów wchodzących w skład Unii, zaś gwiazdy – liczbę obecnych stanów. Ostatnią gwiazdę dodano 4 lipca 1960 r. po przyjęciu do USA Hawajów (ang. Hawaii).

„LEGENDA O ŚWIĘTYM ALEKSYM" (XV w.) – HISTORIA ŻYCIA ASCETY

> **Legenda**[2] to fantastyczna opowieść o przeszłości podana wierszem lub prozą. W Średniowieczu popularne były legendy o tematach chrześcijańskich, zwłaszcza o osobach świętych i cudach. W XVIII w. nazwą legenda zaczęto obejmować również podania ludowe.

 Przeczytaj **„Legendę o św. Aleksym"** zamieszczoną w Wypisach. Następnie, mając tekst przed oczami, streść ją ustnie. Czy zachowałeś następstwo zdarzeń? Czy zachowałeś obiektywizm, tzn. pominąłeś własne sądy i opinie? Poniżej znajdziesz szczegółowe streszczenie legendy. Porównaj je ze swoim.

Streszczenie

Utwór przedstawia dzieje Aleksego, potomka rzymskiego rodu książąt. Ojciec Aleksego miał na imię Eufamijan, a matka – Aglijas. Gdy syn skończył 24 lata, na prośbę ojca ożenił się z królewną Famijaną, chociaż wcześniej złożył śluby czystości.

---

[1] na pamiątkę tego wydarzenia – 14 czerwca jest obchodzony w USA jako Dzień Flagi (ang. Flag Day).

[2] od łac. *lego* – czytam; od łac. *legen dus* – to, co należy przeczytać; ang. legend.

Rysunek zdobiący rękopis „Legendy o św. Aleksym", połowa XV w. Fot.: Archiwum WSiP

Małżeństwo nie zostało skonsumowane[1]. Aleksy opuścił małżonkę w noc poślubną i, zabrawszy swój dobytek, udał się na tułaczkę[2]. Rozdał przygodnym ludziom wszystko, co miał, sam zaś na zmianę żebrał lub przymierał głodem. Kiedyś nawet Matka Boska interweniowała w życie Aleksego, nakazując klucznikowi otworzyć drzwi kościoła i wpuścić do środka zziębniętego żebraka. W końcu Aleksy powrócił do Rzymu, na dwór ojca. Nie rozpoznany przez nikogo spędził pod schodami następnych 16 lat życia, pozwalając służbie wylewać na siebie pomyje. A wszystko to „na chwałę Bożą". W chwili jego śmierci rozdzwoniły się w Rzymie dzwony, co było znakiem, że zmarł święty. Ludzie znaleźli nieżywego żebraka i próbowali wydobyć z jego ręki list, ale udało się to dopiero jego żonie, Famijanie. Z listu dowiedziano się, kim naprawdę był żebrak i jak toczyło się jego życie. Na pogrzeb przybył papież, kardynałowie i cesarz oraz tłumy chorych, którzy cudownie zdrowieli pod wpływem zapachu ciała zmarłego.

Wartości artystyczne i językowe

„Legenda o św. Aleksym" ma wyrazistego narratora oraz ciekawą fabułę. Zawiera wiele archaizmów, przede wszystkim leksykalnych (tj. z zakresu słownictwa). Widoczna jest dążność autora do wprowadzania w wersach jednakowej liczby sylab.
    Bohaterem utworu jest **asceta**[3].

> **Asceta** to człowiek, który z własnego wyboru ćwiczył się w cnocie, pokorze i cierpieniu, a wszystko po to, aby na ziemi zasłużyć na szczęście po śmierci.

---

[1] „złożyć śluby czystości" i „małżeństwo nie zostało skonsumowane" to **eufemizmy**, czyli delikatne, grzeczne określenia użyte w mowie lub piśmie w celu zastąpienia innych określeń – bezpośrednich lub dosadnych. W tym wypadku chodzi o odmówienie przez Aleksego współżycia z żoną; gr. *euphemismos*; od gr. *eu* – dobrze i od gr. *phemi* – mówię; ang. euphemism.
[2] z innego fragmentu wiemy, że Famijana zaakceptowała decyzję męża i też ślubowała czystość.
[3] od. gr. *asketes* – ćwiczący się.

Tekst jest utworem **parenetycznym**[1], tzn. ukazującym w z ó r o s o b o w y d o n a - ś l a d o w a n i a. Utwór ten propaguje **m o d e l (w z o r z e c) ś w i ę t e g o**.
„Legenda o św. Aleksym" należy do literatury **hagiograficznej**[2].

Bądź detektywem językowym, czyli tłumaczymy archaizmy

Przepisz przykłady do zeszytu. Do każdego z nich dopisz dzisiejszy odpowiednik, według wzoru. Następnie opracuj samodzielnie dwa archaizmy.

Dawniej: Wsiadł w <u>kogę</u>.　　　　　　Dziś: Wsiadł na <u>okręt</u>.
Dawniej: Żak się barzo lęknął.　　　　Dziś: _____
Dawniej: Iże był star.　　　　　　　　Dziś: _____
Dawniej: Leżał podle proga.　　　　　Dziś: _____
Dawniej: _____　　　　　Dziś: _____
Dawniej: _____　　　　　Dziś: _____

Średniowieczny uniwersalizm chrześcijański

J ę z y k ł a c i ń s k i pełnił w Średniowieczu funkcję j ę z y k a u n i w e r s a l - n e g o, tj. używano go we wszystkich krajach Europy. Był to język nowoczesnej religii – chrześcijaństwa, a jednocześnie wielka siła w rozwoju europejskich społeczeństw. Za pośrednictwem kazań, obrządków, wystroju świątyń, a potem literatury chrześcijaństwo rozpowszechniło określony sposób myślenia oraz wzory estetyczne. Ujednolicone były poglądy na temat modelu rodziny, szkolnictwa, nauki i porządku Wszechświata.

Dzisiejsza Europa: 43 języki i 3 alfabety

Języki. W części pt. „Starożytność" pisaliśmy[3] o pochodzeniu **warstwy słownej** języka polskiego. Ustaliliśmy[4], że język polski należy do wielkiej rodziny języków indoeuropejskich i że ok. XXX wieku p.n.e. istniał jeden wspólny **j ę z y k p r a i n d o e u r o p e j s k i**. Rozwijał się on w E u r o p i e Ś r o d k o w e j i W s c h o d n i e j, na co wskazują prastare nazwy zwierząt i roślin, np. wilk, owca i brzoza, które występują tylko w tamtejszym klimacie. Od języka praindoeuropejskiego pochodzą j ę z y k i s t a r o ż y t n e – sanskryt (starohinduski), greka i łacina oraz n o w o ż y t n e j ę z y k i e u r o p e j s k i e, jak polski, angielski, hiszpański, francuski, niemiecki i wiele innych (z wyjątkiem węgierskiego, estońskiego, fińskiego i baskijskiego). Równolegle z kształtowaniem się współczesnych języków europejskich zachodził proces przenikania do nich koncepcji zrodzonych w Grecji i Rzymie. To

---

[1] **parenetyczny** – od gr. *parainetikos* – doradczy, zachęcający.
[2] **hagiograficzna**, od **hagiografia** – dział historii llteratury obejmujący legendy i żywoty świętych; od gr. *hagios* – święty i od gr. *grapho* – piszę.
[3] [czyt. pi<u>sa</u>liśmy].
[4] [czyt. usta<u>li</u>liśmy]. Uwaga: W formach 1. i 2. osoby liczby mnogiej czasowników czasu przeszłego a k c e n t p a d a n a t r z e c i ą s y l a b ę o d k o ń c a, np. pi<u>sa</u>liśmy, pi<u>sa</u>liście, usta<u>li</u>liśmy, usta<u>li</u>liście.

właśnie dzięki temu procesowi możliwe jest dziś precyzyjne rozumienie podstawowych idei filozoficznych i terminów technicznych oraz współpraca między naukowcami z różnych krajów. Obecnie narody Europy posługują się 4 3 j ę z y k a m i.

Alfabety. Jak już wspominaliśmy, około X-XIII w. p.n.e. ludy prasemickie stworzyły alfabet spółgłoskowy[1]. W IX wieku p.n.e. kupcy z Fenicji przekazali wzór alfabetu Grekom, ci zaś poszerzyli go o samogłoski[2]. **A l f a b e t   g r e c k i** to jeden z trzech alfabetów używanych w Europie, jego obecny zasięg ograniczony jest do Grecji.

W VIII wieku p.n.e. znaki alfabetu greckiego zostały zapożyczone przez Etrusków, a później rozwinięte przez Rzymian. Wykształcony w ciągu wieków **a l f a b e t   ł a c i ń - s k i** rozszerzył się w Europie w pierwszym tysiącleciu naszej ery, docierając w X wieku do Polski. Pośrednikiem była religia chrześcijańska. Około 1500 roku, wraz z odkryciami geograficznymi, trafił on też do obydwu Ameryk. Dziś alfabet łaciński używany jest w większości krajów europejskich: w Portugalii, Hiszpanii, Francji, we Włoszech, w San Marino, Szwajcarii, Luksemburgu, Belgii, Holandii, Wielkiej Brytanii, Irlandii, Norwegii, Szwecji, Danii, Niemczech, Austrii, Słowenii, Chorwacji, Bośni-Hercegowinie, Czarnogórze, Albanii, na Węgrzech, w Rumunii, Mołdawii, Czechach, na Słowacji, w Polsce, na Litwie, Łotwie, w Estonii i Finlandii. Zauważ, że obecnie, w dobie prymatu technologii amerykańskiej, wiodącym językiem świata jest język angielski. W tym właśnie języku odbywa się elektroniczny przekaz informacji, a przy okazji dochodzi do dalszego upowszechniania alfabetu łacińskiego.

Trzecim alfabetem używanym w Europie jest **a l f a b e t   c y r y l i c k i**. On także rozwinął się z alfabetu greckiego (jak łaciński), ale w innym czasie i warunkach. Jak wiemy, w pierwszym tysiącleciu n.e. rywalizowały ze sobą dwa ośrodki kulturowe i religijne: zachodniorzymski z miastami Rzym i Rawena i wschodniorzymski ze stolicą w Konstantynopolu. Początkowo w obydwu ośrodkach używano łaciny. W V-VI wieku Konstantynopol uległ hellenizacji (silnym wpływom kultury greckiej), w wyniku czego zaczęto posługiwać się tylko pismem greckim. Konstantynopol błyszczał bogactwem i przepychem i szukał nowych wpływów. W tym celu pozyskał misjonarzy, którzy na terenach pogańskich mieli propagować religię w obrządku wschodniorzymskim. Dwóch z nich znamy z imienia; byli to bracia pochodzący z greckiego miasta Saloniki – św. Cyryl i św. Metody, żyjący w IX wieku. Legenda mówi, że odwiedzili oni gród Gniezno, ale nasi przodkowie nie byli zainteresowani ich misją. W związku z tym Cyryl i Metody udali się na Morawy i dalej na południe, gdzie prowadzili liturgię[3] w południowych dialektach słowiańskich (tylko mówionych, bo pisany język słowiański jeszcze nie istniał). Gdy później chcieli przetłumaczyć Biblię dla nowych wyznawców, m o w ę   s ł o w i a ń s k ą   o d w z o r o w a l i   z a   p o m o c ą   r o d z i m e g o p i s m a   g r e c k i e g o. Tę pierwszą próbę zapisu pisma słowiańskiego nazywamy głagolicą- -cyrylicą, natomiast właściwa cyrylica wykształciła się 100 lat później. Z misjonarskich zapisów odtworzono później stan języka staro-cerkiewno-słowiańskiego (najstarszego literackiego języka słowiańskiego), który dostarcza bogatej wiedzy o naszych językowych korzeniach. Alfabet cyrylicki jest dziś używany w następujących krajach Europy: w Rosji, na Białorusi, Ukrainie, w Bułgarii, Serbii i Macedonii.

---

[1] pol. spółgłoska, np. b, c, d; ang. consonant.

[2] pol. samogłoska, np. a, e, o; ang. vowel.

[3] **liturgia** – ustalony porządek odprawiania nabożeństwa, zespół obrzędów religijnych; od gr. *leitourgia* – służba publiczna, Boża; od łac. *liturgia* – odprawianie mszy.

a)

ínstrumenta servitutis et reges. mox Didius Gallus parta 2
a prioribus continuit, paucis admodum castellis in
ulteriora promotis, per quae fama aucti officii quae-
reretur. Didium Veranius excepit, isque intra annum
5 extinctus est. Suetonius hinc Paulinus biennio prosperas 3
res habuit, subactis nationibus firmatisque praesidiis;
quorum fiducia Monam insulam ut vires rebellibus mini-
strantem adgressus terga occasioni patefecit.
  15. Namque absentia legati remoto metu Britanni 1
10 agitare inter se mala servitutis, conferre iniurias et
interpretando accendere: nihil profici patientia nisi ut
graviora tamquam ex facili tolerantibus imperentur.
singulos sibi olim reges fuisse, nunc binos imponi, ex 2
quibus legatus in sanguinem, procurator in bona sae-
15 viret. aeque discordiam praepositorum, aeque concor-
diam subiectis exitiosam. alterius manus centuriones,
alterius servos vim et contumelias miscere. nihil iam
cupiditati, nihil libidini exceptum. in proelio fortiorem 3
esse qui spoliet: nunc ab ignavis plerumque et imbellibus

b)

32   HERODOTI

ἀπέπεμψαν ἐπὶ τὰς ᾽Αϑήνας, στρατηγὸν τῆς στρατιῆς
ἀποδέξαντες βασιλέα Κλεομένεα τὸν ᾽Αναξανδρίδεω,
οὐκέτι κατὰ ϑάλασσαν στείλαντες ἀλλὰ κατ᾽ ἤπειρον·
τοῖσι ἐσβαλοῦσι ἐς τὴν ᾽Αττικὴν χώρην ἡ τῶν Θεσσα-
λῶν ἵππος πρώτη προσέμιξε καὶ οὐ μετὰ πολλὸν ἐτρά-
πετο, καί σφεων ἔπεσον ὑπὲρ τεσσεράκοντα ἄνδρας·
οἱ δὲ περιγενόμενοι ἀπαλλάσσοντο ὡς εἶχον ἰϑὺς ἐπὶ
Θεσσαλίης. Κλεομένης δὲ ἀπικόμενος ἐς τὸ ἄστυ ἅμα
᾽Αϑηναίων τοῖσι βουλομένοισι εἶναι ἐλευϑέροισι ἐπο-
λιόρκεε τοὺς τυράννους ἀπεργμένους ἐν τῷ Πελα-
65 σγικῷ τείχεϊ. καὶ οὐδέν τι πάντως ἂν ἐξεῖλον τοὺς
Πεισιστρατίδας οἱ Λακεδαιμόνιοι· οὔτε γὰρ ἐπέδρην

c)

Вéрность

  Вот какáя истóрия произошлá в москóвском аэропортý Внýко-
во. Шла посáдка на самолёт. Одúн пассажúр был с собáкой. Он
терпелúво ждал у трáпа. Но собáку в самолёт не хотéли пустúть, нé
было спрáвки от врачá. Человéк уговáривал дежýрного, но не уго-
ворúл. А пассажúру обязáтельно нáдо бы́ло летéть. Он обнял собáку, снял ошéйник, отпустúл её, а сам поднялся по трáпу.
  Собáка решúла, что её вы́пустили погулять, обежáла самолёт,
а когдá вернýлась на мéсто, трáпа ужé нé было. Потóм онá дóлго
бежáла за самолётом...
  Собáка остáлась на аэродрóме. Онá стáла ждать. Онá ждалá
под откры́тым нéбом, подбегáла к кáждому самолёту, стоя́ла
у трáпа и смотрéла на людéй. Но тогó, когó онá ждалá, нé было.
  Так прошлú два гóда. О собáке забóтились рабóтники аэро-
дрóма.
  Эта истóрия о вéрности и любвú былá напечáтана в газéте

Trzy pisma (alfabety) używane dziś w Europie: a) łaciński, b) grecki, c) cyrylica

WIERSZ SŁOTY „O ZACHOWANIU SIĘ PRZY STOLE" (XV w.) ŚWIADECTWEM KSZTAŁTOWANIA SIĘ KULTURY DWORSKO-RYCERSKIEJ

Przeczytaj wiersz Przecława Słoty pt. „O zachowaniu się przy stole".
Kto jest narratorem utworu i do kogo jest on skierowany? Wymień wskazówki, jakich udziela autor.

Wnioski

Wiersz zawiera pouczenia dla uczestników biesiad na temat właściwego zachowania się przy stole. Słotę razi grubiaństwo polskich rycerzy („siędzie... jako wół"), brudne ręce do posiłku, wybieranie najlepszych kąsków z misy, brak umiaru w jedzeniu. Autor wiersza, Przecław Słota, bywał zapewne na dworach zagranicznych i po powrocie do Polski starał się zaszczepić wśród szlachty i rycerzy podpatrzone wzory.

Dobre maniery[1] wynosimy z rodzinnego domu

Ćwiczenie w klasie. W ciągu 10 minut wypisz na kartce jak najwięcej pouczeń usłyszanych w dzieciństwie od mamy. Następnie przeczytaj je w klasie i posłuchaj, co napisali inni. Czy pouczenia te są podobne? Czego najczęściej dotyczą instrukcje mamy (lub taty) kierowane do dziecka? – nazwij 2-3 kategorie.

„SATYRA NA LENIWYCH CHŁOPÓW" (XV w.) – WAŻNY DOKUMENT Z DZIEJÓW STOSUNKÓW FEUDALNYCH

W Średniowieczu ukształtowała się w Polsce hierarchia feudalna. S p o ł e c z e ń-s t w o s k ł a d a ł o s i ę z czterech s t a n ó w , t j . s z l a c h t y , d u c h o w i e ń-s t w a , m i e s z c z a n oraz c h ł o p ó w . Każdy stan miał określone prawa i obowiązki. Niedopełnienie zobowiązań przez członków danego stanu pociągało za sobą naruszenie ładu i harmonii i było uważane za występek. My patrzymy dziś na ten układ krytycznie, ponieważ rozkład przywilejów i obowiązków był nierównomierny. Najbardziej obciążeni byli chłopi (kmiecie) – nic dziwnego, że protestowali oni w różny sposób, co ukazuje autor „Satyry na leniwych chłopów".

Przeczytaj utwór pt. „Satyra na leniwych chłopów".
Utwór ten został napisany przez anonimowego autora – pana zapewne, jak wynika z zarzutów, które stawia chłopom. Za co pan krytykuje kmieci?

A teraz odwróć sytuację. Gdyby piętnastowieczny chłop umiał pisać i miał określoną świadomość społeczną, w jakim świetle przedstawiłby szlachcica, u którego musiał odrabiać pańszczyznę?

---

[1] **maniera** – l. poj.: specyficzna metoda, charakterystyczny sposób działania; **maniery** – l.mn.: sposób bycia, formy zachowania się; fr. manière – [czyt. manjer].

Praca w polu, rycina z X-XII w.
Fot.: Archiwum WSiP

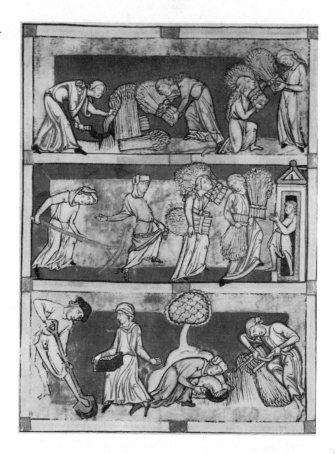

Sytuacja chłopa polskiego na przestrzeni dziejów

Chłop był żywicielem narodu, a w późniejszych czasach także jego obrońcą. **Sprawa chłopa to punkt zapalny w historii Polski**. W miarę omawiania literatury polskiej zwracaj pilną uwagę na opis sytuacji kmiecia w kolejnych wiekach. Chłopem jawnie pogardzano (szlachta), brano w obronę (Mikołaj Rej i pozytywiści), w kulturze ludowej szukano inspiracji (Adam Mickiewicz, Lucjan Rydel i Stanisław Wyspiański), chłopów zaniedbywano (czasy Powstania Listopadowego), wreszcie manipulowano nimi (ustawa o uwłaszczeniu z roku 1864)...

„Satyra na leniwych chłopów" pochodzi z XV wieku. 100 lat wcześniej chłop użytkował powierzchnię 1 łana (16-17 hektarów, ang. 44 acres), a na pańskim polu pracował tylko kilka dni w roku. W XV wieku pańszczyzna wzrosła do 1-2 dni w tygodniu, co zaczęło wywoływać konflikty. W XVI wieku pańszczyzna wynosiła już 3-5 dni w tygodniu. Absurdalna sytuacja nastąpiła w połowie XVIII wieku, kiedy chłop przez cały tydzień nie schodził z pańskiego pola.

Spójrzmy na przyczynę coraz większego obciążenia chłopów pańszczyzną. Gdy w XV wieku Polska odzyskała dostęp do morza, szlachta dostrzegła, że może szybko wzbogacić się produkując zboże, które teraz łatwo było transportować drogą wodną na zachód Europy. Ta właśnie perspektywa wzbogacenia się miała wpływ na zmianę stosunku szlachty do chłopów. Szlachta ograniczała prawa kmieci, interesując się wyłącznie wykorzystaniem ich pracy w sposób niemal niewolniczy.

Historyczne zmiany w fonetyce (głosowni) języka polskiego

W rozdziale poświęconym najstarszej polskiej pieśni „Bogurodzica" dokonaliśmy systematyki archaizmów. Obecnie zajmiemy się jedną z podanych tam kategorii – **archaizmami fonetycznymi**[1].

I. SAMOGŁOSKI

- **Pochodzenie oboczności samogłosek:** *e : o, e : a*. **Przegłos polski**

Oboczności typu *e : o* oraz *e : a* są wynikiem **przegłosu polskiego**, tj. procesu fonetycznego, który zachodził po spółgłosce miękkiej lub historycznie miękkiej (np. ż, rz), ale przed twardą: t, d, s, z, n, ł, r.
Oto przykłady:

wieziesz : wiozę	w mieście : miasto
niesiesz : niosę	mieć : miał
pleciesz : plotę	bielszy : biały
żenić się : żona	mierzyć : miara

- **Pochodzenie *e* ruchomego. Dawne jery miękkie i twarde**

E ruchome wywodzi się z dawnych **półsamogłosek, czyli jerów miękkich i twardych**, które w zależności od pozycji w słowie zanikały lub przechodziły w *e*. Pozostałością omawianego procesu głosowego są oboczne postaci przyimków w : we (w poniedziałek : we wtorek), nad : nade (nad łąkami : nade mną), przed : przede (przed nim : przede wszystkim).
Oto inne przykłady:

pies : psa	osiem : ósma
sen : snu	czwartek : czwartku
pień : pnia	(ja) szedłem : (ona) szła

- **Oboczności o : ó, ę : ą. Dawny iloczas**

Najważniejszą przyczyną dzisiejszych oboczności samogłoskowych jest to, że w języku staropolskim występowały s a m o g ł o s k i d ł u g i e i k r ó t k i e, które w tekstach często oznaczano podwójnymi literami, np. aa. Zjawisko występowania samogłosek długich i krótkich w języku staropolskim nazywamy **iloczasem**. Dawne samogłoski długie były dziedzictwem prasłowiańskim albo konsekwencją zaniku jerów (kiedy samogłoska w poprzedniej sylabie ulegała wzdłużeniu, co językoznawcy nazwali w z d ł u ż e n i e m z a s t ę p c z y m). Proces ów był długi i skomplikowany, wspominamy o nim tylko dla informacji. Z czasem różnice w zakresie długości samogłosek w języku polskim zanikły, chociaż nadal są obecne w językach czeskim, niemieckim i angielskim.
Przyjrzyj się poniższym przykładom:

1. doły : dół	2. dąb : dęby
droga : dróżka	rączka : ręka
robię : rób	bądź : będę

W pierwszym przypadku d ł u g i e o przekształciło się w dźwięk *u* (który dziś oznaczamy literą ó, żeby zachować ślad historycznego o w danym miejscu), np. doły : dół.

---

[1] **fonetyczne** – dotyczące dźwięku, głosek, wymowy. **Archaizmy fonetyczne** – tu: sposoby i formy wymowy głosek w procesie rozwoju języka polskiego.

W drugim przypadku d ł u g a samogłoska nosowa przeszła w o nosowe (oznaczane literą ą, np. dąb), zaś k r ó t k a samogłoska nosowa przeszła w e nosowe (oznaczane literą ę, np. dęby).

II. SPÓŁGŁOSKI

● **Historyczne pochodzenie oboczności spółgłoskowych. Palatalizacja**[1]
Zmiany spółgłoskowe polegają na wymianie spółgłosek twardych z miękkimi, np. b : b', p : p', t : ć, d : dź lub twardych z innymi twardymi, np. t : c; d : dz; s : sz; k : cz; r : rz (rz jest dzisiaj twarde). Proces z m i ę k c z a n i a s p ó ł g ł o s e k twardych nazywamy **palatalizacją spółgłosek**.
Oto przykłady wymiany spółgłosek:

a) twardych z miękkimi		b) twardych z twardymi	
groźba : groźbie	płot : (na) płocie	zwrot : zwrócę	ręka : ręczny
łapa : łapie	woda : wodzie	ród : rodzę	ręka : ręce
mama : mamie	osa : osie	kosa : koszę	noga : nożny
mowa : mowie	wóz : wozie	mur : murze	noga : nodze

Jak widać z powyższych przykładów, niekiedy jednej spółgłosce twardej odpowiadają różne spółgłoski oboczne, np.:

t : ć : ci : c	zwrot : zwróć : zwrócić : zwrócę
s : ś : si : sz	kosa : koś : kosić : koszę
k : cz : c	ręka : ręczny : ręce
g : ż : dz	noga : nożny : nodze

Kształtowanie się akcentu w języku polskim

Początkowo w języku polskim istniał akcent s w o b o d n y (dowolny). Potem, na przełomie XIV i XV wieku, występował akcent i n i c j a l n y (na pierwszej sylabie), zaś w XVI wieku ustalił się akcent p a r o k s y t o n i c z n y[2] (na przedostatniej sylabie).

Akcent paroksytoniczny funkcjonuje z małymi wyjątkami do dzisiaj, np. mama, mamusia, dziecko, dziewczynka, gazeta, telefon, ulica. O d s t ę p s t w a od reguły obejmują przede wszystkim:
a) akcent n a t r z e c i e j s y l a b i e o d k o ń c a
● w wyrazach obcego pochodzenia kończących się na -ika, -yka, np. logika, matematyka,
● w formach 1. i 2. osoby czasu przeszłego, np. byliśmy, zrobiliście,
● w spójnikach połączonych z formami osobowymi, np. choćbyśmy, gdybyście,
● w cząstkach -kroć, -set, -sta liczebników, np. tysiąckroć, osiemset, czterysta.

b) akcent n a c z w a r t e j s y l a b i e o d k o ń c a
● w formach 1. i 2. osoby liczby mnogiej trybu warunkowego, np. bylibyśmy, zrobilibyście.

---

[1] **palatalizacja** – od łac. *palatum* – podniebienie, do którego przy wymowie spółgłosek miękkich wznosi się język; porównaj ang. palate – podniebienie.
[2] **paroksytoniczny** – od gr. *paroksytonos*.

Interpunkcja (przestankowanie)

Interpunkcja stoi na pograniczu strony graficznej (pisanej) i dźwiękowej (mówionej) języka. Została ona przejęta z łaciny wraz z alfabetem, chociaż warto nadmienić, że teksty średniowieczne zawierały mało znaków interpunkcyjnych. Dawny skryba zaznaczał początek zdania wielką, często ozdobną literą, natomiast gdy kończył myśl, stawiał p u n k t (stąd nazwa – interpunkcja[1]). Był on stawiany na różnej wysokości: (·), (·), (.). Wysoko umieszczony punkt oznaczał długą przerwę, umieszczony w połowie – średnią, zaś umieszczony na dole – przerwę krótką. W XVI wieku polska interpunkcja zawierała trzy znaki: kropkę (.), przecinek (,) i skośną kreskę (/). Współczesny system interpunkcyjny składa się z d z i e s i ę c i u z n a k ó w. Są to: kropka (.), średnik (;), przecinek (,), dwukropek (:), myślnik albo pauza (–), wielokropek (...), znak zapytania albo pytajnik (?), znak wykrzyknienia albo wykrzyknik (!), nawias ( ), cudzysłów („ ").

Znaki interpunkcyjne pełnią w tekście kilka funkcji. Podstawowa funkcja polega na takim zastosowaniu znaków przestankowych, aby osoba czytająca była w stanie odtworzyć tekst tak, jak przekazywała go osoba pisząca. Polski system interpunkcyjny uwzględnia następujące czynniki: a) logiczno-składniową budowę zdań, b) charakter członów wtrąconych, c) rytmikę mowy, d) intonację wypowiedzi, np. pytanie, oznajmienie, wykrzyknienie oraz e) zawartość emocjonalną wypowiedzi.

Powyższy wykład pomoże ci przezwyciężyć lub przynajmniej racjonalnie traktować problemy, na które natrafiasz, gdy mówisz i piszesz po polsku. Współczesna wymowa, ortografia, akcent i interpunkcja pozostają w ścisłym związku ze **zmianami historycznymi, jakim podlegał język polski na przestrzeni dziejów**.

SZTUKA I NAUKA W ŚREDNIOWIECZU. PODSUMOWANIE DOROBKU EPOKI

Style w budowie i rzeźbie

Do tej pory mówiliśmy głównie o l i t e r a t u r z e Średniowiecza, a przecież rozwijały się też inne dziedziny artystyczne. Przypatrzmy się b u d o w n i c t w u i r z e ź-b i e z tego okresu. W sztuce istniały wówczas dwa style: romański i gotycki.

* **Styl romański** powstał pod koniec X wieku w południowej Francji, potem przejęły go inne kraje Europy. Charakteryzował się kamienną masywną bryłą, z półokrągłymi sklepieniami i niewielkimi oknami. W tym stylu były budowane wczesne kościoły i klasztory. Przykładami stylu romańskiego w Polsce są kościół św. Trójcy w Strzelnie i kościół św. Andrzeja w Krakowie.

* **Styl gotycki** (gotyk) jest o dwa wieki późniejszy. Powstał pod koniec XII wieku w północnej Francji, następnie rozszerzył się na resztę krajów Europy, docierając do Polski w XIV wieku. Budowle gotyckie były lekkie, smukłe, strzeliste. Miały wysokie łukowe okna wypełnione witrażami (ang. stained-glass windows). W stylu gotyckim powstawały głównie katedry, ale także budowle świeckie, jak

---

[1] łac. *interpunctio*; od łac. *inter* – między i od łac. *punctum* – punkt, kropka.

Przykład stylu romańskiego – kościół św. Idziego w Inowłodzu.
Fot.: B. Lemisiewicz / WSiP

mury obronne, zamki, ratusze i grobowce. Styl ten jest reprezentowany przez
katedrę w Gnieźnie, zabytki Wrocławia, Torunia, Krakowa i arcydzieło późnego
gotyku – o ł t a r z W i t a S t w o s z a w Kościele Mariackim[1] w Krakowie.

Wit Stwosz (właściwe nazwisko Veit Stoss; ok. 1448-1533) przybył do Polski
z niemieckiego miasta Norymberga. Był snycerzem[2]. Zapewne za wstawiennictwem
niemieckich rajców[3] Krakowa otrzymał zlecenie, które unieśmiertelniło jego imię
w sztuce polskiej i europejskiej. Mowa tu o ołtarzu głównym w Kościele Mariackim
w Krakowie, nad którym pracował w latach 1477-1489. Po powrocie do Norymbergi

---

[1] jest to ten sam kościół, z którego trębacz codziennie gra hejnał mariacki. **Mariacki** to przymiotnik
utworzony od nazwy kościoła Wniebowzięcia Najświętszej M a r i i Panny. Kościół został wzniesiony
w XIV wieku na miejscu istniejącej tu wcześniej budowli z XIII wieku.

[2] **snycerz** – rzeźbiarz; od niem. snitzen – wyrzynać, rzeźbić w drzewie lub kamieniu.

[3] **rajca** – dawn.: członek rady miejskiej.

115

Przykład stylu gotyckiego – kościół NMP na Piasku we Wrocławiu, wzniesiony w latach 1324-1425.
Fot.: P. Pierściński / Archiwum WSiP

Ołtarz Wita Stwosza w Kościele
Mariackim w Krakowie.
Fot.: P. Pierściński / Archiwum WSiP

artysta popadł w niełaskę i – jak kiedyś Fidiasz w Grecji – został skazany na pobyt w więzieniu.

Ołtarz Mariacki składa się z pięciu części. Część główna przedstawia Zaśnięcie i Wniebowzięcie Marii, część górna (zwieńczenie) – koronację Marii przez Trójcę Świętą, a reliefy (płaskorzeźby) na skrzydłach bocznych – ukazują sceny z życia Chrystusa i Marii. Całość wyrzeźbiona jest w drewnie pięćsetletnich[1] lip (ang. lime-tree, linden), do konstrukcji użyto drewna dębu (ang. oak). Ten sam artysta wykonał piękny marmurowy nagrobek króla Kazimierza Jagiellończyka, znajdujący się w katedrze na Wawelu w Krakowie.

Kraków – miasto średniowieczne

Kraków jest najlepiej zachowanym w Polsce **m i a s t e m   ś r e d n i o w i e c z-
n y m**. Gród Wąwel-Wawel powstał i rozwijał się już na przełomie VIII i IX wieku jako stolica Wiślan i ośrodek leżący na szlaku handlowym. Pod koniec X wieku Kraków wszedł w skład państwa polskiego, a w roku 1257 uzyskał prawa miejskie. Był stolicą Polski od XIV wieku do roku 1596, kiedy to po pożarze zamku na Wawelu król Zygmunt III Waza przeniósł się z dworem do Warszawy. Mimo to w Krakowie aż do XVIII wieku miały miejsce koronacje królewskie. W **1364 roku** król Kazimierz

---

[1] **pięćsetletnie** – mające 500 lat.

Wielki (ostatni z dynastii Piastów) założył tu pierwszą wyższą uczelnię polską, tzw. **Akademię Krakowską**, znaną dzisiaj jako **Uniwersytet Jagielloński**. Wciąż istnieje budynek starej uczelni, C o l l e g i u m   M a i u s, który warto zwiedzić będąc z wizytą w Krakowie.

*

Średniowiecze to długi okres w rozwoju europejskiej cywilizacji. Dzieli się on na kilka podokresów: Średniowiecze wczesne, Średniowiecze pełnego rozwoju i Średniowiecze schyłkowe. Cechą charakterystyczną Średniowiecza jest **wszechpotęga Kościoła**, dążącego do podporządkowania sobie wszystkich sfer życia człowieka. Religia katolicka rządziła ludzkim postępowaniem, myśleniem, twórczością. Pod tym względem Europa stanowiła jedność, której kryzys nastąpi w **nowej epoce, zwanej Odrodzeniem**.

ŚREDNIOWIECZE (na zachodzie Europy wiek V-XV, w Polsce wiek X-XV)

Wzorce osobowe propagowane przez literaturę średniowieczną:
   r y c e r z a, np. w karolińskiej (francuskiej) „Pieśni o Rolandzie"
   w ł a d c y, np. w kronice „*Historiae Polonicae libri 12*",
   ś w i ę t e g o, np. w „Legendzie o św. Aleksym"
Literatura. W poniższym zestawieniu pomijamy literaturę europejską, gdyż narodziła się już l i t e r a t u r a   p o l s k a, tworzona w językach łacińskim i polskim.
Literatura religijna:
   anonimowo – „Bogurodzica" (j. pol.)
   anonimowo – „Legenda o św. Aleksym" (j. pol.)
   anonimowo – „Kazania świętokrzyskie" (j. pol.)
   anonimowo – „Kazania gnieźnieńskie" (j. pol.)
   anonimowo – „Psałterz floriański" (j. pol.)
Literatura świecka:
   GALL ANONIM – „Kronika" (j. łac.)
   JAN DŁUGOSZ – „*Historiae Polonicae libri 12*" (j. łac.)
   PRZECŁAW SŁOTA – „O zachowaniu się przy stole" (j. pol.)
   anonimowo – „Satyra na leniwych chłopów" (j. pol.)

ODRODZENIE

POCZĄTEK ERY NOWOŻYTNEJ

Rok 1500 to umowny początek[1] e r y   n o w o ż y t n e j, która trwa do dziś. Na przełom złożyły się ważne procesy i wydarzenia.

Zdobycie Konstantynopola przez Turków ottomańskich (1453)

Oblężenie Konstantynopola[2] zaczęło się 5 kwietnia 1453 roku. Wokół otoczonego murami miasta sułtan turecki Muhammad II (ang. Mehmet II) zgromadził 500 000 żołnierzy. W okolicznych cieśninach flota[3] turecka zamknęła bizantyńskie statki. W ataku artylerii tureckiej na słynne mury szczególnie skuteczna była olbrzymia katapulta[4], którą obsługiwało 450 ludzi i przesuwało 1000 wołów. 29 maja 1453 roku armia turecka wdarła się do miasta. Ostatni bizantyński cesarz Konstantyn XI walczył bohatersko z mieczem w ręku, ale został pojmany i stracony. Przez trzy dni Turcy mordowali ludność i bezcześcili chrześcijańskie kościoły. Wkrótce przemianowali je na islamskie meczety (ang. mosques). **Kończyła się wielkość Konstantynopola, który przez 1000 lat – od upadku Rzymu – pełnił funkcję centrum kultury i chrześcijaństwa.**

Konsekwencje zdobycia miasta przez Turków były rozległe. Oto na przejściu z Europy do Azji narodziło się silne państwo ottomańskie, które przez kilka wieków będzie siać postrach i śmierć na kontynencie. Już niedługo potem Turcy zagarną Serbię, Grecję i wyspy na Morzu Egejskim, blokując Europejczykom drogę lądową do Indii. Stolicą państwa tureckiego uczyniono zdobyty Konstantynopol. 30 lat zajęło Turkom zaludnianie miasta po wymordowaniu jego poprzednich mieszkańców.

---

[1] zmiany światopoglądowe i przeobrażenia w różnych sferach życia człowieka są procesami rozciągniętymi w czasie; przyjęcie umownych dat jest konieczne, bo dzięki temu łatwiej nam uporządkować zdarzenia z przeszłości.

[2] ang. the siege of Constantinople.

[3] **flota** – ogół jednostek pływających, tj. statki, okręty; od skandynawskiego floti.

[4] **katapulta** – machina wojenna do miotania ciężkich kamieni, beczek z palącą się smołą oraz innych przedmiotów służących do burzenia murów i podpalania budynków; gr. *katapeltes*.

Zdobycie Konstantynopola, miniatura z manuskryptu z 1462 r.

Wielkie odkrycia geograficzne

Europejczycy od dawna podróżowali na Wschód, głównie w celach handlowych. Powszechnie znana była relacja z wyprawy do Chin przekazana przez Marco Polo[1]. Czytał ją **Krzysztof Kolumb**[2].

Kiedy po zdobyciu Konstantynopola Turcy zablokowali dostęp do Indii, Krzysztof Kolumb postanowił dotrzeć tam okrężną drogą. Wyruszył ze swoją flotą w 1492 roku i po kilku miesiącach, dokładnie 12 października 1492 roku, dotarł do... wyspy San Salvador. Był przekonany, że to Indie, dlatego ludzi, którzy tu żyli, nazwał Indianami.

Kolumb był w rejonie Ameryki Środkowej i Południowej czterokrotnie. W 1493 roku papież Aleksander VI Borgia[3] wydał dokument mówiący, że tylko Hiszpanie i Portugalczycy mają prawo do eksploracji[4] lądu. W następnym roku ten sam papież podpisał traktat w Tordesillas, na mocy którego podzielił odkrytą ziemię[5] na dwie

[1] mowa tu o dziele pt. „Opisanie świata", które zostało przetłumaczone na wiele języków i wzbudziło zainteresowanie Europejczyków Azją Wschodnią. **Marco Polo** – (1254-1323), Wenecjanin, wybitny podróżnik.

[2] **Krzysztof Kolumb** – (1451-1506), wł. Cristoforo Colombo, ang. Christopher Columbus; był Włochem, pływał w służbie portugalskiej i hiszpańskiej. Kolumb odkrył Amerykę (Środkową, nie – Północną) 12 października 1492 roku.

[3] **Aleksander VI Borgia** – (1431-1503), papież urodzony w Hiszpanii. Uważa się go za symbol korupcji (przekupstwa) i upadku moralnego, chociaż jednocześnie był zdolnym administratorem i wpływowym mecenasem sztuk.

[4] **eksploracja** – badanie nie znanych terenów; łac. *exploratio*, ang. exploration.

[5] sądzono, że to obszar Azji Wschodniej.

części (linia podziału przebiegała w pobliżu dzisiejszej zachodniej granicy Brazylii) i przekazał ją do kolonizacji oraz chrystianizacji Hiszpanom i Portugalczykom. Odtąd wszyscy obcy podróżnicy morscy przebywający w rejonie wpływów hiszpańsko--portugalskich byli traktowani jak piraci. Rozpoczęła się era dominacji Hiszpanów i Portugalczyków na oceanie oraz przenoszenia ich języka, kultury i fizycznej obecności na kontynent południowoamerykański i okoliczne wyspy (zauważ językowe zróżnicowanie wśród krajów dzisiejszej Ameryki Środkowej i Południowej: Meksyk, Argentyna i Peru są hiszpańskojęzyczne, a Brazylia – portugalskojęzyczna).

Wielkie odkrycia astronomiczne

Odkrycia geograficzne poszerzyły świat i horyzonty myślenia. Uczeni poddawali krytyce teorię geocentryczną[1], według której Ziemia miała być ośrodkiem Wszech-świata. Z kolei podróże morskie wykazały, że Ziemia nie jest płaska, lecz kulista. Chociaż Kościół propagował ideę geocentryczną jako niepodważalną, znalazł się uczony, który „ośmielił się być mądrym". Okazał się nim **polski astronom i matematyk, Mikołaj Kopernik (1473-1543)**. Urodzony w Toruniu i wykształcony w Akademii Krakowskiej, Kopernik przestudiował dzieła starożytnych uczonych greckich i zwrócił uwagę, że co najmniej jeden z nich sugerował t e o r i ę

Jan Matejko „Mikołaj Kopernik"

---

[1] **teoria geocentryczna** – teoria, według której w środku Wszechświata znajduje się nieruchoma Ziemia; od gr. *ge* – ziemia i od łac. *centrum* – środek.

Oprawa pierwszego wydania (1543) dzieła Mikołaja Kopernika „O obrotach sfer niebieskich". Deski oprawy pochodzą z 1551 r. Obciągnięte są brązową skórą cielęcą, litery – złote. Oprawę wykonano w Krakowie. Fot.: Archiwum WSiP

h e l i o c e n t y r c z n ą[1], do której i on się skłaniał w wyniku żmudnych obliczeń. Napisał w języku łacińskim dzieło pt. „De revolutionibus orbium coelestium" (pol. „O obrotach sfer niebieskich"), w którym u d o w o d n i ł swoje tezy. Pracę wydano w 1543 roku, gdy autor był już na łożu śmierci. Mikołaj Kopernik (łac. pisownia nazwiska Nicolaus Copernicus) to nie tylko wybitny matematyk i astronom, ale także lekarz, prawnik i administrator. Jego dzieło naukowe pt. „O obrotach sfer niebieskich" znalazło się w 1616 roku na indeksie ksiąg zakazanych; usunięto je stamtąd dopiero na początku XIX wieku. Za rozwijanie idei Mikołaja Kopernika uczony Giordano Bruno[2] zginął w 1600 roku na stosie, zaś inny wybitny uczony Galileo Galilei[3] był więziony i prześladowany aż do swojej śmierci w 1642 roku.

Zwrot w kierunku kultury antycznej

Kopernik interesował się dorobkiem starożytnych matematyków i astronomów, natomiast inni uczeni studiowali starożytne dzieła poetyckie, dramatyczne i filozo-

---

[1] **teoria heliocentryczna** – teoria, według której centralnym ciałem układu planetarnego jest Słońce, ookoła którego krążą planety, wśród nich także Ziemia; od gr. *helios* – Słońce i od łac. *centrum* – środek.

[2] **Giordano Bruno** – (ok. 1548-1600), włoski astronom, matematyk i filozof; spalony żywcem na stosie na rzymskim placu Campo de Fiori.

[3] **Galileo Galilei** – (1564-1642), włoski astronom, fizyk i filozof. W 1633 był sądzony przez I n k w i z y c j ę, tj. sąd Kościoła Rzymskokatolickiego do spraw h e r e z j i, czyli odstępstw od poglądów Kościoła. Legenda mówi, że zmuszony do potępienia przed sądem odkrycia Kopernika Galileusz uczynił to, po czym dodał ciszej: „Eppur si muove" (wł.; po pol. „A jednak się kręci").

ficzne. Ich prace przyczyniły się do rozwoju nauk filologicznych[1]. Idee znajdujące
się w dziełach starożytnych twórców dały nowej generacji impuls do przemyśleń
i dalszych poszukiwań. Czołową postacią na polu literatury był Włoch **Francesco
Petrarca** (1304-1374; pol. Franciszek Petrarka, ang. Petrarch). Zapamiętaj jego
nazwisko i fakt, że poeta ten pochodził z Włoch, **Włochy są** bowiem **kolebką
Renesansu** (wł. Rinascita). Petrarkę znamy z sonetów miłosnych skierowanych do
ukochanej Laury, mniej natomiast wiemy o jego studiach nad dorobkiem starożytnych twórców, którym poświęcił dużą część życia, i jego zasługach na tym polu.
Petrarka potrafił przekazać swój entuzjazm współczesnej elicie – papieżowi
i królom, zaciekawiając ich przeszłością Włoch, a dokładniej – spuścizną starożytnej Grecji i Rzymu.

W okresie Renesansu w ł a d z a k r ó l e w s k a i k o ś c i e l n a w a l c z y ł y
o p r y m a t[2] i z tej rywalizacji wynikło wiele dobrego dla rozwoju literatury,
sztuki i postępu myśli ludzkiej. Znana powszechnie nazwa **Renesans (pol. Odrodzenie) pochodzi z języka francuskiego** – pisze się ją po fr. i ang. Renaissance.
Termin ten oznacza odrodzenie, ożywienie, powstanie na nowo. Chodzi oczywiście
o odrodzenie wspaniałej kultury antycznej i myśli starożytnej, a następnie ich
przetworzenie i rozwinięcie.

Ujrzenie człowieka w nowym świetle. Humanizm

Przypomnij sobie średniowieczną „Legendę o św. Aleksym". Bohater tego utworu
żył w ubóstwie i upokorzeniu, by zasłużyć na życie wieczne. Ludzie Odrodzenia
nie chcieli żyć jak Aleksy. Pragnęli cieszyć się szczęściem tu, na ziemi. Za motto
przyjęli łacińskie słowa Horacego[3]: *carpe diem* [czyt. karpe dijem], co znaczy
„chwytaj dzień". Człowiek Odrodzenia uświadomił sobie, że jest odrębną jednostką,
a nie tłumem, odkrył wartość własnego „ja", swojej godności, niezależności
i wolności. Znalazło to wyraz w ideach wielkiego prądu umysłowego, zwanego
humanizmem (od łac. *humanus* – ludzki). Hasłem humanistów są słowa Terenc-
jusza[4]: łac. *homo sum et humani nihil a me alienum puto*, to znaczy „jestem
człowiekiem i nic, co ludzkie, nie jest mi obce".

> **Humanizm** to filozoficzny, literacki i artystyczny prąd epoki Odrodzenia. Przeciw-
> stawiał się kulturze średniowiecznej, koncentrującej się wokół tematów śmierci i Boga.
> Zwracał się do dorobku Starożytności, poszukując tam świeckich wzorów i racjonalnych
> myśli. W centrum zainteresowania stawiał człowieka i jego ziemskie życie.

---

[1] **filologia** – dział nauk humanistycznych, obejmujący studia nad językiem i literaturą danego
narodu; od gr. *phileo* – lubię i od gr. *logos* – słowo.

[2] **prymat** – pierwszeństwo; od łac. *primus* – pierwszy.

[3] **Horacy** – łac. *Horatius*, ang. Horace; poeta łaciński, żył w latach 65-8 p.n.e. [p. Starożytność].

[4] **Terencjusz** – łac. *Terentius*, ang. Terence; starożytny komediopisarz rzymski, żył w latach od
ok. 185 do ok. 159 p.n.e.

Ponowne odkrywanie Boga

Krytyczne umysły ludzi Odrodzenia wątpiły i poszukiwały prawdy. Do intelektualnych „olbrzymów" nowej epoki należał niemiecki zakonnik **Marcin Luter** (1483-1546; niem. i ang. Martin Luther). W 1510 roku Luter przebywał w Rzymie, gdzie zetknął się z korupcją wśród dostojników kościelnych. Od tego czasu Luter uważnie przyglądał się instytucji Kościoła. W 1517 roku papież Leon X, który doprowadził do opustoszenia skarbca watykańskiego, apelował do wiernych, aby darami finansowymi wsparli budowę wielkiej Bazyliki św. Piotra w Rzymie. Zaczęła się akcja przyznawania odpustów (ang. indulgence) nie za pokutę (ang. penance) i wyrażenie żalu przez grzeszników, ale z a p i e n i ą d z e, tzn. jeśli wierni wpłacili odpowiednią sumę, to księża wybaczali im zarówno grzechy już popełnione, jak i te, których dopuszczą się w przyszłości. Ta praktyka zbulwersowała Marcina Lutra i 31 października 1517 roku wystąpił z publicznym protestem. Na drzwiach kościoła w Wittenberdze (ang. Wittenberg) przybił listę 95 tez (ang. theses). Wkrótce po stronie Lutra stanęli książęta niemieccy. Bunt został przeniesiony z płaszczyzny religijnej na polityczną, aż w końcu – wbrew woli samego Lutra – doprowadził do rozłamu w łonie Kościoła. I tak w 1. połowie XVI wieku **zachodnie chrześcijaństwo rozbiło się na na dwie części: katolicką** (łac. *catholicus* – powszechny) i **protestancką** (por. protestować; łac. *protestans* – oświadczać). Zapamiętaj w związku z tym termin **reformacja**[1] (ang. Reformation).

> **Reformacja** to wielki ruch religijny i narodowy, w ramach którego domagano się reform w Kościele katolickim w zakresie dogmatów[2], organizacji i obyczajów. Ruch ten w XVI wieku objął prawie całą Europę i doprowadził do rozbicia jedności chrześcijańskiej.

W Niemczech działał Marcin Luter, natomiast w innych krajach aktywni byli reformatorzy, jak John Wycliffe (Anglia; pol. Wiklif), Jan Hus (Bohemia, w dzisiejszych Czechach), Erasmus z Rotterdamu (Holandia), Jean Calvin (Francja; pol. Jan Kalwin). Ponadto w 1534 roku z zupełnie innych powodów doszło do wyodrębnienia się Kościoła narodowego w Anglii. **Król Anglii Henryk VIII**[3] zbuntował się

---

[1] **reformacja** – od łac. *reformatio* – przekształcenie.

[2] **dogmat** – religijna zasada nie przyjmująca krytyki; od gr. *dogma* – sąd, orzeczenie.

[3] **Henryk VIII** – (1491-1547), ang. Henry VIII of the Tudor dynasty; król Anglii w latach 1509-1547, miał 6 żon: pierwsza Katarzyna Aragońska (ang. Catherine of Aragon) była wdową po jego starszym bracie – po 18 latach pożycia król zażądał unieważnienia małżeństwa, gdyż nie urodziła mu syna (następcy tronu); druga żona Anna (ang. Anne Boleyn) też nie urodziła syna, a poza tym była niewierna, więc król kazał ją ściąć; trzecia żona Jane Seymour powiła królowi syna, ale wkrótce po porodzie zmarła; czwartą żonę Annę Klewijską (ang. Anne of Cleves) król poślubił z powodów politycznych, ale była tak... brzydka, że szybko się z nią rozwiódł; piąta żona Katarzyna (ang. Catherine Howard) okazała się niewierna królowi, więc została ścięta; dopiero szósta żona Katarzyna (ang. Catherine Parr) przeżyła męża. Henryk VIII to z jednej strony typowy władca renesansowy – zdolny i wykształcony opiekun artystów, z drugiej człowiek uparty i okrutny.

przeciwko papieżowi, gdy ten odmówił anulowania[1] jego małżeństwa z Katarzyną Aragońską. W rezultacie Kościół angielski oderwał się od Rzymu i król Anglii (nie papież) stanął na jego czele.

Nowinki religijne przedostały się także do Polski. Polska w tym czasie słynęła jako kraj tolerancji i przyjmowała obcokrajowców prześladowanych za przekonania religijne. W związku z tym znalazło u nas schronienie wielu postępowych humanistów, m.in. Włoch Kallimach. Wolność religijna została potwierdzona ustawą, zwaną Konfederacją Warszawską, uchwaloną przez sejm w 1573 roku. Gorsze czasy nastaną w połowie XVII w., nigdy jednak w Polsce nie dojdzie do prześladowań religijnych na taką skalę jak w innych krajach europejskich. Najwyższą cenę zapłacą wyodrębnieni z grupy kalwińskiej b r a c i a p o l s c y, zwani a r i a n a m i, którzy zostaną wygnani z Polski w 1658 roku. Fala reakcji (zwalczania różnowierców) obejmie w XVII wieku większość krajów Europy, wśród nich także... Anglię. Znamy skutki tego ruchu nietolerancji. Uciekając przed prześladowaniami, **purytanie[2] z Anglii (tzw. Pilgrim Fathers) popłyną w 1620 roku na statku „Mayflower" do Nowej Ziemi** i tam założą kolonię New Plymouth w New England, w dzisiejszym stanie Massachusetts. Później dołączą do nich inni prześladowani, w tym również grupa polskich arian.

Wynalazek druku

Do połowy XV wieku istniały tylko teksty pisane ręcznie. **W 1455 roku ukazała się pierwsza w historii cywilizacji książka wyprodukowana mechanicznie. Była nią Biblia, a wydał ją Niemiec Jan (Johann) Gutenberg**, którego uważamy za wynalazcę druku. Do naszych czasów zachowało się ok. 50 wydanych wówczas egzemplarzy. Biblia z drukarni Gutenberga liczyła 1284 strony, na każdej stronie były 2 kolumny, a w każdej kolumnie – 42 linijki druku. Ogółem na każdej stronie wykorzystano około 2500 znaków odlanych z ołowiu[3] i złożonych ręcznie w specjalnym aparacie. Czcionki naśladowały kształt pisma gotyckiego[4]. Kilka lat później Gutenberg wprowadził innowację, która polegała na tym, że dodatkowo na metalowej płycie umieszczano piękny wielobarwny inicjał (zwany też iluminacją lub miniaturą) i odciskano go na stronie. W ten sposób zmechanizowano proces ręcznego dotąd dekorowania tekstów. Iluminowane rękopisy (ang. illuminated manuscripts) znane były już w Starożytności. W okresie Średniowiecza sztukę tę doprowadzono do perfekcji.

---

[1] **anulowanie** – unieważnienie, zniesienie; od łac. *annullare* – unicestwić, od łac. *nullo* – żaden; ang. annulment.

[2] **purytanie** – ang. Puritans; angielska grupa religijna. Purytanie dążyli do o c z y s z c z e n i a Kościoła anglikańskiego z cech katolickich, stąd nazwa. Od łac. puritas – czystość. Dzisiaj używamy następujących wyrazów i znaczeń: **purytanin** – człowiek surowych, niezachwianych zasad oraz **purysta** – człowiek przesadnie dbający o czystość języka.

[3] **ołów** – ang. lead; miękki, topliwy metal; symbolem chemicznym ołowiu jest PB; łac. *plumbum*.

[4] **pismo gotyckie** – pismo o łamanym, ostrokątnym konturze.

Technika dekoracji wprowadzona przez Gutenberga otworzyła nowe możliwości w zakresie popularyzowania g r a f i k i k s i ą ż k o w e j (od miedziorytu[1], drzeworytu[2], litografii[3] i innych technik aż po reprodukcję zdjęć i grafikę komputerową).

Praca z mapą

 Znajdź na mapie świata:
- **Konstantynopol,**
- **Indie** rzeczywiste i ,,Indie'' Kolumba, czyli **Amerykę Środkową,**
- kolonię **New Plymouth** w Nowej Anglii, w dzisiejszym w stanie Massachusetts.

 Lektura uzupełniająca. Przeczytajcie na głosy fragment dramatu pt. ,,**Kopernik**'' Romana Brandstaettera.
Czego dotyczyła rozmowa Kopernika z biskupem Łukaszem Waczenrode? Jaki był stosunek Kopernika do wuja? A jaki do jego poglądów? Na czym polegała doniosłość odkrycia Kopernika?

LITERATURA RENESANSU. CHARAKTERYSTYKA OGÓLNA

Co to jest literatura? [spróbuj teraz odpowiedzieć...]

> **Literatura** to w szerokim znaczeniu – w s z y s t k i e t e k s t y p i s a n e danego narodu, epoki lub całej ludzkości; w węższym znaczeniu – jest to piśmiennictwo o c e c h a c h a r t y s t y c z n y c h[4].

Jeszcze 100 lat temu nazwa literatura obejmowała wszystko, co zostało napisane, a zatem mogły to być notatki na marginesach roczników, kroniki, wiersze, druki ulotne, dramaty, powieści, po prostu – wszystko. W XIX wieku zawężono pojęcie literatury do piśmiennictwa, które ma ,,wartość artystyczną''.

Co to jest w a r t o ś ć a r t y s t y c z n a? – na to pytanie będziesz otrzymywać odpowiedź stopniowo, dzięki czytaniu wartościowych tekstów literackich[5]. Zoba-

---

[1] **miedzioryt** – technika graficzna w k l ę s ł a. Na specjalnie przygotowanej płycie miedzianej (ang. copper plate) żłobi się rylcem rysunek, potem płytę lekko podgrzewa, po czym za pomocą wałka wciera się farbę w wyżłobione rowki; rysunek taki można odbijać na papierze, pergaminie, płótnie, atłasie.

[2] **drzeworyt** – technika graficzna w y p u k ł a. Na powierzchni odpowiednio przygotowanego drewnianego klocka wykonuje się rysunek, potem ostrym rylcem żłobi się tło wokół kresek rysunku; następnie wypukły rysunek powleka się farbą i odbija na cienkim papierze.

[3] **litografia** – technika graficzna p ł a s k a. Na kamieniu litograficznym (musi to być specjalny gatunek wapienia-krzemienia o bardzo drobnych ziarnach) rysuje się tłustym ołówkiem, kredką, tuszem lub akwarelą, a następnie kamień poddaje się działaniu słabego kwasu azotowego w połączeniu z gumą arabską; w technice tej nie porysowane partie kamienia nie przyjmą farby drukarskiej; odbitki wykonuje się na papierze.

[4] od łac. *litteratura* – pismo, pisanie; ang. literature.

[5] ważna podpowiedź: utwór ma wartość artystyczną, jeżeli jest w stanie wzbudzić w czytelniku d o z n a n i a e s t e t y c z n e. Doznania estetyczne docierają do nas różnymi drogami: za pomocą

czysz, że po pewnym czasie wyrobisz w sobie indywidualny smak artystyczny. A może sam marzysz o tym, żeby zostać pisarzem? W jakim wówczas pisałbyś języku?

*

Wróćmy na chwilę do Europy średniowiecznej (wiek V-XV).

Pamiętasz zapewne, że w czasach Średniowiecza na starym kontynencie obowiązywała ł a c i n a. Był to język uniwersalny (ogólnoeuropejski), którym posługiwali się wyłącznie ludzie wykształceni. A wykształceni byli przede wszystkim duchowni, czyli księża, a także sekretarze królewscy, uczeni, pisarze i poeci. To oni tworzyli elitę intelektualną Średniowiecza. Elita używała łaciny w p i ś m i e (dokumenty, traktaty naukowe, utwory poetyckie) i w m o w i e (kazania, dysputy). Znajomość łaciny była przepustką do uprzywilejowanego życia. Do szkół i na uniwersytety przyjmowano tylko młodzież męską pochodzącą z bogatych i renomowanych[1] domów – dla biednych synów chłopskich nie było tam miejsca. Natomiast panny z zamożnych rodzin otrzymywały wykształcenie domowe. Koło się zamykało. Z każdym pokoleniem elita stawała się jeszcze bardziej elitarna. Masy pozostałych ludzi to przede wszystkim ciężko pracujący chłopi pańszczyźniani, służba, rzemieślnicy, pospólstwo miejskie, a także uboższa szlachta. Czasem zdarzyło się, że uzdolniony syn chłopski lub mieszczański znalazł bogatego mecenasa i mógł się kształcić. Były to wyjątki.

Ludzie niewykształceni, a tych była większość, nie znali łaciny. Porozumiewali się w j ę z y k u r o d z i m y m, którym przez długi czas był lokalny dialekt, pozostałość dialektu plemiennego. W Średniowieczu języki narodowe dopiero się kształtowały i stanowiły trudne tworzywo do wyrażania pojęć i bardziej skomplikowanych treści. Ówcześni pisarze musieli mieć dużo wyobraźni i odwagi, żeby poza łaciną dojrzeć język n a r o d o w y (ang. vernacular), a tym bardziej p i s a ć w tym języku. Do takich ludzi zaliczamy dwóch wybitnych twórców z XIII i XIV wieku.
Są nimi:

- **Dante Alighieri** (1265-1321, Włoch) – poeta późnego Średniowiecza, pierwszy twórca piszący w języku w ł o s k i m, autor poematu epickiego pt. „Boska Komedia" (ang. „Divine Comedy").
- **Geoffrey Chaucer** (ok.1340-1400, Anglik) – poeta późnego Średniowiecza, pierwszy twórca piszący w języku a n g i e l s k i m, autor poematu pt. „Canterbury Tales" (pol. „Opowieści kanterberyjskie").

*

---

zmysłów w z r o k u i s ł u c h u, dzięki którym odbieramy piękno w bezpośredniej postaci, lub w sensie i n t e l e k t u a l n y m, gdy utwór jest w stanie wywołać w nas skojarzenia, wzruszenia, marzenia lub pobudzić aktywność życiową.

[1] **renomowany**, od **renoma** – sława, rozgłos, wziętość; fr. renommee [czyt. renome] – opinia, sława.

W okresie O d r o d z e n i a autorzy coraz częściej sięgali do języków narodowych, przedkładając je nad elitarną łacinę. Poszerzali też zakres eksploracji, co ujawniło się w treści utworów. Analizowali w nich mechanizmy władzy (Machiavelli), krytykowali podstawy systemu feudalnego (Cervantes), ośmieszali zabobony i przesądy (Montaigne), „rysowali" psychologiczne portrety bohaterów (Shakespeare, pol. Szekspir) i domagali się wolności słowa (Milton).

Oto przegląd najwybitniejszych twórców europejskiego Renesansu:
- **Nicolo Machiavelli**; Włoch (1469-1527) – napisał traktat pod włoskim tytułem „Il principe" (pol. „Książę", ang. „The Prince"), w którym wskazał, że w rządzeniu „cel uświęca środki". Od jego poglądów pochodzą polskie słowo makiawelizm" i angielskie „Machiavellian", określające politykę nie cofającą się przed zbrodnią, cynizmem i oszustwem – polityka taka jest rzekomo „usprawiedliwiona", jeśli prowadzi do osiągnięcia zamierzonego celu[1].
- **Francois Rabelais** [czyt. rabelę]; Francuz (ok. 1494 – 1555) – napisał satyrę pt. „Gargantua i Pantagruel", przedstawiającą komiczny świat olbrzymów, których przygody są satyrą na edukację, politykę i filozofię.
- **Michel de Montaigne** [czyt. mąteń]; Francuz (1533-1592) – jego utwory wydane w zbiorze „Essais" (pol. „Próby", ang. „Essays") dały początek nazwie gatunku literackiego – **eseju**. Autor krytykował przesądy i nietolerancję we współczesnym obie świecie, nawoływał ludzi do wiary we własne możliwości i wykorzystywania wrodzonych talentów.
- **Cervantes**, hiszp. Miguel de Cervantes Saavedra; Hiszpan (1547-1616) – w powieści pod hiszpańskim tytułem „Don Qujiote" (pol. „Don Kichot", ang. „Don Quixote") autor ośmieszył społeczeństwo feudalne, zwłaszcza rycerstwo, którego czas już minął. Z tej książki pochodzi pojęcie „walczyć z wiatrakami" (ang. tilt at windmills), czyli zwalczać (bezskutecznie) wyimaginowanego[2] przeciwnika.
- **Szekspir**, ang. William Shakespeare; Anglik (1564-1616) – uważany jest przez niektórych krytyków za najlepszego dramatopisarza i poetę wszechczasów, który potrafił wniknąć w psychikę ludzką. Do najwybitniejszych dramatów Szekspira należą „Romeo and Juliet" (pol. „Romeo i Julia"), „Hamlet" (pol. „Hamlet"), „Macbeth" (pol. „Makbet"). Dwa wieki później nawiązywać będą do niego poeci romantyczni.

W porównaniu z okresem Średniowiecza literatura renesansowa uległa zeświecczeniu[3]. Twórcy nie wahali się patrzeć i krytykować, a poszukując prawdy nie poddawali się autorytetom, zwłaszcza kościelnym. Nie znajdujemy w nowej literaturze ideałów do naśladowania, takich jak rycerz, władca czy święty. Każdy

---

[1] modelowym księciem dla Niccolo Machiavellego był Cesare Borgia, naturalny syn papieża Aleksandra VI Borgia (tego samego, który w 1494 roku podzielił Amerykę Południową pomiędzy Hiszpanów i Portugalczyków).

[2] **wyimaginowany** – wymyślony, nierealny; od **imaginacja** – wyobraźnia, fantazja; łac. *imaginatio* – wyobraźnia.

[3] **świecki** – niereligijny, laicki.

człowiek ma prawo do indywidualnego rozwoju. Pogląd, o którym mowa, nosi nazwę **antropocentryzm**[1], a jego naczelnym hasłem jest c z ł o w i e k , ś w i a t , p i ę k n o i s ł a w a. Do głosu doszedł **epikureizm**[2], teoria filozoficzna wywodząca się ze Starożytności, według której człowiek powinien dążyć do szczęścia, wyzwolić się z przesądów religijnych i lęku przed śmiercią, korzystać z przyjemności, zwłaszcza duchowych, a relacje z innymi ludźmi opierać na przyjaźni. Ten radosny, mądry, wyzwolony stosunek do życia przedstawiali w swoich utworach poeci i pisarze Renesansu.

KLEMENS JANICKI (1516-1543) – NASZ PIERWSZY POETA-HUMANISTA

Klemens Janicki to najwybitniejszy poeta wczesnej fazy polskiego Odrodzenia. Pisał w y ł ą c z n i e p o ł a c i n i e, ale – jak! Blady, nieśmiały chłopiec był wielkim talentem „wyłuskanym" z chłopskiej rodziny przez biskupa Andrzeja Krzyckiego i posłanym do szkół. Następny mecenas, marszałek koronny Piotr Kmita, sfinansował młodzieńcowi studia we Włoszech, które ten ukończył z tytułem doktora filozofii. W dalekich Włoszech Janicki (łac. Janicius) zyskał sławę i uznanie, a nawet wieniec laurowy od papieża. Poeta nigdy nie ukrywał swojego chłopskiego pochodzenia, wręcz przeciwnie – mówił o tym często nawet wtedy, gdy należał już do europejskiej elity intelektualnej. Przebywając we Włoszech tęsknił do ziemi-gleby i do ziemi-matki, o czym pisał w jednym z utworów:

Świat ten szeroki i pięknie na świecie, / Lecz nie ma ziemi nad moją ziemicę!
Dziwię się Włochom, Polskę wielbię szczerze, / Tutaj podziwem, tam miłością stoję;
Do mojej Polski prawnie przynależę, / Tu mam gościnę, a tam bogi moje. [...]
O! słodkie miejsce – siódmy rok upływa, / Jako nie byłem w domowej ustroni,
Choć tęskni do mnie moja dobra niwa, / A ja się modlę, by powrócić do niej. [...]

(Z łaciny przełożył Władysław Syrokomla)

Poeta w końcu wrócił do kraju. Ale był ciężko chory i wkrótce zmarł, mając zaledwie 27 lat.

Lektura uzupełniająca. Przeczytaj fragmenty elegii[3] Klemensa Janickiego pt. „**O sobie samym do potomności**" (oryginalny tytuł: „*De se ipso ad posteritatem*"). Zwróć uwagę, że w tłumaczeniu na język polski posłużono się formą niewierszowaną.
W obliczu śmierci poeta zdecydował się utrwalić swój wizerunek dla potomnych. W jakim tonie utrzymany jest utwór?

---

[1] **antropocentryzm** – pogląd, według którego człowiek jest ośrodkiem i celem Wszechświata; od gr. *anthropos* – człowiek i od łac. *centrum* – środek.
[2] **epikureizm** – nazwa tej doktryny filozoficznej pochodzi od Epikura (341-270 p.n.e.), starożytnego myśliciela greckiego.
[3] **elegia** – tu: utwór utrzymany w smutnym tonie; od gr. *elegos* – pieśń żałobna.

Biografia[1], życiorys

> **Biografia** to przedstawienie życia danej osoby. Może mieć formę listu, dziennika, pamiętnika, notki biograficznej w encyklopedii, a także filmu. Szczególnym przypadkiem biografii jest ż y c i o r y s, który ukazuje kolejne zdarzenia w życiu bohatera w lakonicznej[2] formie.

 Na podstawie informacji zawartych w rozdziale oraz elegii (wraz z przypisami) napisz życiorys Klemensa Janickiego. Zacznij od daty i miejsca urodzenia, w dalszej kolejności przedstaw okres jego nauki i studiów, na koniec – najważniejsze osiągnięcia. Ażeby życiorys był pełny, powinien zawierać datę śmierci osoby i okoliczności zgonu.

Dążenie artysty do nieśmiertelności

Wiemy już, że pierwszym wybitnym artystą, który dążył do unieśmiertelnienia siebie i swojej sztuki, był starożytny poeta rzymski Horacy (65-8 w. p.n.e.):

> Stawiłem sobie pomnik trwalszy niż ze spiży[3]
> Od królewskich piramid sięgający wyżej; [...]
> Nie wszystek umrę [...]
>
> (Horacy „Carmen III, 30’’, z łaciny przełożył Lucjan Rydel)

Oto kilka nawiązań do horacjańskiego motywu:

> O mnie Moskwa i będą wiedzieć Tatarowie,
> I różnego mieszkańcy świata Anglikowie [...]
>
> (Jan Kochanowski „Pieśń XXIV”)

> Ja czuję nieśmiertelność, nieśmiertelność tworzę,
> Cóż Ty większego mogłeś zrobić – Boże? [...]
>
> (Adam Mickiewicz „Dziady”, część III)

> O tak, nie cały zginę, zostanie po mnie
> Wzmianka w czternastym tomie encyklopedii
> W pobliżu setki Millerów i Mickey Mouse [...]
>
> (Czesław Miłosz, polski laureat Literackiej Narody Nobla, 1980)

➡ Skomentuj cytowane fragmenty.

---

[1] **biografia** – opis życia; od gr. *bios* – życie i od gr. *grapho* – piszę; ang. biography.
[2] **lakoniczny** – krótki, zwięzły; gr. *lakonikos*.
[3] **spiż** – stop cyny i miedzi, metal używany na pomniki i dzwony; od niem. spise; ang. alloy of tin and copper.

MIKOŁAJ REJ (1505-1569) – OJCIEC LITERATURY POLSKIEJ

Mikołaj Rej nazywany jest o j c e m l i t e r a t u r y p o l s k i e j. Owo zaszczytne miano pisarz zawdzięcza m.in. temu, że w utworze pt. „Zwierzyniec" (1562) użył słów:

> **A niechaj narodowie wżdy postronni znają,**
> **Iż Polacy nie gęsi, iż swój język mają!**

Ponadto – jakby na poparcie powyższego oświadczenia – Rej pisał wyłącznie po polsku. Zrobił on dla naszego języka to, co Dante dla języka włoskiego, a Chaucer – dla angielskiego. Świadomie i systematycznie pisał po polsku, przystosowując chropawy język ojczysty do przekazywania myśli za pomocą pisma. Czy był to dojrzały język literacki? Jeszcze nie, ale Rej dzielnie pokonywał trudności w zakresie słownictwa, składni, ortografii i interpunkcji.

Mikołaj Rej (1505-1569) wywodził się z zamożnej szlachty małopolskiej, mieszkającej w majątku Nagłowice koło Jędrzejowa. Dziś w parku w Nagłowicach jest jeszcze aleja dębów, która pamięta pisarza (dęby, po ang. oaks, to drzewa mogące żyć 1000 lat). Młody Mikołaj uczyć się nie chciał, wolał jeździć konno, polować i spotykać się z przyjaciółmi. Wprawdzie uczęszczał do szkół w Skalmierzu, we Lwowie i w Krakowie, ale edukację zakończył na pierwszym roku Akademii Krakowskiej. Później przebywał na dworze magnackim wojewody sandomierskiego Andrzeja Tęczyńskiego. Tutaj, „z rozmów między pisarzami – jak stwierdza jego przyjaciel Andrzej Trzecieski – z czytania, a snadź więcej z natury jął się już był

133

przegryzować po trosze i łacińskiego pisma czytać [...], a Bóg i natura ostatka dodał, iż był przyszedł potem *ad iudicium*[1]". A zatem Rej był w pewnym sensie samoukiem. Nie wyjeżdżał na studia za granicę, jak inni humaniści, pilnie jednak douczał się przez całe życie. Sam napisał o sobie w przedmowie do utworu pt. „Zwierciadło":

> Aczem był nieuczony, przedsiem jednak czytał,
> A czegom nie rozumiał, inszychem sie pytał.

Rej był bardzo wesołym, dowcipnym i popularnym wśród szlachty kompanem. Jeździł na sejmy i sejmiki, nastawiał ucha „nowinkom religijnym". Później przystąpił do zboru[2] kalwińskiego i oddał się gorliwie nowej wierze; opublikował nawet zbiór kazań pt. „Postylla"[3] (1557). Talent pisarski odkrył w sobie będąc już dojrzałym mężczyzną. Tworzył bardzo wiele, gdyż pisanie uważał za służbę społeczną. A ponieważ był powszechnie lubiany, dzięki swoim książkom stał się nauczycielem i wychowawcą średniej szlachty.

Satyra społeczna pt. „Krótka rozprawa" (1543)

Jak pamiętamy, **w 1543 roku** ukazało się przełomowe dzieło Mikołaja Kopernika „O obrotach sfer niebieskich", po czym wielki astronom zakończył życie. W tym samym roku 38-letni Mikołaj Rej wydał swój pierwszy i jednocześnie najbardziej radykalny[4] utwór pt. **„Krótka rozprawa między trzema osobami, Panem, Wójtem a Plebanem"** (dziś używamy tytułu Krótka rozprawa"). Był to tekst tak wywrotowy, że publikując go autor nie chciał użyć swojego nazwiska, zamiast tego podpisał książkę pseudonimem Ambroży Korczbok Rożek.

„Krótka rozprawa" jest rodzajem traktatu moralistyczno-politycznego, popularyzującego dyskusje reformatorskie, prowadzone na sejmach i sejmikach. Utwór został napisany w typowej dla Odrodzenia formie d i a l o g ó w. Rozmowa między trzema osobami toczy się na terenie majątku szlachcica (sceneria nie ma istotnego znaczenia), gdzie przypadkowo spotkały się trzy osoby: **Pan** (szlachcic), **Pleban** (ksiądz) i **Wójt** (chłop pańszczyźniany). W trakcie dysputy każdy z jej uczestników charakteryzuje własną sytuację oraz wypowiada krytyczne uwagi pod adresem pozostałych osób. Z treści rozmowy wyłania się obraz stosunków w Polsce w XVI wieku.

 Przeczytajcie z podziałem na role fragmenty „**Krótkiej rozprawy**" Mikołaja Reja zamieszczone w Wypisach.

- Wymień zarzuty stawiane P a n u. Za co krytykowany jest P l e b a n? Przedstaw sytuację W ó j t a.
- Posługując się zebranymi informacjami, scharakteryzuj trzy stany społeczne występujące w „Krótkiej rozprawie":

---

[1] *ad iudicium* (łac.) – do rozumu.
[2] **zbór** – kościół kalwiński, gmina, parafia.
[3] **postylla** (łac.) – zbiór komentarzy do Biblii; łac. *post illa (verba textus)* – po tych (słowach tekstu).
[4] **radykalny** – skrajny, reformatorski (dotyczy poglądów); od łac. *radicalis* – dogłębny.

a) **stan szlachecki** (szlachta pełniła funkcje w sejmie, sejmikach, sądownictwie i urzędach),

b) **stan duchowny** (księża powinni zaspokajać duchowe potrzeby wiernych),

c) **stan chłopski** (chłopi pańszczyźniani pracowali na rzecz zarówno szlachty, jak i duchowieństwa).

Mikołaj Rej wybrał formę satyry[1]. Przedstawił w niej stosunki społeczne, akcentując wady szlachty i kleru. Na zakończenie utworu pojawia się sama R z e c z p o s p o l i t a (jako alegoria, tu: postać wyobrażająca Ojczyznę), która ubolewa nad panującą prywatą i wspomina dawne czasy, kiedy ludzie nie własne, lecz jej dobro „za wieczny skarb mieli". Udziela też rad i pouczeń, jak należy postępować.

„Żywot człowieka poczciwego" (1568), czyli portret szlachcica. Cechy pisarstwa Reja

Mikołaj Rej pisał szybko i łatwo, dzięki czemu w spuściźnie po nim pozostało wiele utworów. Są one zwierciadłem stanu umysłu, zainteresowań i obyczajów szlachty. Pod koniec życia Reja opuściła energia i radykalizm, autor odsunął się od spraw publicznych i czerpał szczerą przyjemność z prostych zajęć gospodarskich. Posłuchajmy, co na temat urody ziemiańskiego życia ma do powiedzenia starszy już pan Mikołaj Rej, znany w okolicy gawędziarz...

 Przeczytaj fragmenty **„Żywota człowieka poczciwego"**[2] Mikołaja Reja (Księgi II, część 2 i 5). Następnie „przetłumacz" je ustnie na współczesny język polski. Jaki nastrój ma ten utwór? Scharakteryzuj „człowieka poczciwego", tak jak prezentuje go Rej.

Cechy językowe utworów Mikołaja Reja

W „Krótkiej rozprawie" pisarz zastosował d i a l o g albo raczej z e s t a w m o n o - l o g ó w – ulubioną formę wymiany myśli, która po wystąpieniu Marcina Lutra w 1517 roku, stała się popularna w kręgach reformatorskich. Język Reja nawiązuje do m o w y p o t o c z n e j, jest bardzo żywy i obrazowy. Autor wprowadza bogate słownictwo, czasem dosadne, a nawet rubaszne[3], utarte powiedzenia z życia codziennego i p r z y s ł o w i a. Szczególną cechą stylu Reja są w y r a z y z d r o b - n i a ł e o różnych odcieniach emocjonalnych, jak np. gołąb, gołąbek, gołębiątko.

Na zakończenie przypomnijmy, że Rej pisał p o p o l s k u. I to jest najważniejszy wkład Mikołaja Reja do naszej literatury.

---

[1] **satyra** – utwór literacki, zwykle poetycki, wyszydzający lub ośmieszający wady ludzi współczesnych autorowi; łac. *satira*.

[2] pełny tytuł poematu: „Wizerunek własny żywota człowieka poczciwego" (1558).

[3] **rubaszny** – prostacki, poufały; od ros. rubacha.

Przysłowia

Znamy powiedzenie, że **przysłowia są mądrością narodu**.

Przysłowie[1] to krótkie, zwykle anonimowe zdanie, wyrażające w zwięzły sposób spostrzeżenia obyczajowe lub myśl ogólną, np. „Kto pod kim dołki kopie, sam w nie wpada".

Mikołaj Rej zawarł w swych utworach mnóstwo wyrażeń i zwrotów przysłowiowych. Nie wszystkie one są dziś dla nas jasne, gdyż zmieniły się odniesienia kulturowe i historyczne. Przyjrzyjmy się kilku przykładom pochodzącym z „Krótkiej rozprawy":

- **A nie dasz li, wezmą ciążą, / Albo cię samego zwiążą** (w. 803-804)
  Objaśnienie: Ciąża to w staropolszczyźnie „zastaw lub rzecz zaaresztowana" (obok innych znaczeń, jak „brzemienność", „dolegliwość"). W dawnej Polsce, podobnie jak w całej Europie, zaleganie ze spłatą długów lub świadczeń groziło więzieniem. A zatem w cytowanym fragmencie Wójt skarży się na grożące mu konsekwencje – pójście do więzienia, jeśliby odważył się nie oddać Panu i Plebanowi ich należności.

- **Przedsię z oną płochą radą / Na chromem do domu jadą** (w. 657-658)

- **Ale snać i z tego gromu / Przedsię na chromem do domu** (w. 1951-1952)
  Objaśnienie: Chromy to w staropolszczyźnie „utykający na nogę, ułomny koń" (później również człowiek). Jeśli zatem ktoś wracał z targu czy z urzędu „na chromem", znaczyło to, że poniósł porażkę, doznał zawodu, nie udało mu się.

- **Ksiądz w kościele woła, wrzeszczy, / Na cmyntarzu beczka trzeszczy** (w. 183-184)
  Objaśnienie: W staropolszczyźnie istniało wiele przysłów i porównań nawiązujących do stylu życia i modłów Żydów, którzy zamieszkiwali na terenie Polski od XIV wieku (pisze o tym interesująco Samuel Adalberg w wydanej w 1894 roku „Księdze przysłów polskich"). Żydzi byli bardzo głośni modląc się w swoich synagogach, zwanych też bóżnicami lub szkołami, stąd pochodzą cytowane przez Adalberta porównania: „krzyczeć jak w bóżnicy", „krzyki jak w szkole żydowskiej". Ksiądz katolicki, do którego nawiązuje Rej, też zachowuje się krzykliwie, ale z innego powodu. Jakiego?

 Ćwiczenie 1. W każdym języku istnieją przysłowia. Oto przykłady angielskie. Przepisz je do zeszytu i przetłumacz na język polski:

You can't teach an old dog new tricks –
Don't put all your eggs into one basket –

---

[1] **przysłowie** – łac. *proverbium*; ang. proverb. Istnieje też inne łacińskie określenie przysłowia – *paroemia*, od którego pochodzi polska nazwa **paremiologia** – nauka o przysłowiach.

Better safe than sorry –
Practice makes perfect –

 Ćwiczenie 2. Niektóre przysłowia mają popularność międzynarodową. Do poniższych przykładów podaj odpowiedniki polskie, czyli zastąp przysłowie przysłowiem:

Time is money –
Time heals all wounds –
Necessity is the mother of invention –
All roads lead to Rome –

 Ćwiczenie 3. Z pomocą słownika wyrazów obcych napisz, co znaczą łacińskie przysłowia:

Nil novi sub sole –
Dura lex, sed lex –

 Ćwiczenie 4. Samodzielnie lub z pomocą rodziców napisz kilka popularnych przysłów polskich, a następnie wyjaśnij, jakie myśli lub prawdy ogólne są w nich zawarte.

Czy wiesz, że...

Ambroży Korczbok Rożek to najstarszy polski p s e u d o n i m   l i t e r a c k i? W 1543 roku użył go Mikołaj Rej, gdy wydawał „Krótką rozprawę”. Pseudonim literacki to po ang. pen name.

➡ Połącz prawdziwe nazwiska autorów (1. 2. 3. 4.) z ich pseudonimami (a, b, c, d):

a) Bolesław Prus (pol.)
b) Mark Twain (am.)
c) Joseph Conrad (ang.-pol.)
d) Guillaume Apollinaire (fr.-pol.)

1. Teodor Józef Konrad Korzeniowski (1857-1924)
2. Wilhelm Apolinary Kostrowicki (1880-1918)
3. Aleksander Głowacki (1847-1912)
4. Samuel Langhorne Clemens (1835-1910)

ANDRZEJ FRYCZ MODRZEWSKI (1503-1572) – MYŚLICIEL I PUBLICYSTA

Andrzej Frycz[1] **Modrzewski** to najwybitniejszy polski pisarz p o l i t y c z n y okresu Odrodzenia. Pochodził ze zubożałej rodziny szlacheckiej, ale szczęśliwie znalazł bogatego mecenasa Jana Łaskiego (tego samego, który później został innowiercą[2], a nawet współtworzył kościół anglikański). Dzięki jego wsparciu Modrzewski ukończył studia w Akademii Krakowskiej, a następnie, w 1531 roku, wyjechał do Wittenbergi, czyli „luterskiego Rzymu”. Wzorem Marcina Lutra Modrzewski przez jakiś czas myślał o zreformowaniu kościoła katolickiego w Polsce (miał święcenia kapłańskie, tak jak Luter). Debiutował równocześnie z Rejem (1543), publikując mowę pt. „Łaski, czyli o karze z mężobójstwo”, ale europejski rozgłos przyniosło

---

[1] **Frycz** – Frycz to zdrobnienie od imienia Fryderyk. Pisarz używał też łacińskiej formy nazwiska: *A. Fricius Modrevius.*

[2] **innowierca** – książk. człowiek wyznający inną religię.

Szkice Jana Matejki: chłopi (górny) i szlachta (dolny)

mu inne wielkie dzieło pt. „O poprawie Rzeczypospolitej" (1551). Na prośbę Jana Łaskiego Modrzewski zakupił i przywiózł z miasta Bazylei (Basel w dzisiejszej Szwajcarii) do Polski cenną bibliotekę humanisty Erazma z Rotterdamu, zmarłego w 1536 roku. Swoje zdolności Modrzewski oddał służbie publicznej – był sekretarzem w kancelarii króla Zygmunta II Augusta i często odbywał podróże dyplomatyczne. Wybitny i odważny pisarz i myśliciel porzucił dwór królewski w 1553 roku, zdjął szaty kapłańskie, w 1560 roku ożenił się i miał dwoje dzieci. Był prześladowany przez władze kościelne za głoszone poglądy i pomawiany o herezję[1];

---

[1] **herezja** – pogląd błędny z punktu widzenia religii panującej. Przenośnie: odstępstwo od poglądów powszechnie przyjętych; od gr. *hairesis* – wybór i od łac. *haeresis* – doktryna.

papież Paweł IV umieścił wszystkie jego dzieła na indeksie ksiąg zakazanych. Zaczynała się już k o n t r r e f o r m a c j a[1].

Traktat pt. **„O poprawie Rzeczypospolitej"** został napisany po łacinie i składał się z pięciu ksiąg: I. O obyczajach, II. O prawach, III. O wojnie, IV. O kościele, V. O szkole. „C z ł o w i e k n i e u r o d z i ł s i ę s o b i e" – mawiał Modrzewski, dlatego za swój honor i obowiązek uważał wzięcie czynnego udziału w reformie państwa i Kościoła. A było wiele do zrobienia! Modrzewski wskazywał na nierówność obywateli wobec prawa, problem kary śmierci, potrzebę utrzymania rzetelnie opłacanego wojska, które strzegłoby granic, konieczność swobodnej dyskusji na temat wiary, potrzebę podniesienia poziomu szkół i należytego wynagradzania nauczycieli.

 Przeczytaj kolejno dwa fragmenty dzieła Andrzeja Frycza Modrzewskiego pt. **„O poprawie Rzeczypospolitej"** – Księga II, rozdz. III oraz Księga V, rozdz. II.
Jaką sytuację przedstawia pisarz w Księdze II?
Co autor sądzi o pracy nauczyciela – w Księdze V?

Ogólna budowa rozprawy, rozprawki, wypracowania lub eseju
(ang. dissertation, treatise, thesis, paper, essay)

> **Rozprawka** to szczegółowe opracowanie zagadnienia, także próba udowodnienia prawdziwości lub nieprawdziwości postawionej tezy.

Rozprawkę piszemy według jednego z następujących wzorów:

I.
1. Podajemy tezę (główną myśl).
2. Gromadzimy argumenty.
3. Podsumowujemy, przytaczając tezę.

II.
1. Podajemy hipotezę (przypuszczenie).
2. Gromadzimy argumenty.
3. Formułujemy udowodnioną tezę.

Mogą istnieć drobne różnice między wzorami zalecanymi w polskiej szkole a tymi, które stosujecie w szkole amerykańskiej. Nauczyciel w high school ma zwykle s z c z e g ó ł o w e w y m a g a n i a dotyczące pisania pracy typu essay, kolejności gromadzenia argumentów, sposobu cytowania tekstów oraz podawania bibliografii (Works Cited). **Rada: Stosujcie się do wskazań nauczyciela w amerykańskiej high school**, zwłaszcza jeśli jest rygorystyczny. Wolno wam stosować jego zalecenia również przy pisaniu prac po polsku; nauczyciele w polskich gimnazjach rozumieją tę sytuację. W eseju (polskim czy amerykańskim) najważniejsza jest dyscyplina w prowadzeniu rozważań, logika podawanych argumentów oraz umiejętność wyciągania wniosków.

---

[1] **kontrreformacja** – ruch ogólnoeuropejski skierowany przeciwko reformacji, zapoczątkowany w połowie XVI wieku. Dążył on do wzmocnienia Kościoła katolickiego i władzy papieskiej [p. Barok].

Kompozycja rozprawy na przykładzie fragmentu Księgi II, rozdz. III (o pobiciu szlachcica)

Przedstawienie sytuacji:

Dwóch ludzi pobiło s z l a c h c i c a. Jeden z napastników też był s z l a c h c i c e m, a drugi – p l e b e j u s z e m. Gdy pobity szlachcic zmarł w wyniku odniesionych ran, odszukano plebejusza[1] i ucięto mu głowę. Szlachcic pozostał na wolności.

1. Zdziwienie zastępujące tezę: Na Boga nieśmiertelnego! Rzeczpospolita nie traktuje swoich obywateli jednakowo?! (W podtekście teza: **Prawo powinno być jednakowe dla wszystkich.**)

2. Argumentacja: Nierówność prawa sugeruje, że w granicach Rzeczypospolitej istnieją dwie Polski – szlachecka i plebejska. Państwo o nierównych prawach nie spełnia podstawowego zadania, do którego jest powołane, tj. ,,aby wszyscy obywatele mogli żyć spokojnie i szczęśliwie''.

3. Podsumowujemy, nawiązując we wniosku do postawionej tezy: **Należy zmienić prawo w Rzeczypospolitej, żeby było jednakowe dla wszystkich**

Oczywiście, nie jest to typowa rozprawka szkolna, niemniej jednak omawiany tekst zachowuje podstawowe jej elementy (t e z a, a r g u m e n t a c j a i p o d s u m o w a n i e z p r z y t o c z e n i e m w s t ę p n e j t e z y).

Andrzej Frycz Modrzewski próbował zreformować prawo i instytucje państwowe w XVI-wiecznej Polsce. Zdawał sobie sprawę z tego, d o k o g o w kolejnych księgach kieruje argumentacje, i odpowiednio dobierał środki wyrazu. Zwróć uwagę, że autor stosował pytania retoryczne, wykrzyknienia, kolokwializmy[2] oraz przykłady odwołujące się do emocji. Znał swoich odbiorców, ich mentalność i przyzwyczajenia, i uwzględniając tę wiedzę starał się uczynić swoje wystąpienie s k u t e c z n y m!

Z powyższym zagadnieniem łączy się kwestia zróżnicowania stylu wypowiedzi.

Co to jest styl?

Styl to sposób wyrażania myśli w mowie lub w piśmie. Jest wynikiem doboru elementów językowych na wszystkich poziomach budowy wypowiedzi. Można mówić o stylu jednostki (tj. autora), grupy twórców (dotyczy okresu lub kierunku literackiego), rodzaju literackiego (epika, liryka, dramat), gatunku (gawęda, sonet) itp.

Rodzaje stylów:

A. Styl indywidualny
   a) autora
   b) konkretnego utworu
B. Styl typowy
   a) kierunku, prądu, okresu literackiego
   b) rodzaju lub gatunku literackiego

---

[1] **plebejusz** – człowiek z ludu; od łac. *plebeius* – prostacki.

[2] **kolokwializm** – wyrażenie lub zwrot przeniesiony z mowy potocznej; od łac. *colloquium* – rozmowa; ang. colloquialism.

c) funkcjonalny, wyróżniony na podstawie funkcji lub celu wypowiedzi
   - styl potoczny
   - styl naukowy
   - styl urzędowy
   - styl publicystyczny
   - styl artystyczny

W naszych spotkaniach z literaturą będziemy się zajmować głównie **stylem artystycznym**. Powyższa typologia daje ci na razie ogólne pojęcie o zróżnicowaniu stylów. Żeby umieć określić styl wypowiedzi wyjętej z kontekstu, musisz wiele czytać i starać się zapamiętywać swoiste cechy języka pisarza, epoki, gatunku itd.

➡ **Ćwiczenie.** Na podstawie lektury fragmentów traktatu pt. ,,O poprawie Rzeczypospolitej'' i podanej wyżej typologii określ styl wypowiedzi Andrzeja Frycza Modrzewskiego. Odpowiedzi szukaj w pkt. B. c).

JAN KOCHANOWSKI (1530-1584)
– NAJWYBITNIEJSZY POETA POLSKI EPOKI ODRODZENIA

Jan Kochanowski urodził się w Sycynie koło Radomia. Wprawdzie nie ma już śladu po szlacheckim dworku rodziny Kochanowskich, ale na miejscu domu stoi inny cenny zabytek – figura przydrożna z 1620 roku. Niewiele wiemy o dzieciństwie i wczesnej młodości Kochanowskiego. Pierwszy dokument dotyczący losów poety pochodzi z Akademii Krakowskiej, do której zaczął uczęszczać już w roku 1544. Później studiował w Padwie (we Włoszech) i w Królewcu (w Prusach Książęcych), zwiedził Wenecję, Rzym i Neapol, a także kilka miast francuskich i niemieckich. Szczególny hołd złożył zmarłemu w 1374 roku włoskiemu poecie Francesco Petrarce, kiedy odwiedził jego grób we Włoszech. W czasie pobytu w Paryżu poznał grupę poetycką ,,Plejada'' i zbliżył się do jej twórcy Pierre'a de Ronsarda[1]. Rozległe studia humanistyczne[2], podróże, pobyt na dworach książęcych i królewskich oraz przyjaźnie z wybitnymi humanistami zaowocowały twórczością najwyższej rangi. **Nigdy przedtem w kręgu n a r o d ó w s ł o w i a ń s k i c h nie było takiej indywidualności twórczej, jaką okazał się polski poeta Jan Kochanowski!**
Pomijamy wczesną twórczość Kochanowskiego, w której skład wchodziły erotyki[3], elegie miłosne i inne wiersze wyrażające stan ducha zakochanego (i przystojnego) młodzieńca. Większość z tych utworów napisał po łacinie, mierząc się niejako z piórem i próbując w ramach klasycznych strof zawrzeć własne, jakże ludzkie, uczucia miłości, uniesienia, smutku i rozpaczy. Dla niego wiersze były tym samym, czym dla nas jest sekretny pamiętnik.

---

[1] **Pierre de Ronsard** – [czyt. pier de rą-sar].

[2] **studia humanistyczne** – nauki badające człowieka jako istotę społeczną oraz jego wytwory jako wytwory społeczne; zaliczamy do nich język, literaturę, sztukę, historię, psychologię, filozofię; od łac. *humanus* – ludzki.

[3] erotyki – [czyt. erotyki], liryczne wiersze miłosne; od gr. *erotikos* – miłosny, od gr. *Eros* – bóg miłości.

Jan Kochanowski.
Fot. Archiwum WSiP

Sława Jana Kochanowskiego szybko rosła. Ponieważ były to czasy zuniformizowanego[1] języka – łaciny, wiersze poety czytano w różnych krajach Europy wkrótce po ich napisaniu. Jednakże o Kochanowskim mówimy, że był p o e t ą ł a c i ń s k o - p o l s k i m (a nie tylko łacińskim, jak Klemens Janicki). Wielkie znaczenie miał tu zapewne wpływ poezji Francuza Pierre'a de Ronsarda, który dla swojego ojczystego języka francuskiego zrobił to, co wcześniej wspomniani Dante – dla włoskiego i Chaucer – dla angielskiego. **Pisanie w języku ojczystym stawało się nareszcie czymś chlubnym!** Swoim niepospolitym talentem Kochanowski zgłębiał zasoby języka polskiego, wydobywając zeń piękno, precyzję i subtelny humor. Potrafił tak zestawić proste nazwy i pojęcia, że nabierały one świeżego znaczenia. Pisał po polsku, ale zachowywał formułę klasycznego (starożytnego) wiersza – fraszki, pieśni, trenu i dramatu. Za ich pomocą dźwignął nasz język i literaturę na najwyższe poziomy.

Fraszki – zwierciadełka epoki

W czasach Odrodzenia najbardziej popularnymi gatunkami literackimi były fraszki i pieśni. Kochanowski pisał fraszki przez całe życie. Są one dla nas bezcennym materiałem ukazującym klimat epoki.

---

[1] **zuniformizowany** – jednakowy, ujednolicony; od łac. *uniformis* – jednokształtny.

Scena biesiadna, fragment fresku z Sali Poselskiej Zamku Królewskiego na Wawelu.
Fot.: Agencja PAI-EXPO

> **Fraszka** to krótki utwór wierszowany, najczęściej żartobliwy, dotyczący jakiegoś zdarzenia lub osoby, zakończony puentą[1].

Wyobraź sobie komnaty zamkowe na Wawelu. Jest biesiada. Dokoła dworzanie, goście, nawoływania, błazny figlują, na półmiskach dymią potrawy, z dzbanów leje się wino. Za stołem wśród wesołej kompanii siedzi Kochanowski. Wszyscy wiedzą, że rymuje. Są ciekawi, o czym pisze. Więc pytają Jana, a on odpowiada wesoło:

> Nie dbają moje papiery / O przeważne bohatery[2]; [...]
> Ale śmiechy, ale żarty / Zwykły zbierać moje karty.
> Pieśni, tańce i biesiady / Schadzają się do nich rady. [...]
> Przy fraszkach mi wżdy naleją, / A to wniwecz[3], co się śmieją.

(Fraszka „Na swoje księgi")

---

[1] **puenta** albo **pointa** – [czyt. płęta], punkt kulminacyjny, końcowy efekt; od fr. pointe – szpic, ostrze, dowcip.

[2] **o przeważne bohatery** – tu: o odważnych, zwycięskich bohaterów.

[3] **wniwecz** – tu: za nic (mam).

Przy innej okazji poeta będzie bardziej refleksyjny. Na przykład we fraszce „O miłości":

Próżno uciec, próżno się przed miłością schronić,
Bo jako lotny[1] nie ma pieszego dogonić?

We fraszce „Na świętego Ojca" dostało się duchownemu, który prowadził zbyt świecki[2] tryb życia:

Świętym cię zwać nie mogę, ojcem się nie wstydzę,
Kiedy wielki kapłanie, syny twoje widzę.

W Wypisach znajdziesz wybór innych **fraszek** Jana Kochanowskiego. Przeczytaj je, a następnie skomentuj każdą z nich.

Pieśni – różnorodność przeżyć i refleksji

Kochanowski napisał około 300 [czyt. trzystu] fraszek oraz 49 [czyt. czterdzieści dziewięć] pieśni. Pieśni nie mają już tak swawolnego charakteru jak fraszki. Poeta zawarł w nich dojrzałe przemyślenia.

Pieśń to klasyczny wiersz, ukształtowany pod wpływem chóralnej liryki greckiej oraz utworów rzymskiego poety Horacego.
Obok pieśni jako gatunku literackiego istnieją też pieśni popularne, np. ludowe, religijne, powstańcze. Niektóre z nich śpiewane są przy akompaniamencie instrumentów muzycznych.

Pieśni Kochanowskiego to utwory o cechach klasycznych. Większość jest własna, oryginalna, a tylko mała część stanowi tłumaczenia lub przeróbki z Horacego. Poeta zwracał się do poezji starożytnej, szukając w niej wzorów tak w zakresie formy, jak i świeckiej, nie ograniczonej przesądami, myśli.
Pieśni Kochanowskiego są różnorodne: patriotyczne, polityczne, miłosne, refleksyjne i obyczajowe. Przyjrzyjmy się kilku z nich.

Przeczytaj Pieśń V pt. **„Pieśń o spustoszeniu Podola"** z Ksiąg Wtórych Jana Kochanowskiego.
Jaki jest ton utworu? Do kogo poeta kieruje apel o patriotyczną postawę? Jakie było zagrożenie dla Polski?

---

[1] **lotny** – skrzydlaty. Amor, rzymski bożek miłości, był przedstawiany jako skrzydlaty bożek z łukiem i strzałami.
[2] **świecki** – niereligijny.

Omówienie

Jest to pieśń patriotyczna i polityczna zarazem. Utwór nawiązuje do autentycznego wydarzenia, które miało miejsce za życia poety, w czasie bezkrólewia po ucieczce z Polski króla Henryka Walezego, mianowicie n a p a d u T a t a r ó w n a P o d o l e w roku 1575. Najeźdźcy uprowadzili wówczas w jasyr (do niewoli) ponad 50 tysięcy Polaków, w tym wiele kobiet i dzieci:

> Jedny za Dunaj Turkom zaprzedano,
> Drugie do hordy[1] dalekiej zagnano;
> Córy szlacheckie (żal się mocny Boże!)
> Psom bisurmańskim[2] brzydkie ścielą łoże!

Poeta wyraża oburzenie i rozpacz. Dostrzega, że t r z e b a p o w o ł a ć r e g u - l a r n e w o j s k o, które będzie strzegło granic i zastąpi niewyszkolone pospolite ruszenie[3]. Apeluje do Polaków:

> Skujmy talerze na talery[4], skujmy,
> A żołnierzowi pieniądze gotujmy![5]

Zasmuca ton ostatniej zwrotki pieśni, bo sugeruje ona, że Polacy nie wyciągnęli należytych wniosków z tragedii. Jakże ironicznie brzmią słowa poety w podsumowaniu:

> **Cieszy mię ten rym[6]: „Polak mądr po szkodzie";**
> **Lecz jeśli prawda i z tego nas zbodzie[7],**
> **Nową przypowieść Polak sobie kupi,**
> **Że i przed szkodą, i po szkodzie głupi.**

➡ Przyjrzyj się środkom artystycznym, jakich użył poeta, aby jego apel był skuteczny i obywatelskie obawy trafiły do szlachty:
- malowanie obrazów o silnym zabarwieniu emocjonalnym,
- stosowanie wykrzykników,
- bezpośrednie zwroty do czytelnika.

Podaj odpowiednie przykłady z tekstu.

---

[1] **horda** albo **orda** – obóz tatarski. Przenośnie: tłum, zgraja; z jęz. tureckiego: ordu – obóz, wojsko.

[2] **bisurmański** – muzułmański, mahometański; ang. Moslem.

[3] **pospolite ruszenie** – w Średniowieczu i później (aż do XVIII wieku) doraźne powoływanie ludności pod broń z powodu najazdu nieprzyjaciela.

[4] **talery** – dziś: talary. Były to s r e b r n e monety, znajdujące się w Polsce w obiegu od XVI do pocz. XIX wieku. Początkowo 1 talar miał wartość 1 dukata (złotej monety ważącej 3 i pół grama = 0.11 oz) i stanowił podstawowy pieniądz w handlu międzynarodowym.

[5] szlachta lubiła srebrną zastawę stołową i wszelką wystawność. (Piękne staropolskie naczynia króla Zygmunta Augusta są dziś do oglądania w skarbcu na Wawelu.) Poeta nawołuje, by przekuć srebrne naczynia na pieniądze, za które będzie można sfinansować regularne wojsko.

[6] **rym** – tu: przysłowie, przypowieść.

[7] **zbodzie** – tu: zwiedzie; jeśli okaże się, że to przysłowie nie jest prawdziwe.

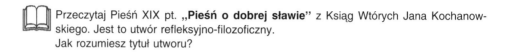 Przeczytaj Pieśń XIX pt. **„Pieśń o dobrej sławie"** z Ksiąg Wtórych Jana Kochanowskiego. Jest to utwór refleksyjno-filozoficzny.
Jak rozumiesz tytuł utworu?

Omówienie

„Pieśń o dobrej sławie" to jakby oracja (przemowa) ujęta w formę poetycką. Podmiot liryczny (ang. speaker of the poem) jest człowiekiem dojrzałym i cechuje go pewien dystans do życia. Z racji starszego wieku i bogatego doświadczenia ma prawo formułować wskazówki dotyczące postawy godnego człowieka. Według poety, fakt, że człowiek został wyposażony przez Stwórcę w szczególne przymioty (m.in. w rozum i mowę), zobowiązuje go do kierowania się w życiu zasadami moralnymi:

> I szkoda zwać człowiekiem, kto bydlęce żyje [...]
> Nie chciał nas Bóg położyć równo z bestyjami:
> **Dał nam rozum, dał mowę**, a nikomu z nami.

Jednym z obowiązków osoby ludzkiej jest służenie społeczeństwu:

> **Służmy poczciwej sławie, a jeśli kto może,**
> **Niech ku pożytku dobra spólnego pomoże.**

Poeta powrócił do tematu obrony kraju. Uważał, że wojsko jest niezbędne. Ale jakie wojsko? Otóż wojsko wyszkolone, patriotyczne, waleczne. Znajdujemy w pieśni słynne słowa:

> Prostak to, który wojsko z wielkości szacuje:
> **Zwycięstwo liczby nie chce, męstwa potrzebuje.**

Jaka jest główna myśl utworu? Jak człowiek powinien postępować, żeby zasłużyć na dobrą sławę? Dlaczego obrona Ojczyzny tak bardzo leży poecie na sercu? [przypomnij sobie treść Pieśni V]

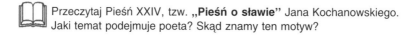 Przeczytaj Pieśń XXIV, tzw. **„Pieśń o sławie"** Jana Kochanowskiego.
Jaki temat podejmuje poeta? Skąd znamy ten motyw?

Omówienie

Kochanowski ma świadomość swojego talentu i potęgi twórczej:

> Niezwykłym i nie leda piórem opatrzony
> Polecę precz, poeta, ze dwojej złożony
> Natury[1] [...]

Wierzy, że jego poezja przetrwa fizyczną śmierć autora. Zauważ, jakie obszary wiedzy i świadomości ogarnia poeta w utworze. Mamy tu nawiązanie do dwoistości

---

[1] **ze dwojej złożony natury** – dwojakiej natury: śmiertelnej i nieśmiertelnej, ludzkiej i ptasiej, ciała i duszy.

natury ludzkiej – śmiertelnej i nieśmiertelnej. Zwracając się do swojego protektora[1] Piotra Myszkowskiego, poeta zapewnia go, iż on (Kochanowski) nie odejdzie na zawsze, ale przemieniwszy się w białego ptaka (symbolizującego naturę nieśmiertelną) będzie mógł zmierzyć się z mitycznym Ikarem. Jego sława rozejdzie się po całym świecie. W czasie pogrzebu, kiedy – jak sądzi poeta – dusza jest nieobecna, nie należy rozpaczać, lecz raczej kontemplować[2] artystyczną wielkość, której dane było rozwinąć się w czasie ziemskiego epizodu.

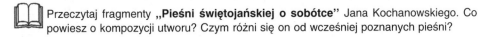 **Ćwiczenie.** Zwróć uwagę na poetyckie obrazy, które poeta roztacza przed czytelnikiem. Żeby sobie uświadomić artyzm języka poetyckiego, przeczytaj ponownie Pieśń XXIV, strofy pierwszą, drugą, czwartą i piątą, a następnie przedstaw ich treść własnymi słowami. Czy widzisz różnice między stylem artystycznym a stylem potocznym? Na czym te różnice polegają?

Przeczytaj fragmenty „**Pieśni świętojańskiej o sobótce**" Jana Kochanowskiego. Co powiesz o kompozycji utworu? Czym różni się on od wcześniej poznanych pieśni?

Omówienie

„Pieśń świętojańska o sobótce" złożona jest z czterozwrotkowej części wprowadzającej oraz dwunastu śpiewnych partii (krótszych pieśni), wykonywanych kolejno przez panny. Utwór prezentuje pogański obrzęd sobótkowy[3], który miał miejsce podczas najkrótszej nocy w roku, czyli z 23 na 24 czerwca. Wiązał się on z kultem ognia i wody. Śladem pierwszego kultu są ogniska rozpalane na wzgórzach, wokół których tańczono i śpiewano. W ognisku palono lecznicze zioła, np. bylicę (belicę). Z drugim kultem łączy się rzucanie wianków na wodę, co później stało się wróżbą zamążpójścia dziewczyny. Z biegiem czasu obrzędy pogańskie zostały wchłonięte przez chrześcijaństwo i połączone z obchodami dnia św. Jana Chrzciciela (24 czerwca).

Wstęp do „Pieśni" zawiera wskazówkę, że akcja toczy się w Czarnym Lesie (Czarnolesie), gdy Słońce wchodzi w znak Raka (23 czerwca). Czarnolas to posiadłość Jana Kochanowskiego. Właśnie zebrali się tam goście oraz domownicy, bo to – i sobótka, i imieniny gospodarza (24 czerwca). Gdy zapłonęło ognisko, „wstało 6 par dziewek jednako ubranych", które po kolei tańczyły i śpiewały. Oto treść ich śpiewnych wystąpień: pierwsza panna zachęcała obecnych do zachowania sobótkowej tradycji, druga – zapraszała do tańca, trzecia – śpiewała o „ciągnięciu kota" (tj. o staropolskiej karze ośmieszania), czwarta – o wianku i niepewności co do uczuć jej chłopca, piąta – o uwodzicielskim Szymku, szósta – o nadchodzących żniwach, siódma – o ukochanym, który woli polowania niż

---

[1] **protektor** – opiekun, obrońca, mecenas; łac. *protector*.

[2] **kontemplować** – rozmyślać, rozważać; od łac. *contemplari* – przyglądać się uważnie.

[3] **sobótka** – to pogański (przedchrześcijański) zwyczaj polski. U Słowian wschodnich święto to nazywano k u p a ł ą albo k u p a l n o c k ą.

towarzystwo swojej dziewczyny, ósma – o wypasaniu bydła i pleceniu wianka, dziewiąta – o makabrycznej historii Filomeli, Tereusza i Prokne (motyw z utworu pt. „Przemiany" rzymskiego poety Owidiusza), dziesiąta – o wojnie, na którą poszedł ukochany, jedenasta – nakłaniała skrzypka, by zagrał i zaśpiewał o swojej Dorocie[1], dwunasta – chwaliła urodę wsi i pożytki płynące z pracy rolnika.

„Pieśń świętojańska o sobótce" to poemat o wsi polskiej i pierwsza w naszej literaturze sielanka. Z jednej strony poeta wyraził w niej renesansową radość życia (elementy filozofii epikurejskiej) oraz pochwalał spokój, jaki osiąga człowiek dzięki bliskiemu kontaktowi z przyrodą (filozofia stoicka). Nowatorskim akcentem było sięgnięcie przez poetę do tematyki ludowej. Z drugiej strony taki wyidealizowany obraz wsi mógł zaistnieć tylko w wyobraźni szlachcica, który korzystał z „pożytków" życia na wsi, sam jednak nie pracował na roli [porównaj „Żywot człowieka poczciwego" Mikołaja Reja].

> **Sielanka** to pogodny utwór idelizujący życie ludu na tle przyrody. Gatunek ma swój rodowód w Starożytności – zapoczątkował go grecki poeta Teokryt i rozwinął rzymski autor Wergiliusz.

„Psałterz Dawidów" (1579) – czyli przekład poezji biblijnej

Kochanowski wzniósł się wysoko ponad przeciętność swoich czasów. Motyw własnej wyjątkowości powraca we wstępie do **„Psałterza Dawidów"**, który jest zbiorem tłumaczeń psalmów ze Starego Testamentu. Poeta wyraża wdzięczność protektorowi, biskupowi Piotrowi Myszkowskiemu:

> Tyżeś mi serca dodał, żem się rymy swymi
> Ważył zetrzeć z poety co znakomitszymi
> **I wdarłem sie na skałę pięknej Kalijopy[2],**
> **Gdzie dotychmiast nie było śladu polskiej stopy.**

> Przeczytaj ponownie Psalm 91 (był on już zalecany jako lektura uzupełniająca przy omawianiu literatury Średniowiecza).
> Kim jest Bóg w stosunku do człowieka w świetle Psalmu 91?

> **Psalm** to religijna pieśń izraelska, przejęta później przez chrześcijaństwo. Przeznaczona była do śpiewania z towarzyszeniem instrumentów strunowych. Opiewała wielkość i dobroć Boga, wyrażała podziękowanie, prośbę lub błaganie, wzywała do wspólnej modlitwy.

---

[1] nawiązanie do Doroty Podlodowskiej, żony poety.
[2] **Kalijope** – dzisiejsza pisownia: Kaliope. Jedna z dziewięciu muz, czyli opiekunek nauki i sztuki; patronka p o e z j i; gr. *Kalliope*.

Kochanowski pracował nad tłumaczeniem psalmów kilka lat, studiując hebrajski oryginał oraz liczne komentarze i przekłady, zwłaszcza łacińskie[1]. Zwraca
uwagę ukazanie Boga pogodnego, bliższego Chrystusowi, co było zgodne z duchem
Renesansu (w Starożytności i Średniowieczu Bóg ukazywany był jako groźny
Jahwe). W psalmach poeta użył uroczystego, „wysokiego" języka, w którym
wykorzystał własne pomysły językowe. Dla przykładu, w zakresie s y n o n i m ó w[2]
– aby nie powtarzać wyrazu „piekło" Kochanowski stosował zamiennie: „grób",
„upad nieuchronny", „upadek", „wieczna noc". Szukał też wyrazistych e p i t e -
t ó w[3]: „żmije gniewliwe", „niszcząca zaraza", „strach nocny", „młody lew".
Psalmy w tłumaczeniu Kochanowskiego nabrały polskiego kolorytu, np. „namiot"
poeta zastąpił wyrazem „dom", wprowadził także „padalce niecierpliwe" (padalec
to gad typowy dla polskich lasów). Kochanowski nadał psalmom melodyjność
polskich pieśni ludowych. Tłumaczenia poety natychmiast zyskały popularność,
zwiększoną jeszcze bardziej po 1580 roku, kiedy Mikołaj Gomółka skomponował
do psalmów muzykę.

„Odprawa posłów greckich" (1578) – pierwsza polska tragedia

12 stycznia 1578 roku na zamku w Jazdowie (dzisiejszy Zamek Ujazdowski
w Warszawie, niedaleko Pałacu Łazienkowskiego) miał miejsce ślub Jana Zamoyskiego z Krystyną Radziwiłłówną. Pan młody był Podkanclerzym Koronnym,
panna młoda pochodziła ze znaczącego rodu magnackiego. Nie wiemy dokładnie,
czy utwór powstał na zamówienie Zamoyskiego, czy Kochanowski napisał go
wcześniej, np. jeszcze za życia króla Zygmunta Augusta. W każdym razie na
widowni teatralnej zasiedli znakomici goście, wśród nich dostojnicy świeccy
i duchowni. Obecny był ponoć sam król Stefan Batory.

„Odprawa posłów greckich" Jana Kochanowskiego jest p i e r w s z ą próbą
przeszczepienia klasycznego dramatu na grunt polski. Akcja rozgrywa się w Troi.
Treść tragedii nawiązuje do wydarzeń opisanych w „Iliadzie" Homera, jednakże
u t w ó r m a s e n s m e t a f o r y c z n y. Pod pozorem wypadków greckich poeta
ukazał zagrożenia polskiej państwowości, zwłaszcza słabość parlamentaryzmu
(systemu rządów). Jedną z postaci tragedii jest Iketaon – pieniacz, uosobienie pychy
i politycznej głupoty. Antenor z kolei to mądry i dojrzały Trojanin, który uważa, że
Helenę należy zwrócić mężowi i nie narażać kraju na krwawą wojnę. W ten sposób
poeta zestawił dwa obozy posłów polskich. Władca Troi Priam, niezdecydowany
i odkładający wszystko „do jutra", przypomina polskiego króla Zygmunta Augusta

---

[1] wzorem był dla Kochanowskiego parafrazowany przekład łaciński szkockiego humanisty
George'a Buchanana.
[2] **synonimy** – wyrazy różne w formie, ale bliskie pod względem znaczenia, np. mężny i odważny;
od gr. *synonymos* – równoimienny; ang. synonyms.
[3] **epitety** – wyrazy określające rzeczowniki, np. cicha noc, niezwykła książka; od gr. *epitheton*
– przydawka, element dodany; ang. epithets.

(ostatniego z dynastii Jagiellonów), którego już współcześni mu ludzie nazywali „dojutrkiem".

W utworze splatają się wątki prywatny i polityczny. Za winy władców – porwanie Heleny przez Parysa i chwiejność Priama – zapłaci cały naród trojański. Jego tragiczny los przepowiada Kasandra, córka Priama:

> [...] O wdzięczna Ojczyzno moja,
> O mury, nieśmiertelnych ręku roboto!
> Jaki koniec was czeka? [...]
> Syny wszytki pobiją, dziewki w niewolą
> Zabiorą; drugie g'woli trupom umarłym
> Na ich grobiech bić będą. Matko, ty dziatek
> Swoich płakać nie będziesz, ale wyć będziesz!

Kilka fraz z „Odprawy posłów greckich" przeszło do języka ogólnego, np.

Chorus: **By rozum był przy młodości, / Nigdy takiej obfitości** [...]

Chorus: **Wy, którzy Pospolitą Rzeczą władacie,**
A ludzką sprawiedliwość w ręku trzymacie, [...]
Miejcie to przed oczyma zawżdy swojemi,
Żeście miejsce zasiedli boże na ziemi, [...]

Ulissess: **O nierządne królestwo i zginienia bliskie,**
Gdzie ani prawa ważą, ani sprawiedliwość
Ma miejsca, ale wszytko złotem kupić trzeba!

➡ Zinterpretuj powyższe cytaty. Czy można je odnieść do dzisiejszych czasów?

„Treny" (1580) – dramat ojca, rozterki mędrca

Wkrótce po śmierci Zygmunta Augusta (1572) Jan Kochanowski opuścił dwór królewski i powrócił do rodzinnego Czarnolasu. Tu zmienia się całkowicie styl jego życia. W 1575 roku żeni się z Dorotą Podlodowską i z tego małżeństwa rodzi się sześć córek. W 1578 (lub 1579) roku umiera Urszulka. Zrozpaczony ojciec szuka ukojenia w poezji. Z bólu ojcowskiego powstają perły poetyckie, arcydzieła prawdziwe, czyli **cykl 19 trenów** – wierszy żałobnych. Wkrótce odchodzi ze świata druga córka – Hanna. Jedyny syn poety urodził się już po śmierci ojca. Jan Kochanowski zmarł nagle w 1584 roku na atak serca.

> **Tren** to utwór poetycki wywodzący się z greckiej poezji żałobnej, wyrażający żal po śmierci znanej lub bliskiej osoby, rozpamiętujący jej zalety i uczynki.

Jan Matejko „Kochanowski nad zmarłą Urszulką". Fot.: Archiwum WSiP

Przeczytaj „**Treny**" zamieszczone w Wypisach (wybór). Staraj się zrozumieć sens każdego utworu – jest to możliwe nawet wówczas, gdy nie wszystkie elementy wiersza są jasne. Następnie porównaj swoje wrażenia i refleksje z tymi, które zamieszczono poniżej.

Omówienie

Tren I. Poeta zaczyna od i n w o k a c j i[1]. Odwołuje się do starożytnego filozofa Heraklita (pesymisty) i starożytnego poety Symonidesa (autora trenów) z nadzieją, że pomogą mu wyrazić rozpacz po śmierci dziecka. Rysuje obraz śmierci, która przyszła w postaci złego smoka[2] polującego na słowiczki. Na koniec poeta pyta Boga o sens istnienia i zastanawia się, jaką przyjąć postawę, by uśmierzyć swój ból:

> Nie wiem co lżej: czy w smutku jawnie żałować,
> Czyli się z przyrodzeniem gwałtem mocować?

---

[1] **inwokacja** – wezwanie, uroczyste zwrócenie się do Muzy lub Boga; od łac. *invocatio* – wezwanie.
[2] motyw smoka występuje już w Biblii.

151

Tren V. Utwór zbudowany jest z dwóch części. Pierwsza część to p o r ó w n a n i e h o m e r y c k i e[1] ukazujące młodziutkie drzewko oliwne, które nieostrożny ogrodnik podciął przypadkiem i spowodował jego obumarcie. Ta właśnie oliwka zestawiona została z Urszulką, która zginęła „mało od ziemi co się wzniózwszy". Nadanie oliwce cech ludzkich jest przykładem przenośni zwanej p e r s o n i - f i k a c j ą[2]. Poeta czyni wyrzuty mitologicznej królowej podziemi, Persefonie, że powodując śmierć dziecka pozwoliła „tak wielu łzom [...] upłynąć płono".

Tren VI.   Już ja tobie, moja matko, służyć nie będę
        Ani za twym wdzięcznym stołem miejsca zasiędę; [...]

– żegnała matkę umierająca Urszulka. W dalszym ciągu trenu Kochanowski wystylizował śmierć dziecka na scenę pożegnania domu rodzinnego przez pannę młodą wychodzącą za mąż. Urszulka to „Safo[3] słowieńska", której miał przypaść po ojcu zarówno majątek ziemski, jak i talent poetycki. Ojciec widział w córce swoją następczynię. W trenie ukazany jest przejmujący ból obojga osieroconych rodziców.

Tren VII.   [...] – Niestetyż, i posag, i ona
            W jednej skrzynce zamkniona!

– rozpacza ojciec na wspomnienie trumienki, w której złożono zmarłą Urszulkę. Utwór ten jest wyrazem bólu ojca rozpamiętującego śmierć córki na widok sukienek, wstążek i innych ziemskich drobiazgów, które pozostały, gdy „ujął ją sen żelazny".

Tren X. W utworze poeta zadaje dziewięć pytań, żeby zracjonalizować[4] fakt śmierci i ujrzeć dalszą drogę ukochanego dziecka.

        Orszulo moja wdzięczna, gdzieś mi się podziała?
        W którą stronę, w którąś się krainę udała?

Oczywiście, pytania te są retoryczne, tzn. nie można na nie uzyskać odpowiedzi. Za pomocą pytań poeta dokonuje przeglądu różnych koncepcji filozoficznych i religii: „wszytki nieba" odnoszą się do platońskich wyobrażeń siedmiu sfer niebieskich, „raj" i „czyściec" to elementy chrześcijańskie, „szczęśliwe wyspy" to Elizjum – według mitologii greckiej miejsce nieskażonej dobroci, „Charon" i „zdrój niepomny" nawiązują do znanych z mitologii greckiej przewoźnika dusz

---

[1] **porównanie homeryckie** – porównanie bardzo rozbudowane, którego pierwszy człon jest samodzielnym obrazem; zwykle zestawia się w nim wygląd lub zachowanie ludzi ze zjawiskami przyrody; nazwa pochodzi od gr. poety Homera [p. Starożytność].

[2] **personifikacja** – uosobienie, przeniesienie cech ludzkich na przedmioty; od łac. *persona* – osoba.

[3] **Safo** – Safona, grecka poetka z VII w. p.n.e. [p. Starożytność].

[4] **zracjonalizować** – wytłumaczyć, poddać osądowi rozumu; od łac. *rationalis* – rozsądny; od łac. *ratio* – rozum, metoda.

przez rzekę Styks oraz wód zapomnienia rzeki Lety, pytanie „Czyś [...] tam poszła, kędyś pierwej była?" – sugeruje możliwość reinkarnacji[1]. Poeta nie otrzymuje odpowiedzi i popada w zwątpienie:

> Gdzieśkolwiek jest, jeśliś jest, lituj mej żałości, [...]

W kolejnych trenach Kochanowski próbuje poznać przyczyny zwątpienia i niewiary i tłumaczy je zachwianiem ustalonego porządku rzeczy: najpierw powinni umierać rodzice, ponieważ są starsi. Od **trenu XIV** poeta zaczyna szukać pocieszenia, chodząc śladami bohaterów mitologicznych (Orfeusz, Niobe), którzy również doświadczyli cierpień po stracie ukochanych istot. W **trenie XVIII** Kochanowski modli się do Boga. Modlitwa przynosi mu nagrodę, gdyż w **trenie XIX**, ostatnim, pojawia się dawno temu zmarła matka poety z Urszulką na ręku. Matka tłumaczy synowi, że śmierć uchroniła dziecko przed cierpieniami życia i zapewniła Urszulce duchowy spokój. On zaś powinien swój los znosić z godnością. Spotkanie we śnie kończy słowami:

> [...] Czas doktór każdemu, [...]
> Tego się, synu, trzymaj, a ludzkie przygody
> Ludzkie noś; jeden jest Pan smutku i nagrody.

Wspomniany **„tren XIX – albo sen"** ma szersze odniesienia filozoficzne. Przybyła we śnie matka Kochanowskiego wytycza synowi drogę na przyszłość, którą powinien podjąć po silnym wstrząsie, jakim była śmierć dziecka. Poeta przeszedł kolejne etapy zatracania wiary w sens życia, zawiodła go zwłaszcza filozofia stoicka[2] („nieludzka"), którą dotychczas wyznawał. Rozpad harmonijnego niegdyś świata poety ukazany został we wcześniejszym **trenie IX**:

> Kupić by cię, Mądrości, za drogie pieniądze!
> Która, jeśli prawdziwie mienią, wszytki żądze,
> Wszytki ludzkie frasunki umiesz wykorzenić [...]
> **Nieszczęśliwy ja człowiek**, którym lata swoje
> Na tym strawił, żebych był ujźrzał progi twoje!
> **Terazem nagle z stopniów ostatnich zrzucony** [...]

Gdzie zatem ratunek? – W w i e r z e c h r z e ś c i j a ń s k i e j, która wprawdzie nie ratuje człowieka przed nieuchronną tragedią, ale po ciężkich doświadczeniach zmusza go do pokory. I – w przeciwieństwie do filozofii stoickiej – pozwala płakać. A to przynosi ukojenie...

*

---

[1] **reinkarnacja** – odrodzenie się duszy w innym ciele. Wiara w reinkarnację jest elementem religii Wschodu; od łac. *re* – znów i od łac. *caro* – ciało.

[2] **filozofia stoicka**, inaczej **stoicyzm** – filozofia Zenona z Kition, żyjącego w III-IV w. p.n.e. w Grecji. Zalecał on obojętność wobec cierpień, poddawanie się biegowi zdarzeń, wolność od namiętności, niezachwiany spokój. Od gr. *stoa* – portyk (kolumnada) w Atenach, gdzie nauczał Zenon z Kition.

Do „Trenów" dołączone jest czterowersetowe **„Epitafium[1] Hannie Kochanowskiej"**:

> I tyś, Hanno, za siostrą prędko pospieszyła
> I przed czasem podziemne kraje nawiedziła,
> Abyć ociec nieszczęsny za raz odżałował
> Wszytkiego, a na trwalsze rozkoszy się chował.

 Z jakimi wrażeniami pozostajesz po lekturze „Trenów"? Czy widzisz w nich obraz zrozpaczonego ojca? A może „Treny" są zaledwie piękną kompozycją wierszy napisanych przez uzdolnionego poetę? Zaznaczmy, że prawie trzyletnia Urszulka zmarła w 1579 roku, zaś „Treny" ukazały się drukiem rok później.

Czego dowiadujemy się z treści „Epitafium Hannie Kochanowskiej"? Jak interpretujesz fakt, że poeta poświęcił Urszulce dziewiętnaście trenów, a Hannie tylko jedną strofę[2]? Czyżby ojciec mniej kochał drugą córkę?

Zbierz wiadomości o Janie Kochanowskim, grupując je według wzoru:

Człowiek	Obywatel	Artysta
wrodzone zdolności	służba na dworze królewskim (sekretarz króla)	pisanie po łacinie według najlepszych wzorów
wszechstronne wykształcenie	troska o bezpieczeństwo kraju	pisanie w języku polskim (narodowym)

 Napisz pracę, podsumowującą twoją wiedzę o pierwszym wybitnym poecie w literaturze polskiej. Wybierz jeden z tematów:
• Moje przemyślenia na temat życia i twórczości Jana Kochanowskiego.
• Wykaż, że słowa: „Jestem człowiekiem i nic, co ludzkie, nie jest mi obce" mają swoje uzasadnienie w twórczości Jana Kochanowskiego.

---

[1] **epitafium** – napis ngrobkowy albo utwór poetycki napisany ku czci zmarłego; z gr. *epitaphios (logos)* – pogrzebowa (mowa).

[2] Hanna zmarła między 1580 a 1583 rokiem; „Epitafium Hannie Kochanowskiej" zostało dołączone do następnego wydania „Trenów".

Leonardo da Vinci „Ostatnia wieczerza", 1494-1497, Santa Maria della Grazie w Mediolanie. Malarz ukazał charaktery apostołów poprzez wyraz ich twarzy i gesty rąk

SZTUKA RENESANSOWA NA ZACHODZIE EUROPY I W POLSCE

Ojczyzną Odrodzenia była Italia. Ktokolwiek dzisiaj chciałby „zanurzyć się" w tej epoce, powinien koniecznie odwiedzić północne Włochy, zwłaszcza Florencję (ang. Florence), Mediolan (ang. Milan) i Watykan (ang. Vatican City). Tam zachowała się wspaniała architektura renesansowa, rzeźby i malowidła o niepospolitej urodzie. To właśnie one – wyrosłe na wzorach greckich i następnie wzbogacone przez włoskich artystów – ukształtowały estetykę[1] kultury zachodniej.

Największą indywidualnością Renesansu włoskiego był **Leonardo da Vinci** (1452-1519), urodzony w miejscowości Vinci niedaleko Florencji. Okazał się wszechstronnym artystą i uczonym: malarzem, rzeźbiarzem, architektem, muzykiem, filozofem, matematykiem, konstruktorem, mechanikiem i poetą.[2] Po latach studiów, już jako dojrzały człowiek, znalazł protektora w osobie księcia Mediolanu, Ludovico Sforza. Leonardo da Vinci tworzył we Florencji, Mediolanie, Rzymie oraz we Francji. Był autorem fresku[3] **Ostatnia Wieczerza** (ang. Last Supper), który

---

[1] **estetyka** – [czyt. estetyka], poczucie piękna, nauka o kryteriach piękna; z gr. *aisthetikos* – postrzegany zmysłami.

[2] o takim wszechstronnym człowieku mówimy dziś: człowiek renesansowy (ang. Renaissance man).

[3] **fresk** – malowidło wykonane na świeżej zaprawie za pomocą farb rozpuszczonych w wodzie wapiennej; od wł. fresco [czyt. fresko] – świeży.

155

namalował w latach 1494-1497 w refektarzu (sali jadalnej) klasztoru dominikanów w Mediolanie. Ciekawostką jest, że gdy w sierpniu 1943 roku, podczas II wojny światowej, samoloty alianckie zbombardowały miasto, refektarz zamienił się w stos gruzów z wyjątkiem... ściany, na której pozostało nietknięte malowidło. Obecnie fresk jest chroniony za pomocą szklanej obudowy, której wilgotność i temperatura są ściśle kontrolowane.

Inne słynne dzieło Leonarda da Vinci to portret uśmiechniętej **Mony Lisy** (Giocondy). Ten nieduży obraz o wymiarach 77 x 53 cm (30 x 21 in) znajduje się w kolekcji Muzeum Luwr (fr. Mus(e du Louvre) w Paryżu we Francji. Przez długi czas portret wisiał w zaciemnionym pomieszczeniu za kuloodporną szybą i strzeżony był przez uzbrojonych strażników. Obecnie znajduje się w jasnym hallu, gdzie uśmiech Giocondy utracił część tajemniczego powabu, który tak świetnie wydobywało światło reflektorów. Obraz jest strzeżony przez kamery i czujniki elektroniczne – nic dziwnego, należy do największych skarbów naszej cywilizacji!

Co najmniej jeden słynny obraz Leonarda da Vinci znajduje się w Polsce. Jest to **Dama z łasiczką** w zbiorach Czartoryskich Muzeum Narodowego w Krakowie.

Gdy Leonardo doznał paraliżu ręki, odsunął się od sztuki i do końca życia zajmował się badaniami naukowymi. Próbował skonstruować maszynę do latania i statki podwodne, studiował działanie machin oblężniczych własnej konstrukcji oraz zajmował się osuszaniem wilgotnych i nawadnianiem suchych terenów. Pozostawił po sobie ponad 5000 stron notatek zapełnionych równym pismem i wieloma rysunkami. W latach 90. XX w. Bill Gates z Microsoft Corp. z Seattle, w stanie Washington, USA, zakupił za ok. $30 mln notatnik Leonarda da Vinci. Do dziś geniusz tego renesansowego człowieka pobudza naszą wyobraźnię...

W tym samym czasie co Leonardo da Vinci żyli i tworzyli **Michał Anioł Buonarotti** (ang. Michelangelo, 1475-1564) – słynny rzeźbiarz i malarz fresków w Kaplicy Sykstyńskiej (ang. Sistine Chapel), **Donato Bramante** (1444-1514) – budowniczy watykańskiej Bazyliki św. Piotra, **Tycjan** (ang. Titian, 1476-1576) – malarz z kręgu humanistów weneckich, **Raffaello Santi** (ang. Raphael, 1483-1520) – malarz Madonn, **Albrecht Dürer** (1471-1525) – malarz i rytownik niemiecki, **Piotr Brueghel Starszy** (1526-1569) – malarz niderlandzki. Wszyscy wymienieni, poza Dürerem i Brueghelem, byli Włochami. W okresie Renesansu przyjęte było, że artyści wędrowali po całej Europie, tworząc swoje dzieła i rozpowszechniając tym samym kanony renesansowego piękna. Również w Polsce działali włoscy budowniczowie. Franciszek Florentczyk i Bartłomiej Berrecci przebudowali w stylu renesansowym Wawel, natomiast Bernardo Morando – zbudował od podstaw Zamość, ufundowany przez Jana Zamoyskiego, tego samego, na którego weselu wystawiono „Odprawę posłów greckich". Morando rozrysował plan nowego miasta, a następnie zaprojektował i wzniósł pałac i ratusz renesansowy.

Złoty wiek Krakowa

Ośrodkiem Odrodzenia w Polsce był K r a k ó w i Z a m e k K r ó l e w s k i n a W a w e l u, w którym rezydowali ostatni królowie z dynastii Jagiellonów – **Zygmunt I Stary** i jego syn, **Zygmunt II August**. W wielkim stylu kończyło się panowanie tej dynastii. Jej założycielem – jak wiemy – był przybyły z Litwy Władysław Jagiełło, król polski w latach 1386-1434, ten sam który w 1410 r. pokonał Krzyżaków pod Grunwaldem.

W 1512 roku Zygmunt Stary ożenił się z Barbarą Zapolya, ostatnią Piastówną na polskim tronie, z którą miał dwie córki. Niestety, to szczęśliwe małżeństwo trwało tylko trzy lata, ponieważ Barbara zmarła. Dla niej właśnie Zygmunt Stary kazał później zbudować piękną kaplicę na Wawelu, znaną dziś jako Kaplica Zygmuntowska, i złożyć w niej szczątki Barbary. Król długo opłakiwał śmierć żony, ale racja stanu wymagała, by ukrył przygnębienie i ożenił się po raz drugi. Wybór padł na **księżniczkę Bonę** z zamożnego rodu Sforzów [czyt. sforców], który rządził włoskim Mediolanem (linia po mieczu[1]). Po kądzieli[2] zaś Bona pochodziła z rodziny królów Aragonii władających włoskim Neapolem (ang. Naples), a ród ten wywodził się od samego Karola Wielkiego (Charlemagne). Księżniczka urodziła się w 1494 roku niedaleko Mediolanu. W tym czasie w gościnie u jej rodziców przebywał Leonardo da Vinci malujący w Mediolanie fresk „Ostatnia Wieczerza" i niewykluczone, że brał udział w chrzcie noworodka. Bona była błyskotliwa i inteligentna, otrzymała staranne wykształcenie, a potem jeszcze ogładę na dworach włoskich. Zaślubiny z polskim królem odbyły się w 1518 roku.

W wianie[3] Bona wniosła wielki majątek, ale hojny król-małżonek nie pozostawał w tyle i na każdym kroku obsypywał królową prezentami, dając dowody swej miłości i światowej klasy. Bona była monarchinią o wyrobionym smaku artystycznym. W swoim orszaku sprowadziła z Włoch artystów, zwłaszcza architektów, którzy zmienili wygląd Wawelu. W 1520 roku przyszedł na świat oczekiwany potomek męski, późniejszy król Zygmunt August. To na jego cześć odlano i zawieszono w 1521 roku tzw. dzwon Zygmunta. Dwór królewski otoczony był przepychem. Urządzano uczty, przyjęcia, wyprawy na grubego zwierza. W czasie jednego z polowań w Puszczy Niepołomickiej wypuszczono ze skrzyni litewskiego niedźwiedzia, a ten, rozjuszony, zagroził bezpieczeństwu królowej, która w czasie ucieczki spadła z konia i poroniła[4] syna. Kto wie, jak potoczyłyby się losy Polski, gdyby ten drugi syn się narodził. (Jedyny syn królewski, Zygmunt August, zmarł bezpotomnie i na nim wygasła dynastia Jagiellonów.)

Rodzina królewska stworzyła w Polsce warunki pobudzające umysły humanistyczne do rozwoju. Kwitła Akademia Krakowska, gdzie pobierała nauki zdolna

---

[1] **po mieczu** – książk. krewni ze strony ojca.
[2] **po kądzieli** – książk. krewni ze strony matki. Obydwa wyrażenia frazeologiczne spotyka się już tylko w literaturze historycznej.
[3] **wiano** – posag, wyprawa panny młodej, tj. majątek, który wnosi ona do małżeństwa.
[4] **poronić** – urodzić przedwcześnie martwy płód; ang. to have a miscarriage.

Dziedziniec Zamku Królewskiego na Wawelu widoczny z perspektywy krużganka (przejścia wzdłuż budynku).

Fot.: Ł. Schuster / WSiP

młodzież polska, która następnie kontynuowała studia za granicą. Zamek na Wawelu stał się perłą architektury renesansowej. Do dzisiaj w wyposażeniu wawelskim znajdują się arrasy, meble, zastawy stołowe pamiętające Jagiellonów. Warto się temu przyjrzeć w czasie pobytu w Krakowie. W stylu renesansowym przebudowano wiele średniowiecznych budowli w mieście, m.in. halę handlową Sukiennice. Kroku królowi starali się dotrzymywać możnowładcy – Zamoyscy, Radziwiłłowie. Ich siedziby były urządzone z przepychem. To prawda, że większość magnatów zaniedbywała sprawy społeczne i państwowe, że gnębiła chłopów; odbicie problemów społecznych pozostało na kartach literatury. Jednak w Polsce panowała atmosfera świeżości intelektualnej, docierały tu nowinki religijne z Rzymu i Niemiec. Polska była krajem tolerancji religijnej, zwłaszcza za Zygmunta Augusta, który sprzyjał reformacji. „Nie będę panem waszych sumień" – mawiał król, sam uzdolniony i starannie wykształcony humanista.

Odrodzenie trwało w Polsce 120 lat i wniosło trwałe wartości do kultury narodowej. Okres ten należy do najważniejszych w historii naszego kraju, dlatego wart jest dalszego studiowania.

 W MOIM PRYWATNYM SŁOWNIKU JĘZYKA POLSKIEGO powinny się znaleźć wszystkie wyrazy, których dotąd nie znałeś lub nie byłeś pewny ich znaczenia. Przepisywanie jest sposobem na utrwalenie wiadomości. Nie zaniedbuj również żadnej okazji, w której możesz ćwiczyć t ł u m a c z e n i e z jednego języka na drugi.

Synonimy, odcienie znaczeniowe

Porównaj synonimy występujące w dwóch językach:

Odrodzenie – pol. akt lub proces odnowienia, ponowny rozkwit czegoś	Renaissance – ang. the act of reviving or condition of being revived
S y n o n i m y: odnowienie, odrodzenie się, odbudowa, odświeżenie, pobudzenie, renesans, renowacja, rozpoczęcie na nowo, reanimacja, regeneracja, restauracja, zmartwychwstanie	S y n o n y m s: revival, renewal, rebirth, resurgence, rekindling, reanimation, renascence, resuscitation, revitalization, revivification, resurrection

Czy rozumiesz o d c i e n i e z n a c z e n i o w e podanych synonimów? Czy wszystkie podane synonimy (bliskoznaczniki) można zastosować do epoki literackiej?

Poszerzenie wiadomości

 Sięgnij po książki i albumy, by poszerzyć swoje wiadomości o ostatnich Jagiellonach. W czasie pobytu w Krakowie koniecznie odwiedź Wawel, a chodząc po komnatach królewskich w y o b r a ź s o b i e życie sprzed 450 lat. Odwiedź też Kaplicę Zygmuntowską i jej podziemia, będziesz w samym sercu polskiej historii! W Zamku Królewskim na Wawelu monarchowie sprawowali władzę do roku 1596. W tymże roku Zygmunt III Waza przeniósł stolicę z Krakowa do Warszawy.

Poznawanie przeszłości

Najlepszym sposobem na poznawanie przeszłości jest c z y t a n i e literatury pięknej, pamiętników, opracowań historycznych. Pod wpływem lektury kształtuje się twoja w y o b - r a ź n i a, nabywasz także określony zasób wiedzy. Inny sposób na poznawanie realiów historycznych to oglądanie f i l m ó w k o s t i u m o w y c h. W związku z okresem Odrodzenia warto zobaczyć telewizyjny film polski pt. „Królowa Bona" z Aleksandrą Śląską w roli głównej. Jest to serial, obejrzyj przynajmniej kilka odcinków. W interesującej cię postaci historycznej staraj się ujrzeć człowieka, a nie figurę pomnikową. Na koniec, odwiedzaj m u z e a i o g l ą d a j z a b y t k i. Po pewnym czasie będziesz gotowy do zadumy nad wartością ludzkich zdolności, intelektu i pamięci. Uświadomisz sobie, że przynależysz do określonej **kultury i tradycji, które nazywamy „korzeniami".**

Jak patrzeć na obraz?

Zadaj to pytanie znajomym, a okaże się, że nie mają jednoznacznej odpowiedzi. Niektórzy poradzą ci, byś oglądał obrazy „sercem", „oczyma duszy". Oczywiście, że będą mieć rację, ale do odbioru sztuki potrzebna jest też w i e d z a. Wybierz się do Art Museum w towarzystwie znajomego artysty malarza – zobaczysz, że pokaże ci świat, którego nie przeczuwałeś...

➡ Sięgnij również po wspaniale opracowany album: Cumming, Robert. <u>Annotated Art</u>. London, New York: Dorling Kindersley, 1995. Dwa wstępne bogato ilustrowane rozdziały to ,,Looking at Paintings'' i ,,What Makes a Masterpiece''. W następnych rozdziałach autor będzie ci asystował w oglądaniu najwybitniejszych obrazów takich malarzy, jak Leonardo da Vinci (''Mona Lisa''), Michelangelo, Raphael, Titian, Rubens, Rembrandt, Monet, Degas, Renoir, van Gogh, Cezanne, Picasso i in. W albumie znajdziesz dużych rozmiarów reprodukcje, ze zwróceniem uwagi na wybrane fragmenty obrazów. Studiując je będziesz odczuwać obecność przewodnika – prawdziwego znawcy malarstwa!

ODRODZENIE (w Polsce wiek XVI lub dokładniej 1500-1620)

Uwarunkowania przełomu nowożytnego

- zdobycie Konstantynopola przez Turków (i tym samym zablokowanie przejścia z Europy do Azji), co zmusiło kupców i podróżników do szukania nowych dróg do wschodnich krajów
- odkrycia geograficzne (Kolumb i inni podróżnicy)
- odkrycia astronomiczne (Kopernik)
- zwrot do literatury, sztuki, filozofii i nauk starożytnych
- umieszczenie człowieka i życia doczesnego w centrum zainteresowania
- wynalazek druku
- reformacja

Najwybitniejsi twórcy polskiego Odrodzenia

- KLEMENS JANICKI (jęz. łac.) – poeta
- MIKOŁAJ REJ (jęz. pol.) – pisarz; ,,Krótka rozprawa'' i ,, Żywot człowieka poczciwego''
- ANDRZEJ FRYCZ MODRZEWSKI (jęz. łac.) – pisarz polityczny; ,,O poprawie Rzeczypospolitej''
- JAN KOCHANOWSKI (jęz. łac. i pol.) – poeta; ,,Pieśni'', ,,Psałterz Dawidów'', ,,Treny''

Kraków – ośrodkiem złotego wieku kultury w Polsce

Zamek królewski na Wawelu:
zamieszkująca w nim rodzina królewska z dynastii Jagiellonów – król Zygmunt I Stary, jego żona królowa Bona i ich syn król Zygmunt II August – sprowadzali artystów z zagranicy i tworzyli atmosferę sprzyjającą rozwojowi kultury.

BAROK

OGÓLNA CHARAKTERYSTYKA BAROKU

Około 1600 roku sztuka we Włoszech zaczęła tracić klasyczną harmonię i formować nową estetykę. Epoka, która nastąpiła, otrzymała nazwę **Barok**, od portugalskiego słowa „barocco", oznaczającego perłę o nieregularnych kształtach (to samo słowo w języku włoskim znaczy „dziwaczny"). Nazwa objęła literaturę, muzykę i sztukę. Kultura barokowa rozwinęła się w k r a j a c h k a t o l i c k i c h E u r o p y, a ponadto w k a t o l i c k i e j A m e r y c e P o ł u d n i o w e j, dokąd przenieśli ją Hiszpanie. Pierwszym kościołem zbudowanym w nowym stylu była świątynia Il Gesù w Rzymie; na niej wzorowali się architekci wznosząc kolejne kościoły. Jeśli chcesz ujrzeć przepych sztuki barokowej w jej pełnym rozkwicie, chociaż z domieszką stylu klasycystycznego, odwiedź najwspanialszą rezydencję królewską świata, czyli P a ł a c W e r s a l s k i (ang. Chateau of Versailles) koło Paryża we Francji. Polecił ją wznieść dla siebie władca Francji, Ludwik XIV (ang. Louis XIV), zwany też „Królem-Słońce". Innym przykładem sztuki barokowej jest Bazylika św. Piotra w Watykanie, zwłaszcza kolumnada i część dekoracji, nad którą w latach 1624-1678 pracował Giovanni Lorenzo Bernini.

W Polsce znajduje się sporo zabytków architektury barokowej. Najpiękniejszym jest P a ł a c W i l a n o w s k i w Warszawie, zbudowany dla króla Jana III Sobieskiego, nazywany niekiedy miniaturą Pałacu Wersalskiego. Inne przykłady architektury barokowej w Polsce to pałac w Łańcucie oraz liczne kościoły i magnackie rezydencje.

Kontrreformacja

Wiele zjawisk politycznych i społecznych wpłynęło na kształt nowej epoki. Istotną rolę odegrała k o n t r r e f o r m a c j a (ang. Counter-Reformation).

Kontrreformacja to ruch pod przewodnictwem kolejnych papieży, skierowany przeciwko reformacji. Jego głównym celem było p r z y w r ó c e n i e K o ś c i o ł o w i k a t o l i c k i e m u d o m i n u j ą c e j r o l i w społeczeństwie chrześcijańskim. Za początek kontrreformacji przyjmuje się rok 1564, kiedy zaczęto wprowadzać w życie uchwały soboru w Trydencie. Oficjalnie kontrreformacja zakończyła się w 1590 roku, tj. w chwili śmierci papieża Sykstusa V, chociaż w niektórych częściach Europy trwała do końca XVII wieku.

Pałac Wersalski koło Paryża we Francji, zbudowany w XVII w. dla króla Ludwika XIV (1638-1715). Panowanie Ludwika XIV trwało 72 lata, co jest rekordem w historii Europy, rycina z 1668 r.

Podstawy ideologiczne kontrreformacji zostały sformułowane na **Soborze Trydenckim**[1], który obradował z przerwami w latach 1545-1563. Zwołał go papież Paweł III. Wśród wielu zagadnień wiary i Kościoła, rozważanych przez Sobór, były źródła Objawienia, natura grzechu pierworodnego, sakramenty[2]. Za oficjalną wersję Biblii uznano Wulgatę[3] i napisano katolicki katechizm[4]. Utrzymano celibat[5] księży.

---

[1] **sobór** – zebranie wszystkich biskupów pod przewodnictwem papieża, obradujące nad sprawami wiary, organizacji i dyscypliny kościelnej. **Sobór Trydencki** (ang. Council of Trent) określił kierunek rozwoju katolicyzmu aż do czasów **Soboru Watykańskiego II**, który odbył się w latach 1962-1965.

[2] **sakramenty** – czynności religijne, wykonywane za pośrednictwem znaków ustanowionych przez Chrystusa, których skutkiem jest łaska uświęcająca: 1. Chrzest św., 2. Bierzmowanie, 3. Eucharystia (komunia, czyli sakrament ciała i krwi), 4. Pokuta, 5. Ostatnie Namaszczenie (sakrament chorych), 6. Kapłaństwo, 7. Małżeństwo. Od łac. *sacramentum* – uświęcenie.

[3] **Wulgata** – tłumaczenie Biblii na język łaciński dokonane przez św. Hieronima w IV/V w. n.e.; od łac. *vulgatus* – pospolity.

[4] **katechizm** – wykład zasad wiary w formie pytań i odpowiedzi; od gr. *katechismos* – nauczanie.

[5] **celibat** – bezżeństwo; od łac. *caelebs* – bezżenny, nieżonaty.

W kontrreformacji dużą rolę odegrali **jezuici**[1], których działalność miała strony pozytywne i negatywne. Utrwalali oni wiarę katolicką przede wszystkim przez edukację, a ich szkoły stały na bardzo wysokim poziomie. Jednocześnie walczyli ze „szkodliwymi" dziełami, wprowadzając wybrane tytuły na l i s t ę (i n d e k s) k s i ą g z a k a z a n y c h[2]. Wśród nich znalazły się wkrótce prace Mikołaja Kopernika i Andrzeja Frycza Modrzewskiego.

W 1542 roku papież Paweł III powołał T r y b u n a ł I n k w i z y c j i[3]. Na zachodzie Europy, m.in. we Włoszech, Francji i Holandii, Inkwizycja dała się we znaki bardziej niż w Polsce, gdyż tam przeciwników wiary torturowano i palono na stosie (ang. burning at the stake). Krwawa była zwłaszcza działalność Inkwizycji w Hiszpanii. Chcąc ratować swoje życie, innowiercy (protestanci i Żydzi) uchodzili z miejsc zamieszkania i szukali schronienia w innych krajach, także w Polsce. Nasz kraj przez długi czas cieszył się opinią p a ń s t w a t o l e r a n c y j n e g o, gdyż obejmował innowierców opieką. Jedyny wyjątek dotyczył a r i a n.

Arianie (inaczej **bracia polscy**) byli radykalnym odłamem reformacji. Protestowali przeciw pańszczyźnie, poddaństwu chłopów, służbie wojskowej, karze śmierci oraz wątpili w część dogmatów chrześcijańskich. Ich radykalizm[4] spowodował, że wkrótce zwrócili przeciwko sobie zarówno kler, jak i szlachtę, również protestancką. Jednocześnie arianie położyli duże zasługi dla naszej kultury: zakładali szkoły i drukarnie, rozwinęli myśl racjonalistyczną, przyczyniając się do stworzenia podstaw Oświecenia w Polsce. Zostali wygnani z kraju w rezultacie uchwały sejmowej z 1658 roku[5].

W okresie Baroku zmienił się m o d e l w i a r y k a t o l i c k i e j, co znalazło swój wyraz w sztuce. Porzucono ideę harmonii między człowiekiem, Bogiem i naturą, znaną nam z Renesansu. Teraz człowiek miał odczuwać m e t a f i z y c z - n y[6] l ę k p r z e d B o g i e m i n i e s k o ń c z o n o ś c i ą. Służył temu sposób dekorowania nowo powstających kościołów, pełnych przepychu, skomplikowanej ornamentyki, figur ludzkich zastygłych w ruchu i z wyrazem bólu na twarzach.

---

[1] **jezuici** – największy rzymskokatolicki zakon religijny, założony w 1534 roku przez hiszpańskiego żołnierza Ignacego Loyolę (1491-1556; ang. Ignatius of Loyola) i zatwierdzony w 1540 roku przez papieża Pawła III. Do Polski jezuici przybyli w 1564 r. i wkrótce zaczęli odgrywać dużą rolę, byli m.in. spowiednikami króla; ang. Society of Jesus, Jesuits.

[2] w 1559 roku sobór opublikował pierwszy **indeks ksiąg zakazanych** (łac. *Index librorum prohibitorum*). Ostatnie, dwudzieste wydanie listy zostało ogłoszone w 1948 roku. Indeks ksiąg zakazanych zlikwidowano dopiero w 1966 roku.

[3] **Trybunał** – tu: sąd główny. **Inkwizycja** – sądowo-policyjna instytucja Kościoła katolickiego, zorganizowana w celu zwalczania **herezji**, tj. błędów i odstępstw od wiary, działająca od XIII do XIX wieku (na zachodzie Europy od 1215 do 1834 r., w Polsce od 1318 do 1565); od łac. *inquisitio* – badanie.

[4] tu: skrajność poglądów.

[5] postawiono im zarzut popierania Szwedów w czasie „potopu" w latach 1655-1656. [O związkach arian z angielskimi Pilgrim Fathers p. Odrodzenie.]

[6] **metafizyczny** – pot. niezrozumiały, niepoznawalny rozumem, niedostępny doświadczeniu; od gr. *meta* – po, poza i od gr. *physika* – fizyka. Ciekawostka: Początkowo m e t a f i z y k a oznaczała wiedzę, która wykraczała poza naturalną filozofię, opisaną przez greckiego uczonego Arystotelesa w ośmiu tomach dzieła „Fizyka". Myśli, które nie zmieściły się w głównym nurcie wykładu, Arystoteles spisał „poza Fizyką" (tj. w tomie IX bez tytułu).

Czas ustawicznych wojen

Przez cały prawie wiek XVI trwały w Europie w o j n y   r e l i g i j n e. Szczególnie krwawy przebieg miały one we Francji, w latach 1562-1598. Straszliwej rzezi hugenotów (fr. huguenot – protestant) dokonano w tam podczas tzw. **nocy św. Bartłomieja**[1], której współinicjatorem był **Henryk Walezy** z francuskiej dynastii Walezjuszy (fr. Valois, czyt. waluą). Wymordowano wówczas 3000 hugenotów. Do końca września 1572 roku w Paryżu i w innych miastach Francji zginęło ok. 20 000 hugenotów. Niedługo potem ten sam Henryk Walezy został królem Polski. 7 lipca 1572 roku zmarł król Zygmunt II August i na nim wygasła linia Jagiellonów. Zaczęło się bezkrólewie i szlachta musiała dokonać w y b o r u nowego monarchy[2]. W wyniku pierwszej w o l n e j   e l e k c j i[3] w maju 1573 roku został wybrany właśnie Henryk Walezy, który nie okazał się dobrym władcą. Panował zresztą krótko, bo już w czerwcu następnego roku opuścił Polskę i objął tron francuski. We Francji wciąż trwały wojny na tle religijnym i król Henryk III Valois brał w nich czynny udział. Zginął w 1589 roku, zasztyletowany przez mnicha (zakonnika) Jacques'a Clementa.

Gdy skończyły się krwawe i wyczerpujące wojny religijne, rozpoczęły się p o l i t y c z n e   w a l k i   o   h e g e m o n i ę[4] w Europie.

Turcja. Największym zagrożeniem dla politycznej stabilności na kontynencie była potężna militarnie T u r c j a [p. Odrodzenie]. Po zdobyciu Konstantynopola w 1453 roku i s l a m s k a Turcja wyruszyła na podbój nowych terytoriów, zajmując Serbię, Grecję oraz Egipt i Afrykę Północną. Następnie zagroziła Persji i Belgradowi, wyspie Cypr (należącej do Wenecji), Węgrom i Austrii. Wtedy właśnie papież Pius V próbował nawiązać do tradycji Europy chrześcijańskiej i utworzyć tzw. Świętą Ligę do obrony przed Turkami. Udało się to częściowo i po zwycięstwie pod Lepanto (1571), w rejonie Przesmyku Korynckiego, groźba turecka została na pewien czas odsunięta.

Polska również miała perypetie z Turcją. W 1620 roku w bitwie pod Cecorą zginął hetman **Stanisław Żółkiewski**. W 1621 roku hetman **Karol Chodkiewicz** obronił Chocim, ale w tymże obozie zmarł. W 1672 roku Turcy zdobyli Kamieniec Podolski[5], utraciliśmy wtedy – na mocy układu w Buczaczu – część Ukrainy i Podola

---

[1] ang. Massacre of St. Bartholomew's Day; początek nastąpił w nocy z 23 na 24 sierpnia 1572 roku. Zaproszono wtedy do Paryża najwybitniejszych hugenotów na ślub ich przywódcy Henryka Nawarskiego z siostrą króla Małgorzatą. Ślub ten miał być potwierdzeniem ugody z hugenotami, a stał się okazją do krwawej rozprawy z nimi.

[2] **monarcha** – jedynowładca, np. król, cesarz, car; inaczej: władca koronowany o władzy dożywotniej; od gr. *monos* – jedyny i od gr. *archo* – władam.

[3] **wolna elekcja** – obiór króla na sejmie elekcyjnym przez całą szlachtę. Po raz pierwszy elekcję w Polsce przeprowadzono w kwietniu-maju 1573 roku; od łac. *electio* – wybór.

[4] **hegemonia** – przewaga, przywództwo; od gr. *hegemonia* – panowanie.

[5] wojnę z Turcją w latach 1672-1673 przedstawił Henryk Sienkiewicz w 3. części Trylogii pt. „Pan Wołodyjowski" [p. Pozytywizm].

Zamek Krzysztopór Ossolińskich w miejscowości Ujazd, niedaleko Tarnobrzegu, stan obecny. Zbudowany w latach 1627-1644 był największą rezydencją magnacką w ówczesnej Europie. Wzorowano go na kalendarzu: miał 4 dziedzińce (pory roku), 7 wież (dni tygodnia), 12 wielkich sal (miesiące), 52 komnaty (tygodnie), 365 okien (dni w roku). Zniszczony w 1655 r. przez Szwedów, potem przez inne wojska. Fot.: P. Pierściński/Archiwum WSiP

i musieliśmy płacić Turkom coroczny haracz (daninę). W 1673 roku hetman (jeszcze nie król) **Jan Sobieski** zwyciężył pod Chocimiem[1].

Gdy po zwycięstwie Polaków i rozejmie w Żórawnie (1676) Turcja zagroziła Austrii, monarchia Habsburgów wysyłała w stronę państw Europy rozpaczliwe sygnały z prośbą o obronę. Z pomocą pospieszył jej król Polski Jan III Sobieski, który w rozstrzygającej bitwie pod Wiedniem (ang. Vienna) pokonał wojska tureckie, łamiąc na zawsze militarną potęgę Turcji. **Król Jan III Sobieski i jego armia uratowali chrześcijańską Europę przed zalewem tureckiego islamu i w tym kontekście należy widzieć wartość o d s i e c z y W i e d n i a w 1 6 8 3 r o k u.** Dziś w Muzeum Watykańskim królowi Janowi III Sobieskiemu, obrońcy chrześcijaństwa, poświęcona jest oddzielna sala ekspozycyjna. Znajduje się tam m.in. słynny obraz Jana Matejki pn. „Odsiecz Wiednia".

Szwecja. Oprócz zmagań z Turcją Polska brała udział w międzynarodowych sporach o p a n o w a n i e n a d B a ł t y k i e m. Zajmijmy się zatem wojnami ze Szwecją. Zaczęły się one jeszcze w XVI wieku wojną o **Inflanty**[2], w której rywalizowały Dania, Szwecja, Rosja i Rzeczpospolita. Konflikt zakończył się w 1582 roku

---

[1] zwycięstwo pod Chocimiem miało miejsce 11 listopada 1673 roku. Dzień wcześniej zmarł we Lwowie król Michał Korybut Wiśniowiecki. Wspaniałym zwycięstwem nad Turkami Jan Sobieski zaskarbił sobie sympatię Polaków i... głosy w wyborze na króla.

[2] **Inflanty** – wcześniejsza nazwa Livonia; dzisiejsza Łotwa i Estonia; ang. Latvia and Estonia.

rozejmem w Jamie Zapolskim. Inflantami podzieliły się Rzeczpospolita i Rosja. W 1587 roku na tron polski wstąpił **Zygmunt III Waza** z dynastii szwedzkiej[1] (to jego kamienna postać znajduje się na kolumnie w Warszawie). Po śmierci Jana III Wazy chciał on odzyskać prawo do tronu szwedzkiego. Do sporów terytorialnych doszedł zatem k o n f l i k t d y n a s t y c z n y, który wciągnął Polskę w działania wojenne. Biliśmy się pod Kircholmem i Kłuszynem, Gniewem i Oliwą. W wyniku wojny straciliśmy całe Inflanty.

W latach 1655-1660 Szwecja wywołała wojnę z Rzecząpospolitą, korzystając z jej osłabienia konfliktami z Kozakami i Moskwą. Szwedzi chcieli uczynić B a ł t y k swoim m o r z e m w e w n ę t r z n y m. W 1655 roku zajęli Warszawę i Kraków, w związku z czym król **Jan Kazimierz** (syn Zygmunta III Wazy) musiał szukać schronienia na Śląsku Opolskim, który wówczas leżał poza granicami kraju. W tym samym 1655 roku zdradziecki magnat Janusz Radziwiłł poddał Szwecji Litwę (ang. Lithuania). Król Jan Kazimierz wystosował do narodu polskiego uniwersał (powszechne rozporządzenie), wzywający do podjęcia walki z najeźdźcą. Doszło wtedy do słynnej obrony **Jasnej Góry w Częstochowie** (18 XI – 27 XII 1655)[2]. Ze Szwecją walczyły też inne państwa, m.in. Dania (ang. Denmark), której pospieszył z pomocą **Stefan Czarniecki** – jest o tym mowa w jednej ze zwrotek hymnu polskiego [znajdź ten fragment]. W 1660 roku zawarto pokój w Oliwie. Wtedy Jan Kazimierz zrzekł się ostatecznie pretensji do zamorskiego tronu po ojcu i dziadku. Wojna 1655-1660 weszła do historii pod nazwą p o t o p s z w e d z k i[3].

Moskwa (od poł. XVI w. nazywana Rosją). Kolejna seria konfliktów zbrojnych związana była z dążeniem Moskwy do zjednoczenia ziem ruskich[4]. Moskwa walczyła z Litwą, Tatarami, Turkami i Rzecząpospolitą. Po śmierci wielkiego księcia moskiewskiego i jednocześnie pierwszego cara (ang. tsar) Iwana IV Groźnego oraz jego synów (ostatni zm. 1598) wygasła dynastia Rurykowiczów. Wtedy Zygmunt III Waza interweniował w Moskwie licząc na to, że na tronie moskiewskim osadzi swojego syna królewicza Władysława (potem zmienił zdanie i zamierzał sam zostać carem). Na marginesie zaznaczmy, że sobór ziemski[5] w 1613 roku wybrał na tron Michała R o m a n o w a, zapoczątkowując tym samym nową i ostatnią dynastię carów rosyjskich. Będzie ona panować przez 300 lat, aż do Rewolucji Październikowej[6].

---

[1] był on synem króla szwedzkiego Jana III i Katarzyny Jagiellonki, siostry Zygmunta Augusta.

[2] **Jasna Góra w Częstochowie** – znajduje się tam klasztor z cudownym obrazem Matki Boskiej. Jasna Góra to polskie sanktuarium duchowe (święte miejsce), odwiedzane przez pielgrzymów, w tym także papieża Jana Pawła II.

[3] echa wojny w Danii znajdziemy w pamiętnikach Jana Chryzostoma Paska [p. Barok]; „potop szwedzki" został opisany przez Henryka Sienkiewicza w 2. części Trylogii pt. „Potop" [p. Pozytywizm].

[4] nie było wtedy jeszcze Związku Sowieckiego, jaki znamy z nowszej historii. **Związek Sowiecki** – ang. Soviet Union, znany też pod pełną nazwą jako Związek Socjalistycznych Republik Radzieckich (ang. Union of Soviet Socialist Republics) zostanie utworzony dopiero 30 grudnia 1922 roku i będzie trwać do 8 grudnia 1991 roku.

[5] **sobór ziemski** – zgromadzenie stanowe w Rosji w XVI-XVII w., składające się z bogatej szlachty, duchowieństwa i kupców.

[6] **Rewolucja Październikowa** – ang. October Revolution of 1917.

Kozacy. Na płd.-wsch. rubieżach[1] Rzeczypospolitej wybuchały powstania **Kozaków** (nad rzeką Dniepr). Kozacy byli wolnymi ludźmi, wywodzącymi się ze wszystkich stanów i narodowości, z przewagą chłopów zbiegłych z Rzeczypospolitej. Zajmowali się rybołówstwem, łowiectwem i hodowlą. Bliskość Tatarów zmusiła ich do wypracowania skutecznych taktyk obronnych; umiejętności te chciała wykorzystać Rzeczpospolita przy ochronie granic południowo-wschodnich. W tym czasie na Ukrainie powiększały się majątki polskich magnatów, którzy coraz częściej traktowali Kozaków jak chłopów pańszczyźnianych. To doprowadziło do powstań kozackich[2] – największe wybuchło w 1648 roku pod wodzą Bohdana Chmielnickiego. W rozgrywki wdała się Moskwa i utraciliśmy część Ukrainy.

Wojna trzydziestoletnia. W latach 1618-1648 trwała w Europie wojna trzydziestoletnia (ang. Thirty Years' War). Doprowadziły do niej nieporozumienia religijne, terytorialne i gospodarcze. Początkowo był to konflikt w e w n ą t r z n i e m i e c k i, który później rozprzestrzenił się i podzielił Europę na dwa obozy. Polska nie brała udziału w tej wojnie, ale działania objęły swoim zasięgiem Śląsk, Pomorze Zachodnie oraz Pomorze Słupsko-Koszalińskie.

W wyniku wojny trzydziestoletniej rozpadła się ostatecznie idea starożytnego imperium rzymskiego i ukształtowały się zręby (podstawy) w s p ó ł c z e s n e j E u r o p y. Na kontynencie zaczęła się d o m i n a c j a F r a n c j i.

Sarmatyzm

Polską kulturę i obyczajowość okresu Baroku cechuje s a r m a t y z m.

> **Sarmatyzm** to prąd kulturowy polskiego Baroku. Głosił pochwałę wolności, swobody i szlacheckiego indywidualizmu. Wykształcił stereotyp Polaka: szlachcica-ziemianina--katolika. Sarmatyzm włączył do polskiej kultury elementy orientalne[3], co uwidoczniło się w dążeniu szlachty do przepychu. Wywarł wpływ na ideowe i artystyczne życie epoki.

Jakie były początki sarmatyzmu w Polsce? Otóż jeszcze w XVI wieku dwaj ówcześni historycy-kronikarze Maciej z Miechowa (Miechowita) i Marcin Bielski zasugerowali, że Polacy mogą wywodzić się od starożytnego plemienia Sarmatów[4]. Braci szlacheckiej imponowała możliwość tak świetnego pochodzenia. Sarmatyzm nie był ideologią odosobnioną w XVII wieku, gdyż np. Anglicy uważali się za

---

[1] **rubież** – kresy, granica, linia rozgraniczająca; ros. rubież.
[2] temat ten ukazał Henryk Sienkiewicz w 1. części Trylogii pt. „Ogniem i mieczem" [p. Pozytywizm].
[3] **orientalne**, od **orientalizm** – charakterystyczne dla ludzi Wschodu; w tym wypadku chodzi o wpływy kultury tureckiej; od łac. *orientalis* – wschodni.
[4] **Sarmata** – łac. *Sarmata*, oryginalnie: członek koczowniczego plemienia irańskiego z południowo--wschodniej Europy, znanego z odwagi i waleczności.

Barokowy aniołek na ołtarzu kościoła w Staniątkach, niedaleko Krakowa. Fot.: W. Wójtowicz / WSiP

potomków Trojan, Węgrzy – Scytów, a Francuzi – Galów. Widocznie istniała potrzeba identyfikowania się ze starożytnymi plemionami, którym – ze względu na ich waleczność – chciano dorównać. Z biegiem czasu wśród „polskich katolickich Sarmatów" wykształcił się m e s - j a n i z m s a r m a c k i, tj. przekonanie, że Bóg wybrał Polskę do obrony chrześcijaństwa. O wyjątkowym posłannictwie dziejowym Polaków miało świadczyć zwycięstwo króla Jana III Sobieskiego nad Turkami (1683).

Pozytywną cechą sarmatyzmu było stworzenie o r y g i n a l n e j s i e - d e m n a s t o w i e c z n e j k u l t u r y s z l a c h e c k i e j. Z połączenia wzorów barokowych i orientalnych wynikły e s t e t y c z n e u p o d o b a n i a polskiej szlachty. Dotyczyły one ubiorów (żupan[1], kontusz[2], pasy lite[3], futra z jedwabiami), broni (karabela[4]), wystroju wnętrz mieszkalnych (kobierce wschodnie[5]), oryginalnych pojazdów oraz wystawnych uczt i przyjęć.

Do negatywnych cech sarmatyzmu należała m e g a l o m a n i a[6] i k s e n o f o - b i a[7]. Szlachta polska szybko zjednoczyła się w przekonaniu o s w o j e j w y ż - s z o ś c i zarówno w stosunku do niższych stanów w Polsce, jak i cudzoziemców[8].

---

[1] **żupan** – ubiór męski o kroju długiej sukni, zapinany na haftki lub guzy (duże guziki), ze stojącym kołnierzykiem i wąskimi rękawami, noszony przez szlachtę polską od XVI do poł. XIX w.; od arab. dżubba – kaftan, szata bawełniana.

[2] **kontusz** – strój męski wkładany na żupan, rodzaj długiej sukni z rozciętymi rękawami (wylotami); od węg. köntös [czyt. köntösz].

[3] **pasy lite** – ogólna nazwa pasów do kontusza przetykanych błyszczącymi nićmi. **Pasy słuckie** – szerokie pasy jedwabne przetykane srebrnymi lub złotymi nićmi, do noszenia na kontuszu. (Nazwa pochodzi od miasta Słuck; ang. Slutsk, w Wielkim Księstwie Litewskim, dziś Białoruś, gdzie je produkowano).

[4] **karabela** – lekka ozdobna szabla z głowicą rękojeści w kształcie głowy orła, noszona przez szlachtę do paradnego stroju.

[5] **kobierce wschodnie** – (l. mn.; w l. poj. – kobierzec), jednostronne tkaniny dekoracyjne, kolorowe, wełniane, służące do przykrycia podłogi lub ścian; odmiana dywanów.

[6] **megalomania** – mania wielkości, przesadne wyobrażenie o własnej wartości; od gr. *megas* – wielki i od gr. *mania* – szaleństwo.

[7] **ksenofobia** – przesadna niechęć lub wrogość wobec cudzoziemców; od gr. *ksenos* – obcy i od gr. *phobos* – strach.

[8] sarmatyzm był zjawiskiem złożonym i dlatego trudno o jego jednoznaczną ocenę. Echa dyskusji nad sarmatyzmem spotykamy w literaturze kolejnych epok, np. Adam Mickiewicz w „Panu Tadeuszu" pochwalał patriotyzm i obyczajowość sarmacką, a Henryk Sienkiewicz w Trylogii jedne cechy sarmackie chwalił, inne ganił.

W XVII wieku niemal całe szkolnictwo (a kształcili się tylko synowie szlacheccy), było w rękach z a k o n u j e - z u i t ó w. W kolegiach jezuickich uczono m.in. łaciny. Nie była ona klasycznie czysta jak za czasów Jana Kochanowskiego, ale jej znajomość upowszechniła się wśród społeczeństwa. Z tego powodu w tekstach polskich XVII wieku spotykamy wiele wtrętów łacińskich, czyli m a k a r o n i z m ó w. Ówczesne utwory literackie nie wyróżniają się wysokim poziomem artystycznym. Wiele z nich pozostawało w rękopisach aż do XIX i XX wieku.

Jamestown, USA – tablica pamiątkowa. Zapamiętaj: Za panowania króla Zygmunta III Wazy do Ameryki przybyli pierwsi Polacy. Rok 1608 to początek historii Polonii w Ameryce. Fot.: W. Mandecka

Mimo tych zastrzeżeń spróbujmy dokonać przeglądu polskiej twórczości okresu Baroku. W tym celu wyróżnimy **trzy nurty kultury: dworski, ziemiański** (szlachecko-sarmacki) i **plebejski** (mieszczański).

Czy wiesz, że...

w czasach panowania króla Zygmunta III Wazy (1587-1632) do Ameryki wyruszyli pierwsi Polacy? Osiedlili się oni w kolonii Jamestown, w dzisiejszym stanie Virginia (1608).

Praca z mapą

- Wiek XVII i połowa wieku XVIII to okres wielkich wojen w Europie. Przy pomocy mapy prześledź wydarzenia, o których była mowa w rozdziale. Zapamiętaj je, gdyż będziemy do nich powracać, omawiając kolejne epoki.
- Wskaż **Jamestown**, pierwszą trwałą osadę angielską w Ameryce Północnej i miejsce osiedlenia się pierwszych Polaków.

LITERATURA W KRĘGU KULTURY DWORSKIEJ. JAN ANDRZEJ MORSZTYN (1621-1693)

Za królów elekcyjnych (obieralnych) kultura na dworze królewskim była k o s m o - p o l i t y c z n a[1]. Powszechnie wiadomo, że ostatni monarcha z dynastii Jagiellonów – król Zygmunt I August, słynął z miłości do języka polskiego i wręcz polonizował obcokrajowców na swoim dworze. Tymczasem król Stefan Batory, zresztą wybitny wódz i władca, który przybył do Polski z Siedmiogrodu (dzisiejsze Węgry), nigdy się języka polskiego nie nauczył. Niepolska kultura panowała też na dworach pozostałych królów Polski pochodzących z Zachodu (z Francji, ze Szwecji i z Saksonii).

---

[1] **kosmopolityczna** – odrzucająca wartości kultury narodowej; od gr. *kosmopolites* – obywatel świata.

Jan Andrzej Morsztyn Fot.: Archiwum WSiP

Jan Andrzej Morsztyn (1621-1693) jest przykładem poety dworskiego. Pochodził z bogatej rodziny ziemiańskiej. Starannie wykształcony młodzieniec przebywał początkowo na dworze magnata Jerzego Lubomirskiego. Potem został dworzaninem dwóch kolejnych królów ze szwedzkiej dynastii Wazów – Władysława IV i jego brata, Jana Kazimierza.

Morsztyn naśladował **marinizm**, tj. kierunek w poezji barokowej, zapoczątkowany przez włoskiego poetę Giambattistę Marina (stąd nazwa). Marinizm odnosił się do f o r m y wiersza i polegał na tym, by szokować czytelnika k o n-c e p t a m i (pomysłami). Poeci używali niezliczonej ilości chwytów literackich, takich jak anafory, antytezy, paradoksy i inwersje. W zakresie t r e ś c i wiersze ich były banalne[1] i dotyczyły głównie flirtów i miłostek.

 Przeczytaj kolejno trzy wiersze Jana Andrzeja Morsztyna: „**Niestatek I**", „**Niestatek II**" oraz „**Do trupa**".

Wykaż, że poeta zastosował w nich takie zabiegi literackie, jak:

- **koncept**, czyli pomysł poetycki, np. w wierszu „Do trupa" zestawione są śmierć i miłość,
- **anafora**, czyli wielokrotne powtórzenie tego samego wyrazu lub zwrotu na początku każdego wersu, np. „prędzej" w wierszu „Niestatek II",
- **paradoks**, czyli sformułowanie zaskakujące swoją treścią, sprzeczne z logiką, np. sugestia, że lepiej być trupem niż człowiekiem nieszczęśliwie zakochanym,
- **oksymoron**, czyli prosty paradoks, np. „niemy zaśpiewa" (porównaj też używany w mowie potocznej zwrot „spiesz się powoli"),
- **inwersja**, czyli przestawiony szyk wyrazów w zdaniu, np. „których każdy, póki żyw, niech, jeśli chce, zażyje",
- **antyteza**, czyli zestawienie przeciwstawnych myśli, np. cały wiersz pt. „Do trupa" jest ciągiem antytez; szczególnym przypadkiem antytezy jest kontrast,
- **kontrast**, czyli przeciwstawienie pojęć, np. „perłą ząb – ząb szkapią kością", „usta koralem – usta czeluścią",
- **hiperbola**, czyli wyolbrzymienie jakiegoś zjawiska, np. „piekielna śrzeżoga" (zamiast: gorączka, upał),
- **intonacja**, czyli naturalne dla języka różnicowanie wysokości dźwięków, stosowane przez Morsztyna przewrotnie w celu zmiany akcentów logicznych lub emocjonalnych, np. w wierszu pt. „Niestatek II" intonacja wznosi się do 13. wersu i opada w wersie 14.,
- **paralelizm składniowy**, czyli zastosowanie zdań o równoległej budowie, np. w wierszu pt. „Do trupa" zdania paralelne zaczynają się od słów „Ty – Ja",

---

[1] **banalny** – pospolity, nie mający głębszej treści; fr. banal.

- **aforyzm**, czyli refleksja osobista mająca cechy maksymy, np. w wierszu pt. ,,Niestatek II'': ,,Prędzej nam zginie rozum i ustaną słowa / Niźli będzie stateczna która białogłowa''.

Pisownia rzeczowników i przymiotników oznaczających państwa lub narodowość

Przestudiuj tabelę:

Części mowy	Język polski	Język angielski
Rzeczowniki (ang. nouns) będące nazwami p a ń s t w	Mianownik (kto? co?) – **Polska** ma ciekawą historię. Dopełniacz (kogo? czego?) – To jest mapa **Polski**. Celownik (komu? czemu?) – **Polsce** potrzebne są nowe autostrady. Biernik (kogo? co?) – Moja mama często wspomina **Polskę**. Narzędnik (kim? czym?) – Ona mówi, że tęskni za **Polską**. Miejscownik (o kim? o czym?) – Starzy żołnierze rozmawiają o **Polsce**. Wołacz (O!) **Polsko**, z wiosną nam piękniejesz!	**Poland** (jedna forma, nieodmienna)
Rzeczowniki (ang. nouns) oznaczające nazwy n a r o d o w o ś c i	Narzędnik (kim? czym?) – Jestem **Polką** (dziewczyna o sobie). Narzędnik (kim? czym?) – Jestem **Polakiem** (chłopiec o sobie). Narzędnik (kim? czym?) – Moi sąsiedzi są **Polakami**.	I am **Polish**. I am **Polish**. My neighbors are **Polish**. (jedna forma, nieodmienna)
Przymiotniki (ang. adjectives) pochodzące od nazw państw i narodowości	Dopełniacz (kogo? czego?) – Uczę się języka **polskiego**. Biernik (kogo? co?) – Lubię **polskie** filmy archiwalne. (przymiotniki piszemy małą literą)	I study **Polish** language. I like old **Polish** movies. (jedna forma, nieodmienna)

Ćwiczenie. Przepisz do zeszytu zdania, przed którymi stoją nazwy przypadków. W miejsce wyrazów oznaczonych tłustym drukiem (ang. bold print), wpisz odpowiednio: Ameryka, Amerykanka, Amerykanin, angielski, amerykański. Pamiętaj o odmianie wyrazów i zasadach pisowni.

173

> Wielkimi literami piszemy rzeczowniki nazywające kraje i narodowości.
> Małymi literami piszemy przymiotniki pochodzące od nazw państw i narodowości.

Zasady, o których mowa, odnoszą się do nazw państw, narodowości, kontynentów, regionów geograficznych, miast i dynastii, np. **Ameryka Północna** – północnoamerykański, **Anglia** – angielski, **Azja** – azjatycki, **Europa** – europejski, **Gdańsk** – gdański, **Mazowsze** – mazowiecki, **Piast** – piastowski, **Wielkopolska** – wielkopolski.

Uwaga: Przymiotniki używane w znaczeniu p o t o c z n y m pisane są małą literą, np. amerykańska. Jeżeli jednak wchodzą w skład n a z w y w ł a s n e j, np. Rewolucja Amerykańska, trzeba je pisać wielką literą. Na pierwszy rzut oka zasady te wydają się skomplikowane. Potrzebujesz trochę praktyki i wkrótce wszystko okaże się prostsze.

 Ćwiczenie. Przepisz i uzupełnij poniższą tabelę. Dopisz dwa własne przykłady.

Rzeczowniki	Przymiotniki	Nazwa własna
M. l.poj. Jagiellon M. l.mn. Jagiellonowie (nazwa dynastii)	dwór jagielloński	Uniwersytet Jagielloński
Polska	język polski	Rzeczpospolita Polska
	ludność siedmiogrodzka	Wyżyna Siedmiogrodzka
M. Węgry Msc. na Węgrzech		król Ludwik I Wielki, zwany Węgierskim (1326-1382)
	wojska szwedzkie	Akademia Szwedzka
		Rewolucja Francuska (1789-1799)
Sasi albo Sasowie (nazwa dynastii)		Saska Kępa (dzielnica Warszawy)
Niemcy (nazwa państwa, także obywatele państwa i reprezentanci narodu)		Niemiecka Republika Demokratyczna (tzw. East Germany, państwo istniejące w latach 1945-1990)

LITERATURA SZLACHECKO-SARMACKA.
WACŁAW POTOCKI (1621-1696).
JAN CHRYZOSTOM PASEK (1636-1701). JAN SOBIESKI (1624-1696)

W przeciwieństwie do literatury dworskiej literatura szlachecko-sarmacka jest – pod względem formalnym – prostsza. Reprezentują ją: Wacław Potocki (w poezji) i Jan Chryzostom Pasek (w prozie). Do prozy szlachecko-sarmackiej zaliczamy też listy pisane przez Jana Sobieskiego do ukochanej Marysieńki.

Wacław Potocki (1621-1696) pochodził z rodziny szlacheckiej. Był arianinem, który w 1658 roku przeszedł na katolicyzm. Jednakże jego żona odmówiła konwersji[1], w związku z czym rodzina była prześladowana. Potocki otrzymał przeciętne wykształcenie domowe, przez całe prawie życie gospodarował na roli. Napisał około stu tysięcy (!) wierszy prezentujących obraz życia szlachty w XVII wieku. Nie cyzelował[2] swoich utworów, które są jak „ogród nie plewiony" – długie, rozwlekłe, nużące.

Uwagę dzisiejszego czytelnika zwracają t e m a t y podejmowane przez poetę. Potocki był gorącym patriotą, krytykiem sarmackiej szlachty, bolał nad nietolerancją religijną i upadkiem norm moralnych w kraju. Nie odegrał jednak większej roli wśród współczesnych, gdyż jego wiersze ukazały się drukiem dopiero po śmierci autora.

Przeczytaj kolejno dwa utwory Wacława Potockiego pt. **„Pospolite ruszenie"** oraz **„Zbytki polskie"**.

Co autor sądzi o stosunku szlachty do powinności obywatelskich? Czy pospolite ruszenie[3] mogło skutecznie bronić granic kraju? Na jakie inne wady Polaków autor zwraca uwagę w wierszach?

Lektura uzupełniająca

Przeczytaj fragmenty poematu Wacława Potockiego pt. **„Wojna chocimska"**. Pracując nad tym utworem, poeta korzystał z pamiętnika uczestnika bitwy z Turkami pod Chocimiem (1621), Jakuba Sobieskiego, ojca przyszłego króla.

Omawiając utwór uwzględnij poniższe wskazówki:
- Epos Potockiego zawiera i n w o k a c j ę, czyli zwrócenie się do istoty wyższej z prośbą o pomoc w pisaniu dzieła [odczytaj głośno odpowiedni fragment].
- Zwróć uwagę na budowę utworu: jest to pierwszy w polskiej literaturze e p o s [przypomnij sobie greckie eposy Homera]. Poemat składa się z dziesięciu części, napisany został wersem

---

[1] **konwersja** – zmiana wyznania, nawrócenie się (tu: na katolicyzm); łac. *conversio* – odwrócenie.

[2] **cyzelować** – książk. drobiazgowo wykańczać, poprawiać pracowicie szczegóły; fr. *ciseler* [czyt. sizle] – rzeźbić.

[3] **pospolite ruszenie** – organizacja sił zbrojnych w dawnej Polsce, polegająca na doraźnym powoływaniu ludności pod broń w czasie wojny. W XV w. zaczęto zastępować pospolite ruszenie wojskami zaciężnymi. **Wojska zaciężne** (nazwa pochodzi od wyrazu „zaciąg") – organizacja armii, polegająca na powoływaniu do wojska w zamian za żołd ludzi zawodowo zajmujących się rzemiosłem wojennym. **Żołd** – wynagrodzenie pieniężne wypłacane żołnierzom; od czes. žold; od niem. Sold; od fr. solde – nazwa monety.

trzynastozgłoskowym i utrzymany jest w podniosłym tonie. Autor ukazał ważne wydarzenie (wojnę chocimską). Głównemu bohaterowi, wodzowi Karolowi Chodkiewiczowi, nadał cechy herosa.

- Część czwarta przedstawia scenerię miejsca, gdzie ma odbyć się bitwa. Zwróć uwagę na plastyczność opisu.
- W tej samej części czwartej zawarta jest mowa Karola Chodkiewicza do żołnierzy. Wskaż fragmenty, które dowodzą, że hetman potrafił zagrzewać wojsko do walki z Turkami. Jakich argumentów używał? Do jakich uczuć się odwoływał?

Jan Chryzostom Pasek (1636-1701) pochodził ze zubożałej szlachty – jego ojciec siedział na dzierżawie, a nie na zagrodzie (tzn. że nie miał własnej ziemi, ale gospodarował na cudzej, dzierżawił ją). Jan Chryzostom pobierał nauki w szkole jezuickiej. Miał naturę niezwykle awanturniczą, był typowym pieniaczem, który ciągle procesował się po krakowskich sądach. Za gwałty i okrucieństwo skazano go w 1700 roku na banicję[1], ale wyroku nie wykonano, bo Pasek zmarł. W czasie najazdu szwedzkiego Jan Chryzostom zaciągnął się do wojska. Służył pod rozkazami Stefana Czarnieckiego. Walczył ze Szwedami w Polsce i w Danii, potem także z Moskwą. Po jedenastu latach powrócił z wojaczki i ożenił się z wdową mającą sześcioro dzieci.

Pod koniec życia Pasek zaczął spisywać **pamiętniki**. Tak jak barwnie lubił opowiadać, tak samo barwnie pisał, używając języka żywego, obrazowego i... pełnego makaronizmów. Interesujemy się pamiętnikami, bo są arcyciekawą opowieścią o wojennych przygodach autora (w latach 1656-1667) i życiu sarmackiej szlachty. Z pamiętników Jana Chryzostoma Paska korzystał Henryk Sienkiewicz, gdy w XIX w. tworzył słynną Trylogię.

 Przeczytaj fragment pamiętników Jana Chryzostoma Paska pt. „**Rok Pański 1667.** [**Komendy**]".
Policz, ile lat miał Pasek, gdy wrócił z wojen i postanowił się ożenić. Jak wyglądały przygotowania do spotkania z wdową (która – jak wiemy z biografii pisarza – została jego żoną)? Jakie cechy miała, według słów wuja Wojciecha Chociwskiego, kandydatka na żonę? W jakim kontekście wspomina Pasek o Godach? Co wyrażała zwrotka, którą na koniec zalotów zaśpiewał Dzięgielowski?

Pamiętnik to gatunek piśmiennictwa użytkowego, zawierający wspomnienia autora. W odróżnieniu od d z i e n n i k a, pamiętnik spisywany jest po upływie czasu, co pozwala autorowi na wyeliminowanie (pominięcie) mniej istotnych informacji.

➡ Każdy pamiętnik zdradza nadawcę, jego temperament, przeżycia, zainteresowania. Opowiedz, jak w świetle notki biograficznej i fragmentu pamiętników wyobrażasz sobie pana Paska.

W pamiętnikach Jana Chryzostoma Paska występują m a k a r o n i z m y[2].

---

[1] **banicja** – wygnanie z kraju; od łac. *bannire* – skazać na wygnanie.
[2] od wł. *maccheroni* – makaron; ang. *macaroni*. W sensie literackim: pol. makaronizm, ang. macaronicism.

Jan Chryzostom Pasek, rękopis
„Pamiętników"

> **Makaronizmy** to duża ilość obcojęzycznych (zwłaszcza łacińskich) zapożyczeń
> w tekście. Makaronizowanie polega na tym, że autor wprowadza do swojej wypowiedzi
> obce wyrażenia i zwroty albo na wzór obcy kształtuje polskie wyrazy. Makaronizowa-
> nie, czyli m i e s z a n i e języka rodzimego z łaciną, jest zjawiskiem negatywnym.

➡ Przeczytaj poniższy dwuwers pochodzący z utworu Krzysztofa Opalińskiego (1610-1656).
Wskaż wyrazy polskie – oryginalne lub przetworzone na wzór łaciński. Co sądzisz o takim
sposobie pisania?

> Omnes ludzie sumus, nobis tamen esse żonatis
> Conessum est, solos grzech jest ożeniare kapłanos.

> (Krzysztof Opaliński „Juvenalis redivivus to jest satyry...")

➡ Odszukaj makaronizmy we fragmencie pamiętników Jana Chryzostoma Paska.

177

Pałac w Wilanowie (dziś w granicach Warszawy), zbudowany w latach 1680-1692 dla króla Jana Sobieskiego; styl pałacu barokowy, ogród geometryczny. Fot.: R. Piątkowski / WSiP

Jan Sobieski (1624-1696) został wybrany na tron polski w 1674 roku i panował przez 22 lata. W 1665 roku hetman wielki koronny Jan Sobieski (jeszcze nie król) ożenił się z Francuzką Marią Kazimierą d'Arquien (Marysieńką), wdową po Janie Zamoyskim, wojewodzie kijowskim. Marysieńkę i Sobieskiego łączyła ogromna miłość, wywodząca się z czasów, gdy Maria Kazimiera była zaniedbywaną żoną Zamoyskiego. Jeszcze w 1661 roku Sobieski-kawaler i Marysieńka-nieszczęśliwa mężatka złożyli w kościele karmelitów w Warszawie wspólną przysięgę, że będą się darzyć miłością aż do śmierci. Wymieniane listy stały się miłosnym szyfrem. On nazywał Marysieńkę – Różą, Astred, Jutrzenką, Esencją, ona zaś jego – Jesienią i Celadonem, natomiast znienawidzonego męża – Fujarą, Koniem i Makrelą. Listy jawiły się im jako konfitury, a pocałunki – jako pomarańcze.

Czytając listy tej pary wkraczamy w prywatny świat ludzi darzących się wielkim uczuciem. Czy mamy do tego prawo? Po tylu latach – chyba tak. Podziwiamy konwencję literacką, jakiej poddały się obydwie strony, pozostające bez wątpienia pod wpływem francuskich romansów. Uczestniczymy w zaczarowanym świecie, który potrafią stworzyć tylko ludzie prawdziwie zakochani. Gdyby Sobieski nie osiągnął triumfów militarnych [przypomnij sobie odsiecz Wiednia z 1683 roku] i nie wszedł do historii jako wódz i król, zapewne frontowymi drzwiami wkroczyłby do polskiej literatury. Dzięki listom do Marysieńki.

Przeczytaj fragment **listu Sobieskiego do Marysieńki** zamieszczony w Wypisach. Zwróć uwagę na nagłówek – czy my dzisiaj podobnie adresujemy prywatne listy? Przeczytaj albo wynotuj fragmenty tekstu, w których Sobieski zwraca się do żony, np. serca mego królewno. Czego dowiadujemy się o nadawcy listu, Janie Sobieskim, wtedy jeszcze marszałku wielkim koronnym króla Jana Kazimierza?

Sztukę tworzenia pięknych listów nazywamy e p i s t o l o g r a f i ą[1].

> **Epistolografia** to umiejętność pisania listów, także dział literatury obejmujący utwory napisane w formie listów.

Dziś, w dobie takich środków przekazu, jak telefon, faks (ang. fax), e-mail, s z t u k a   p i s a n i a   l i s t ó w   z a n i k a.

NURT PLEBEJSKI W LITERATURZE

Literatura plebejska powstawała spontanicznie wśród ludzi z niższym wykształceniem – mieszczan, klechów[2] i żaków[3]. Wiele wierszy było anonimowych, ponieważ ich autorzy obawiali się, że ściągną na siebie kary za obraźliwe słowa, krytykę lub wręcz bunt wyrażony w ulotnych tekstach. W obawie przed represjami także drukarnie publikujące te utwory nie podawały swoich prawdziwych adresów, opatrując wydawnictwa podpisami w rodzaju: „drukowano w Oleśnicy na Pacanowskiej ulicy". Wiersze plebejskie, których najwięcej powstało w latach 1596-1630, znalazły się na liście ksiąg zakazanych.

Do najbardziej aktywnych autorów plebejskich należeli **Jan z Kijan, Walenty Roździeński i Jan Dzwonkowski.**

Lektura uzupełniająca. Przeczytaj zamieszczony w Wypisach fragment „**Fraszek Sowiźrzała Nowego, 1614**" Jana z Kijan.

Zauważ, jak przewrotnie autor odnosi się do wskazówek w zakresie poznawania nowego zawodu. Wskazówki te nazywa „naukami sowiźrzalskimi".

> **Sowiźrzał** (inaczej: **Sowizdrzał**) to popularna postać plebejska przeszczepiona na grunt polski za pośrednictwem języka niemieckiego. Postać znana w wielu literaturach europejskich – jako Ezop (gr.), Marchołt (żyd.), Frant (czes.), Dyl Ulenspiegel (niem.) i Owlglass (ang.). Sowizdrzał jest błaznem i prześmiewcą, który pod maską prostaka ukrywa życiową mądrość i zdrowy rozsądek.

---

[1] od gr. *epistole* – list, wiadomość i od gr. *grapho* – piszę; od łac. *epistola* – list.
[2] **klecha** – pogardliwa nazwa księży lub, częściej, posługaczy kościelnych; od łac. *clericus* – kapłan.
[3] **żak** – dawniej: ubogi uczeń, student; czes. zak; łac. *ziac(on)us*.

PODSUMOWANIE DOBY BAROKU.
OSIĄGNIĘCIA Z ZAKRESU MUZYKI I SZTUK PLASTYCZNYCH

Do głównych zjawisk związanych z Barokiem zaliczamy kontrreformację i sarmatyzm. K o n t r r e f o r m a c j a to szeroki ruch religijny, który miał wpływ na przeobrażenia w katolickiej części Europy i w Ameryce Południowej. Zmiany te dotyczyły przede wszystkim ideologii, ale także literatury, muzyki i sztuk plastycznych. Natomiast s a r m a t y z m był polską ideologią szlachecką. Znalazł swoje odbicie w literaturze i pozostawił ślady w mentalności Polaków na długie pokolenia.

W zakresie gatunków literackich Barok sięgnął do wzorów już istniejących, takich jak sonety, wiersze ulotne, listy, poematy. Nowością była d e k o r a - c y j n o ś ć stosowana w utworach – zaskakujące koncepty i wyszukane figury stylistyczne [por. wiersze Jana Andrzeja Morsztyna].

Sztuka operowa

Pod koniec XVI wieku we włoskim mieście Florencja (ang. Florence) narodziła się nowa forma ekspresji artystycznej – o p e r a[1].

> **Opera** to utwór dramatyczno-muzyczny, w którym całe libretto[2] jest śpiewane, natomiast partie muzyczne wykonywane są przez wieloosobową orkiestrę. Opera powstała jako widowisko słowno-muzyczne nawiązujące do tragedii greckiej, dlatego pierwsze opery były poważne i podejmowały tematy mitologiczne lub historyczne. Największe triumfy opera święciła w XVIII i XIX wieku.

Pierwszą dojrzałą operą był „Orfeusz" (wł. „L'Orfeo", ang. „Orpheus") włoskiego kompozytora Claudio Monteverdiego. Wystawiono ją we Włoszech w 1607 roku. Widowiska dramatyczno-muzyczne szybko zadomowiły się w Polsce; pierwszy t e a t r o p e r o w y w W a r s z a w i e powstał na Zamku Królewskim w 1637 roku, na dworze króla Władysława IV Wazy. Wystawiane tam dramaty muzyczne oszałamiały przepychem i zadziwiały rozwiązaniami technicznymi. Na scenie kreowano pożary, wzburzano morze, aktorzy unosili się w powietrzu. Poza królewskim teatrem operowym rozwinęły się też mniejsze teatry muzyczno-słowne – magnackie, szkolne i ludowe.

Muzyka instrumentalna

W epoce barokowej usamodzielniła się m u z y k a i n s t r u m e n t a l n a, która do tej pory była używana wyłącznie jako akompaniament do słów pieśni. Grano na

---

[1] **opera** – [czyt. opera], wyraz pochodzi z łaciny: M. l.poj. *opus* – dzieło, praca, czyn, utwór; M. l.mn. *opera*.

[2] **libretto** – słowny tekst do opery lub operetki; z wł. libretto – książeczka.

Giovanni Lorenzo Bernini „Ekstaza św. Teresy", 1644-1647, kościół Santa Maria della Vittoria w Rzymie. Ekspresywna rzeźba barokowa. Fot.: Agencja BE&W

organach i klawesynie, pojawił się fortepian. Do najwybitniejszych kompozytorów muzyki barokowej należeli **Domenico Scarlatti** (wł.), **Antonio Vivaldi** (wł.), **Jan Sebastian Bach** (niem.) i **George Haendel** (niem.-ang.).

Co to jest muzyka?

Muzykę uważa się za najbardziej matematyczną i abstrakcyjną formę sztuki jednocześnie. Tak ją postrzegają filozofowie. Chaotycznie[1] wydobywające się z instrumentu tony tworzą kakofonię[2] dźwięków, natomiast ułożenie tonów wedle pewnego klucza (wzoru) daje muzykę, dostarczającą słuchaczom przyjemnych wrażeń estetycznych.

Architektura, rzeźba

W okresie Baroku rozwinęły się sztuki plastyczne. Ich cechami charakterystycznymi były ekspresja, symetria i dekoracyjność.

---

[1] **chaotycznie**, od **chaos** – bezład, zamieszanie, zamęt; od gr. *chaos* – otchłań, pustka. W gr. mitologii **chaos** to nieuporządkowana pramateria, z której powstał świat.

[2] **kakofonia** – dysharmonia, nieprzyjemne dla ucha połączenie dźwięków; od gr. *kakos* – zły i od gr. *phone* – głos.

Oto wyróżniki architektury i rzeźby barokowej:

- kościoły są bez wież, za to z kopułami, mają bogatą ornamentykę wnętrz, biały kolor i złocenia,
- pałace składają się z części głównej i dwóch skrzydeł bocznych okalających dziedziniec; ogród jest geometryczny, równo strzyżony, zamknięty kunsztowną (artystyczną, ozdobną) bramą,
- rzeźby postaci wyrażają gwałtowny ruch, mają sfałdowane szaty, ukazują twarze zastygłe w przerażeniu lub ekstazie[1].

Malarstwo

Do nasłynniejszych malarzy epoki należą artyści niderlandzcy: **Rubens** (1577--1640), którego obrazy cechuje jasna, ciepła kolorystyka, oraz **Rembrandt** (1606-1669), operujący odcieniami brązu, żółci i ziemistej zieleni. Obydwaj podejmowali tematy religijne, mitologiczne i współczesne.

BAROK (w Polsce wiek XVII lub dokładniej 1620-1764)

Wydarzenia i pojęcia związane z epoką:

wojny: w Europie – religijne i wojna trzydziestoletnia (1618-1648),
między Polską a: Turcją, Szwecją, Moskwą (Rosją) i Kozakami.

kontrreformacja: Sobór w Trydencie, Trybunał Inkwizycji, indeks ksiąg zakazanych, nietolerancja religijna, kościoły a sztuka barokowa.

sarmatyzm: obyczajowość szlachecka, mesjanizm sarmacki.

Trzy nurty kultury i literatury w okresie Baroku:

- **dworski** – JAN ANDRZEJ MORSZTYN (marinizm),
- **ziemiański (szlachecko-sarmacki)** – WACŁAW POTOCKI (utwory patriotyczne, pierwszy epos polski „Wojna chocimska"), JAN CHRYZOSTOM PASEK (pamiętniki; makaronizmy), JAN SOBIESKI (listy do Marysieńki),
- **plebejski (mieszczański)** – Jan z Kijan (literatura ulotna, anonimowa).

Inne sztuki:

powstanie opery we Włoszech,
muzyka instrumentalna – Bach (niem.), Vivaldi (wł.),
architektura barokowa – pałace, kościoły,
malarze niderlandzcy: Rubens i Rembrandt.

---

[1] **ekstaza** – stan uniesienia, graniczący ze stanem chorobowym; od gr. *ekstasis* – oddalenie z miejsca, szaleństwo.

OŚWIECENIE

OGÓLNA CHARAKTERYSTYKA OŚWIECENIA

Nazwa **Oświecenie** (ang. Enlightenment) nawiązuje – w sensie metaforycznym – do światła. Za źródło światła uznano rozum. Zauważ: r o z u m człowieka, czyli ludzki intelekt! Odwrócono się zatem od prawd objawionych, w które trzeba było wierzyć bez możliwości ich weryfikacji[1]. Termin „Oświecenie", określający formację intelektualną w XVIII wieku, powstał w Niemczech (niem. Aufklären), w Anglii używano określenia „wiek rozumu", zaś we Francji – „wiek filozofów".

Przyjrzyjmy się podstawom filozoficznym epoki.

Nowe myślenie wyrosło n a s t a r y c h fundamentach, które już w XVII wieku przygotowali tacy filozofowie, jak Anglik **Franciszek Bacon** (Francis Bacon, 1561-1626), Francuz **Kartezjusz** (René Descartes, czyt. de<u>kart</u>; 1596-1650), Holender **Baruch Spinoza** (1632-1677), Anglik **John Locke** (1632-1704) i Anglik **Izaak Newton** (Sir Isaac Newton, 1642-1726).

Pierwszy z wymienionych, Franciszek Bacon, stworzył podstawy **empiryzmu**[2]; uważał, że główną rolę w procesie poznawania powinno pełnić doświadczenie (eksperyment), a wyniki badań należy poddać wnioskowaniu i n d u k c y j n e m u[3].

Kolejny uczony, Kartezjusz, jest twórcą **racjonalizmu**[4]. Według niego, tylko rozum – krytyczny i wolny od przesądów – daje gwarancję rzetelnego poznania świata, przy czym wyniki badań należy s y s t e m a t y z o w a ć. Formuła Kartezjusza *Cogito ergo sum*[5] nadaje intelektowi najwyższą rangę i streszcza pogląd uczonego na sens ludzkiego istnienia na ziemi.

Myśl tę kontynuował filozof Baruch Spinoza, który również uważał rozum za jedyne narzędzie poznania i kryterium prawdy. Wyniki badań – zdaniem Spinozy

---

[1] **weryfikacja** – sprawdzanie; łac. *verificatio*, od łac. *verus* – prawdziwy i od łac. *facere* – czynić.

[2] **empiryzm** – uznawanie doświadczenia za jedyne źródło poznania; od gr. *empeiria* – doświadczenie; ang. empirism. W XIX w. idee Bacona podejmie i rozwinie inny angielski filozof John Stuart Mill [p. Pozytywizm].

[3] **indukcyjny**, od **indukcja** – sposób rozumowania polegający na wnioskowaniu od szczegółu do ogółu; od łac. *inductio* – wprowadzenie.

[4] **racjonalizm** – kierunek w teorii poznania, który podkreśla rolę rozumu w poznaniu, ale nie docenia doświadczenia; od łac. *ratio* – rozum, rachunek, sąd; ang. rationalism.

[5] *Cogito ergo sum* (łac.) – [czyt. kogito ergo sum], pol. Myślę, więc jestem; ang. I think, therefore I am (exist).

– powinny być poddane metodzie d e d u k c y j n e j[1] [naucz się odróżniać metodę indukcyjną od dedukcyjnej!].

Uczony John Locke sądził, że świat odbiera się za pomocą wrażeń zmysłowych (ang. senses), stąd nazwa jego teorii – **sensualizm**[2]. Dopełnieniem sensualizmu są dociekania wewnętrzne, czyli r e f l e k s j a[3]. Zauważ przy okazji, że uczeni interesują się zarówno metodą poznania, jak i przetwarzaniem pozyskanych wrażeń, dopiero zespolenie tych działań daje wiedzę. Ten sam John Locke twierdził, że w chwili przyjścia noworodka na świat, jego umysł jest jak *tabula rasa*[4], dlatego duże znaczenie przypisywał edukacji i wychowaniu człowieka[5].

Izaak Newton, matematyk, fizyk i filozof, jak klamrą spiął swoimi badaniami ustalenia wybitnych poprzedników. Sam odkrył trzy zasady dynamiki i prawo grawitacji, potwierdził heliocentryczny system Kopernika i umocnił racjonalizm i empiryzm jako metody poznawcze.

Następna generacja uczonych miała zatem szlaki przetarte. Nowe pokolenie myślicieli oświeceniowych tworzyli Francuzi – **Monteskiusz** (Baron de Montesquieu, 1689-1755), **Wolter** (Voltaire, prawdz. nazwisko Francois Marie Arouet, 1694-1778), **Jean Jacque Rousseau** (1712-1778), **Dennis Diderot** (1713-1784), **Helwecjusz** (Claude Adrien Helvetius, 1715-1771), **Jean Le Rond d'Alembert** (1717-1783); Niemcy – **Immanuel Kant** (1724-1804), **Moses Mendelssohn** (filozof żyd.-niem., 1729-1786, dziadek kompozytora Feliksa Mendelssohna-Bartholdy); Anglik – **Jonathan Swift** (1667-1745); Szkot – **David Hume** (1711-1776); Amerykanie – **Beniamin Franklin**[6] (1706-1790), **Tom Paine** (ur. w Anglii, później mieszkał w Stanach Zjednoczonych i we Francji, 1737-1809) i **Thomas Jefferson** (1743-1826). Każda z wymienionych osób wniosła wkład w rozwój nowoczesnej myśli.

W latach 1751-1780 ukazało się 35 tomów **Wielkiej Encyklopedii Francuskiej**. Materiał, który w niej zamieszczono, został dobrany krytycznie i rzetelnie. Do głównych encyklopedystów należą m.in. wymienieni już Diderot, d'Alembert, Monteskiusz, Wolter, Rousseau, Helwecjusz.

---

[1] **dedukcyjny**, od **dedukcja** – sposób rozumowania polegający na przechodzeniu od wiadomości ogólnych do coraz bardziej szczegółowych; od łac. *deductio* – wyprowadzenie.

[2] **sensualizm** – teoria filozoficzna uznająca odczucia i wrażenia za jedyne źródło poznania; od łac. *sensualis* – zdolny do odczuwania; ang. sensualism.

[3] **refleksja** – głębsze zastanowienie, rozmyślanie, rozważanie; od łac. *reflexio* – odgięcie.

[4] *tabula rasa* (łac.) – [czyt. tabula raza), czysta karta, nie zapisana tablica.

[5] dzisiejszy stan nauki do edukacji i wpływu środowiska społecznego dodaje jeszcze materiał genetyczny jako istotny element określający potencjał ludzkiej jednostki.

[6] angielska pisownia: Benjamin Franklin.

ECHA REWOLUCJI AMERYKAŃSKIEJ (AMERICAN REVOLUTION, 1775-1783). KAZIMIERZ PUŁASKI (1747-1779) I TADEUSZ KOŚCIUSZKO (1746-1817)

Pod koniec wieku XVIII, w wyniku trwającej osiem lat rewolucji, z kolonii brytyjskich na kontynencie północnoamerykańskim powstaje nowe państwo – **Stany Zjednoczone**. Znamy nazwiska amerykańskich „olbrzymów" epoki – **Beniamina Franklina** (1706-1790) i **Thomasa Jeffersona** (1743-1826), którzy byli kolejno amerykańskimi ambasadorami (ang. American ministers) w Paryżu. Stąd przenieśli oni za ocean m y ś l   d e m o k r a t y c z n ą, np. trójpodział władzy[1], u p o d o b a n i a a r t y s t y c z n e, np. zamiłowanie do klasycznej architektury, oraz – ciekawostka – r o d z a j e   p o t r a w, np. French fries. Franklin przebywał we Francji w latach 1776-1785, a Jefferson – w latach 1784-1789. Gdy w koloniach brytyjskich trwała rewolucja, Franklin z Europy kierował posiłkami militarnymi i pracował nad układami politycznymi z Anglią.

Kazimierz Pułaski (1747-1779)

To właśnie wtedy Franklin pozyskał dla Amerykańskiej Rewolucji bohaterskiego Polaka **Kazimierza Pułaskiego**. Po otrzymaniu od Franklina listów polecających Pułaski zaokrętował się 6 czerwca 1777 roku w Nantes we Francji i przybił do portu Marblehead koło Bostonu 23 lipca 1777 roku. Podróż żaglowcem przez Ocean Atlantycki trwała siedem tygodni. To, że Pułaski oddał się w służbę Amerykańskiej Rewolucji, było konsekwencją jego wcześniejszej drogi życiowej.

Kazimierz Pułaski urodził się 4 marca 1747 roku w majątku Winiary (dzisiaj: w granicach miasta Warka), niedaleko Warszawy, w zamożnej rodzinie szlacheckiej. Jego przodkowie walczyli w armii Jana Sobieskiego pod Chocimiem i Wiedniem. Ojciec i dwaj bracia Kazimierza też angażowali się w życie publiczne. W swych przekonaniach byli antyrosyjscy, zwłaszcza od 1753 roku, kiedy poróżnili się na tle politycznym z Familią Czartoryskich[2]. Po śmierci króla Augusta III Sasa stronnictwo Czartoryskich wysunęło własnego kandydata do tronu, Stanisława Augusta Poniatowskiego, który p r z y   p o m o c y   R o s j i został obrany królem Polski w 1764 roku. Ten właśnie fakt wpłynął na polityczną przyszłość Kazimierza Pułaskiego. 29 lutego 1768 roku niezadowolony Kazimierz wraz ze swoim ojcem, braćmi, Franciszkiem i Antonim, oraz innymi przedstawicielami konserwatywnej[3], ale patriotycznej szlachty polskiej zawiązali **Konfederację**

---

[1] chodzi o podział na władzę ustawodawczą, wykonawczą i sądowniczą według Monteskiusza, widoczny w powstającej wówczas konstytucji amerykańskiej.

[2] **Familia** – magnackie stronnictwo polityczne, którego przywódcami byli bracia Michał Fryderyk i Aleksander August Czartoryscy; głosiło program reform, w polityce zagranicznej reprezentowało orientację prorosyjską.

[3] **konserwatywna** – dążąca do utrzymania dawnego ładu; od łac. *conservativus* – zachowawczy.

Kazimierz Pułaski

Barską[1]. Był to związek zbrojny, którego przywództwo i cele zmieniały się, ale generalnie chodziło o „obronę wiary i wolności" i utrzymanie niezależności Rzeczypospolitej od Rosji. Wojska Konfederacji Barskiej toczyły, ze zmiennym szczęściem, partyzanckie[2] walki z silniejszymi od siebie oddziałami rosyjskimi na terenie całego kraju. Patrioci uzyskali przejściową pomoc od Francji i Turcji – naturalnych przeciwników Rosji. Konfederacji Barskiej i, osobiście, Kazimierzowi Pułaskiemu zaszkodził incydent z dnia 3 listopada 1771 roku, kiedy to w Warszawie doszło do nieudanego porwania króla. W akcji tej zginął hajduk (żołnierz) Henryk Butzau, który własnym ciałem zasłonił monarchę. Król Stanisław został wtedy ranny i uprowadzony przez napastników. Wkrótce jeden z nich o nazwisku Kosiński (Kuźma) załamał się i w konsekwencji uratował życie królowi, prowadząc go do młynarza na Marymoncie (dziś: dzielnica Warszawy). Chociaż Pułaski przebywał wówczas poza stolicą, został oskarżony o zaplanowanie całej akcji i okrzyczany królobójcą. Starał się oczyścić się z tych zarzutów, ale – bezskutecznie. 28 sierpnia 1773 roku sąd sejmowy skazał Pułaskiego zaocznie[3] na utratę honoru oraz czci „na wieki", pozbawienie majątku i karę śmierci przez ścięcie.

W czasie czterech lat istnienia Konfederacji Barskiej Kazimierz Pułaski stracił w walkach ojca i brata, a jego drugi brat dostał się do niewoli rosyjskiej. Politycznie Konfederacja Barska nie osiągnęła swoich celów, co więcej – niechcący przyczyniła się do... pierwszego rozbioru Polski. Rosja bowiem uświadomiła sobie, że nie zdoła samodzielnie opanować niesfornych Polaków i w związku z tym zaproponowała sąsiadom – Austrii i Prusom – wspólny podział naszego kraju. **Akt pierwszego rozbioru Polski dokonanego przez trzy kraje został podpisany w Petersburgu w 1772 roku**.

W tym samym roku Pułaski uszedł za granicę. Pod przybranymi nazwiskami przebywał we Francji, Turcji i Niemczech. Był zawodowym żołnierzem, „ostatnim rycerzem Europy" – jak go później nazwano – i pragnął oddać swoje umiejętności i doświadczenie wojskowe jakiejś „sensownej wojnie". Za taką uznał **Amerykańską Rewolucję**. Po przybyciu na nowy kontynent zameldował się w sierpniu 1777 roku

---

[1] **konfederacja** – w dawnej Polsce: porozumienie zawiązywane przez szlachtę lub magnatów na krótki okres w celu zrealizowania politycznych planów; od łac. *confoederatio* – związek. **Konfederacja Barska** – (1768-1772), porozumienie s z l a c h t y zawiązane w majątku Bar na Podolu, stąd nazwa.

[2] **partyzanckie** – tu: nieskoordynowane, prowadzone na własną rękę; od fr. partisan [czyt. partizaⁿ]; od łac. M. *pars*, D. *partis* – część.

[3] **zaocznie** – pod czyjąś nieobecność, w czasie czyjejś nieobecności.

Stefan Batowski „Generał Pułaski pod Savannah", 1932, Lwów. Oryginał obrazu znajduje się w Muzeum Polskim w Chicago, USA, natomiast replika (powtórzenie dzieła przez twórcę) w Muzeum Kazimierza Pułaskiego w Warce koło Warszawy

w kwaterze naczelnego wodza wojsk amerykańskich Jerzego Waszyngtona w Pensylwanii[1]. Od niego 15 września 1777 roku otrzymał nominację na generała kawalerii[2]. Wziął udział w walkach nad rzeką Brandywine, potem pod Germantown i w innych miejscach. W kwietniu 1778 roku za zgodą Waszyngtona zorganizował samodzielny Legion Pułaskiego w Baltimore. Przejściowe kłopoty spowodowały, że Pułaski myślał o powrocie do Europy i zwrócił się nawet z taką prośbą do Waszyngtona, ale ją wkrótce wycofał. Waszyngton skierował Legion do Południowej Karoliny, gdzie 8 maja zaczęły się walki o miasto Charleston. 14 września Legion przemieścił się w rejon miasta Savannah, w stanie Georgia. W czasie jego zdobywania, w dniu 9 października, Pułaski został śmiertelnie ranny. W dwa dni później, 11 października 1779 roku, zmarł na statku „Wasp", który wiózł go z powrotem do miasta Charleston. Sprawa miejsca pogrzebu nie jest definitywnie[3] rozstrzygnięta. Przez wiele lat uważano, że zwłoki polskiego generała spoczęły w morzu. Ostatnie badania sugerują, iż szczątki Kazimierza Pułaskiego zostały złożone wewnątrz pomnika, wzniesionego na jego cześć w Savannah.

Kazimierz Pułaski żył zaledwie 32 lata. W 1793 roku sejm w Polsce unieważnił wyrok śmierci wydany na niego 20 lat wcześniej.

---

[1] ang. [...] he reported at the headquarters of the commander-in-chief of the Continental Army George Washington in Pennsylvania – tłum. W.M.

[2] ang. [...] he was nominated a general of cavalry – tłum. W.M.; **kawaleria** – wojsko walczące konno; od wł. cavalleria – oddział konny; od wł. cavallo – koń.

[3] **definitywnie** – ostatecznie; od łac. *definitivus* – określający; ang. definitive.

Tadeusz Kościuszko (1746-1817)

Tadeusz Kościuszko. Fot.: Archiwum WSiP

Inaczej rzecz się miała z **Tadeuszem Kościuszką**. Po raz pierwszy Kościuszko przybił do brzegów Ameryki w sierpniu 1776 roku, czyli na blisko rok przed Pułaskim. Był świeżo po studiach w zakresie inżynierii umocnień wojskowych, które odbył w Polsce i we Francji. W czasie Amerykańskiej Rewolucji Tadeusz Kościuszko służył pod komendą generała Horatio Gatesa. Podobno dwaj słynni Polacy spotkali się raz, w Wigilię 1777 r., kiedy to Kościuszko odwiedził Pułaskiego w jego namiocie, gdy ten stacjonował w Trenton, w stanie New Jersey[1]. Odnosili się do siebie z wielkim szacunkiem.

Tadeusz Kościuszko był o rok starszy od Pułaskiego. Urodził się 4 lutego 1746 roku w majątku Mereczowszczyzna w Polsce (dziś: na Białorusi) w rodzinie szlacheckiej. Świetnie wykształcony w zakresie budowy fortyfikacji, po przyjeździe do Ameryki zaprojektował umocnienia obronne Kongresu Kontynentalnego w Pensylwanii. W późniejszym czasie wsławił się budową umocnień wzdłuż rzeki Hudson, zwłaszcza wokół miasta Saratoga i w rejonie stacjonowania wojsk w West Point[2], w stanie Nowy Jork. Wiosną 1781 roku prowadził blokadę miasta Charleston. Kościuszko walczył do końca rewolucji. Za zasługi dla Ameryki otrzymał obywatelstwo amerykańskie, ziemię i stopień generała.

W 1784 roku Kościuszko wrócił do Polski. Osiadł w majątku Siechnowicze, gdzie uwolnił chłopów od pańszczyzny. Po kilku latach powrócił do służby wojskowej. 18 maja 1792 roku wojska rosyjskie (100 tysięcy żołnierzy) wkroczyły do Polski, by położyć kres reformom podejmowanym przez Polaków, a zwłaszcza uchwalonej w 1791 roku Konstytucji 3 Maja. W czasie wojny polsko-rosyjskiej Kościuszko wykazał się męstwem i talentem wojskowym. Brał udział m.in. w bitwie pod Zieleńcami (18 czerwca 1792 roku), którą dowodził ks. Józef Poniatowski, i pod

---

[1] spotkanie to jest słabo udokumentowane, informację podaję za: Abodaher, David J. No Greater Love. Casimir Pulaski. Philadelphia: Copernicus Society of America, ca 1968, s. 114-116 oraz Abodaher, David J. Son of Liberty. Thaddeus Kosciuszko. Philadelphia: Copernicus Society of America, ca 1968, s. 91-95; **ca** – łac. *circa* [czyt. c-irka] – około.

[2] dziś znajduje się tu znana uczelnia wojskowa, założona w 1802 roku. Ukończyli ją tacy adepci, jak Ulysses S. Grant (generał w czasie wojny secesyjnej 1861-1865 i 18. prezydent USA), John J. Pershing (generał w czasie I wojny światowej), Dwight D. Eisenhower (generał w czasie II wojny światowej i 34. prezydent USA) i Douglas MacArthur (generał w czasie II wojny światowej, który przyjął kapitulację Japonii w 1945).

Michał Stachowicz „Przysięga Tadeusza Kościuszki na Rynku Krakowskim", ok. 1816, Muzeum Narodowe w Krakowie. Fot.: Archiwum WSiP

Dubienką (18 lipca 1792 roku), w której odniósł sukces jako dowódca. W uznaniu zasług otrzymał od króla polskiego order Virtuti Militari[1]. Docenił go również rewolucyjny rząd w Paryżu i przyznał mu honorowe obywatelstwo francuskie. Wkrótce potem król Stanisław August Poniatowski przystąpił do Konfederacji Targowickiej[2], zdradzając kraj i reformy, w związku z czym patrioci (wśród nich Kościuszko) złożyli broń i przeszli przez zachodnią granicę. **W 1793 roku Rosja i Prusy podpisały akt drugiego rozbioru Polski.** W następnym roku Kościuszko powrócił w rejon Krakowa, gdzie przygotowywano wystąpienie zbrojne, i objął przywództwo powstania, które przeszło do historii jako **Powstanie Kościuszkowskie** albo **Insurekcja**[3] **Kościuszkowska.** 24 marca 1794 roku na Rynku w Krakowie złożył uroczystą przysięgę. Po wspaniałym zwycięstwie w bitwie pod Racławicami (4 kwietnia) naczelnik powstania Tadeusz Kościuszko wyróżnił przywódcę k o s y n i e r ó w[4]

---

[1] **Virtuti Militari** – „za męstwo wojskowe"; najwyższy polski order wojskowy, ustanowiony 22 czerwca 1792 roku przez króla Stanisława Augusta dla upamiętnienia bitwy pod Zieleńcami. Zniesiony w 1792 roku przez Targowicę powrócił w 1807 roku pod inną nazwą; ponownie zniesiony w 1832 roku przez cara Mikołaja I został przywrócony w 1919 roku, tj. po odzyskaniu przez Polskę niepodległości. Pierwszymi odznaczonymi byli Tadeusz Kościuszko i książę Józef Poniatowski, bohaterski bratanek króla; od łac. M. *virtus*, D. *virtutis* – męstwo, cnota i od łac. *militaris* – wojskowy.

[2] **Konfederacja Targowicka** – (1792-1793), organizacja zawiązana przez grupę polskich m a g - n a t ó w w celu unieważnienia Konstytucji 3 Maja z 1791 r.

[3] od łac. *insurrectio* – powstanie.

[4] **kosynier** – żołnierz uzbrojony w kosę, tj. ostrze na drzewcu; określenie zostało upowszechnione po Insurekcji Kościuszkowskiej.

Wojciecha Bartosza ze wsi Rzędowice, nadając mu szlachectwo i nazwisko Głowacki. 7 maja 1794 roku Kościuszko ogłosił **Uniwersał Połaniecki**[1], w którym poczynił ulgi na rzecz chłopów, chcąc ich pozyskać do walki w obronie niepodległości kraju. Reformy Uniwersału nie weszły w życie na skutek oporu szlachty. Rozegrana 10 października 1794 roku bitwa pod Maciejowicami zakończyła się klęską Polaków. W jej wyniku Kościuszko został ranny, a następnie dostał się do niewoli rosyjskiej. Uwięziono go w twierdzy Pietropawłowskiej w Petersburgu razem z adiutantem[2] Julianem Ursynem Niemcewiczem[3]. Powstanie upadło. **W 1795 roku Rosja, Prusy i Austria dokonały trzeciego i ostatecznego rozbioru Polski.**

Po śmierci carycy Katarzyny II w 1796 roku Kościuszko i Niemcewicz odzyskali wolność z rąk jej syna – cara Pawła I. Przez Finlandię, Szwecję i Anglię udali się do Ameryki. Do Filadelfii[4], w stanie Pensylwania, przybyli 18 sierpnia 1797 roku. Kościuszko spędził w Ameryce 8 miesięcy, natomiast Niemcewicz ożenił się z Amerykanką i przebywał w USA do 1807 roku. W czasie pobytu w Filadelfii Kościuszko mieszkał w domu pod adresem 301 Pine Street[5]. Utrzymywał kontakty z dawnymi przyjaciółmi, m.in. z Thomasem Jeffersonem, ówczesnym wiceprezydentem. Gdy w 1798 roku wyjeżdżał, już na zawsze, z Ameryki, uczynił Jeffersona wykonawcą swojego testamentu, przeznaczając amerykański majątek na wyzwolenie i edukację czarnych niewolników.

Po powrocie na stary kontynent Tadeusz Kościuszko zastał inną Europę: kończyła się Wielka Rewolucja Francuska i na scenę polityczną wkraczał Napoleon I Bonaparte. Kościuszko nie ufał Napoleonowi i nie zamierzał z nim współpracować. Zmarł 15 października 1817 roku w Solurze w Szwajcarii w wieku 71 lat. Dwa lata później jego szczątki przewieziono do Krakowa i złożono na Wawelu.

---

[1] **uniwersał** – wezwanie, ważne rozporządzenie; od łac. *universalis* – ogólny, powszechny.

[2] **adiutant** – oficer przyboczny; od łac. *adiutare* – dopomagać.

[3] **Julian Ursyn Niemcewicz** – (1758-1841), adiutant i sekretarz księcia Adama Kazimierza Czartoryskiego, później Tadeusza Kościuszki, wybitny pisarz, dramatopisarz i poeta epoki Oświecenia. Poświęcimy mu oddzielny rozdział.

[4] am. miasto Philadelphia w stanie Pennsylvania.

[5] w 1970 roku Edward J. Piszek, amerykański biznesman, którego rodzice urodzili się w Polsce, zakupił ten dom z zamiarem jego renowacji (odnowienia) i przekazania społeczeństwu Ameryki jako **„Thaddeus Kosciuszko National Memorial"**. Aż 6 lat trwały dyskusje prawne, łącznie z przesłuchaniem w Senacie USA, w którą to sprawę zaangażowało się wielu znanych ludzi. Dziś w domu pod adresem **301 Pine Street w rejonie historycznego dystryktu Filadelfii** znajduje się pięknie utrzymane muzeum Tadeusza Kościuszki, które trzeba koniecznie odwiedzić podczas wizyty w mieście. Cały dystrykt nazywa się National Historical Park i uważa się go za „najbardziej historyczną milę kwadratową w Ameryce". Tu znajduje się słynny budynek Independence Hall, w którym podpisano Deklarację Niepodległości (1776) i Konstytucję Amerykańską (1787). W pobliżu jest Liberty Bell Pavilion ze słynnym pękniętym dzwonem, który obwieszczał podpisanie Declaration of Independence, następnie budynek Carpenters' Hall, gdzie odbył się pierwszy Kongres Kontynentalny w 1774 roku i ulica Elfreth's Alley, wzdłuż której w zwartej zabudowie stoją 33 domy z XVII i XVIII w. Na każdym kroku znajdujemy miejsca związane ze słynnymi ludźmi, jak Washington, Jefferson, Franklin, Hamilton, Lincoln i Kennedy. Informują o tym przewodnicy i liczne tablice pamiątkowe. W tymże samym historycznym dystrykcie znajduje się Polish-American Cultural Center (adres: 308 Walnut Street, Philadelphia, PA, 19106; tel. (215) 922-1700). Można tu obejrzeć ekspozycję muzealną i uzyskać informacje o Polsce.

Postępowa myśl europejskiego Oświecenia dotarła z Europy do Stanów Zjednoczonych i znalazła swoje odbicie w dwóch wybitnych dokumentach amerykańskich: „The Declaration of Independence" z 1776 roku i „The Constitution of the United States"[1] z 1787 roku.

*

Ruch intelektualny XVIII wieku ukształtował się pod wpływem n o w o - c z e s n e j r e w o l u c j i n a u k o w e j. Zapoczątkował ją w XVI wieku polski astronom Mikołaj Kopernik. **Od czasów Kopernika nauka jest bez przerwy w ofensywie, wyznaczając kierunek rozwoju ludzkości.**

Czy wiesz, że...
- Konstytucja **Stanów Zjednoczonych** z 17 września 1787 roku była p i e r w s z ą ustawą zasadniczą na świecie,
- Konstytucja 3 Maja 1791 roku uchwalona **w Polsce** była pierwszą konstytucją w Europie, a d r u g ą na świecie,
- Konstytucja **Francji** z 3 września 1791 roku była drugą konstytucją w Europie, a t r z e c i ą na świecie?

Polacy o światowej sławie na przestrzeni dziejów

- Pierwszym wybitnym Polakiem na arenie światowej był astronom **Mikołaj Kopernik** (łac. pisownia nazwiska *Nicolaus Copernicus*), żyjący w latach 1573-1543.
- W Austrii i Watykanie cieszył się sławą obrońca spod Wiednia, hetman polny i hetman wielki koronny **Jan Sobieski** (1624-1696), późniejszy król Polski.
- W Rewolucji Amerykańskiej zasłużyli się generałowie **Kazimierz Pułaski** (1747-1779) i **Tadeusz Kościuszko** (1746-1817).
- Na Węgrzech znalazł sławę wybitny oficer artylerii, generał wojsk polskich, węgierskich i tureckich **Józef Bem** (1794-1850).
- W Australii i na Tasmanii zasłużył na trwałą pamięć geograf i podróżnik **Paweł Edmund Strzelecki** (1797-1873).
- W Chile dał się poznać wybitny mineralog i geolog **Ignacy Domeyko** (1802-1889).
- W XIX wieku światowy rozgłos zdobyli wielki kompozytor romantyczny **Fryderyk Chopin** [czyt. szopen], żyjący w latach 1810-1849, i **Maria Skłodowska-Curie** [czyt. ki_ri], żyjąca w latach 1867-1934, odkrywczyni pierwiastków promieniotwórczych, radu i polonu, dwukrotna laureatka Nagrody Nobla (w 1903 z fizyki i w 1911 z chemii). Zarówno Chopin, jak i Skłodowska-Curie spędzili swoje życie po części w Warszawie i w Paryżu.
- Żyjący w latach 1857-1924 **Joseph Conrad** (prawdziwe nazwisko Teodor Józef Konrad Korzeniowski) należy do najwybitniejszych pisarzy angielskich.
- **Florian Witold Znaniecki** (1882-1958), profesor University of Chicago w USA, uważany jest za współtwórcę nauki socjologii.

---

[1] polskie nazwy: Deklaracja Niepodległości i Konstytucja Stanów Zjednoczonych.

Na międzynarodowej arenie znanych jest co najmniej czworo współcześnie żyjących Polaków:

- **Jan Paweł II** (ur. w 1920), właściwe nazwisko Karol Wojtyła, charyzmatyczny papież sprawujący swój pontyfikat[1] od 16 października 1978 roku.
- **Lech Wałęsa** (ur. w 1943), przywódca „Solidarności", uważany za siłę sprawczą zmian ustrojowych, laureat Pokojowej Nagrody Nobla z 1983 roku, w latach 1990-1994 prezydent Polski.
- **Czesław Miłosz** (ur. w 1911), pisarz i poeta, profesor Uniwersytetu Kalifornijskiego w Berkeley, CA, USA, laureat Literackiej Nagrody Nobla z 1980 roku.
- **Wisława Szymborska** (ur. w 1923), poetka, laureatka Literackiej Nagrody Nobla z 1996 roku.

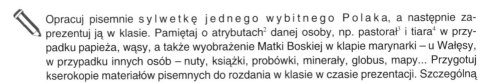

Opracuj pisemnie s y l w e t k ę j e d n e g o w y b i t n e g o P o l a k a, a następnie zaprezentuj ją w klasie. Pamiętaj o atrybutach[2] danej osoby, np. pastorał[3] i tiara[4] w przypadku papieża, wąsy, a także wyobrażenie Matki Boskiej w klapie marynarki – u Wałęsy, w przypadku innych osób – nuty, książki, probówki, minerały, globus, mapy... Przygotuj kserokopie materiałów pisemnych do rozdania w klasie w czasie prezentacji. Szczególną uwagę zwróć na patrona twojej polskiej szkoły!

Pomocą w przygotowaniu pracy domowej mogą być materiały o Kazimierzu Pułaskim i Tadeuszu Kościuszce, wydane w językach angielskim i polskim przez Polish National Alliance, z siedzibą w Chicago (adres: Polish National Alliance, 6100 North Cicero Ave., Chicago, IL 60646-4386; tel. (773) 286-0500, tel. bezpłatny dla osób spoza stanu Illinois 1-800-621-3723). Pomocna będzie też książka napisana z myślą o uczniach i nauczycielach polonijnych: Michowicz, Janina, ed.[5] Polacy, których poznać warto. Warszawa: WSiP, 1986.

Zapamiętaj zwłaszcza fakty z życia i działalności **Kazimierza Pułaskiego i Tadeusza Kościuszki** – „ambasadorów polskiego narodu" na terenie USA, a także **Fryderyka Chopina, Jana Pawła II i Lecha Wałęsy**. Wymienione osoby-symbole znane są na całym świecie i musisz się liczyć z tym, że co jakiś czas ktoś zagadnie cię na ich temat. Do dzisiaj na przykład, w najbardziej odległym zakątku świata egzotyczny taksówkarz po usłyszeniu nazwy „Poland" zapyta o „Walesa", czyli Lecha Wałęsę.

Encyklopedia[6]

Encyklopedia to wydawnictwo naukowe obejmujące wiadomości ze wszystkich dziedzin wiedzy.
(Mowa tu o encyklopedii o g ó l n e j. Bywają także encyklopedie zawierające materiał z jednej tylko dziedziny – nazywamy je wtedy encyklopediami p r z e d m i o t o w y m i.)

---

[1] **pontyfikat** – okres rządów papieża; od łac. *pontificatus* – urząd.

[2] **atrybut** – charakterystyczna cecha albo przedmiot określający osobę; od łac. *atributum* – cecha należąca do rzeczy.

[3] **pastorał** – długa laska, zakręcona u góry, będąca oznaką władzy biskupa (w Starożytności papieżem był biskup Rzymu); od łac. *pastoralis* – pasterski; od łac. *pastor* – pasterz.

[4] **tiara** – potrójna korona papieża; gr. *tiara*.

[5] **ed.** – edytor albo redaktor, albo autor antologii, albo osoba, która przygotowała do druku prace kilku autorów. Omawiana książka to „praca zbiorowa pod redakcją Janiny Michowicz".

[6] od gr. *enkyklopaideia* – zakres (ogólnej) wiedzy; ang. encyclopedia.

Blaise Pascal, francuski matematyk, myśliciel i uczony żyjący w XVII wieku napisał: „Skoro nie jesteśmy w stanie wiedzieć wszystkiego o wszystkim, poznajmy przynajmniej trochę o wszystkim". I to jest uzasadnienie dla tworzenia encyklopedii oraz częstego posługiwania się nimi przez szerokie masy czytelników.

Pierwsza encyklopedia została przygotowana w Grecji ok. 370 r. p.n.e. przez *Speusippusa*, ucznia Platona, i zawierała informacje z zakresu historii, matematyki i filozofii. Potem pojawiały się różne próby systematyzowania wiedzy, ale dopiero **Wielka Encyklopedia Francuska** z lat 1751-1780 zasłużyła na miano dzieła przełomowego, gdyż zaprezentowała materiał w sposób rzeczowy i krytyczny. Pierwsza wersja **Encyclopedia Britannica** powstała w latach 1768-1771 z inicjatywy trzech Szkotów, natomiast **Encyclopedia of America** pochodzi z lat 1829-1833.

W Polsce było kilka prób pisania encyklopedii. Za pierwszą publikację tego typu na naszym gruncie uważa się dwutomowe dzieło księdza **Benedykta Chmielowskiego** z lat 1745-1746 pt. „**Nowe Ateny** albo Akademja wszelkiej scjencyi pełna, na różne tytuły, jak na classes podzielona: mądrym dla memorjału, idiotom dla nauki, politykom dla praktyki, melancholikom dla rozrywki erygowana". Następną polską próbą encyklopedyczną była praca **Ignacego Krasickiego pt. „Zbiór potrzebniejszych wiadomości..."** z lat 1781-1783. Przełomowa w polskich wydawnictwach encyklopedycznych okazała się „**Encyklopedia powszechna**" **Samuela Orgelbranda** opublikowana w latach 1858-1868, która postawiła rodzimą myśl krytyczną na najwyższym poziomie.

Do tej pory wydano setki tytułów encyklopedycznych na całym świecie. Współczesne encyklopedie ukazują się nie tylko w formie dzieł książkowych, ale także w wersji komputerowej – na CD-ROM (Compact Disc – Read Only Memory), gdzie tekst, ilustracje i dźwięk zapisane są cyfrowo i łatwo jest dokonywać interrelacji między tematami.

➡ W jaki sposób porządkowane są wiadomości w typowej encyklopedii? [odpowiedz teraz]

Starsze encyklopedie zestawiały informacje według tematów, co bywało tendecyjne, bo np. niemieckie encyklopedie preferowały naukę i technologię, natomiast francuskie – filozofię i matematykę. Z kolei w encyklopediach arabskich informacje o jedzeniu i kobietach zamieszczano zawsze na końcu.

Encyclopedia Brytannica była pierwszą encyklopedią, w której zastosowano p o r z ą d e k a l f a b e t y c z n y.

➡ **Ćwiczenie.** Podaj jak najwięcej s p o s o b ó w p o r z ą d k o w a n i a r z e c z y, ogólnie w życiu, nie tylko w encyklopedii, np. według numerów (rozmiary ubrań), kolorów (kredki w pudełku), twardości grafitu (ołówki dla rysowników), średnicy koła (talerze na półce) itd.

WĘDRÓWKI KULTURALNE PO EUROPIE W XVIII WIEKU

Powierzchnia kontynentu europejskiego liczy 10 531 623 km^2 [1] (tj. 4, 066, 281 sq mi). Dla porównania, powierzchnia Stanów Zjednoczonych wynosi 9 372 575 km^2 (tj. 3, 618, 770 sq mi). W Europie w ostatnich trzech wiekach liczba państw wahała

---

[1] **km^2** – [czyt. kilometry kwadratowe].

się od ok. 25 do ok. 35, jako że podboje polityczne, zabory i podziały narodowe ustawicznie pociągały za sobą zmiany granic i liczby państw.

Od swego zarania Europa stała otworem dla Europejczyków. Przypomnij sobie podróże renesansowych artystów po dworach królewskich, wyjazdy synów szlacheckich do renomowanych uczelni włoskich, kolonizacje miast, przemieszczanie się innowierców w czasach nietolerancji religijnej. Europa, z racji ścieśnienia państw na stosunkowo małej powierzchni oraz powszechnego języka łacińskiego, a później francuskiego, była łatwo dostępna dla mieszkańców całego kontynentu.

W XVIII wieku doszedł nowy element, tym razem związany z modą.

Otóż stało się wówczas niezmiernie popularne, że bogaci rodzice (ze sfery arystokracji i zamożnej szlachty) wyprawiali swoich synów w podróż po kontynencie europejskim. Był to tzw. Wielki Objazd (ang. **Grand Tour**). Wyprawa stanowiła podsumowanie wieloletniej edukacji, miała utrwalić znajomość języków obcych, nauczyć dobrych manier i zapoznać adeptów[1] z oryginalną sztuką u samych źródeł. Najbardziej popularnym celem podróży młodzieńców z różnych krajów była Italia, zwłaszcza takie miasta, jak Wenecja, Genua, Florencja i Rzym (ang. Rome), a także austriackie Niderlandy (ang. Austrian Netherlands) z Amsterdamem, najruchliwszym i najbogatszym miastem ówczesnej Europy. Odwiedzano chętnie Francję, zwłaszcza Paryż i Wersal[2], oraz miasta niemieckie, austriackie, a nawet St. Petersburg w Rosji. Podróż odbywano w powozach konnych, a młodzieńcowi towarzyszyli korepetytor[3] i służący. W wyniku nabytych doświadczeń młodzi arystokraci wyrabiali w sobie podobne (wspólne) gusta artystyczne. Znajdowało to później odbicie w architekturze ich rezydencji naśladujących wille włoskie, w zakładanych ogrodach, stylizowanych na wzór wersalskiego, w obrazach i rzeźbach, którymi się otaczali, w upodobaniach muzycznych itd.

Praca z mapą

 Wskaż na mapie Europy kraje i miasta chętnie odwiedzane w XVIII wieku przez młodych arystokratów.

Poszerzenie wiadomości

➡ Obejrzyj albumy prezentujące królewskie pałace w Europie: Pałac Wersalski Ludwika XIV w Wersalu pod Paryżem, Francja; Pałac Schönbrunn w Wiedniu, Austria; zespół pałaców Kongens Nytorv w Kopenhadze, Dania (ang. Denmark); Pałac Zimowy (ang. Winter Palace) w St. Petersburg, Rosja. Zauważ, że zostały one zbudowane z wielkich rozmachem i nawiązują architekturą oraz założeniem ogrodowym do Pałacu Wersalskiego. Jak to świadczy o gustach europejskich w tym czasie? Co można powiedzieć

---

[1] **adept** – człowiek uczący się, wtajemniczony; od łac. *adeptus* – ten, który osiągnął.

[2] **Wersal** – fr. i ang. Versailles. Wersal jest odległy o 22 km (14 mi) na płd.-zach. od Paryża. Pałac, w którym mogło przebywać 20 tysięcy ludzi jednocześnie, i jego rozległe ogrody należą do najczęściej odwiedzanych miejsc historycznych w Europie. Przenośnie: **wersal** (pisany małą literą) – dobre maniery, wytworność, elegancja w zachowaniu.

[3] **korepetytor** – prywatny nauczyciel; od łac. con – razem i od łac. *repetere* – powtarzać.

o monarchach, prześcigających się w okazywaniu bogactwa dworu? Czyim kosztem wznoszone były okazałe budowle królewskie?

W bibliotece publicznej wypożycz filmy wideo, prezentujące różne kraje Europy. Przykładowe tytuły: Austria. Vienna. Salzburg. Travels in Europe with Rick Steves. Color, 1995 (video 914.36); Great Castles of Europe. France & Spain. The Learning Channel. Color, 1994 (video 914); France. Provence & The Loire. Burgundy. Travels in Europe with Rick Steves. Color, 1993 (video 914.4).

Po obejrzeniu filmu (filmów) podziel się swoimi wrażeniami. A może odwiedziłeś już kiedyś królewski pałac w Polsce lub w innym kraju Europy?

SPORNE LATA 1733-1764. JESZCZE PÓŹNY BAROK CZY JUŻ WCZESNE OŚWIECENIE?

W rozdziale niniejszym wracamy do Polski, by przyjrzeć się naszej kulturze w okresie Oświecenia. Spróbujmy najpierw rozstrzygnąć problem natury formalnej, dotyczący periodyzacji[1] literatury polskiej. Na początku podręcznika znajduje się tabela pn. PODZIAŁ NA EPOKI LITERACKIE. Odszukaj w niej BAROK (1620-1764) i OŚWIECENIE (1764-1822). Tradycyjna szkoła historii literatury, reprezentowana przez prof. Juliana Krzyżanowskiego, lokalizuje Oświecenie w latach podanych w naszym zestawieniu. Młodsza szkoła, m.in. prof. Zdzisław Libera, przesuwa początek Oświecenia na rok 1733, dostrzegając już wtedy oznaki nadchodzących zmian. Ta uwaga powinna ci uświadomić, że **periodyzacje nie są ustalone raz na zawsze i mogą ulegać zmianom**. A zatem – ty za początek Oświecenia możesz przyjąć **albo rok 1733** (początek panowania króla Augusta III i napisanie przez Stanisława Leszczyńskiego dzieła pt. ,,Głos wolny wolność ubezpieczający''), **albo rok 1764** (początek panowania króla Stanisława Augusta Poniatowskiego). Pamiętaj, żebyś umiał s w ó j   w y b ó r   u z a s a d n i ć, a pomoże ci w tym zdobywana na lekcjach wiedza i samodzielna lektura.

W roku 1733 zmarł król August II Mocny i znów zaczęły się walki o tron Polski. Do korony pretendował P o l a k   S t a n i s ł a w   L e s z c z y ń s k i, którego córka Maria poślubiła kilka lat wcześniej króla Francji Ludwika XV, oraz S a s (N i e m i e c) A u g u s t I I I, syn zmarłego króla Augusta II Mocnego. W wyniku tzw. w o j n y   s u k c e s y j n e j   p o l s k i e j[2] (1733-1735), prowadzonej przez Francję, Hiszpanię i Sardynię przeciwko Austrii, królem Polski został August III, zaś Stanisław Leszczyński wyjechał do Francji, gdzie przyznano mu w dożywotnie władanie Lotaryngię[3]. Wojna sukcesyjna polska prowadzona przez kraje Europy(!) ukazuje, że zdobywanie tronów nie miało związku z interesami narodowymi, gdyż

---

[1] **periodyzacja** – podział dziejów na okresy; od gr. *periodos* – okres, obieg czasu.

[2] **wojna sukcesyjna polska** – jedna z wielu wojen w XVIII w. prowadzonych przez monarchie absolutne pod pozorem dziedzicznych praw do tronu, w istocie zaś były to wojny o terytoria. Poza wojną sukcesyjną polską miały miejsce wojna sukcesyjna hiszpańska, austriacka, bawarska.

[3] ang. Lorraine.

koronacje odbywały się w ramach kalkulacji dynastycznych. Inaczej mówiąc: była to walka o wpływy polityczne w Europie.

Król August III mało czasu spędzał w Warszawie. W przeciwieństwie do swojego ojca, Augusta II Mocnego, wolał mieszkać w saksońskim (niemieckim) Dreźnie [na temat Drezna p. Romantyzm], a nasz kraj bez silnej władzy zwierzchniej pogrążał się w politycznym chaosie. Szczęśliwie, znaleźli się ludzie, którzy dostrzegali zagrożenie i starali się Polskę ratować.

- **Stanisław Leszczyński** w swoim traktacie pt. „Głos wolny wolność ubezpieczający" (napisanym w 1733, wydanym w 1749) wskazywał, że *liberum veto*[1] i wolne elekcje przyczyniają się do rozkładu państwa, dlatego konieczne są zmiany. Postulował zmniejszenie ucisku chłopa, zalecał zastąpienie pańszczyzny czynszem, żądał dla kmieci (chłopów) wolności osobistej. Zalecał zwiększenie opieki nad miastami i dbałość o rozwój przemysłu i handlu.
- **Stanisław Konarski** założył w 1740 roku *Collegium Nobilium*, czyli szkołę dla synów magnackich i szlacheckich. Od tej pory uczniowie mieli się uczyć geografii, historii powszechnej i ojczystej oraz j ę z y k a   p o l s k i e g o. Pamięciową metodę uczenia się Konarski zastąpił metodą opartą na rozumowaniu. W swojej rozprawie pt. „O poprawie wad wymowy" (1741) walczył z pełnym makaronizmów stylem barokowym, zalecając powrót do pięknej czystej polszczyzny i wskazując jako wzór poezję Jana Kochanowskiego z epoki Odrodzenia.
- W 1747 roku dwaj bracia **Józef Jędrzej Załuski i Andrzej Stanisław Załuski** ufundowali i udostępnili pierwszą bibliotekę dla publiczności. Załuscy byli też mecenasami (opiekunami) pisarzy i poetów.
- Za czasów Augusta III notujemy powstanie pierwszych czasopism naukowych o treści historycznej i ekonomicznej. Niestrudzony na polu wydawnictw naukowych okazał się **Wawrzyniec Mitzler de Kolof**.

Wprawdzie garstka ludzi nie była w stanie dokonać rewolucji w erodującym[2] od lat krajobrazie kultury polskiej, ale niewątpliwie działalność Konarskiego, braci Załuskich czy Mitzlera de Kolofa przygotowała grunt do nadchodzących zmian.

Poszerzenie wiadomości. Pałac Saski. Grób Nieznanego Żołnierza[3]. Plac Józefa Piłsudskiego

Każdy turysta odwiedzający Warszawę widział zapewne **Grób Nieznanego Żołnierza**. Znajduje się on po zachodniej stronie dzisiejszego Placu Marszałka Józefa Piłsudskiego, w połowie drogi między Teatrem Wielkim a gmachem „Zachęty". Grób Nieznanego Żołnierza to fragment wielkiego p a ł a c u z czasów panowania królów Sasów. Pałac już nie istnieje, został zburzony w czasie II wojny światowej.

Prace nad owym W e r s a l e m   w a r s z a w s k i m rozpoczęły się w 1713 roku i trwały ponad 30 lat. W 1727 roku otwarto Ogród Saski, pierwszy publiczny park Warszawy, wówczas w symetrycznym stylu francuskim. 100 lat później przebudowano go w nieregularnym stylu

---

[1] *liberum veto* (łac.) – [czyt. liberum weto], „wolne nie pozwalam". W Polsce szlacheckiej: prawo umożliwiające każdemu posłowi zerwanie obrad sejmu, zniesione przez Konstytucję 3 Maja 1791 roku.

[2] **erodujący** – wyżłobiony, rozmyty, uszkodzony; od. łac. *erosio* – żłobienie.

[3] ang. Tomb of the Unknown Soldier.

Grób Nieznanego Żołnierza przy Placu Józefa Piłsudskiego w Warszawie. Fot.: R. Piątkowski / WSiP

angielskim. Centralnym punktem całego układu był Pałac Saski, dzieło architekta Tylmana z Gameren. Od strony wschodniej pałac zamykała kolumnada[1]. W 1925 roku wewnątrz tejże kolumnady powstał G r ó b N i e z n a n e g o Ż o ł n i e r z a[2] według projektu Stanisława Ostrowskiego. II wojna światowa dopisała dramatyczną kartę do historii Grobu, gdyż w 1944 roku kolumnada i pałac, w którym mieścił się wtedy wojskowy Sztab Główny, zostały wysadzone w powietrze. Z zabudowań pozostały trzy arkady[3], kawał muru i cztery utrącone kolumny. Miejsce uprzątnięto z ruin w 1946 roku i Grób – w nowym kształcie i znaczeniu – przywrócono polskiej symbolice patriotycznej.

Ciekawa jest też historia p l a c u przed Grobem. Nosił on w przeszłości wiele nazw: Plac Saski, Piłsudskiego, Hitlera, znowu Saski, Zwycięstwa i znowu Piłsudskiego. W 1794 roku, w czasie Insurekcji Kościuszkowskiej, toczyły się tu walki Polaków z Rosjanami. W 1807 roku cesarz francuski Napoleon I Bonaparte dokonywał na nim przeglądu wojsk, zaś w latach 1815-1830 to samo robił znienawidzony powszechnie książę Konstanty, brat carów Aleksandra I i Mikołaja I. W latach 1894-1912 na placu stanął sobór[4] ze złoconymi kopułami, symbol dominacji carskiej; po odzyskaniu przez Polskę niepodległości sobór rozebrano. W okresie między-

---

[1] **kolumnada** – szereg kolumn połączonych belkowaniem lub łukami. Kolumnada może mieć funkcję konstrukcyjną lub dekoracyjną, jak w tym wypadku; od łac. *columna* – kolumna i od fr. colonnade – rząd kolumn.

[2] idea składania hołdu bezimiennym żołnierzom zrodziła się kilka lat wcześniej w Paryżu we Francji, gdzie 11 listopada 1920 roku złożono zwłoki pierwszego nieznanego żołnierza pod Łukiem Triumfalnym (fr. Arc de Triomphe), a następnie na płytach wyryto nazwy miejsc bitew i nazwiska bohaterów. Wkrótce podobne groby-pomniki powstały w różnych miastach Europy.

[3] **arkada** – element architektoniczny, składający się z dwóch podpór połączonych łukiem; l.mn. arkady; fr. arcade [czyt. arkad].

[4] **sobór** – tu: bazylika, cerkiew prawosławna; pełna nazwa bazyliki na Placu Saskim: Sobór P.W. Aleksandra Newskiego; ang. Alexander Nevski Orthodox Church.

wojennym Naczelnik Państwa Józef Piłsudski przyjmował na placu parady. Natomiast w 1939 roku, na początku II wojny światowej, przemawiał tu kanclerz niemiecki Adolf Hitler.

Dziś przed Grobem Nieznanego Żołnierza odbywają się patriotyczne uroczystości, a w niedziele – odprawy warty honorowej. Przełomowe znaczenie dla współcześnie żyjących Polaków miała historyczna msza św., odprawiona na placu w czerwcu 1979 roku przez Papieża Jana Pawła II w czasie Jego pierwszej pielgrzymki do (komunistycznej wtedy) Ojczyzny. Wiele osób uważa, że ta właśnie wizyta i msza św. były wstępem do przemian politycznych, które dokonały się w latach 80. w Polsce.

➡ Istnieje wiele książek o Warszawie. Godna polecenia jest m.in. praca: Drozdowski, Marian M. i Andrzej Zahorski. <u>Historia Warszawy</u>. Warszawa: PWN, 1975. W języku angielskim ukazał się piękny przewodnik z serii „Eyewitness Travel Guides": <u>Warsaw</u>. Małgorzata Omilanowska and Jerzy S. Majewski, main contributors. New York: Dorling Kindersley, 1997.

Biblioteka

> **Biblioteka** to 1. Zbiór książek, 2. Pomieszczenie do przechowywania książek, 3. Szafa na książki, 4. Instytucja, której zadaniem jest gromadzenie książek i ich udostępnianie czytelnikom, 5. Budynek mieszczący taką instytucję.

 Ćwiczenie. Napisz pięć zdań z wyrazem **biblioteka**[1]. Wykorzystaj znaczenia podane w ramce.

 Pamiętaj o MOIM PRYWATNYM SŁOWNIKU JĘZYKA POLSKIEGO – wpisz do niego wszystkie znaczenia wyrazu **biblioteka**. Poszukaj innych wyrazów z tej rodziny, np. **bibliofil, bibliografia, bibliomania** i wyjaśnij je. Zwróć uwagę na źródłosłów, czyli pochodzenie wyrazów: najstarszy jest g r e c k i, potem – ł a c i ń s k i.

Współczesne systemy klasyfikacji książek

Jest ich kilka, poniżej podajemy trzy najczęściej stosowane.

* **ISBN (International Standard Book Number), np. ISBN 0-394-87061-1**
  Klasyfikacja ta powstała w 1967 roku w Wielkiej Brytanii i używana jest przez **wydawców**.
  O b j a ś n i e n i a: Pierwszy numer wskazuje państwo, w którym opublikowano książkę, np. 0 i 1 to USA lub Wielka Brytania, 2 to Francja, 3 to Niemcy, 4 to Japonia, 83 to Polska. Drugi numer oznacza wydawcę (ang. publisher), np. 02 to WSiP, 394 to Random House. Trzeci numer identyfikuje samą książkę – jej tytuł, autora, oprawę (miękką lub twardą). Czwarty numer to kod sprawdzający (ang. check digit).
  Numer ISBN 0-394-87061-1 oznacza książkę wydaną w USA, przez Random House, pt. „Willy the Wimp", napisaną przez Anthony Browne, w miękkiej oprawie (ta sama książka w twardej oprawie ma oznaczenie 0-394-97061-1).

---

[1] **biblioteka** – [czyt. biblioteka]; gr. *bibliotheke*, od gr. *biblion* – książka, księga i od gr. *theke* – składnica; łac. *bibliotheca*. Porównaj gr. *biblion* (l. poj.) – księga i gr. *biblia* (l. mn.) – księgi, stąd: Biblia.

- **Library of Congress Classification, np. E159.H7138 1993**
  Klasyfikację tę wprowadzono w 1899 roku, używa się jej w **dużych bibliotekach**.
  O b j a ś n i e n i a: Oznaczenia składają się z zestawu cyfr i liter alfabetu, np. litery początkowe E lub F oznaczają książkę z zakresu historii Ameryki, H – to folklor, zagadnienia społeczne (tzw. social sciences), KJ-KKZ – Europa, L – edukacja, P – język i literatura (PG – to podgrupa słowiańska, bałtycka i albańska), R – medycyna, T – technologia. Litera środkowa oznaczenia to pierwsza litera nazwiska autora lub, w przypadku pracy zbiorowej, pierwsza litera tytułu.
  Przykładowo, numer E159.H7138 1993 jest oznaczeniem pracy zbiorowej z zakresu historii Ameryki pt. „Historic Places", wydanej w 1993 roku.

- **Dewey Decimal System Classification, np. 785.01**
  Melvil Dewey (1851-1931) był Amerykaninem. Opracował system klasyfikacji książek dla **małych i średnich bibliotek**.
  O b j a ś n i e n i a: Kategorie obejmują następujące działy: 000-099 encyklopedie i podobne prace, 100-199 filozofia; 200-299 religia, mitologia; 300-399 folklor, zagadnienia społeczne (ang. social sciences); 400-499 języki, w tym słowniki i opracowania gramatyczne; 500-599 matematyka, astronomia, chemia (ang. pure sciences); 600-699 budownictwo, inżynieria (ang. applied sciences); 700-799 fotografia, muzyka, sport; 800-899 literatura, w tym poezja, dramaty; 900-999 historia, geografia, podróże.
  Przykładowo, pod numerem 785.01 znajdziesz eseje na temat utworów muzycznych.

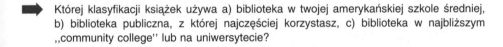 Której klasyfikacji książek używa a) biblioteka w twojej amerykańskiej szkole średniej, b) biblioteka publiczna, z której najczęściej korzystasz, c) biblioteka w najbliższym „community college" lub na uniwersytecie?

 Ustal, jakie **style bibliograficzne** zalecane są przez nauczycieli w twojej amerykańskiej szkole średniej (np. **MLA**[1] – w odniesieniu do literatury pięknej i historycznej, **APA**[2] – w odniesieniu do literatury naukowej z zakresu psychologii). Posługując się danym stylem bibliograficznym sporządź zapis wybranej książki oraz podaj jej oznaczenia klasyfikacyjne, według wzoru w ramce:

Hirsch, Eric, D., Jr., Joseph F. Kett, and James Trefil. The Dictionary of Cultural Literacy. Boston: Houghton Mifflin, 1993.

ISBN 0-395-65597-8
E169.1.H6 1993
973.03

Szczegółowych informacji na temat opisywania i katalogowania książek udzieli ci każdy bibliotekarz. Możesz też skorzystać z profesjonalnego opracowania: Eberhart, George M. The Whole Library Handbook. Chicago: American Library Association, 1991.

---

[1] **MLA** – ang. Modern Language Association.
[2] **APA** – ang. American Psychological Association.

DWIE STRONY MEDALU, CZYLI POLSKIE OŚWIECENIE

Chyba żadna epoka i żaden monarcha nie wywołują wśród historyków tak skrajnych ocen, jak Oświecenie i nasz ostatni król Stanisław August Poniatowski (1732-1798). No bo cóż – **epoka Oświecenia zapoczątkowała wiele nowoczesnych instytucji i reform, a jednocześnie w tej epoce naród polski zapadł w niewolę na długie lata.** [Zapamiętaj: Naród polski c a ł k o w i c i e u t r a c i ł p a ń s t w o w o ś ć w 1 7 9 5 r o k u i o d z y s k a ł j ą d o p i e r o w 1 9 1 8 r o k u. Po 123 latach niewoli! Po pięciu generacjach! Pozwól, by rozmiar narodowej tragedii dotarł do twojej świadomości...]

Kim był Stanisław August Poniatowski?

Pochodził z rodziny, która zyskała na znaczeniu dzięki koligacjom[1] z potężną rodziną Czartoryskich. Uzdolniony i wszechstronnie wykształcony wyróżniał się ogładą i świetnymi manierami. Był miłośnikiem sztuk pięknych, człowiekiem eleganckim i elokwentnym[2]. Poznał Europę zachodnią, zwłaszcza Anglię, i chciał jej wzory ustrojowe wprowadzić do Polski. Oto klucz: chciał, myślał, planował... Jakże niewiele z politycznych zamiarów udało mu się urzeczywistnić! Największe wady króla to: słaby charakter, brak silnej woli, uleganie pochlebstwom i niemoralność. Do tronu polskiego doszedł dzięki... carycy Katarzynie II. Podczas bezkrólewia po śmierci Augusta III pisała ona do ambasadora rosyjskiego w Warszawie: „Jest rzeczą nieodzowną, abyśmy wprowadzili na tron Polski Piasta[3] dla nas dogodnego, użytecznego dla naszych interesów, jednym słowem człowieka, który by tylko nam zawdzięczał swoje wyniesienie." Poniatowski, pozostający w przeszłości w intymnym związku z carycą, był właśnie takim człowiekiem. I oto po raz kolejny obce państwo narzuciło nam monarchę.

Stanisław August Poniatowski został królem w 1764 roku. Ponieważ uzależnienie od rosyjskiej carycy Katarzyny II wiązało mu ręce w sprawach politycznych, zwrócił się ku sztuce i szeroko pojętemu ż y c i u k u l t u r a l n e m u. I na tym polu miał niezwykłe osiągnięcia! Oto już w 1765 roku powstają w Warszawie trzy ważne instytucje: Szkoła Rycerska, teatr narodowy i czasopismo „Monitor".

- **Szkoła Rycerska** to placówka o profilu ogólnokształcącym i wojskowym. Nawiązywała do osiągnięć *Collegium Nobilium*[4], założonego w 1740 roku przez Stanisława Konarskiego, ale okazała się jeszcze bardziej postępowa. Przyjmowała bowiem całą młodzież szlachecką, również tę najuboższą, dając jej szansę awansu

---

[1] **koligacje** – pokrewieństwo, powinowactwo, związek rodzinny; od łac. *colligatio* – związek.
[2] **elokwentny**, od **elokwencja** – wymowa, umiejętność pięknego wysławiania się; łac. *eloquentia*.
[3] tu w znaczeniu: Polaka.
[4] *Collegium Nobilium* (łac.) – kolegium szlacheckie założone przez Konarskiego, głównie dla synów magnaterii. Od 1755 roku kolegium to mieściło się przy ul. Miodowej w Warszawie, w pierwszym racjonalnie zaplanowanym i zbudowanym gmachu szkolnym.

Marcello Bacciarelli „Stanisław August Poniatowski w stroju koronacyjnym". Fot.: Archiwum WSiP

społecznego. Kształciła oficerów i elitę obywatelską, kładąc nacisk na wychowanie w duchu patriotycznym. Szkołę Rycerską ukończyli m.in. Tadeusz Kościuszko, Julian Ursyn Niemcewicz, Jakub Jasiński i Józef Sowiński.

- **Teatr narodowy**[1] miał ukształtować nowoczesne społeczeństwo – taką rolę wyznaczyła mu zachodnioeuropejska myśl oświeceniowa. Oczywiście, wcześniej też istniały teatry – szkolne, zakonne, magnackie i dworskie. Ale teraz powstał pierwszy teatr publiczny, wystawiający w języku polskim. Sztuk o charakterze aktualnym dostarczali do niego m.in. Franciszek Bohomolec, Franciszek Zabłocki, Wojciech Bogusławski i Julian Ursyn Niemcewicz.

---

[1] teatrem n a r o d o w y m nazwano go dopiero w 1807 roku. Pierwsze przedstawienia odbywały się w budynku tzw. Operalni Saskiej na terenie Ogrodu Saskiego w Warszawie. W 1779 teatr otrzymał własną siedzibę na Placu Krasińskich, natomiast w 1833 roku przeniósł się do gmachu, gdzie dziś znajdują się Teatr Narodowy i Teatr Wielki Opery i Baletu. Poza teatrem publicznym działał również prywatny teatr króla, który mieścił się najpierw w gmachu Zamku Królewskiego, a potem w Łazienkach.

- **Czasopismo „Monitor"** to organ „oświeconych", który przyjął za zadanie naprawę społeczeństwa i propagowanie myśli Oświecenia. Publicyści prowadzili dyskusję o teatrze, wyśmiewali konserwatyzm[1] szlachecki, przesądy, fanatyzm religijny oraz takie wady społeczne, jak pijaństwo i rozrzutność. Zdarzało się, że niewyrobiony czytelnik zarzucał redakcji, iż ośmieszyła go pokazując jako salonowego fircyka. Ale redakcja grzecznie odpowiadała, że charakterystyka miała znamiona typowości i nie odnosiła się do konkretnej osoby. Widocznie krytyka była celna, a o to redaktorom czasopisma chodziło.

*

Jak już mówiliśmy, w 1768 roku zawiązała się Konfederacja Barska, która była zwrócona przeciwko Rosji oraz królowi Stanisławowi Augustowi Poniatowskiemu. Dała ona początek czteroletniej wojnie domowej. To tutaj zaznaczył swą antyrosyjską i antymonarszą działalność Kazimierz Pułaski, skazany później zaocznie na karę śmierci. W 1772 roku dokonano pierwszego rozbioru Polski (ang. partition of Poland). Wzięły w nim udział Rosja, Prusy i Austria.

Po pierwszym rozbiorze król postanowił kontynuować dzieło odnowy kulturalnej kraju.
- Organizował tzw. **obiady czwartkowe**, czyli spotkania, w których brała udział elita intelektualna. Wymieńmy nazwiska niektórych uczestników. Byli wśród nich l i t e r a c i – Franciszek Bohomolec, Ignacy Krasicki, Adam Naruszewicz, Stanisław Trembecki i Franciszek Karpiński, d z i a ł a c z e   o ś w i a t o w i – Grzegorz Piramowicz i Ignacy Potocki, p i s a r z e   p o l i t y c z n i – Stanisław Konarski i Józef Wybicki oraz m e c e n a s i   k u l t u r y – Michał Mniszech, Adam Kazimierz Czartoryski, Andrzej Zamoyski i Joachim Chreptowicz. Funkcję organu prasowego obiadów czwartkowych spełniało czasopismo pt. „Zabawy Przyjemne i Pożyteczne". Zamieszczało ono sprawozdania ze spotkań i fragmenty nowych utworów.
- W 1773 roku, z inicjatywy króla, sejm powołał **Komisję Edukacji Narodowej**, pierwsze w Europie ministerstwo oświaty. Komisja przejęła majątek ziemski i pomieszczenia szkolne po skasowanym zakonie jezuitów[2], a jej ambitnym zadaniem było „doskonalszą przygotować potomność". Zorganizowano trzystopniowe szkolnictwo: najniższy szczebel stanowiły szkoły elementarne przeznaczone również dla dzieci z niższych stanów, następny – szkoły średnie,

---

[1] **konserwatyzm** – przywiązanie do dawnych zasad, niechęć do nowości; od łac. *conservativus* – zachowawczy; ang. conservatism.

[2] jezuici rozszerzyli swoje wpływy polityczne tak bardzo, że wzbudzili powszechną niechęć. Z powodu silnego nacisku z różnych stron papież Klemens XIV skasował w 1773 roku zakon jezuitów. Majątek i szkolnictwo jezuitów w Polsce przekazano zakonowi pijarów. **Pijarzy** – (ang. Piarists) zawiązali się w 1597 roku w Rzymie, zaś do Polski przybyli w 1642 roku. Ich powołaniem było kształcenie ubogich dzieci. Dzięki wybitnemu pijarowi Stanisławowi Konarskiemu szkolnictwo zakonu zostało w połowie XVIII wieku zreformowane i w dobrej formie przetrwało do połowy XIX wieku; od łac. *pius* – obowiązkowy, pobożny.

Zamek Królewski w Warszawie, jego początki sięgają XIII w.; stan obecny. Fot.: Archiwum WSiP

podwydziałowe i wydziałowe, najwyższy – szkoły główne, czyli uniwersytety. Ważną rolę w reformie szkolnictwa odegrał zakon pijarów.

- Utworzono **Towarzystwo do Ksiąg Elementarnych**, które zajęło się przygotowaniem wartościowych podręczników. Celem nowoczesnego systemu oświatowego, o którym mowa, było ukształtowanie młodzieży na mądrych ludzi i wartościowych obywateli.

Król nie zaniedbywał wyglądu Warszawy. Był estetą[1]. Lubił piękno, klasyczne proporcje, ogrody. To z jego inicjatywy Warszawa przeobraziła się z podrzędnego miasta w europejską stolicę. Król sprowadził do Polski włoskich malarzy, wśród których byli **Marcello Bacciarelli** [czyt. bacziareli] i Bernardo Belotto zw. **Canaletto** [czyt. kanaletto]. Ponadto działali w Warszawie wybitni architekci i rzeźbiarze. Z inicjatywy króla, możnowładców i bogatych mieszczan powstało wiele budowli w stylu klasycystycznym, w tym królewski Pałac w Łazienkach, którego twórcą był architekt **Dominik Merlini**.

---

[1] **esteta** – człowiek wrażliwy na piękno, znawca piękna; od gr. *aisthetes* – odczuwający.

Pałac w Łazienkach (obecnie w granicach Warszawy), przebudowany w latach 1772-1795 według projektu Dominika Merliniego dla Stanisława Augusta Poniatowskiego. Fot.: R. Piątkowski/WSiP

Spacer po Warszawie: Trakt Królewski od Zamku Królewskiego do Pałacu w Łazienkach

Od roku 1750 do 1850 w Europie rozwijał się **styl neoklasycystyczny** (ang. neoclassicism). Rezydencje wzniesione w Warszawie za panowania ostatniego króla nawiązują swoją architekturą do tego stylu.

Z a m e k K r ó l e w s k i, który powstał w XIII jako drewniany gród książąt mazowieckich, był wielokrotnie w swej historii rozbudowywany i przebudowywany. Reprezentuje zatem kilka stylów architektonicznych. Idąc od strony P l a c u Z a m k o w e g o ulicą o nazwie K r a k o w s k i e P r z e d m i e ś c i e, mijamy piękne rezydencje klasycystyczne, wśród nich Pałac Radziwiłłów, Pałac Tyszkiewiczów-Potockich i Pałac Kazimierzowski na terenie Uniwersytetu (w tym pałacu mieściła się Szkoła Rycerska). Po obydwu stronach ulicy N o w y Ś w i a t stoją w zwartej zabudowie (złączone ścianami bocznymi) liczne kamieniczki klasycystyczne. Następnie mijamy dwa place z nowszymi budynkami. Ostatni odcinek to szerokie wysadzane starymi drzewami A l e j e U j a z d o w s k i e, przy których z lewej strony, w głębi, wznosi się bryła odbudowanego Zamku Ujazdowskiego, zaś po dwóch stronach w ogrodach za żelaznymi parkanami zwracają uwagę swoją architekturą zabudowania z XIX wieku. Dziś mieszczą się w nich ambasady i instytucje rządowe. Traktem Królewskim dochodzimy do klasycystycznego P a ł a c u B e l w e d e r[1] (po lewej stronie), który znajduje się na skraju P a r k u Ł a z i e n k o w s k i e g o. Gdy wejdziemy w głąb parku, zobaczymy zabudowę letniej rezydencji (ang. summer home) ostatniego króla Polski Stanisława Augusta Poniatowskiego. P a ł a c n a W y s p i e (inaczej: Pałac Łazienkowski lub Pałac w Łazienkach) jest perłą stylu klasycystycznego. W pobliżu znajduje się T e a t r n a W y s p i e, stylizowany na wzór antyczny. Drugi teatr królewski mieści się w budynku o nazwie P o m a r a ń c z a r n i a.

---

[1] nazwa pałacu pochodzi od wł. belvedere – piękny widok; **belweder** to budynek na wzniesieniu, z którego roztacza się piękny widok na okolicę.

Poszerzenie wiadomości

➡ Na podstawie albumów, fotografii i wspomnień z pobytu w Warszawie przygotuj prezentację a) **Zamku Królewskiego** lub b) **Pałacu w Łazienkach**.

Sugestia: Jesteś w sytuacji przewodnika (ang. tour guide), który pragnie wzbudzić zainteresowanie turystów. Dlatego postaraj się o ciekawe materiały. Prezentacja może dotyczyć z a ł o ż e ń p a ł a c o w o - o g r o d o w y c h, np. Park i Pałac w Łazienkach, albo o b i e k t ó w, np. Teatr na Wyspie, Pomarańczarnia. Jeśli chcesz, możesz skupić się na z a g a d n i e n i u, np. sławni mieszkańcy Zamku Królewskiego lub malarstwo Canaletta i Bacciarellego. Prezentacja przewodnika powinna być płynna, przećwicz ją zatem w domu. Postaraj się o duże fotografie lub przezrocza (ang. slides) pokazywanych obiektów. Przygotuj odbitki kserograficzne do rozdania uczniom w klasie.

PRZEDSTAWICIELE LITERATURY POLSKIEGO OŚWIECENIA

Szczytowe osiągnięcia kulturalne polskiego Oświecenia przypadają na okres m i ę d z y I a II r o z b i o r e m P o l s k i. Ośrodek życia umysłowego stanowiła Warszawa. Między 1772 a 1793 rokiem Warszawa była wciąż wolna, ponieważ pierwszy zabór obejmował ziemie polskie położone daleko od stolicy. Rozwój kultury, a także oświaty i nauki, miał służyć naprawie i umocnieniu Rzeczypospolitej. Przyjrzyjmy się życiu literackiemu czasów Oświecenia. Skupiało się ono wówczas na dwóch dworach: królewskim i magnackim.

DWÓR KRÓLEWSKI STANISŁAWA AUGUSTA PONIATOWSKIEGO

Król rezydował w **Warszawie**. Jego główną siedzibą był Zamek Królewski, gdzie w otoczeniu doradców pełnił obowiązki głowy państwa. Wolny czas spędzał w Pałacu Łazienkowskim. Król otaczał się znakomitymi ludźmi epoki:
- **Adam Naruszewicz** (1733-1796) należał do najstarszej generacji twórców Oświecenia. Ogólne wykształcenie zdobył w szkole jezuickiej w Polsce, potem studiował we Francji, w Niemczech i we Włoszech. Nie pasował do otoczenia króla-estety ze swoją brzydką posturą[1] i brakiem dworskich manier, król go jednak bardzo lubił i szanował za intelekt i wiedzę. Naruszewicz otrzymał pokój w Zamku Królewskim nad komnatami monarchy, w którym pod sufit piętrzyły się zakurzone księgi, ale król i tak lubił tam przebywać. Naruszewicz tworzył ody, satyry i bajki. Dziełem jego życia była wielotomowa „Historia narodu polskiego", napisana z inicjatywy króla.
- **Ignacy Krasicki** (1735-1801) to najwybitniejsza postać epoki Oświecenia. W 1766 roku został biskupem warmińskim[2]. Gdy po I rozbiorze Warmia znalazła się w obrębie Prus, Krasicki stał się poddanym króla pruskiego, którego musiał

---

[1] **postura** – książk. zewnętrzna postawa człowieka; od łac. *positura* – postawa; ang. posture.
[2] od nazwy **Warmia** – kraina geograficzna leżąca na północ od Warszawy.

prosić o pozwolenie na każdorazowy wyjazd do Polski. Bogatej twórczości Krasickiego poświęcimy oddzielny rozdział.

- **Stanisław Trembecki** (ok. 1739-1812) miał ciekawą drogę życiową. W młodości hulaka nadużywający alkoholu, ustatkował się w końcu i zabłysnął talentem literackim. W królu Stanisławie Auguście Poniatowskim poeta widział władcę--filozofa, który ucieleśnił w sobie oświeceniowe ideały:

> August raczył powszechniej światło rozprowadzić,
> I myślić nas nauczył, i po trzeźwu radzić.

Trembecki pisał bajki w stylu poety francuskiego Jean de La Fontaine'a (1621-1695), przedstawiając charaktery i zachowania ludzkie pod postaciami zwierząt. Autor wydobył ze zwierząt surowe cechy natury – drapieżność, agresywność, bezwzględność. Po śmierci króla Trembecki znalazł schronienie w majątku Szczęsnego Potockiego w Tulczynie. Tam pisał wierszyki o charakterze rokokowym[1].

- **Franciszek Ksawery Zabłocki** (1752-1821) był głównym dostawcą komedii do teatru narodowego. Strukturę swoich utworów autor przejmował od modnych twórców francuskich, m.in. od Moliera, Romagnesi'ego i Diderota, ale wypełniał je aktualną polską treścią. Komedie Zabłockiego do dziś bawią widzów. Najbardziej znanymi utworami są „Fircyk w zalotach" i „Sarmatyzm".
- **Tomasz Kajetan Węgierski** (1756-1787) debiutował jako piętnastoletni chłopiec. Pisał fraszki i satyry, w których nie tylko krytykował sarmackość starej generacji, lecz również wyrażał niecierpliwość młodszego pokolenia. Za swe ostre pióro zwalczany był przez magnatów, w związku z czym opuścił Polskę w 1779 roku. Przebywał w Paryżu i Londynie, odwiedził też Stany Zjednoczone, gdzie poznał George'a Washingtona.

DWÓR MAGNACKI KSIĘCIA ADAMA KAZIMIERZA CZARTORYSKIEGO

Dwór mieścił się w Pałacu Błękitnym, którego nazwa została przejęta od koloru dachu budynku (dzisiejszy adres pałacu: ul. Senatorska 37, **Warszawa**), następnie w posiadłości **Powązki**, zaś od 1783 roku w **Puławach**. Prowadziła go Izabela z Flemmingów wraz z mężem księciem Adamem Kazimierzem Czartoryskim[2]. Księżna Izabela szczególnie popierała literaturę w konwencji r o k o k o w e j (krótkie lekkie formy poetyckie, swobodne traktowanie erotyki i obyczajowości, wyrafinowana gra słów) i s e n t y m e n t a l n e j (wierszyki wyrażające tkliwość, czułość serca, nastroje melancholijne).

---

[1] **rokokowy**, od **rokoko** – styl, który powstał we Francji w XVIII w., za panowania Ludwika XV. Miał on służyć zabawie arystokracji, co sprawiło, że sztuka rokoka nie odtwarzała rzeczywistości, ale ją idealizowała, tj. czyniła lepszą niż była naprawdę; fr. rococo [czyt. rokoko].

[2] król Poniatowski był spokrewniony i zaprzyjaźniony z Familią Czartoryskich, ale z czasem ich drogi rozeszły się.

Pałac w Puławach, akwaforta K.A. Richtera. Wzniesiony w II połowie XVII w., był najpierw rezydencją Lubomirskich, potem Czartoryskich

- **Franciszek Karpiński** (1741-1825) pełnił funkcję sekretarza „interesów politycznych" księcia Adama Czartoryskiego. Był pierwszym autorem, którego wiersze „zbłądziły pod strzechy", czyli zostały przyswojone przez lud wiejski[1]. Istnieje pewna sprzeczność między Karpińskim – poetą serca a Karpińskim – materialistą i zapobiegliwym ciułaczem, jakim się zaprezentował w autobiografii pt. „Historia mego wieku...". Jego twórczości poetyckiej poświęcimy oddzielny rozdział.
- **Dionizy Kniaźnin** (1750-1807) dał się poznać jako zdolny tłumacz – przekładał pieśni rzymskiego poety Horacego z łaciny na polski oraz treny Jana Kochanowskiego... z polskiego na łacinę. Pisał bajki, erotyki i anakreontyki. Swoją odą pt. „Do wąsów" rozpętał dyskusję na temat obyczajów staropolskich. Kniaźnin pisał także dramaty, które wystawiano na scenie w Puławach. Księżna Izabela grywała w nich główne role.
- **Julian Ursyn Niemcewicz** (1758-1841) był wychowankiem Szkoły Rycerskiej w Warszawie. W 1777 roku został adiutantem Adama Kazimierza Czartoryskiego i pod jego opieką rozwijał swoje zdolności pisarskie i polityczne. Cieszył się dużym autorytetem moralnym wśród Polaków. Niemcewiczowi poświęcimy oddzielny rozdział.

---

[1] to o jego twórczości wspominać będzie Adam Mickiewicz w Epilogu do „Pana Tadeusza", w. 117-124.

IGNACY KRASICKI (1735-1801)
– NAJWYBITNIEJSZA INDYWIDUALNOŚĆ POLSKIEGO OŚWIECENIA

Ignacy Krasicki urodził się w Dubiecku koło Sanoka w rodzinie szlacheckiej. Otrzymał wykształcenie jezuickie, po czym wyjechał na studia teologiczne[1] do Rzymu. Po śmierci króla Augusta III opowiadał się początkowo po stronie saskiej, ale wkrótce nawiązał kontakty ze Stanisławem Augustem Poniatowskim i nawet wygłosił kazanie podczas jego koronacji. W latach 1765-1767, jako redaktor czasopisma „Monitor", popierał króla w jego planach reformatorskich. W 1767 roku Krasicki otrzymał godność biskupa warmińskiego oraz związany z nią tytuł księcia[2] i został senatorem. Odtąd będzie często podróżował między Lidzbarkiem Warmińskim a Warszawą, w której rezydował polski król Stanisław August Poniatowski, a po I rozbiorze Polski – dodatkowo między Lidzbarkiem Warmińskim a Berlinem, gdzie znajdował się dwór króla pruskiego Fryderyka II. Ignacy Krasicki był człowiekiem o niezwykłym uroku, kulturze osobistej i zdolnościach umysłowych. Uważano go za duszę towarzystwa[3]. Miał zmysł krytyczny, poczucie humoru i lekkie pióro[4], co razem zaowocowało wspaniałym dorobkiem literackim. Wydał (w kolejności): poematy heroikomiczne, w których ośmieszył duchowieństwo, następnie dwie powieści, satyry, bajki, encyklopedię i inne utwory.

Bajki

Omówienie twórczości Ignacego Krasickiego zaczniemy od drobnych utworów, tj. b a j e k.

Ćwiczenia w recytacji[5]

➡ Przeczytaj poniższą bajkę najładniej jak potrafisz.

LEW I ZWIERZĘTA

Gdy się wszystkie zwierzęta u lwa znajdowały,
Był dyskurs[6]: jaki przymiot w zwierzu doskonały?
Słoń roztropność zachwalał, żubr – mienił powagę.
Wielbłądy wstrzemięźliwość, lamparty odwagę,
Niedźwiedź moc znamienitą, koń ozdobną postać,

---

[1] **teologiczne**, od **teologia** – dociekania dotyczące Boga oraz stosunku Boga do świata; od gr. *theos* – Bóg i od gr. *logos* – słowo, nauka.

[2] X. B. W. – Xiążę Biskup Warmiński; tak właśnie tytułowano Krasickiego.

[3] **być duszą towarzystwa** – być centralną postacią, budzić zainteresowanie całego towarzystwa.

[4] **mieć lekkie pióro** – książk.: mieć zdolności literackie.

[5] **recytacja** – artystyczne wygłaszanie utworu; łac. *recitatio*.

[6] **dyskurs** – tu: rozmowa; od łac. *discursus* – omawianie.

Ignacy Krasicki.
Fot.: Archiwum WSiP

Wilk staranie przemyślne, jak zdobyczy dostać,
Sarna kształtną subtelność, jeleń piękne rogi,
Ryś odzienie wytworne, zając rącze nogi,
Pies wierność, liszka[1] umysł w fortele[2] obfity,
Baran łagodność, osieł żywot pracowity.
Rzekł lew, gdy go się wszyscy o zdanie pytali:
Według mnie, ten najlepszy, co się najmniej chwali.

Czy zrozumiałeś t r e ś ć   u t w o r u?

Samodzielnie lub z pomocą nauczyciela objaśnij nowe wyrazy, formy fonetyczne i składniowe oraz metaforyczność sformułowań, np. dyskurs, osieł, liszka umysł w fortele obfity, sarna kształtną subtelność.

Czy zrozumiałeś s e n s   u t w o r u?

Pod postaciami zwierząt poeta ukrył ludzi z ich niedoskonałościami, przy czym wspólną wadą zwierząt (a w domyśle: ludzi) jest tu c h w a l e n i e   s i ę. Każde ze zwierząt stara się w sposób rzekomo obiektywny przedstawić swoją główną cechę jako zaletę.

---

[1] **liszka** – tu: lis; ang. fox.
[2] **fortele** – zręczne wybiegi, podstępy; od niem. Vorteil – korzyść, zysk.

211

Czy twoja recytacja miała cechy artystyczne? Czy ujawniła treść i sens utworu? Czy zaciekawiła słuchaczy? Czy dostarczyła elementu niespodzianki w postaci konkluzji[1] ("ten najlepszy, co się najmniej chwali")? Czy uniknąłeś monotonii w swojej recytacji? W czasie artystycznego czytania musisz w y o b r a z i ć sobie występujące w utworze zwierzęta i dostosować głos do ich natury. Powinieneś też zmieniać tempo mówienia, tj. zwalniać lub przyspieszać. Im zdanie krótsze, tym tempo wolniejsze.

➡ Przeczytaj ponownie tę samą bajkę przygotowaną do recytacji.

Dwa wiersze stanowią wstęp:

> Gdy się wszystkie zwierzęta u lwa znajdowały,
> Był dyskurs: jaki przymiot w zwierzu doskonały?
> Słoń |↑ roztropność zachwalał, żubr ↑ – mienił powagę,
> Wielbłądy ↑| wstrzemięźliwość, lamparty ↑| odwagę,
> Niedźwiedź ↑| moc znamienitą, koń ↑| ozdobną postać,
> Wilk ↑| staranie przemyślne, jak zdobyczy dostać,
> Sarna ↑| kształtną subtelność, jeleń ↑| piękne rogi,
> Ryś ↑| odzienie wytworne, zając ↑| rącze nogi,
> Pies ↑| wierność, liszka ↑| umysł w fortele obfity,
> Baran ↑| łagodność, osieł ↑| żywot pracowity.

(A teraz duża pauza. Wyraz „lew" szeroko i z godnością)

> Rzekł lew, gdy go się wszyscy |o zdanie pytali:

(Znowu duża pauza. Zmiana tonu, bo przecież teraz mówi król zwierząt. Lew wyczuł w tych wszystkich przemówieniach jedną wspólną cechę: próżność. Słowa lwa – to morał, który należy wypowiedzieć powoli i poważnie)

> Według mnie, ten najlepszy, co się najmniej |chwali.

(Za: Wieczorkiewicz, Bronisław. Sztuka mówienia. Warszawa: Wydawnictwa Radia i Telewizji, 1980.)

 Do MOJEGO PRYWATNEGO SŁOWNIKA JĘZYKA POLSKIEGO przepisz nazwy zwierząt, które występują w bajce pt. „Lew i zwierzęta", a następnie dopisz do nich odpowiedniki w języku angielskim, według wzoru: pol. lew – ang. lion.

Bajka jako gatunek literacki. Krótki zarys dziejów bajki

1. **Bajka** to utwór dydaktyczny (pouczający), w którym pod postacią zwierząt, rzadziej roślin lub przedmiotów, ukazane są stosunki międzyludzkie. Bajka jest pisana wierszem.
2. W potocznym rozumieniu często utożsamiamy bajkę z **baśnią**, czyli opowiadaniem ludowym o elementach fantastycznych, pobudzającym wyobraźnię dziecięcą. Baśń jest pisana prozą. W rozważaniach teoretycznoliterackich oddzielamy bajkę od baśni.

---

[1] **konkluzja** – wniosek rozumowania lub zakończenie dzieła wnioskiem; od łac. *conclusio* – zamknięcie.

Pierwsze znakomite b a j k i (w znaczeniu 1.) w naszym kręgu kulturowym przypisuje się poecie o imieniu **Ezop** (gr. *Aisopos*, ang. Aesop), który żył w Grecji w VI w. p.n.e. W I w. n.e. bajki Ezopa przełożył na łacinę poeta rzymski **Fedrus** (łac. i ang. *Phaedrus*). Do literatury angielskiej gatunek bajki wprowadził **Geoffrey Chaucer** w XIV wieku, natomiast na polskim gruncie do bajek Ezopa jako pierwszy nawiązał **Biernat z Lublina** (XVI w.). Gatunek został rozwinięty przez francuskiego poetę o nazwisku **Jean de La Fontaine** (1621-1695), którego uważa się za klasyka narracyjnej odmiany bajki.

W czasach Oświecenia bajka nabrała popularności, gdyż świetnie nadawała się do skrótowego przedstawiania charakterów ludzkich. A było co krytykować! Bajki pisali wówczas poeci **Stanisław Trembecki** i **Ignacy Krasicki**. W następnej epoce, Romantyzmie, bajki tworzyli **Adam Mickiewicz** i **Aleksander Fredro**. W XX wieku autorzy nadal kultywują ten gatunek, chociaż w nowatorskiej formie. Ciekawego eksperymentu podjął się angielski pisarz **George Orwell** (1903-1950), który w 1945 roku wydał bajkę-powieść pt. ,,Animal Farm" (polski tytuł ,,Folwark zwierzęcy"), krytykując w niej stalinizm[1].

Przeczytaj **,,Wstęp do bajek"** Ignacego Krasickiego zamieszczony w Wypisach. Ludzkie cechy zostały w nim przedstawione w przekorny[2] sposób.

Odczytaj głośno sprzeczne zestawienia, według wzoru:
,,młody, który życie wstrzemięźliwe pędził" – w rzeczywistości: młody człowiek często nie zna umiaru;
,,stary, który nigdy nie łajał, nie zrzędził" – w rzeczywistości: stary człowiek jest zwykle krytykujący i narzekający...

Ćwiczenie. We wstępie poeta zapowiada, jakie wady ludzkie ma zamiar ośmieszyć w bajkach. Wypisz te wady według wzoru:
brak wstrzemięźliwości, łajanie, zrzędzenie, skąpstwo...

Przeczytaj bajkę pt. **,,Szczur i kot"**.

Streść ją pisemnie. Następnie policz wyrazy, a przekonasz się, że... twoje streszczenie jest dłuższe niż oryginał. Co zatem można powiedzieć o zwięzłości bajki? Jaką cechę szczura (cechę ludzką) ośmiesza poeta? Co rozumiesz pod określeniem ,,dym kadzideł zbytecznych"? Kogo może uosabiać w tej scenie kot? Jaki wniosek do wyciągnięcia pozostawia poeta czytelnikom?

Przeczytaj bajkę pt. **,,Jagnię i wilcy"**.
Opowiedz treść utworu. Następnie w miejsce zwierząt podstaw osoby i opowiedz nową bajkę. Jest to przykład ilustrujący definicję (1.), podaną w ramce.

---

[1] **stalinizm** – typ dyktatury totalitarnej (tj. władzy scentralizowanej i despotycznej), przygotowany przez **Włodzimierza Lenina** (od 1917 do jego śmierci w 1924) i rozwinięty przez **Józefa Stalina** (od 1924 do jego śmierci w 1953) w Rosji Sowieckiej, a także w krajach sąsiednich (1948-1956). Niektóre cechy stalinizmu – kult jednostki, obsadzanie stanowisk przez nomenklaturę (tj. ,,swoich" partyjnych ludzi), rozbudowany aparat represji (tj. kar i prześladowań).

[2] **przekorny** – tu: żartobliwy, odwrócony, sprzeczny.

📖 Przeczytaj kolejno bajki: „**Malarze**", „**Chart i kotka**", „**Kulawy i ślepy**", „**Kruk i lis**" i „**Dewotka**". Omów każdą z nich i sformułuj wnioski.

📖 Przeczytaj bajkę pt. „**Ptaszki w klatce**".

➡ Naszkicuj rysunek ilustrujący sytuację opisaną w bajce. Pod spodem napisz tekst utworu. **Naucz się tej bajki na pamięć.**
Jaką d o s ł o w n ą scenę przedstawia bajka?
Jaką m e t a f o r y c z n ą sytuację prezentują ptaszki zamknięte w klatce?

Alegoria a symbol

Bajka pt. „Ptaszki w klatce" jest **alegorią – przedstawia obraz narodu polskiego w sytuacji porozbiorowej**. Rozważ następujące wyjaśnienie:

Jeśli rysunek ilustrujący bajkę wyobraża zamknięte w klatce ptaki i my, Polacy, kojarzymy tę bajkę z sytuacją narodu po rozbiorach, to dla nas cała bajka jest alegorią[1]. Natomiast jeśli obcokrajowiec po przeczytaniu bajki myśli o ograniczeniu własnej swobody (np. przez rodziców albo szkołę), to dla niego klatka, czyli jeden element bajki, jest symbolem[2] ograniczonej wolności.

> **Alegoria** to obraz lub opowiadanie, które w c a ł o ś c i ma sens przenośny. Alegoria jest jednoznaczna dla odbiorców z tego samego kręgu kulturowego. Dany utwór może nie mieć wartości alegorycznej, a tylko symboliczną, dla odbiorcy o innych doświadczeniach kulturowych.

Cechy ludzkie czy zwierzęce?

Człowiek ma wiele cech negatywnych, co więcej, bywa że zachowuje się jak... zwierzę. No właśnie, dlaczego jak zwierzę? Jakie cechy ludzkie odpowiadają cechom zwierzęcym i czy wszystkie negatywne porównania są słuszne?

 Ćwiczenie 1. Przepisz podane porównania n e g a t y w n e i dodaj inne przykłady, według wzoru: chytry jak lis (podstępny, przebiegły), uparty jak osioł, pisze jak kura pazurem (brzydko, nieczytelnie), pasuje jak wół do karety (nie pasuje, razi)...

 Ćwiczenie 2. Znajdź p o z y t y w n e porównania, np. pracowity jak pszczoła, uwija się jak mrówka, wesolutki jak skowronek...

 Ćwiczenie 3. Z jaką cechą lub zachowaniem kojarzą ci się następujące skróty myślowe: tchórz, żmija, świnia, lizać rany, małpować, chomikować?

 Ćwiczenie 4. Czy potrafisz odnaleźć nawiązania do cech ludzkich i zwierzęcych w języku angielskim? Przykład: Busy as a bee.

---

[1] **alegoria** – gr. *allegoria*, od gr. *allegorein* – mówić obrazowo; ang. allegory.

[2] **symbol** – od gr. *symbolon* – znak rozpoznawczy; łac. *symbolum*; ang. symbol.

➡ Słynne łacińskie powiedzenie mówi: **Homo homini lupus est**[1]. Do jakich cech wilka nawiązuje autor słów Plaut (łac. *Titus Maccius Plautus*), komediopisarz rzymski z przełomu III i II w. p.n.e.?

Satyry, czyli obraz Polski w krzywym zwierciadle

Ignacy Krasicki napisał 22 satyry i wydał je w dwóch zbiorach. Pierwszy zbiór ukazał się anonimowo[2], co mogło mieć związek z drażliwością podejmowanych przez autora tematów.

> **Satyra**[3] to utwór (epicki, liryczny lub dramatyczny), wyrażający krytyczny stosunek autora do rzeczywistości, ośmieszający wady ludzkie i stosunki społeczne.
> W potocznym rozumieniu, **satyra** to ośmieszanie, wyszydzanie i piętnowanie wad, zjawisk i zachowań.

„Do króla"

 Przeczytaj utwór pt. **„Do króla"**. Otwiera on pierwszy zbiór satyr Ignacego Krasickiego. Zwróć uwagę na dwuwiersz określający funkcje satyry i zapamiętaj go jako „złotą myśl":
Satyra prawdę mówi, względów się wyrzeka.
Wielbi urząd, czci króla, lecz sądzi człowieka.

Wypisz z tekstu „zdrożności", czyli winy króla, według wzoru:
a) „Jesteś królem, a czemu nie królewskim synem?"
b) „Jesteś królem – a byłeś przedtem mości panem[4]."
b) „Źle to więc, żeś jest Polak; źle, żeś nie przychodzień[5]."
c) „[...] oto młodyś jeszcze. [...] Bez siwizny, bez zmarszczków."
d)
e)

➡ Czy autor naprawdę krytykuje króla? Czy daje wyraz własnym przekonaniom, gdy mówi: „Tyś królem, czemu nie ja?" albo „Wszak siwizna zwyczajnie talenta posiada"? Jeśli nie, to czyje poglądy przytacza? Czym kierują się osoby krytykujące króla – zawiścią, dbałością o prywatę, ogólną niechęcią wobec rzeczywistości, niedojrzałością obywatelską?

Argumenty przeciw królowi przytoczone w satyrze, np. „Tyś król, czemu nie ja? Mówiąc między nami, / Ja się nie będę chwalił, ale przymiotami / Niezłymi się

---

[1] pol. Człowiek człowiekowi jest wilkiem.
[2] **anonimowo** – bezimiennie [czyt. bez-imiennie], bez imienia i nazwiska autora; od gr. *anonymos* – bezimienny.
[3] łac. *satira*; ang. *satire*.
[4] **mości panem** – tu: szlachcicem.
[5] tu: cudzoziemiec.

zaszczycam" [poszukaj następnych przykładów] są **demagogiczne**[1], czyli obliczone na łatwy poklask, zdobycie przychylności tłumu. Pozyskany tłum da się później łatwo manipulować, bo wydaje mu się, że przywódca (ang. leader) reprezentuje podobny punkt widzenia, ale on tylko rozpoznaje i zręcznie wykorzystuje opinie i nastroje ludzi.

> **Demagogia** to schlebianie masom (tłumom), dawanie im pustych obietnic, wysuwanie w imieniu ludzi żądań nie do spełnienia, budzenie nieziszczalnych[2] nadziei.

Historia ludzkości zna demagogów, którzy potrafili prowadzić za sobą tłumy w niebezpiecznym kierunku [podaj przykłady]. Uleganie demagogii jest niebezpieczne dla społeczeństw i jednostek. [Czy ty spotkałeś się z przejawami demagogii w swoim środowisku? Co możesz zrobić, by nie poddać się pozornie „przekonującym", ale na dalszą metę – niebezpiecznym argumentom?]

Satyra Krasickiego pozornie stawia zarzuty królowi, ale *de facto*[3] ośmiesza ludzi, którzy je formułują, a więc magnaterię i szlachtę niechętną nowym czasom (mówimy, że pokazuje je w krzywym zwierciadle).

„Żona modna"

> Przeczytajcie w klasie satyrę Ignacego Krasickiego pt. **„Żona modna"** na trzy głosy: osoba I – przyjaciel Piotra, osoba II – Piotr, który niedawno ożenił się z „żoną modną", połaszczywszy[4] się na jej cztery wsie, osoba III – żona modna, zwana Filis.

Opowiedz treść utworu, według planu: a) gratulacje z okazji wstąpienia w związek małżeński, b) wstępna charakterystyka młodej żony, c) wspomnienie romansowej konwencji (sztuczności) narzeczeństwa, d) spisywanie intercyzy[5], e) wyjazd z miasta na wieś – kareta, bagaże, pytania o służbę, rozmowa o deserach, f) reakcja żony modnej na domostwo męża, g) przebudowa wiejskiego domu, h) przyjmowanie modnych gości, pożar, i) znowu w mieście – refleksje rozczarowanego męża.

---

[1] **demagogiczne**, od **demagogia** – kierowanie ludem; gr. *demagogia*; od gr. *demos* – lud i od gr. *agogos* – przywódca; ang. demagogic, demagogy.

[2] **nieziszczalne** – [czyt. niez-iszczalne], nie do ziszczenia (od wyrazu: istota), nie do wykonania, nie do zrealizowania.

[3] *de facto* (łac.) – w istocie, w rzeczywistości.

[4] **połaszczywszy się**, od **połaszczyć się** – połakomić się, być łasym, dać się czymś znęcić, pożądać jakiejś rzeczy. Jest to prawdopodobnie wyraz prasłowiańskiego pochodzenia: w zapisie staro-cerkiewno--słowiańskim z IX w. – łaskosrd.

[5] **intercyza** – umowa przedślubna ustalająca sprawy majątkowe małżonków; od łac. *intercisa* – rozstrzygnięcie, od łac. *intercisio* – rozcięcie.

Ćwiczenie 1. Wypisz cechy pozytywne żony modnej, według wzoru: uroda, grzeczność, zdolności...

 Ćwiczenie 2. Wypisz cechy negatywne żony modnej, według wzoru: uleganie modzie francuskiej, rozrzutność, brak krytycyzmu...

 Ćwiczenie 3. Wypisz cechy męża (szlachcica-tradycjonalisty), według wzoru: chciwość, naiwność, uległość...

 Ćwiczenie 4. Korzystając z materiału zgromadzonego w powyższych ćwiczeniach, napisz charakterystykę żony modnej.

Charakterystyka postaci to opis zarówno wyglądu zewnętrznego, jak i charakteru osoby.

Charakterystyka może być b e z p o ś r e d n i a (podana wprost przez narratora), p o - ś r e d n i a (wynikająca z wypowiedzi opisywanej osoby, jej zachowań lub opinii o niej) lub m i e s z a n a (zawierające obydwa typy charakterystyk).

„Pijaństwo"

 Przeczytaj satyrę pt. **„Pijaństwo"** Ignacego Krasickiego.
Opowiedz treść utworu. Zwróć uwagę, że pijak: a) uzasadnia okoliczności picia wódki, b) potępia picie wódki, c) pochwala trzeźwość [odczytaj odpowiednie fragmenty]. Jak kończy się satyra? [podaj cytat i wyciągnij wnioski]

Satyra pt. „Pijaństwo" jest refleksją nad upadkiem moralnym człowieka, który w p a d ł w n a ł ó g. Znał on racjonalne argumenty przeciwko piciu alkoholu, ale nie potrafił postępować jak nakazywał rozum. Miał słabą wolę. Wydaje się, że w tamtym czasie i środowisku, w jakim przebywał, nie było dla niego ratunku. [Czy nam, ludziom współcześnie żyjącym, też grożą nałogi? Jakie? W jaki sposób można i trzeba się przed nimi bronić? Czy nałóg jest prywatną sprawą człowieka? Czy i jak wpływa na zakłócenie spokoju innych ludzi, stosunków społecznych?]

Dydaktyczna (pouczająca) wartość literatury

Zauważ, że przy analizie niektórych utworów trudno jest uniknąć pogłębiających pytań o zachowania ludzi i ich postawy moralne. Perypetie książkowych (a także filmowych) bohaterów umożliwiają nam zobaczenie innych osób w sytuacji, które mogą nam samym się przydarzyć.

Niektórzy autorzy, jak np. Ignacy Krasicki, celowo nasycają swoje utwory treścią wychowawczą. O literaturze tego typu mówimy, że jest d y d a k t y c z n a. Są jednak utwory, w których nie ma jawnej intencji wychowawczej, a mimo to są one wartościowe dla nas, czytelników, gdyż śledząc cudze losy i zachowania, zastanawiamy się nad własnym życiem i postępowaniem.

„Monachomachia", ilustracja J. Przyłuskiego, 1822. Fot.: Archiwum WSiP

Poematy heroikomiczne[1]

Wspominaliśmy już, że w 1767 roku Krasicki otrzymał urząd biskupa warmińskiego. Przebywając w środowisku duchownych mógł z bliska obserwować, że nie wypełniali oni swoich obowiązków duszpasterskich[2]. Przypomnij sobie, że już dwa wieki wcześniej Mikołaj Rej w utworze pt. „Krótka rozprawa" (1543) krytykował księży za to, że nie odprawiają mszy, a z kościoła robią jarmark. Z lektury utworów Ignacego Krasickiego możemy wysnuć wniosek, że w XVIII wieku rozkład instytucji kościelnej pogłębił się.

Ignacy Krasicki napisał trzy poematy heroikomiczne – „Myszeida" (1775), „Monachomachia"[3] (1778) i „Antymonachomachia" (1780). Na lekcji języka polskiego omówimy „Monachomachię", która stała się skandalem wydawniczym. Zaznaczmy, że u t w ó r   t e n   n i e   b y ł   p r z e z n a c z o n y   p r z e z   K r a s i c - k i e g o   d o   p u b l i k a c j i. Mimo wyraźnego sprzeciwu autora, który nie chciał „urazić rzymskokatolickich zakonników", wydawnictwo Michała Grölla wydrukowało poemat anonimowo w 1778 roku. Wkrótce ujawniono, kto jest autorem,

---

[1] **heroikomiczny** – heroi(czny) i komiczny jednocześnie; od gr. *heros* – bohater i od gr. *komikos* – komediowy.

[2] **duszpasterski**, od **duszpasterz** – tu: ksiądz; zwróć uwagę na budowę wyrazu (złożenia): dusz+pasterz.

[3] **monachomachia** – dosłownie: wojna mnichów (zakonników); od łac. *monachus* – mnich i od gr. *mache* – bitwa, walka.

i Krasicki został zmuszony do napisania odwołania (palinodii[1]). Powstała „Anty-monachomachia", w której poeta tylko pozornie (na niby) odwołał zarzuty, w rzeczywistości je p o t w i e r d z a j ą c.

„Monachomachia"

📖 Przeczytaj fragmenty poematu pt. **„Monachomachia, czyli wojna mnichów"** Ignacego Krasickiego. Po lekturze podziel się ogólnymi wrażeniami na temat utworu.

Odczytaj ponownie strofę pierwszą („Wojnę domową śpiewam więc i głoszę...") i szóstą („Ta, która nasze padoły przebiega..."). Do jakiego starożytnego utworu nawiązał poeta? [odpowiedz teraz] Czy zrobił to na serio, czy żartobliwie?

Określ ogólne miejsce akcji: „W mieście, którego nazwiska nie powiem..." [dokończ].

Miejsca szczegółowe akcji to: klasztor dominikanów (Pieśni 1, 4, 5 i 6) i klasztor karmelitów (Pieśń 2). W klasztorze dominikanów większość zdarzeń rozgrywa się w refektarzu (jadalni).

Czego dotyczą opisane wydarzenia? [konfliktu wywołanego przez „Jędzę Niezgody"[2] między dwoma zakonami – dominikanów[3] i karmelitów[4]; odszukaj odpowiednie fragmenty]

Główne postacie występujące w podanych fragmentach to: ojciec Hilary, ksiądz przeor, ojciec doktor, ojciec Pankracy, Makary, ojciec Ildefons, Hijacynt, Gaudenty. Scharakteryzuj te postaci, posługując się cytatami. Nie zapomnij o używanych przez bohaterów przedmiotach (rekwizytach).

W utworze odnajdujemy następujące cechy eposów starożytnych: uroczyste wprowadzenie, rozbudowany okres zdaniowy, oktawę (strofę ośmiowersetową), opis bitwy przedstawionej jako szereg bohaterskich pojedynków, szczegółowy opis ważnego przedmiotu (tutaj: pucharu – kielicha – kubka), wysoki styl („Jutrzenkę obaczył", „strumień łagodnej wymowy"). W jakim celu poeta użył elementów typowych dla eposu bohaterskiego (starożytnego)?

Wnioski

Poemat Krasickiego pt. „Monachomachia, czyli wojna mnichów", jest parodią eposów starożytnych:

---

[1] **palinodia** – utwór, w którym autor odwołuje swoje poprzednie sądy lub oszczerstwa; od gr. *palinoidia* – pieśń sprzeczna z poprzednią; ang. palinode.

[2] przypomnij sobie, że opisany w „Iliadzie" Homera spór o jabłko, który doprowadził do wojny trojańskiej, spowodowała bogini niezgody Eris.

[3] **dominikanie** – katolicki zakon założony we Francji w XIII w.; nazwa pochodzi od imienia twórcy zakonu św. Dominika Guzmana. Pierwszy w Polsce klasztor dominikanów powstał w 1223 r. w Krakowie.

[4] **karmelici** – katolicki zakon założony w Palestynie w XII w.; nazwa pochodzi od góry Karmel, gdzie osiadł założyciel zakonu Bertold z Kalabrii. Karmelici przybyli do Polski w 1419 r.

> **Parodia** to utwór komiczny naśladujący kompozycję, motywy i styl typowy dla utworów poważnych (np. eposu, trenu, dramatu).

„Monachomachia" Krasickiego jest szczególnym przypadkiem parodii – poematem heroikomicznym:

> **Poemat heroikomiczny** to utwór epicki stanowiący parodię eposu starożytnego lub rycerskiego. Używa się w nim stylu wysokiego do przedstawienia scen błahych lub codziennych w celu satyryczno-dydaktycznym lub żartobliwo-rozrywkowym.

Naśladowanie eposu Homera nie jest celem samym w sobie, ale instrumentem służącym do ośmieszenia i krytyki mnichów. Zakony w XVIII wieku były ostoją głupoty, pijaństwa, nieróbstwa. Wymagały reform, i to natychmiastowych. Dobrze się stało, że krytyka wyszła od duchownego, który ruszył „rozkoszne siedlisko świętych próżniaków". Autor na wszelki wypadek asekurował się[1], pisząc:

> I śmiech niekiedy może być nauką,
> Kiedy się z przywar, nie z osób natrząsa; [...]
> Szanujmy mądrych, przykładnych, chwalebnych,
> Śmiejmy się z głupich, choć i przewielebnych.

Pierwsze nowoczesne powieści

Początki powieści polskiej przypadają na czasy saskie, tj. na XVII wiek. Były to słabe tłumaczenia włoskich i francuskich romansów i jeszcze słabsze naśladownictwa przez polskich autorów.

 **Lektura uzupełniająca.** Przeczytaj fragmenty powieści pt. „Mikołaja Doświadczyńskiego przypadki" zamieszczone w Wypisach i skomentuj je.

Powieść Ignacego Krasickiego pt. „Mikołaja Doświadczyńskiego przypadki" została opublikowana w 1776 roku i uważamy ją za p i e r w s z ą   n o w o c z e s n ą   p o w i e ś ć   p o l s k ą. Połączyła ona w sobie elementy powieści obyczajowej, awanturniczej i utopijnej.

Głównym bohaterem utworu jest syn szlachecki **Mikołaj Doświadczyński** [zwróć uwagę na „mówiące" nazwisko]. Akcja <u>części I</u> rozgrywa się w polskim dworku. Mikołaj negatywnie charakteryzuje zarówno swoich rodziców, jak i własną edukację pod okiem francuskiego guwernera[2]. Na wniosek tegoż nauczyciela Mikołaj zostaje wysłany do Paryża. Tam wśród fircyków i lekkoduchów traci wszystkie

---

[1] **asekurować się**, od **asekuracja** – zabezpieczenie się; od łac. *assecuratio* – zabezpieczenie.
[2] **guwerner** – domowy wychowawca, nauczyciel dzieci szlacheckich; fr. gouverneur [czyt. guvernör].

pieniądze, a nawet zaciąga długi. Na koniec ucieka do Amsterdamu i w porcie dostaje się na statek. Bohater zmienia się w części II, gdy trafia do utopijnej[1] społeczności na wyspie Nipu. Podejmuje pracę fizyczną, doświadczając odnowy moralnej i fizycznej. Akcja części III toczy się w Polsce. Bohater staje się światłym obywatelem, zwalnia chłopów z pańszczyzny i wprowadza oczynszowanie[2]. Jest wzorem gospodarza.

Jak widzimy, powieść ta jest wybitnie dydaktyczna (pouczająca).

W 1778 roku Krasicki wydał drugą powieść pt. **„Pan Podstoli”**, w której rozwinął wątek dobrego gospodarza i obywatela.

Krótka historia powieści

> **Powieść** (ang. novel) to dłuższy utwór fabularny[3] pisany prozą. Zawiera wiele wątków i postaci o różnym stopniu ważności. Posługuje się narracją i różnymi formami podawczymi, jak opis, opowiadanie, dialog, mowa zależna.
> Ze względu na t e m a t y k ę wyróżniamy takie odmiany powieści, jak: romans, powieść historyczna, obyczajowa, psychologiczna, przygodowa, awanturnicza, podróżnicza, kryminalna i fantastycznonaukowa.

Najwcześniejszym przykładem p r o z y   f i k c y j n e j są opowieści o mieście Milet (gr. *Miletus*) pt. *„Milesiaka”*, napisane przez greckiego autora o imieniu **Arystydes** (gr. i ang. *Aristides*) w II w. p.n.e. Z ok. 1353 roku pochodzi zbiór stu nowel (ang. novella) pióra Włocha **Giovanni Boccaccio**, wydrukowany w 1471 roku pod tytułem **„Dekameron”** (wł. i ang. „Decameron”). Nie są to jednak jeszcze powieści.

Dopiero w XVI wieku pojawiają się pierwsze p o w i e ś c i   p i k a r e j s k i e[4]. Klasycznym przykładem powieści tego typu jest **„Don Kichote” Miguela de Cervantesa** z 1605 roku (hiszp. „Don Quijote”; ang. „Don Quixote” by Miguel de Cervantes Saavedra). Na gruncie angielskim nawiązał do niego **Daniel Defoe** utworem pt. **„Robinson Crusoe”** (1719).

Wkrótce następuje r o z k w i t   p o w i e ś c i jako gatunku. Wymieńmy tu romanse gotyckie[5] oraz powieści sentymentalne, utopijne, psychologiczne, realisyczne, naturalistyczne i eksperymentalne. Złotym okresem dla powieści był wiek XIX.

---

[1] **utopijny** – nieprawdziwy, wymarzony, od **utopia** – mrzonka, pomysł szlachetny, ale nierealny; od gr. *ou* – nie i od gr. *topos* – miejsce.

[2] **oczynszowanie** – zamiana pańszczyzny (tj. pracy fizycznej na pańskim polu) na czynsz (tj. świadczenie w pieniądzu lub naturze).

[3] **fabularny**, od **fabuła** – zespół zdarzeń przedstawionych w utworze literackim, treść utworu; od łac. *fabula* – opowiadanie, bajka.

[4] **powieści pikarejskie** – (o)powieści łotrzykowskie, szelmowskie, hultajskie, zbójeckie; od hiszp. picaro – szelma, łotrzyk, włóczęga; ang. Picaresque novels.

[5] **romans gotycki** – powieść grozy; gatunek ten powstał w XVIII w. Akcja romansów gotyckich toczy się w ruinach zamków, grobowcach, lochach (piwnicach, tunelach), zaś bohaterowie organizują porwania, pościgi itp.

Do najwybitniejszych powieściopisarzy należą: w Anglii – **Sir Walter Scott, Charles Dickens, Joseph Conrad**; w Irlandii – **James Joyce**; we Francji – **Stendhal, Honore de Balzac, Gustave Flaubert**; w Rosji – **Fiodor Dostojewski** (ang. F. M. Dostoyevsky), **Lew Tołstoj** (ang. Lee Tolstoi); w USA – **James Fenimore Cooper, Nathaniel Hawthorne, Herman Melville, Mark Twain, William Faulkner, Ernest Hemingway**; w Polsce – **Henryk Sienkiewicz, Eliza Orzeszkowa, Bolesław Prus**. Lista nazwisk jest oczywiście o wiele dłuższa.

FRANCISZEK KARPIŃSKI (1741-1825) – POETA SENTYMENTALNY I RELIGIJNY

Franciszek Karpiński przebywał w Warszawie, głównie na dworze księcia Adama Kazimierza Czartoryskiego, którego był sekretarzem. Równocześnie brał udział w obiadach czwartkowych, organizowanych przez króla Stanisława Augusta Poniatowskiego. Dla Towarzystwa do Ksiąg Elementarnych napisał rozprawę pt. „O wymowie w prozie albo w wierszu", jednakże nie została ona przyjęta jako podręcznik. Pobyt w stolicy rozczarował Karpińskiego i w 1784 roku powrócił na wieś, gdzie miał majątek.

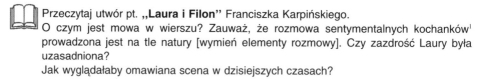

Przeczytaj utwór pt. „**Laura i Filon**" Franciszka Karpińskiego.
O czym jest mowa w wierszu? Zauważ, że rozmowa sentymentalnych kochanków[1] prowadzona jest na tle natury [wymień elementy rozmowy]. Czy zazdrość Laury była uzasadniona?
Jak wyglądałaby omawiana scena w dzisiejszych czasach?

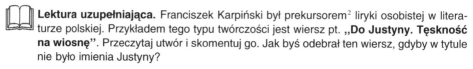

Lektura uzupełniająca. Franciszek Karpiński był prekursorem[2] liryki osobistej w literaturze polskiej. Przykładem tego typu twórczości jest wiersz pt. „**Do Justyny. Tęskność na wiosnę**". Przeczytaj utwór i skomentuj go. Jak byś odebrał ten wiersz, gdyby w tytule nie było imienia Justyny?

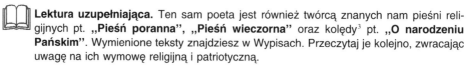

Lektura uzupełniająca. Ten sam poeta jest również twórcą znanych nam pieśni religijnych pt. „**Pieśń poranna**", „**Pieśń wieczorna**" oraz kolędy[3] pt. „**O narodzeniu Pańskim**". Wymienione teksty znajdziesz w Wypisach. Przeczytaj je kolejno, zwracając uwagę na ich wymowę religijną i patriotyczną.

---

[1] tu: zakochanych. Z biegiem czasu wyraz „kochankowie" nabrał znaczenia **pejoratywnego**, czyli ujemnego; od łac. *peiorare* – pogarszać się.

[2] **prekursor** – poprzednik, zwiastun; od łac. *praecursor* – wyprzedzający.

[3] **kolęda** – pieśń związana z Bożym Narodzeniem; ang. Christmas carol.

OSTATNIE PRÓBY RATOWANIA RZECZYPOSPOLITEJ

Charakterystyka państw ościennych[1]

Zbliżamy się do końca istnienia I Rzeczypospolitej Polskiej. Pierwszy rozbiór[2] kraju – jak wiemy – nastąpił w 1772 roku. Co po tym tragicznym wydarzeniu robiła polska szlachta i magnateria? Czy pracowała elita intelektualna? A król? Wiele działo się w Polsce, ale podejmowane próby ratowania kraju nie zdołały zapobiec katastrofie.

W 1793 roku dojdzie do drugiego rozbioru kraju. Po nim nastąpi zryw patriotyczny pod wodzą Tadeusza Kościuszki (1794), jednak mimo wstępnych sukcesów powstanie zakończy się klęską. Trzeci rozbiór w 1795 roku będzie pogrzebaniem Polski na długie lata...

Na rozbiory Polski, aczkolwiek bolesne dla nas, Polaków, musimy spojrzeć z perspektywy europejskiej. Oto krótka charakterystyka naszych XVIII-wiecznych sąsiadów:

ROSJA. Ok. VIII w. n.e. Rosja była zasiedlona przez Słowian. Od X do XII w. pozostawała pod silnym wpływem Kościoła Wschodniorzymskiego i kultury bizantyjskiej. W XIII w. ziemie ruskie zostały zajęte przez oddziały Tatarów i Mongołów, którzy kontrolowali je przez następnych 200 lat. Wieki XVI i XVII to okres dominacji Moskwy. Dwaj książęta moskiewscy – **Iwan Wielki** (ang. Ivan the Great, lata panowania 1462-1505) i jego wnuk **Iwan Groźny** (ang. Ivan the Terrible, lata panowania 1533-1584) zdobyli nowe terytoria i umocnili władzę. Szczególnie krwawo zapisał się w historii Iwan Groźny, który zjednoczył ziemie ruskie i jako pierwszy zaczął używać tytułu „car i władca Wszechrosji". W 1613 roku bojarowie[3] wybrali na cara **Michała Romanowa** [p. Barok]. Rodzina ta pozostawała na tronie przez następnych 300 lat. Twórcą nowożytnej Rosji był **car Piotr I** (ang. Peter the Great, lata panowania 1682-1725), który wprowadził ją w krąg kultury zachodnioeuropejskiej i założył stolicę w nowo zbudowanym mieście, nazwanym od jego imienia St. Petersburg[4]. Niesławnie w historii Polski zapisała się caryca **Katarzyna II** (ang. Catherine the Great, lata panowania 1762-1796). Była ona niemiecką księżniczką, która poślubiwszy Piotra III konspirowała przeciwko niemu i doprowadziła do odsunięcia go od władzy, a następnie zamordowania w 1762 roku. Jako władczyni wykazała niezwykły talent autokratyczny[5]. Rozszerzyła wpływy Rosji, zagarniając m.in. Krym (ang. Crimea) i dużą część Polski. Za życia męża

---

[1] **państwa ościenne** – państwa oparte „o ścianę", czyli graniczące z Polską.

[2] **rozbiory Polski** – stopniowe zagarnianie ziem polskich w XVIII w. przez sąsiednie państwa; ang. partitions of Poland. I rozbiór – 1772, II rozbiór – 1793, III rozbiór – 1795.

[3] **bojarowie** albo **bojarzy** – szlachta rosyjska; ros. bojarin; od tur. bajar – wielmoża, magnat.

[4] miasto Moskwa zostało ponownie stolicą Rosji dopiero w latach 1918-1922; ang. Moscow.

[5] **autokratyczny** – samowładny, despotyczny, od **autokracja** – system rządzenia, w którym jednostka ma nieograniczoną władzę; od gr. *autos* – sam i od gr. *kratos* – władza.

i później otaczała się mężczyznami, którzy następnie stawali się politycznymi marionetkami w jej ręku (G. Orłow, G. Potiomkin, do pewnego stopnia także Stanisław August Poniatowski).

Prusy. Geneza państwa sięga **Zakonu Krzyżackiego**, który w 1226 roku został sprowadzony do Polski przez księcia Konrada Mazowieckiego [p. Średniowiecze]. W 1410 roku rozegrała się pamiętna bitwa pod Grunwaldem[1], w której połączone siły polsko-litewskie rozbiły potęgę Krzyżaków. 10 kwietnia 1525 roku, tj. w dwa dni po ogłoszeniu sekularyzacji[2] Zakonu Krzyżackiego, dotychczasowy Wielki Mistrz **Albrecht Hohenzollern**[3] (ang. Albert Hohenzollern) złożył królowi polskiemu Zygmuntowi Staremu hołd lenny[4] i został dziedzicznym księciem tzw. Prus Książęcych. W 1618 roku nastąpiła unia Prus Książęcych z Brandenburgią i powstało Królestwo Pruskie. W latach 1740-1786 panował w Prusach **Fryderyk II** (ang. Frederick the Great), najsłynniejszy monarcha w całej dynastii. Prowadził on agresywną politykę wobec sąsiadów, m.in. przejął od Austrii Śląsk (ang. Silesia) i wziął udział w I rozbiorze Polski. W latach 1786-1797 panował jego siostrzeniec, **Fryderyk Wilhelm II** (ang. Frederick William II), który uczestniczył w II i III rozbiorze Polski. Dynastia Hohenzollernów utrzymywała się przy władzy przez 500 lat. W 1871 roku Prusy (kanclerzem był wtedy Otto Bismarck) doprowadziły do zjednoczenia Niemiec, w wyniku czego król pruski **Wilhelm I Hohenzollern** (ang. William I Hohenzollern) został cesarzem niemieckim.

Uwaga: Mówimy „zabór pruski" (do 1871 roku), ale po zjednoczeniu Niemiec – „zabór niemiecki".

Austria. Przez ponad 600 lat Austria pozostawała we władaniu dynastii Habsburgów (ang. Habsburg[5] albo Hapsburg), najstarszej dynastii w Europie, wywodzącej się z rodziny panów feudalnych, osiadłych na terenie Alzacji (ang. Alsace), Szwajcarii (ang. Switzerland) i płd. Niemiec. Pierwszym wybitnym Habsburgiem był **Rudolf I**, który w 1273 roku został cesarzem niemieckim, a następnie władcą Austrii. Habsburskie księżniczki poślubiały królów polskich: Kazimierza Jagiellończyka, Zygmunta Augusta, Zygmunta III Wazę, Władysława IV Wazę, Michała Korybuta Wiśniowieckiego i Augusta III Sasa. W ciągu wieków potomkowie rodziny byli monarchami takich państw, jak Niemcy, Hiszpania, Austria, Węgry i Czechy. To Habsburgom w 1683 roku przyszedł z pomocą król Polski Jan III Sobieski, pokonując Turków pod Wiedniem. W I rozbiorze Polski brała udział cesarzowa **Maria Teresa**, panująca w latach 1740-1780. Przez następnych 10 lat władzę sprawował **Józef II**

---

[1] ang. Battle of Tannenberg. Tannenberg to niem. nazwa wsi Stębark, położonej niedaleko wsi Grunwald.

[2] **sekularyzacja** – zeświecczenie, uczynienie świeckim, pozbawienie cech religijnych; od łac. *saecularis* – świecki.

[3] **Hohenzollern** – [czyt. hoencolern], od niem. hohen – wysoki i od niem. Zollern – nazwa zamku.

[4] **hołd lenny** – przysięga, akt uległości związany z użytkowaniem ziem w zamian za służbę; od niem. Huld – oddanie, wierność i od niem. Lehen – ziemia nadana wasalowi przez seniora.

[5] **Habsburg**, skrót od niem. **Habichtsburg** – zamek jastrzębia.

(ang. Joseph II), uważany za „najbardziej oświeconego despotę". W 1793 roku Austria została pominięta w rozbiorach naszego kraju. W III rozbiorze uczestniczył cesarz **Franciszek II** (ang. Francis II). W ramach wielkiej **Monarchii Austriacko-Węgierskiej**[1], istniejącej w latach 1867-1918, Habsburgowie sprawowali władzę nad narodami Austriaków, Niemców, Węgrów, Belgów, Czechów, Polaków, Rumunów, Serbów, Słoweńców i Włochów. Ostatni władca z rodu **Karol I** (ang. Charles I) abdykował w 1918 roku.

Ziemie zaboru austriackiego to inaczej Galicja. Austriacy posługują się językiem niemieckim.

Publicystyka okresu Sejmu Czteroletniego (1788-1792)

Jest rok 1788 i trwa gorączka polityczna w kraju. Rosja uwikłała się w wojnę z Turcją (1787-1792) i Szwecją (1788-1790), w związku z tym polscy patrioci liczą na możliwość przeprowadzenia reform. Teraz albo nigdy! Zwołują do Warszawy sejm, który będzie trwać aż cztery lata i przejdzie do historii pod nazwą **Sejm Wielki** albo **Sejm Czteroletni (1788-1792)**.

W czasie sejmu wyłoniły się stronnictwa, czyli grupy posłów o różnych poglądach.

Do najbardziej światłych ludzi należeli **Hugo Kołłątaj** i **Ignacy Potocki**, którzy wysunęli program „łagodnej rewolucji". Uznali oni, że pojęcie n a r ó d powinno obejmować nie tylko s z l a c h t ę i m a g n a t e r i ę, ale także m i e s z c z a ń s t w o. Do Hugona Kołłątaja i Ignacego Potockiego dołączył **Stanisław Staszic** apelując: „Róbcie z młodzieży szlacheckiej i z miejskiej jeden naród. [...] gdy się wspólnie trzymać będą, Polska zostanie wolną, mocną i sławną". **Franciszek Salezy Jezierski** poszedł dalej w swych propozycjach uważając, że pojęciem „naród" należy też objąć c h ł o p ó w: „Pospólstwo rozróżnia narody, utrzymuje rodowitość języka ojczystego, zachowuje zwyczaje. [...] Naród jest zgromadzeniem ludzi mających jeden język, zwyczaje i obyczaje, zawarte jednym i ogólnym prawodawstwem dla wszystkich obywatelów". Tak więc u schyłku I Rzeczypospolitej świadomość polityczna ulegała szybkim przewartościowaniom. Według nowoczesnych opinii oświeceniowych p o j ę c i e „n a r ó d p o l s k i" p o w i n n o o b e j m o w a ć w s z y s t k i c h o b y w a t e l i.

W czasie Sejmu Czteroletniego żywiołowo rozwijała się publicystyka[2].

> **Publicystyka** to piśmiennictwo omawiające tematy bieżące, np. polityczne, gospodarcze, społeczne, kulturalne. Jego celem jest kształtowanie (urabianie) opinii publicznej.

Przyjrzyjmy się działalności wybranych publicystów.

---

[1] ang. Austrio-Hungarian Empire or Austrio-Hungarian Monarchy, or Austria-Hungary.
[2] [czyt. publicystyka]; od łac. *publicus* – publiczny, społeczny.

Franciszek Salezy Jezierski

Franciszek Salezy Jezierski (1740-1791) był pisarzem, prawnikiem, działaczem politycznym, zakonnikiem. Działał aktywnie w Komisji Edukacji Narodowej, a w czasie trwania Sejmu Czteroletniego ściśle współpracował z Hugonem Kołłątajem w ramach tzw. **Kuźnicy Kołłątajowskiej**[1]. Nazywano go „Wulkanem gromów Kuźnicy", ponieważ miał cięte pióro[2].

 Przeczytaj kolejno fragmenty pracy pt. „**Katechizm o tajemnicach rządu polskiego...**" i „Wyznanie rządu polskiego" Franciszka Salezego Jezierskiego. Skomentuj przeczytane teksty. Do jakich znanych wzorów nawiązują? Wiemy, że wielokrotnie je wydawano, anonimowo oczywiście. Jak myślisz, czemu zawdzięczały swoją popularność?

Hugo Kołłątaj

Hugo Kołłątaj (1750-1812) pochodził z rodziny szlacheckiej i uzyskał wykształcenie filozoficzno-teologiczno-prawnicze. Brał udział w pracach Towarzystwa do Ksiąg Elementarnych, a od 1777 roku – w reformie Akademii Krakowskiej. W 1787 roku powrócił do Warszawy i w swoim mieszkaniu przy ul. Czerniakowskiej zorganizował ośrodek propagandowy[3] dla potrzeb sejmu, tzw. **Kuźnicę Kołłątajowską**. Był współtwórcą Konstytucji 3 Maja. W 1794 roku przygotowywał Powstanie Kościuszkowskie, po jego klęsce został aresztowany i spędził osiem lat w więzieniu. W ramach represji[4] skonfiskowano[5] mu cały majątek. Zmarł w biedzie w Warszawie, do końca pracując naukowo.

 Lektura uzupełniająca. Przeczytaj po kolei fragmenty pt. „**O wolność rolnika**" Hugona Kołłątaja (tekst jest częścią większej całości pt. „Do Stanisława Małachowskiego, referendarza koronnego o przyszłym sejmie Anonima listów kilka") oraz „**Do Prześwietnej Deputacyi**".
Wystąpienia Kołłątaja miały wpłynąć na opinię publiczną, dlatego autor odpowiednio stylizował swoje przemówienia.

---

[1] **Kuźnica Kołłątajowska** – nazwa pochodzi od nazwiska Hugona Kołłątaja. Kuźnicę tworzyła grupa publicystów i działaczy lewicowego skrzydła obozu reform, który istniał w okresie Sejmu Czteroletniego (1788-1792) i przez kilka lat następnych. Pisarze, wśród nich Kołłątaj, Jezierski, Dmochowski i Mejer, przejmowali myśli polityczne i społeczne z Zachodu, głównie z Francji, i dostosowywali je do polskiej sytuacji. Kuźnica była postępowa, a nawet radykalna w swoich poglądach.

[2] **mieć cięte pióro** – używać ostrych, celnych sformułowań.

[3] **propagandowy**, od **propaganda** – rozgłaszanie, upowszechnianie; od łac. *propagare* – krzewić, rozpowszechniać. W Polsce Ludowej (1944-1989) określenie „propaganda" kojarzyło się negatywnie, rozumiano je jako „rozszerzanie informacji służących do manipulowania (tj. ścisłego kierowania społeczeństwem) oraz jego opiniami i nastrojami".

[4] **represje** – kara, odwet; od łac. *repressus* – naciśnięty.

[5] **konfiskować** – zabierać prywatną własność na rzecz państwa; od łac. *fiscus* – skarb państwa.

Hugo Kołłątaj. Fot.: Archiwum WSiP   Stanisław Staszic. Fot.: Archiwum WSiP

Kołłątaj posługiwał się długimi zdaniami, wielokrotnie złożonymi [policz zdania pojedyncze w ramach dowolnie wybranego zdania wielokrotnie złożonego]. Znajdź w tekście elementy odwołujące się do u c z u ć i d o r o z u m u. Zwróć uwagę na znaki zapytania i wykrzykniki. Jest to retoryka[1] najwyższej klasy, a sądząc po treści przemówienia – autor był wielkim patriotą!

Stanisław Staszic

Stanisław Staszic (1755-1826) był mieszczaninem, jego ojciec pełnił funkcję burmistrza miasta Piła[2] koło Poznania. Uzyskał wykształcenie teologiczno-fizyko-przyrodnicze. Po powrocie do kraju w 1781 roku został wychowawcą synów Andrzeja Zamoyskiego, wybitnego polityka i wspaniałego człowieka. Staszic wspierał swoją działalnością dzieło Sejmu Czteroletniego i propagował ideę reform. Po III rozbiorze troszczył się o zasoby kultury i ziemi polskiej. Prowadził badania geologiczne i geograficzne, m.in. w rejonie polskich Tatr, na ziemi kieleckiej oraz w Zagłębiu Dąbrowskim (rejon Będzina, Sosnowca, Czeladzi). Rozwinął wydobywanie kopalin, m.in. rudy żelaza i węgla kamiennego. Z inicjatywy Staszica

---

[1] **retoryka** – [retoryka], sztuka wymowy, sztuka przekazywania myśli; od gr. *rhetor* – mówca albo nauczyciel wymowy; od łac. *rhetorica* – piękne mówienie, oracja.
[2] ang. mayor of Piła.

rozpoczęto regulowanie rzek, budowę kanałów wodnych i zapór, w celu wykorzystania energii wody. Gdy w 1800 roku utworzono w Warszawie Towarzystwo Przyjaciół Nauk, został jego członkiem, a później prezesem. Sfinansował budowę siedziby Towarzystwa, dziś znanej jako Pałac Staszica (obecny adres: ul. Nowy Świat 72, Warszawa). Był także inicjatorem postawienia przed Pałacem pomnika wielkiego astronoma Mikołaja Kopernika, co zrealizowano w 1830 roku, już po śmierci Staszica.

 Przeczytaj kolejno fragmenty pt. **„Edukacja", Prawodawstwo", „Władza wykonywająca", „Władza sądownicza", „Wolne obieranie królów" i „Polska"** Stanisława Staszica (teksty te są częścią traktatu pt. „Uwagi nad życiem Jana Zamoyskiego kanclerza i hetmana wielkiego koronnego, do dzisiejszego stanu Rzeczypospolitej Polskiej przystosowane") oraz **„Do panów, czyli możnowładców"** Stanisława Staszica (fragment pochodzi z rozprawy pt. „Przestrogi dla Polski z teraźniejszych politycznych Europy związków i spraw natury wypadające[1]").

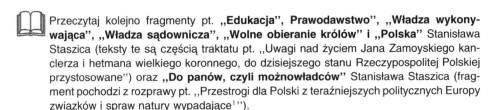 Wypisz „złote myśli" z tekstów Staszica.

Autor miał dar lapidarnego[2] ujmowania istoty rzeczy, np. „t a k i e r z e c z y p o s p o l i t e b ę d ą, j a k i e i c h m ł o d z i e ż y c h o w a n i e". Zwróć uwagę na krótkie zdania i rytmizowanie toku wypowiedzi. Dłuższe zdania pojawiają się tylko w części opisowej, kiedy autor przytacza obrazki ze wsi polskiej, ukazując np. chłopów decydujących się na opuszczenie kraju. Przywołując scenki z życia, autor odwoływał się do uczuć i wyobraźni czytelników.

➡ Porównaj style pisarskie t r z e c h wymienionych publicystów. Choć różnią się one wyraźnie między sobą, wszystkie były nośne i trafiały do odbiorców. Niezależnie od swojej doraźnej funkcji politycznej, publicystyka Jezierskiego, Kołłątaja i Staszica przyczyniła się do wzbogacenia i usprawnienia polskiego języka literackiego.

Praca z mapą

 • Na mapie historycznej z XVIII wieku pokaż **Prusy, Rosję i Austrię**.
• Wskaż także **Francję** – w latach 1789-1799 trwała tam Wielka Rewolucja Francuska (ang. French Revolution).

Konstytucja 3 Maja 1791 roku

Konstytucja została uchwalona w trzecim roku obrad Sejmu Czteroletniego. Prace nad jej przygotowaniem były tajne, brała w nich udział niewielka grupa ludzi, do których należeli marszałek sejmu **Stanisław Małachowski, Ignacy Potocki,**

---

[1] **wypadające** – wynikające.
[2] **lapidarny** – zwięzły, treściwy, dosadny; od. łac. *lapidarius* – odnoszący się do kamieni; od łac. *lapis* – kamień.

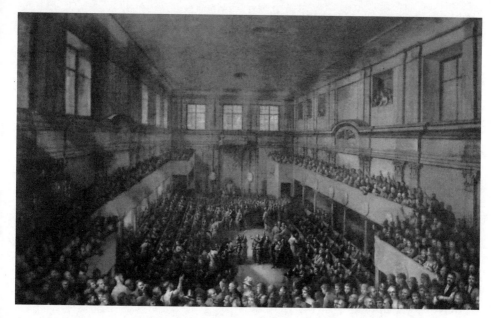
Kazimierz Wojniakowski „Uchwalenie Konstytucji 3 Maja 1791". Fot.: Archiwum WSiP

Hugo Kołłątaj i król Stanisław August Poniatowski. Żeby uniknąć przeciw-działania opozycji, skorzystano z wyjazdu dużej części posłów na Święta Wielkanoc-ne, wtajemniczonym osobom dyskretnie zalecając pozostanie w stolicy. Kuźnica Kołłątajowska zmobilizowała do działania rzesze mieszczaństwa warszawskiego i plebsu[1]. W dniu 3 maja ludzie wylegli na ulice, a potem tłumnie przeszli na Zamek Królewski. Tam, w sali obrad sejmowych, wypełnili galerie[2] i domagali się uchwalenia konstytucji. Marszałek Stanisław Małachowski zagaił sesję, po czym komisja do spraw zagranicznych zaczęła odczytywać depesze o zagrożeniu państwa. Przygotowani posłowie domagali się ratunku dla Ojczyzny, a tłum głośno wtórował. Wtedy król zabrał głos oświadczając, że ratunek widzi tylko w uchwaleniu konstytucji. Sala zawrzała, domagając się – mimo opozycji zdrajcy Suchorzewskiego – ogłoszenia Ustawy Zasadniczej. W czasie odczytywania tekstu Konstytucji i po jego zakończeniu głośno klaskano i krzyczano „Zgoda! Zgoda!". Król poparł Konstytucję i na czele posłów udał się do katedry św. Jana w celu jej uroczystego zaprzysiężenia. A ludność Warszawy, cechy rzemieślnicze i bractwa z rozwiniętymi chorągwiami manifestowały swoją radość do późnych godzin wieczornych. Wielki patriotyczne uniesienie opanowało Polaków!

 Przeczytaj **preambułę**[3] **Konstytucji 3 Maja 1791 roku.**
Wyróżnij w niej trzy części i omów je. Jakie myśli, uczucia i nadzieje zawiera część środkowa preambuły? [odpowiedź poprzyj cytatami].

---
[1] **plebs** – pospólstwo, lud; od łac. *plebs* – pospólstwo.
[2] **galeria** – miejsce na wyższych piętrach przeznaczone dla publiczności; wł. galleria.
[3] tu: wstęp do tekstu Ustawy Zasadniczej, czyli Konstytucji.

Oto główne punkty uchwalonej Konstytucji:

1. Zniesiono podział na Koronę i Litwę, łącząc je w jedno państwo – Rzeczpospolitą.

2. Oddzielono od siebie władzę ustawodawczą, wykonawczą i sądowniczą:

   a) dwuizbowy sejm miał być wybierany na sejmikach co 2 lata przez szlachtę posesjonatów[1]; w sejmie miało zasiadać 204 posłów szlacheckich i 24 pełnomocników miast królewskich; znoszono *liberum veto*, odebrano szlachcie gołocie[2] prawo głosu, tym samym pozbawiano magnatów siły; sejm miał „poprawiać" konstytucję co 25 lat; tron polski miał znów stać się dziedziczny,

   b) organem wykonawczym była Straż Praw – z królem, prymasem i ministrami; za naruszenie praw ministrowie mieli odpowiadać przed sądem sejmowym,

   c) wprowadzono sądy pierwszej instancji „zawsze gotowe".

3. Otwarto drogę do nobilitacji, czyli uszlachcania **mieszczan**, dzięki czemu mieszczanie mogli spodziewać się tych samych praw co szlachta. Zadeklarowano opiekę nad **chłopami**.

4. **Katolicyzm** pozostawał **religią panującą**, ale przyznawano opiekę rządową innym wyznaniom.

Składnia

Składnia[3] to dział gramatyki zajmujący się budową wypowiedzeń. Wypowiedzenia dzielimy na: z d a n i a (zawierające czasownik, ang. verb) i r ó w n o w a ż n i k i z d a ń (nie zawierające czasownika).

➡ Przeczytaj i porównaj trzy teksty:

I. Skończyłam! Odłożyłam książkę na półkę. Chyba pójdę na spacer. Odprężę się! Tyle godzin czytałam! Aha, powinnam wyprowadzić psa. Czy piesek stęsknił się za panią? Chciałby pobiegać? Zaraz znajdę klucze. Przejdziemy się razem. J a k i c i e p ł y w i e c z ó r!

II. Skończyłam czytać i odłożyłam książkę na półkę. Chyba pójdę na spacer, bo powinnam się odprężyć po kilku godzinach czytania. Wyprowadzę też psa, który stęsknił się za panią. Na pewno chciałby pobiegać, a przy okazji będzie mógł odwiedzić swoje psie miejsca. Wezmę klucze i przejdziemy się razem w taki ciepły wieczór.

III. Skończyłam książkę i odłożyłam ją na półkę, po czym pomyślałam, że powinnam wybrać się na odprężający spacer, który należał mi się po kilku godzinach intensywnego czytania. O, i mój pies skomli i domaga się wypuszczenia z domu, gdyż bieganie

---

[1] **posesjonat** – posiadacz większej własności ziemskiej; od łac. *possessio* – posiadłość.

[2] **szlachta gołota** – szlachta bez ziemi (uzależniona ona była od magnatów i użyczała im swoich głosów).

[3] inaczej: **syntaksa**; od gr. *syntaksis* – zestawienie, uszeregowanie. Stąd pochodzi określenie **syntaktyczny** – składniowy, odnoszący się do składni, do budowy zdań.

i obwąchiwanie drzew leży w jego psiej naturze. Zaraz wezmę klucze i wyjdziemy razem, bo nie warto (jest) tracić[1] choćby chwili z tak ciepłego wieczoru.

Powyższe zestawy zawierają z d a n i a o różnym stopniu złożenia oraz jeden r ó w - n o w a ż n i k   z d a n i a ("J a k i   c i e p ł y   w i e c z ó r!").

 Ćwiczenie 1. Oto dalsze przykłady równoważników zdań: Która godzina? Piąta. Spokojnie. Dokąd? Bardzo zimno! Dopisz kilka własnych przykładów.

Ćwiczenie 2. Policz czasowniki (orzeczenia)[2] występujące w zestawach I, II i III. Ile zdań jest w każdym zestawie? Skomentuj budowę zdań złożonych. Podaj sposoby łączenia zdań podrzędnych i współrzędnych w ramach zdań złożonych. Wskaż elementy wyrazowe łączące te zdania, czyli s p ó j n i k i (ang. conjunctions).
      Czym różnią się od siebie zestawy I, II i III? Który typ zdań preferujesz a) w mowie potocznej, b) w tekście pisanym? Długość i stopień złożenia zdania należą do wyznaczników używanego przez nadawcę s t y l u [o stylach p. Odrodzenie].

Zdania dzielimy na:
A. pojedyncze[3] oraz
B. złożone – te natomiast dzielimy dalej na zdania:
      a) współrzędnie złożone, b) podrzędnie złożone, c) wielokrotnie złożone.

Ćwiczenie 3. Z tekstów I, II i III odczytaj przykłady zdań pojedynczych oraz zdań współrzędnie złożonych, podrzędnie złożonych i wielokrotnie złożonych.

Typologia zdań współrzędnie, podrzędnie i wielokrotnie złożonych

Dalsze rozróżnienia mają ci uświadomić istnienie t y p o l o g i i[4] zdań złożonych, ale n i e   m u s i s z   j e j   p a m i ę t a ć! Posłuż się podanymi przykładami jako materiałem d o   u s t n y c h   ć w i c z e ń.

Zdania współrzędnie złożone dzielimy na:
łączne (ze spójnikiem **i**), np. Dzieci pobiegły do piaskownicy i zaczęły się bawić.
rozłączne (ze spójnikiem **albo**), np. Zjemy obiad w domu albo pójdziemy do restauracji.
przeciwstawne (ze spójnikami **ale, jednak**), np. Obiecał odezwać się, ale nie zadzwonił.
wynikowe (ze spójnikiem **więc**), np. Chmurzy się, więc chyba będzie deszcz.

---

      [1] „nie warto tracić" – to orzeczenie imienne w formie samego orzecznika. Łącznik „jest" – pominięto, dzięki czemu wypowiedź brzmi bardziej naturalnie. Uwaga: Orzeczenia dzielimy na proste (śpi, uczy się) i złożone (jest śpiący, jest uczniem). Gramatyka to bardzo szeroka i ciekawa dziedzina wiedzy; w podręczniku znajdują się tylko jej wybrane elementy.
      [2] czasownik użyty w zdaniu nazywamy o r z e c z e n i e m (prostym); ang. predicate.
      [3] podpowiedź: zdań pojedynczych jest tyle, ile orzeczeń, tzn. czasowników w formie osobowej (np. czytam, zbudowali) lub bezosobowej (czytano, zbudowano). Pomijamy w tym ćwiczeniu trudniejsze przykłady orzeczeń.
      [4] **typologia** – nauka o typach; także: klasyfikacja, porządkowanie, grupowanie; od gr. *typos* – odbicie i od gr. *logos* – nauka.

<u>Zdanie podrzędnie złożone</u> składa się ze zdania n a d r z ę d n e g o i p o d r z ę d n e g o.

Zdania p o d r z ę d n e dzielimy dalej na:

podmiotowe (kto? co?), np.	Kto pod kim dołki kopie, sam w nie wpada.
orzecznikowe (kim? czym? jaki?), np.	Miejsce było takie, jakie sobie wymarzyłam.
przydawkowe (jaki? który? czyj? ile?), np.	Dam ci tyle jabłek, ile uniesiesz.
dopełnieniowe (kogo? czego? komu? czemu? z kim? z czym? o kim? o czym?), np.	Sam nie wiesz, czego chcesz.
okolicznikowe, np.	Napiszę list (zdanie nadrzędne),
– celu (po co? w jakim celu?)	żeby wyjaśnić mój punkt widzenia.
– czasu (kiedy? jak dawno? jak długo?)	gdy będę mieć wolną chwilę.
– miejsca (gdzie? skąd? dokąd? którędy?)	tam, gdzie nikt mi nie będzie przeszkadzał.
– przyczyny (dlaczego? za co? z jakiego powodu?)	ponieważ muszę się wytłumaczyć.
– przyzwolenia (mimo czego? wbrew czemu?)	mimo że rozsądek mówi ,,nie".
– sposobu (jak? w jaki sposób?)	starając się, żeby był przejrzysty.
– stopnia (jak bardzo? w miarę czego? o ile?)	tak szczerze, jak umiem.
– warunku (pod jakim warunkiem?)	jeśli poczuję żal.

<u>Zdania wielokrotnie złożone</u> składają się z co najmniej trzech zdań pojedynczych, np. Rodzice p r o s i l i mnie, żebym n a p i s a ł a list do babci i d o ł ą c z y ł a kartę z życzeniami świątecznymi.

JULIAN URSYN NIEMCEWICZ (1758-1841)

Julian Ursyn Niemcewicz (1758-1841) pochodził z rodziny ziemiańskiej. Był najstarszym z piętnaściorga dzieci. Ukończył Szkołę Rycerską w Warszawie, po czym związał się z magnackim dworem Czartoryskich. Niemcewicz był posłem na Sejm Czteroletni i uczestniczył w przygotowywaniu Konstytucji 3 Maja. Brał udział w bitwie pod Maciejowicami (1794), gdzie – podobnie jak Tadeusz Kościuszko – został ciężko ranny, a potem uwięziony w St. Petersburgu. Towarzyszył Kościuszce w czasie jego drugiej podróży do Ameryki (1797-1798). Po rozbiorach został członkiem, a potem prezesem Towarzystwa Przyjaciół Nauk. Gdy upadło Powstanie Listopadowe (1830-1831), Niemcewicz z falą powstańców wyemigrował do Francji. Mimo podeszłego wieku był tam czynny zarówno w życiu politycznym, jak i kulturalnym, współuczestnicząc m.in. w 1838 roku w zakładaniu Biblioteki Polskiej w Paryżu (obecny adres: 6, quai d'Orleans, Paris). Dziś mieści się tu biblioteka zawierająca 150 000 tomów, obrazy, mapy, zbiór medali oraz muzeum Adama Mickiewicza, które są odwiedzane przez mieszkającą w Paryżu Polonię. Życie Niemcewicza przypadło na okres Oświecenia i częściowo następnej epoki, Romantyzmu. Od członu jego nazwiska pochodzi późniejsza nazwa dzielnicy Warszawy – Ursynów. W okolicy stał dworek poety, natomiast wieś za czasów Niemcewicza nazywała się Rozkosz.

Przeczytaj fragment komedii politycznej pt. **"Powrót posła"** Juliana Ursyna Niemcewicza. Utwór został napisany w czasie gorączkowych dni Sejmu Czteroletniego i miał wesprzeć obóz reform.

Streszczenie

Komedia składa się z trzech aktów. Akcja sztuki rozgrywa się w domu Podkomorzego i trwa kilka godzin. W sztuce zachowane są trzy klasyczne jedności: miejsca, czasu i akcji.

Właśnie Podkomorzy[1], jego żona Podkomorzyna i Starosta[2] Gadulski pili kawę, kiedy służący Jakub przyniósł list zapowiadający przyjazd Walerego. Walery, syn Podkomorzych, jest posłem na Sejm Czteroletni i chce skorzystać z przerwy w obradach. Kocha się z wzajemnością w Teresie, córce Starosty Gadulskiego, który jest uosobieniem ograniczonego w poglądach politycznych sarmaty[3]. Starościna, druga żona Starosty, to sfrancuziała dama, przypominająca „żonę modną" z satyry Krasickiego. Nadchodzi Szarmantcki, fircyk[4] i pyszałek. Opowiada o swoim pobycie we Francji [ta scena jest w Wypisach]. Poznajemy pustotę obyczajów Szarmantckiego, a potem zachowawcze poglądy Starosty, który – w wyniku różnicy zdań z Podkomorzym – chce zerwać zaręczyny Teresy z Walerym. Ponieważ rzecz dotyczy m.in. majątku, Walery rezygnuje z posagu[5] Teresy mówiąc, że kocha ją, a nie jej pieniądze. Starosta upiera się jeszcze, chce wydać Teresę za Szarmantckiego, ale gdy ten domaga się posagu, ojciec zezwala na małżeństwo Teresy z Walerym. Jakub, sługa Podkomorzego, otrzymuje zgodę na poślubienie Agaty, służącej w domu Podkomorzych. Na koniec Podkomorzy zwalnia Jakuba i wszystkich chłopów w swoim majątku z poddaństwa.

Scharakteryzuj osoby komedii. Wskaż charaktery „białe" i „czarne". W czasie Sejmu Czteroletniego Niemcewicz, sam postępowy poseł, miał 30-34 lata. Którą postać z utworu najbardziej przypomina? Scharakteryzuj ją.

Niektóre postacie w utworze noszą znaczące nazwiska – był to częsty zabieg literacki w czasach Oświecenia. Jak charakteryzuje osobę nazwisko Gadulski, a jak Szarmantcki?

 Ćwiczenie. Wady Szarmantckiego to: rozrzutność, marnotrawstwo, egoizm, próżniaczy tryb życia, brak honoru, lekkomyślność, brak zaangażowania obywatelskiego. Podaj antonimy (określenia przeciwstawne) do wymienionych cech, według wzoru: rozrzutność – oszczędność.

---

[1] **podkomorzy** – urzędnik w dawnej Polsce: początkowo był zastępcą naczelnika dworu książęcego, od XIV w. stał na czele sądu podkomorskiego, który rozstrzygał spory graniczne między posiadłościami szlacheckimi; urząd podkomorzego był dożywotni (tj. trwał do końca życia urzędnika).

[2] **starosta** – we wczesnym Średniowieczu: naczelnik wspólnoty terytorialnej Słowian, od XIV w. – naczelnik ziemi, prowincji, powiatu, obwodu.

[3] **sarmata** – tu: szlachcic o zacofanych poglądach [p. Barok].

[4] **fircyk** – człowiek niepoważny, lekkoduch, trzpiot, szaławiła, modniś; prawdopodobnie od niem. fürwitzig (vorwitzig) – wścibski.

[5] **posag** – majątek wnoszony mężowi przez żonę przy zawieraniu małżeństwa.

Prapremiera[1] „Powrotu posła" odbyła się 15 stycznia 1791 roku w Teatrze Narodowym w Warszawie. W swoim sprawozdaniu „Gazeta Narodowa i Obca" pisała: „Zgromadzenie słuchaczów wszystkie miejsca aż do nacisku napełniło, oklask powszechny i prawie nieprzerwany uwieńczył to dzieło obywatelstwa i dowcipu [...]". Dyrektorem teatru był Wojciech Bogusławski, który przyznał, że sztuka utrzymała teatr i aktorów przez cały rok. Co więcej, sam Bogusławski napisał drugą część tej komedii pt. „Dowód wdzięczności narodu", która również grana była z powodzeniem.

Julian Ursyn Niemcewicz. Fot.: Archiwum WSiP

➡ O czym świadczy wielka popularność przedstawień „Powrotu posła" w czasie trwania Sejmu Czteroletniego?

Patriotyzm „Śpiewów historycznych"

Po rozbiorach powstało w Warszawie **Towarzystwo Przyjaciół Nauk**[2] – instytucja, która wzięła na siebie trud utrzymania i rozwijania kultury polskiej w sytuacji, gdy zabrakło państwa. To stąd Niemcewicz dostał zachętę do napisania **„Śpiewów historycznych"**. Miały one utrzymać ducha patriotycznego w narodzie. W 1816 roku Niemcewicz opublikował 33 śpiewy o czynach królów i bohaterów polskich, pod każdym śpiewem dołączając komentarz historyczny prozą. Książka rozeszła się po dworkach szlacheckich i domach mieszczańskich. Utwierdzała czytelników w przekonaniu, że nie może zginąć naród, który wydał takich dzielnych bohaterów, jak rycerze spod Grunwaldu i książę Józef Poniatowski[3]. Duże znaczenie miały

---

[1] **prapremiera** – pierwsze w ogóle publiczne przedstawienie utworu; od łac. *primaria* – pierwsza.
[2] **Towarzystwo Przyjaciół Nauk** to pierwsza polska akademia nauk. Działała w latach 1800-1832 i została rozwiązana przez władze rosyjskie po upadku Powstania Listopadowego. Kolejnymi prezesami TPN byli: Albertrandi, Staszic i Niemcewicz. TPN wydało pierwszy „Słownik języka polskiego" S.B. Lindego, „Roczniki Warszawskiego Towarzystwa Przyjaciół Nauk", a także prowadziło badania historyczne, geograficzne i etnograficzne (nad kulturą ludową). Zebrania były otwarte dla publiczności.
[3] **Józef Poniatowski** – (1763-1813), książę, bratanek króla, patriota, dowódca wojsk polskich; tuż przed śmiercią został mianowany przez cesarza Napoleona Bonaparte marszałkiem Francji. Zginął w rzece Elsterze (ang. Elster), osłaniając odwrót wojsk francuskich w czasie bitwy w rejonie Lipska (ang. Leipzig) w dzisiejszych Niemczech.

zarówno postacie historyczne, jak i symbole polskości, np. chorągwie i daty zwycięskich bitew:

> [...] Te zaś **chorągwie**, te zbroje zwleczone
> W triumfie nieście, niech w państwa stolicy
> W świętym przybytku **będą zawieszone**;
> Niech na ich widok zadrżą hołdownicy.
> Sczernią ich wieki, zaginą ich szczątki,
> Lecz nic nie zgładzi dnia tego pamiątki. [...]

„Śpiewy historyczne" Niemcewicza były często wznawiane i należały do najpopularniejszych lektur w XIX wieku. Rodzice czuwali, by młode pokolenie znało je na pamięć.

UPADEK NIEPODLEGŁOŚCI POLSKI. JESZCZE POLSKA NIE ZGINĘŁA

Konfederacja Targowicka (1792-1793)

Magnaci z nienawiścią spoglądali na Konstytucję 3 Maja 1791 r., bo odbierała im przywileje. Rok później zawiązali **Konfederację Targowicką**[1] w celu zniszczenia reform Sejmu Czteroletniego (1788-1792) i unieważnienia Konstytucji. O pomoc zwrócili się do... carycy Katarzyny II. Tragedią było to, że również nasz k r ó l Stanisław August Poniatowski przystąpił do Targowicy[2], zdradzając Konstytucję, nad którą z takim oddaniem pracował i którą zaprzysiągł. Przez kilka miesięcy trwała wojna polsko-rosyjska, po czym sejm w Grodnie – pod presją armat – zatwierdził II rozbiór Polski (1793). Załamani patrioci złożyli broń, podali się do dymisji i wyemigrowali z kraju. Obalona Konstytucja 3 Maja nigdy nie weszła w życie.

Powstanie Kościuszkowskie (1794)

Jak już wcześniej wspominaliśmy, 24 marca 1794 roku wybuchło **Powstanie Kościuszkowskie**, które miało na celu ratowanie Polski. W pierwszym etapie zmagań wsławił się w walkach dwutysięczny ochotniczy oddział krakowskich chłopów-kosynierów. Kosynierzy odnieśli zwycięstwo w bitwie pod Racławicami, która miała miejsce 4 kwietnia 1794 r. Żeby podkreślić znaczenie chłopów i uczcić ich bohaterstwo, Kościuszko przywdział dumnie chłopską sukmanę[3]. Później nadano kosynierom sztandar z wymownym społecznie hasłem „Żywią i bronią"[4] (a to wszystko miało miejsce w czasach, kiedy chłopom wciąż odmawiano prawa bycia obywatelami!).

---

[1] Konfederację zawiązano w St. Petersburgu w Rosji, ale ogłoszono ją w majątku magnackim T a r g o w i c a Szczęsnego Potockiego na Ukrainie, stąd nazwa.
[2] w lipcu 1792 roku.
[3] **sukmana** – w dawnej Polsce: długie wierzchnie okrycie męskie z sukna lub z wełny.
[4] dawna pisownia: „żywią y bronią".

Nastroje patriotyczne ogarnęły też inne rejony kraju – w stolicy wybuchła **Insurekcja Warszawska** pod wodzą szewca Jana Kilińskiego, na wschodzie **Powstanie w Wilnie**, którym kierował Jakub Jasiński, natomiast na zachodzie ziem polskich – **Powstanie Wielkopolskie**, wspierane przez Jana Henryka Dąbrowskiego.

Cios dotknął Tadeusza Kościuszkę pod Maciejowicami (10 października), gdzie na czele 7 tysięcy żołnierzy stoczył on nierówną walkę z armią rosyjską. Ciężko ranny Naczelnik dostał się z adiutantem Niemcewiczem do niewoli, zaś większość żołnierzy polskich poległa.

Trzeci rozbiór Polski

Na polecenie Katarzyny II król wyjechał do Grodna (na północny wschód od Białegostoku, dzisiaj na Białorusi). Zaborcy debatowali zawzięcie, jak podzielić resztę ziem polskich, po czym w 1795 roku zawarli porozumienie rozbiorowe. Stolica Warszawa została zagarnięta przez Prusy. A król? Zmuszony do abdykacji[1] po III rozbiorze udał się z Grodna do St. Petersburga, gdzie zmarł 12 lutego 1798 roku.

Czy wiesz, że...

o s t a t n i król Polski **Stanisław August Poniatowski** (1732-1798) i p i e r w s z y pre-zydent amerykański **George Washington (1732-1799)** byli rówieśnikami (ang. men of the same age)?

➡ Więcej na temat Stanisława Augusta Poniatowskiego dowiesz się z bogatej monografii[2]: Zamoyski, Adam. <u>Ostatni król Polski</u>. Warszawa: Zamek Królewski, 1994. Jeśli chciałbyś powtórzyć wiadomości o polskich monarchach, sięgnij po: <u>Poczet królów i książąt polskich</u>. Redakcja naukowa Andrzej Garlicki. Warszawa: Czytelnik, 1991. Łatwiejszą pozycją jest opracowanie: Szczekocka-Mysłek, Krystyna. <u>Jasnogórski poczet królów i książąt polskich</u>. Warszawa: Wydawnictwo Spółdzielcze, 1990. Na temat George'a Washingtona i innych prezydentów amerykańskich napisano setki książek, jedna z nich jest szczególnie warta polecenia – będzie ci dobrze służyć przez wszystkie lata szkolne i jeszcze później: DeGregorio, William A. <u>The Complete Book of U.S. Presidents</u>. 4th ed. New York: Barricade Books, 1993.

Czy rozbiory Polski były do uniknięcia? Dyskusja na ten temat trwa do dziś i trudno o jednoznaczną odpowiedź. Faktem jest, że **od XVI do XVIII wieku w życiu politycznym Polski dominowała szlachta i magnateria, a pozycja króla stawała się coraz słabsza.** W innych państwach tendencje były odwrotne: m o n a r-c h o w i e a b s o l u t n i koncentrowali władzę w swoich rękach, ograniczając prawa szlachty i parlamentu. Bezbronna, bezrządna, skłócona Polska stała się łatwym łupem dla rosnących w siłę sąsiadów. W wyniku trzech rozbiorów utraciliśmy wszystkie ziemie.

---

[1] **abdykacja** – zrzeczenie się (oddanie) władzy przez panującego monarchę; łac. *abdicatio*.
[2] **monografia** – praca poświęcona opracowaniu jednego zagadnienia, faktu, życiorysu; od gr. *monos* – jedyny i od gr. *grapho* – piszę.

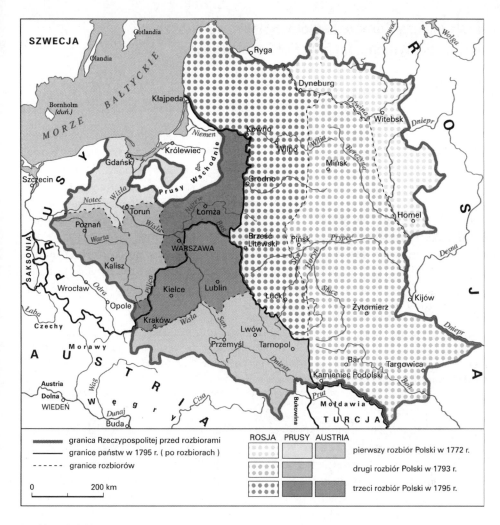

Rozbiory Polski

POWIERZCHNIA ZABRANYCH ZIEM POLSKICH (w tysiącach km²)

Państwo	I Rozbiór (1772)	II Rozbiór (1793)	III Rozbiór (1795)	Razem
AUSTRIA	83	–	47	130
PRUSY	36	58	48	142
ROSJA	92	250	120	462
Razem	211	308	215	734

237

Nowe oblicze Europy. Legiony polskie we Włoszech. Powstanie hymnu „Jeszcze Polska nie umarła"[1] (1797)

Za panowania króla Stanisława Augusta Poniatowskiego Polska wzniosła się na wyżyny (rozkwit kultury polskiej) i „sięgnęła dna" (utrata państwa). Dwie krańcowości – oto ironia naszego losu.

Ale nie tylko Polska doświadczała wstrząsów w XVIII wieku. Prawie cała oświecona[2] Europa znajdowała się w stanie wrzenia. Część krajów, jak Rosja, Prusy i Austria, zajmowała się rozszerzaniem swoich wpływów. Jednakże zaniepokojone oczy świata co chwila zwracały się w kierunku rewolucyjnej Francji, która do niedawna stanowiła przykład władzy absolutnej, pełnej luksusu i splendoru[3], a teraz służyła wzorem jak gilotynować[4] królów. **Wielka Rewolucja Francuska** (1789-1799) zaczęła się pod hasłami l i b e r t é , e g a l i t é , f r a - t e r n i t é[5], a skończyła walką Francuzów przeciwko agresorom[6] (Austrii i Anglii). Przełom XVIII i XIX wieku to okres kształtowania się nowoczesnych narodów w Europie i rodzenia się poczucia wyższości jednych nad drugimi. Z czasem przejdzie to w nową jakość – **nacjonalizm**[7].

> **Nacjonalizm** to ideologia i polityka podporządkowująca wszystko interesom własnego narodu, żądająca dla niego specjalnych przywilejów, często w agresywny sposób dyskryminująca inne narody (mniejszości narodowe).

Nacjonalizm jest cechą współczesnego świata. Jeszcze do XVIII wieku nie było poczucia w i ę z i n a r o d o w e j, wyłącznie l o j a l n o ś ć wobec wspólnoty – rodziny, wsi, grupy religijnej. To Napoleon Bonaparte tworząc imperialistyczne państwo sprowokował ludy od Hiszpanii po Rosję, by broniły narodowej odrębności. Potem zjednoczyły się Włochy pod wodzą Mazziniego i Garibaldiego, zaś pruski kanclerz Otto Bismarck zjednoczył w 1871 roku księstwa niemieckie. **Nacjonalizm** to naczelny sentyment polityczny Europy końca XIX wieku. W XX wieku przerodzi

---

[1] w dzisiejszej wersji początek ten brzmi: „Jeszcze Polska nie zginęła".

[2] od nazwy epoki Oświecenie.

[3] **splendor** – okazałość, świetność, przepych; od łac. *splendere* – błyszczeć.

[4] **gilotynować** – ścinać, od **gilotyna** – urządzenie do ścinania głów, wynalezione przez francuskiego doktora J. G. Guillotin'a (1738-1814) i po raz pierwszy użyte w 1792 r. w czasie Wielkiej Rewolucji Francuskiej. Jako narzędzie egzekucji we Francji gilotyna została wycofana dopiero w 1981 roku; fr. i ang. guillotine.

[5] **liberté, egalité, fraternité** (fr.) – pol. wolność, równość, braterstwo; ang. liberty, equality, fraternity.

[6] **agresor** – napastnik; łac. *aggressor*.

[7] od łac. *natio* – naród; ang. nationalism.

się on w niebezpieczny **faszyzm**[1] (w Hiszpanii i we Włoszech), **nazizm**[2] (w Niemczech) i **szowinizm**[3].

Po wojnie 1812 roku (ang. War of 1812) Stany Zjednoczone ogarnie **ekspansjonizm**[4], związany z polityką napierania osadników na zachód kontynentu. Jednakże już w kilkanaście lat później ujawni się **sekcjonalizm**[5], który doprowadzi do wybuchu wojny domowej, czyli wojny secesyjnej (ang. Civil War, 1861-1865).

Sytuacja, w jakiej nasz naród znalazł się w wyniku rozbiorów, doprowadziła do wykształcenia się polskiej odmiany **patriotyzmu**[6].

> **Patriotyzm** to miłość Ojczyzny, własnego narodu, połączona z gotowością do ofiar dla niej, ale z uznaniem praw innych narodów i szacunkiem dla nich.

Po zajęciu Warszawy przez wojska pruskie **Jan Henryk Dąbrowski**, polityk i strateg wojskowy, współpracownik Kościuszki, odesłał swoją rodzinę do Drezna (dzisiejsze Niemcy), a sam udał się na Zachód. W wyniku porozumienia zawartego z rządem francuskim Dąbrowski utworzył na terenie Włoch legiony, które zachowały organizację, umundurowanie i narodowe komendy polskie, a tylko uzbrojenie miały francuskie. Do miejscowości Reggio Emilia w Lombardii, we Włoszech, gdzie stacjonowało kilka tysięcy polskiego wojska, przybył w 1797 roku z Paryża **Józef Wybicki**, poeta i przyjaciel gen. Dąbrowskiego. Przejął się widokiem żołnierzy w polskich mundurach, przygotowujących się u boku Napoleona Bonaparte do działań wojennych przeciwko Austrii, zaborcy Polski. W takich okolicznościach, w dniach między **15 a 21 lipca 1797 roku**, Wybicki napisał wiersz zaczynający się od słów „Jeszcze Polska nie umarła", które zostały podchwycone w obozie i śpiewane przez legionistów na melodię ludowego mazurka. Pieśń towarzyszyła Polakom w życiu i w walce przez wszystkie następne lata, zaś **jako hymn państwowy została oficjalnie zatwierdzona w dniu 26 lutego 1927 roku.**

Przeczytaj obydwie w e r s j e pieśni-hymnu polskiego – oryginalną pt. „**Pieśń legionów polskich we Włoszech**" i dzisiejszą „**Mazurek Dąbrowskiego**".
Na jakich zwycięskich wodzów powołuje się poeta? Jakimi środkami Polacy są gotowi walczyć o odzyskanie wolności dla swojego kraju? Na czym polegają zmiany poczynione w stosunku do oryginalnego tekstu?

---

[1] **faszyzm** – forma dyktatury kapitału finansowego, wprowadzona najpierw we Włoszech (1922), potem w Niemczech (1933), Japonii, Portugalii, Hiszpanii i innych krajach; wł. fascismo, od wł. fascio – związek; ang. fascism.

[2] **nazizm** – narodowy socjalizm, ideologia i ruch niemieckich nazistów, tj. członków partii hitlerowskiej; od niem. skrótu **Nazi** – Na(tionalso)zi(alist), tj. narodowy socjalista; ang. Nazism.

[3] **szowinizm** – skrajny nacjonalizm, wyrażający się w ślepym uwielbieniu dla własnego narodu i w nienawiści i pogardzie dla innych; od fr. chauvinisme [czyt. szowinism]; ang. chauvinism.

[4] ang. expansionism.

[5] **sekcjonalizm** – szczególne oddanie się lokalnym (nie ogólnonarodowym) interesom; od łac. *sectio* – rozcięcie, rozdzielenie; ang. sectionalism.

[6] **patriotyzm** – miłość Ojczyzny; od gr. *patriotes* – ziomek, rodak, też praojcowski i od łac. *patria* – rodowód, rodzina, ojczyzna; ang. patriotism.

Zauważ, że pieśń ta – napisana w sytuacji braku państwa – w nowy sposób pojmuje Ojczyznę. Ojczyzna to my, naród. Jeszcze Polska nie zginęła, kiedy my żyjemy.

Bo my w nas przechowujemy istotę polskości.

OŚWIECENIE (1764-1822)

Najważniejsze wydarzenia historyczne na świecie:
Rewolucja Amerykańska (1775-1783)
Wielka Rewolucja Francuska (1789-1799)

Wydarzenia historyczne w Polsce:
Konfederacja Barska (1768-1772)
Pierwszy rozbiór Polski (przez Rosję, Prusy i Austrię; **1772**)
Sejm Czteroletni, zwany też Wielkim (1788-1792)
Uchwalenie Konstytucji 3 Maja (1791)
Konfederacja Targowicka (1772-1773)
Drugi rozbiór Polski (przez Rosję i Prusy; **1793**)
Insurekcja Kościuszkowska (1794)
Trzeci rozbiór Polski (przez Rosję, Prusy i Austrię; **1795**). Polska utraciła niepodległość na 123 lata!

Dwa ośrodki rozwoju kultury polskiej w Warszawie:

• **Dwór królewski** Stanisława Augusta Poniatowskiego
ADAM NARUSZEWICZ – historia
IGNACY KRASICKI – bajki, satyry, poematy heroikomiczne, pierwsza powieść polska
STANISŁAW TREMBECKI – wiersze
FRANCISZEK KSAWERY ZABŁOCKI – sztuki teatralne
TOMASZ KAJETAN WĘGIERSKI – wiersze

• **Dwór magnacki** Adama Kazimierza Czartoryskiego
FRANCISZEK KARPIŃSKI – wiersze sentymentalne i religijne
DIONIZY KNIAŹNIN – wiersze
JULIAN URSYN NIEMCEWICZ – sztuki teatralne, „Śpiewy historyczne"

Wybitni publicyści polscy:

FRANCISZEK SALEZY JEZIERSKI,
HUGO KOŁŁĄTAJ
STANISŁAW STASZIC

Rozwój sztuk w Oświeceniu:

Mecenat króla Stanisława Poniatowskiego umożliwił rozwój literatury, teatru, malarstwa, rzeźby i architektury. Król sprawił, że Warszawa przekształciła się z miasta prowincjonalnego w miasto o standardzie europejskim.

WYPISY

Teksty znajdujące się w „Wypisach"
przedrukowano z następujących publikacji:

- Adamczyk, Maria, Bożena Chrząstowska, Józef Tomasz Pokrzywniak. Starożytność – Oświecenie. Klasa I. Wyd. II. Warszawa: WSiP, 1988.
- Literatura polska do początku XIX wieku. Klasa I. Warszawa: WSiP, 1974.
- Skalska, Krystyna, Hanna Budzykowa. Język polski. Klasa I ZSZ. Warszawa: WSiP, 1989.
- Warchoł, Ryszard. Język polski. Klasa II ZSZ. Warszawa: WSiP, 1988.
- Bagiński, Paweł, Włodzimierz Hajdrych. Wypisy dla klasy VIII. Warszawa: PZWS, 1963.
- Chrzanowski, Ignacy. Historya literatury niepodległej Polski. Warszawa: Gebethner i Wolff, 1914.
- Krajewski, Kazimierz. Piśmiennictwo polskie od Średniowiecza do Oświecenia. Warszawa: WSiP, 1986.
- Księga cytatów z polskiej literatury pięknej od XIV do XX wieku. Ułożona przez Pawła Hertza i Władysława Kopalińskiego. Wyd. III. Warszawa: PIW, 1991.
- Warszawa wieku Oświecenia. Wybór i opracowanie Jana Kotta i Stanisława Lorentza. Warszawa: PIW, 1954.
- Pismo Święte Starego i Nowego Testamentu. Biblia Tysiąclecia. Wyd. III. Poznań: Wydawnictwo Pallotinum, 1995.
- Konstytucja 3 Maja. Opracował Jerzy Łojek. Lublin: Wydawnictwo Lubelskie, 1989.
- Safona. Pieśni. Przełożyła i poprzedziła przedmową Janina Brzostowska. Warszawa: PIW, 1978.
- Steffen, Wiktor, Jan Horowski. Vox Latina. Klasa IV. Część I. Warszawa: PZWS, 1970.
- Armstrong, Spencer, ed. 101 of the World's Greatest Books. New York: Greystone Press, 1950.

HOMER

Iliada

Pieśń 1. Inwokacja

Fragmenty

> Gniew, bogini, opiewaj[1] Achilla, syna Peleusa[2],
> Zgubę niosący i klęski nieprzeliczone Achajom[3],
> Co do Hadesu[4] tak wiele dusz bohaterów potężnych
> Strącił, a ciała ich wydał na pastwę sępom drapieżnym
> 5 Oraz psom głodnym. Tak Dzeusa dokonywała się wola[5],
> Zwłaszcza od dnia, gdy w niezgodzie przeciwko sobie stanęli
> Władca narodów Atryda[6] i bogom równy Achilles.
> Który to z bogów do waśni wzajemnej obu podburzył?
> Dzeusa i Leto syn[7], bowiem na króla ten rozgniewany
> 10 Zesłał zarazę na wojsko, ginęły całe narody.
> Mścił się za swego kapłana, Chryzesa[8], któremu Atryda
> Czci nie okazał. [...]

---

[1] **Gniew... opiewaj** – gniew Achillesa jest głównym tematem „Iliady". Boginią jest Muza, która poddaje pieśń śpiewakom.

[2] **Peleusa** – męża Tetydy, ojca Achillesa. Na weselu Tetydy i Peleusa powstał między boginiami Ateną, Herą i Afrodytą spór o jabłko „Dla najpiękniejszej", zakończony sądem Parysa (syna Priama), który spowodował wojnę trojańską.

[3] **Achajowie** – ogólne określenie Greków walczących pod Troją.

[4] **do Hadesu** – krainy dusz zmarłych, królestwa Podziemia.

[5] **Dzeusa... wola** – najpotężniejszy z bogów (Dzeus lub Zeus) postanowił, że Achajowie powinni ponosić klęski w walce z Trojanami do chwili, gdy Achilles nie pojedna się z Agamemnonem.

[6] **Atryda** – syn Atreusa, Agamemnon.

[7] **Dzeusa i Leto** (Latony) **syn** – Apollon.

[8] **Chryzesa** – kapłana, ojca Chryzeidy (Bryzeidy), branki Agamemnona.

Pieśń 18. Tarcza Achillesa

Fragmenty

Hefajstos[1] rzucił na ogień hartowną miedź oraz cynę,
Złoto kosztowne i srebro, a potem prędko pochwycił
475 Ciężkie kowadło. Na pniu je postawił i porwał do ręki
Młot wielkiej mocy, a drugą ręką wziął chwytne obcęgi.
Najpierw wykuwać rozpoczął tarczę ogromną i mocną,
Całą kunsztownie zrobioną. W krąg rzucił otok świetlisty –
Iskrzył się trzema kręgami – i w uchwyt srebrny opatrzył.
480 Pięć było warstw[2] na tej tarczy. Na każdej z nich po kolei
Wiele mistrz wzorów wykonał właściwych swemu kunsztowi.
Najpierw więc wyobrażenie dał ziemi, nieba i morza,
Niezmordowane w wędrówce słońce i pełnię księżyca,
Wszystkie planety i gwiazdy wieńczące nieba otchłanie – [...]
Potem wyrzeźbił dwa miasta dla mową władnących ludzi,
490 Piękne. Z nich w jednym szykują ucztę i gody weselne,
W blaskach płonących pochodni prowadzą oblubienicę
Z komnat do miasta. Niedługo odbędą się zaślubiny.
Młodzi pląsają ochoczo, a w korowodzie tanecznym
Dźwięczą formingi[3] i flety śpiewne. Kobiety wybiegły
495 Przed swe domostwa i patrzą na pląsających w podziwie.
W rynku tymczasem przechodnie stanęli ciżbą, bo waśnią
Jacyś mężowie tam byli dwaj o zapłatę skłóceni.
Jeden z nich mówił, że okup za mężobójstwo dał, drugi
Wobec zebranych zaklinał się, że zapłaty nie dostał.
500 Aby rozstrzygnąć spór, sędziów obydwaj powoływali.
Słuszność krzykliwie przyznają każdemu z nich zwolennicy,
Których zapały hamują heroldzi, bowiem starszyzna
W świętym kolisku zasiadła na wygładzonych kamieniach,
Berła heroldów o głosie donośnym dzierżąc w swych rękach.
505 Z nimi powstają i każdy z kolei swój wyrok ogłasza.
Między sędziami na środku leżały dwa złote talenty[4],
Które otrzymać miał z sędziów ten, co najsłuszniej rozsądzi.

---

[1] **Hefajstos** – bóg ognia, mistrz sztuki kowalskiej i złotniczej; urodził się tak brzydki, że Zeus strącił go z nieba, co spowodowało, że okulał; wychowała go Tetyda.

[2] **pięć... warstw** – pięć płyt ułożonych tak, że najniższa ma największy obwód, a leżące na niej cztery pozostałe są coraz mniejsze i widać tylko pas ich obwodu; właśnie te pasy zdobią obrazy przedstawione w płaskorzeźbie (lub inkrustacji); większość scen (jest ich 10) to obrazy z życia w czasie pokoju.

[3] **formingi** – instrumenty strunowe, szarpane pałeczką, z pudłem rezonansowym w kształcie rozszerzonej u dołu litery U.

[4] **talent** – największa starożytna jednostka wagowo-pieniężna używana w Babilonii, Asyrii i w Grecji.

Wkoło zaś miasta drugiego dwa wrogie wojska leżały
Połyskujące zbrojami. Dwojaką uchwałę powzięły:
510 Albo gród zburzą, lub na pół wszystkie bogactwa podzielą,
Jakie się wewnątrz znajdują w tym mieście pięknie wzniesionym.
Lecz nie ulegli obrońcy i zbrojnie na nich czyhali. [...]

W pominiętych wersach zawarty jest obraz oblężenia grodu, zasadzki i bitwy.

540　　Jeszcze wyrzeźbił Hefajstos na tarczy pole szerokie,
Żyzne, trzykrotnie zorane i na nim wielu oraczy,
Zawracających od krańca do krańca woły sprzężone.
Kiedy zaś przy zakręcaniu do granic pola dotarli,
Do rąk włodarz podawał im kubek o miodnej słodyczy
545 Wina, a ci zawracali sprzężaj po skibach z pośpiechem,
Pragnąc gorliwie tę rolę do końca bruzdami wyżłobić.
Rola za nimi ciemniała do świeżo zoranej podobna,
Choć wykonana ze złota podziwu godnym rzemiosłem.
Potem ukazał na tarczy dobra królewskie. Żniwiarze
550 Ostre trzymając w swych rękach sierpy, łan żęli dojrzały.
Jedni więc bujne pokosy zboża rzucali na ziemię,
Drudzy wiązali je w snopy z pomocą powróseł ze słomy.
Trzech się trudziło wiązaniem. Za nimi zboże skoszone
Chłopcy gorliwie zbierali i naręczami nosili
555 Do związujących je w snopy. Pan między nimi w milczeniu,
Berło trzymając, przy snopach stał, w sercu rozradowany.
Z dala pod dębem heroldzi wieczerzą się zajmowali.
Wielki zarżnięty wół na to był poświęcony. Kobiety
Mąkę zsypują przesianą, szykując żeńcom wieczerzę.
560　　Jeszcze na tarczy Hefajstos winnicę wielką umieścił,
Piękną i złotą. W niej grona czerniły się już dojrzałe.
Do winorośli dał tyczki wykute całe ze srebra,
Rowem niebieskim winnicę ogrodził i płot postawił
Z cyny. Na całej przestrzeni jedną dał tylko ścieżynę,
565 Tędy iść będą po owoc dojrzały w czas winobrania
Chłopcy i dziewcząt gromadka, młodzieńczo niefrasobliwi,
Niosąc w plecionych koszykach dojrzałe, słodkie owoce; [...]
　　Jeszcze na tarczy Hefajstos wysokorogie dał woły.
Były kunsztownie ze złota wykute i z cyny białawej.
Rycząc wybiegły z obory na znane sobie pastwisko
575 Ponad brzegami rzeczułki wysmukłą trzciną zarosłej.
Czterej pasterze ze złota za stadem postępowali, [...]
　　Jeszcze na tarczy wyrzeźbił wsławiony sztuką Kulawiec
Łąkę w uroczej dolinie ze srebrzystymi owcami.
Stały szałasy tam, stajnie, zagrody dachem pokryte.

Na łące piękny korowód dał sławny sztuką Kulawiec,
590 Bardzo podobny do tego, który był w Knossos szerokiej
Kunsztem Dedala stworzony dla pięknowłosej Ariadny[1].
Chłopcy tam oraz dziewczęta bogato wyposażone
Wzajem za giętkie ramiona trzymając się wiedli tany.
W szatach przejrzystych tańczyły dziewczęta, a chłopcy w chitonach[2]
595 Tkanych misternie i lśniących miękkim połyskiem oliwy.
W wieńce urocze dziewczęta były przybrane, a chłopcy
Mieli mieczyki złociste na srebrem kutych rzemieniach.
Korowód zwijać się zaczął pląsającymi stopami
Łatwo i lekko. Tak garncarz wypróbowuje swe koło,
600 Czy mu swobodnie wiruje w sprawnych do pracy ramionach.
Potem tańczyli inaczej, naprzeciw siebie, rzędami.
Liczni widzowie korowód prześliczny w krąg otoczyli
Rozradowani, a pośród nich pieśniarz boski pieśń śpiewał
Grą na formindze wtórując – i jeszcze dwaj tam kuglarze
605 Koziołkowali pośrodku do taktu pieśni śpiewaka.
Wreszcie Hefajstos wyrzeźbił potężny prąd Okeana[3],
Który biegł wkoło otoku tarczy kunsztownie zrobionej.
   A gdy już tarczę wykonał ogromną i nieprzemożoną,
Pancerz jął kuć Achillowi jaśniejszy od ognia płomieni,
610 Potem mu wykuł hełm ciężki, dopasowany do skroni,
Piękny, przedziwnej roboty, i złotą kitą ozdobił.
W końcu mu z cyny najlepszej dwie wykuł nagolenice.
   Kiedy to wszystko wykonał przesławny w sztuce Kulawiec,
Cały rynsztunek przed matką Achillesową położył.
615 Z szczytu śnieżnego Olimpu Tetyda zaraz śmignęła
Lotem sokoła, unosząc Hefajsta lśniący rynsztunek.

Przełożyła Kazimiera Jeżewska

---

[1] Homer porównuje korowód taneczny do labiryntu, pałacu, który Dedal wybudował dla króla Minosa w Knossos na Krecie; córka Minosa Ariadna pomogła za pomocą kłębka nici wydostać się z labiryntu Tezeuszowi, który tam przybył, aby zgładzić potwora Minotaura.

[2] w chitonach – w szatach lnianych bez rękawów, zeszytych po bokach, spinanych na ramionach; w czasach Homera był to strój męski.

[3] Okean (Ocean) – według Homera wielka rzeka (nie morze), opływająca płaski krąg ziemi; również bóg uosabiający tę rzekę.

Odyseja

Pieśń 1. Inwokacja

Fragment

    Muzo, męża wyśpiewaj, co święty gród Troi
Zburzywszy długo błądził w tułaczce swojej
Siła[1] różnych miast widział, poznał tylu ludów
Zwyczaje, a co przygód doświadczył i trudów!
5 A co strapień na morzach, gdzie przyszło za siebie
Lub za swe towarzysze stawić się w potrzebie,
By im powrót zapewnić! Nad siły on robił,
Lecz druhów nie ocalił: każdy z nich się dobił
Sam, głupstwem własnym. Czemuż poświęcone stada
10 Heliosowi pojadła niesforna gromada?[2]
Za karę bóg też nie dał cieszyć się powrotem.
Jak było? powiedz, córo Diosa[3], coś o tem! [...]

Pieśń 9. W jaskini Kyklopa

Fragmenty

    Stamtąd-eśmy płynęli[4], płynęli wciąż smutni,
110 Aż do ziemi Kyklopów[5]. Łotrzy to okrutni,
Gdyż całkiem się spuściwszy na opatrzność bożą,
Nie pracują nic w roli, ni sieją, ni orzą,
Nie orany, nie siany grunt tam nader płodny,
Daje jęczmień, pszenicę, winograd dorodny,
115 Gdyż deszczyk Diosowy[6] często tam przepada.
Zresztą wieców nie znają, prawo tam nie włada.
Kyklop[7] zwykle w jaskiniach, na gór samym szczycie
Mieszka, i rozkazuje jak pan swej kobiécie
I dzieciom, zaś o drugich nie ma troski żadnej. [...]
Gdyśmy się już z kyklopskim zrównali wybrzeżem,

---

[1] **siła** – tu: dużo.

[2] na wyspie Trinakia towarzysze Odyseusza (głównego bohatera) zarżnęli i zjedli kilka sztuk bydła ze świętego stada Heliosa, boga Słońca. Za karę bóg Zeus zesłał piorun, który trafił w ich okręt i zatopił go wraz z załogą.

[3] **córa Diosa** – muza. **Dios** – greckie imię Zeusa.

[4] **Stamtąd-eśmy płynęli** – mówi Odyseusz, który przebywa na dworze Feaków i opowiada swe przygody; opowieści te wypełnią pieśni 9-12.

[5] **do ziemi Kyklopów** – baśniowej krainy cyklopów, jednookich olbrzymów.

[6] **Diosowy** – Zeusowy.

[7] **Kyklop** – w „Odysei" jest to syn Posejdona, boga morza, który mści się na Odysie za wyczyny opisane w cytowanym fragmencie.

190 Na samym końcu lądu pieczarę spostrzeżem,
Co obrosła chaszczami lauru, gdzie kóz trzoda
I owiec nocleg miewa; jest tam i zagroda,
Zrobiona z brył ogromnych, ze skał w ziemię wbitych,
Także i z gonnych[1] sosen, z dębów niepożytych.
195 Tam to mieszkał wielkolud, który swoje stada
Sam pasie, nie widuje żadnego sąsiada
I znać nie chce, więc żyje tylko sam ze sobą,
Karmiąc własne swe serce chytrością i złobą[2].
Potwór to był szkaradny; równego pachołka
200 Nie znaleźć między ludźmi: do góry wierzchołka,
Obrosłego borami, porównać go raczéj,
Co nad garby wystrzelon, z dala już majaczy.
      Dałem rozkaz czeladzi tej, co zostać miała
Na pokładzie, by statku czujnie pilnowała;
205 A sam, chwatów dwunastu dobrawszy, wychodzę.
Wziąłem też z sobą bukłak[3] z winem mocnym srodze. [...]
      Weszliśmy więc w pieczarę, ale w niej olbrzyma
Już nie było: snadź trzody pognał na pastwisko.
My tymczasem w tym gnieździe przetrząśliśmy wszystko.
Jakie tam serów kosze! Co jagniąt, koźlątek
230 Po chlewach! Każde miały osobny swój kątek:
Tu starki, tu jagnięta, a tam średniolatki,
Odgrodzone osobno; wszędzie gwałt[4] serwatki
Po saganach i skopkach[5], w które podój zbierał.
Widząc to, każdy z druhów srodze się napierał,
235 Bym dał im nabrać serów i drapnąć. Znów drudzy
Chcą na okręt gnać z obór ten dobytek cudzy,
Potem rozwinąć żagle i umykać cwałem.
Puszczam to mimo uszu – czemuż nie słuchałem!
Chciało mi się go poznać, być jak gość podjętym –
240 Lepiej było się nigdy nie spotkać z przeklętym!
      Rozpaliliśmy ogień, obiatę[6] składamy.
Gomółek[7] coś podjadłszy, czekamy, czekamy –
Aż oto wrócił z trzodą, dźwigając straszliwą
Wiązań drzew wysuszonych, na kuchnię paliwo,

---

[1] **gonnych** – wysokich, śmigłych.

[2] **złobą** – złością, gniewem.

[3] **bukłak** – skórzany worek na napoje.

[4] **gwałt** – tu: duża ilość, ogrom.

[5] **po saganach i skopkach** – w dużych garnkach (sagany) i drewnianych naczyniach na mleko (skopki).

[6] **obiatę** – ofiarę, dym ofiarny.

[7] **gomółek** – serków w kształcie kulistej bryły.

245 I cisnął pod pieczarą z łoskotem. My w strachu
    Pokryli się po kątach podziemnego gmachu. [...]
    Rozniecił ogień, a nas spostrzegłszy, tak rzeknie:
    – Co za jedni! I skąd tu morzem przybywacie?
    Czy za kupią?[1] Czy szczęścia na morzu szukacie
265 Niby morskie łotrzyki, co to słoną wodę
    Psują sobie na zgubę, a drugim na szkodę? –
    Tak rzekł olbrzym, a serce tłukło się nam z trwogi
    Na ryk mowy i widok postaci tej srogiéj.
    Przecieżem się na słowo zdobył: – My Achiwi[2]
270 Spod Troi wracający – rzekłem – nieszczęśliwi!
    Siłaśmy[3] burz na wodzie doznali w przeprawie,
    Zbici z drogi, nie możem do dom trafić prawie. [...]
        [...] My wszakże do stóp ci się kłonim
    Błagając, byś nas przyjął (bo kędyż się schronim?)
    I opatrzył twych gości, jak obyczaj każe.
280 Bój się bogów! Nie odmów, gdy proszą nędzarze!
    Zeus mści się krzywdy gościa, skargę jego słyszy,
    On podróżnemu w drodze zawsze towarzyszy! –
    Tak rzekłem. Jędzon na to tę odpowiedź da mi:
    – Głupiś, alboś z daleka przyszedł, że bogami
285 Chcesz mię straszyć i radzić, bym im cześć oddawał:
    Kyklop nigdy na niebie pana nie uznawał,
    Nigdy żadnych bóstw świętych. My lepsi niż oni.
    Strach przed Zeusem twej głowy pewnie nie obroni
    Ani twych towarzyszy; o gniew ten nie stoję;
290 Jeśli mi chętka przyjdzie zjeść was, zrobię swoje.
    A tymczasem mów, kędyś zostawił swą nawę?[4]
    Czy blisko, czy daleko? Zdaj mi wierną sprawę! –
        Chytrze mówił. Jam przecież zrozumiał podrywkę[5]
    I naprędce podobnąż ułożyłem śpiéwkę:
295 – Lądowstrząsacz Posejdon, on to mi na skały
    Tych brzegów okręt rzucił i strzaskał w kawały,
    Bo od morza wichr straszny ciągle na nas pędził.
    Mnie tylko i mych druhów od śmierci oszczędził. –
        Tom rzekł, a jędzon milcząc jął oczyma strzelać
300 I ręce wyciągnąwszy tam, gdzie stała czeladź,
    Dwóch pochwycił i o ziem cisnął jak szczenięty. [...]

---

[1] **za kupią** – po towar, na handel.
[2] **Achiwi** – Grecy.
[3] **siła** – wiele.
[4] **nawę** – łódź.
[5] **podrywkę** – zasadzkę, pułapkę.

Na ten widok, do Zeusa tam na wysokości
Wznosim ręce i stoim jak spiorunowani.
Lecz olbrzym, gdy w kałduna utopił otchłani
Ludzkie mięso i mleko, którym je zaléwał,
310 Jak długi między trzodą legł i odpoczywał. [...]
    A mnie tysiączne zamiary się roją
Do zemsty; byle pomoc dała mi Pallada![1] [...]

Bohater pomścił pożartych przez potwora towarzyszy: upił Kyklopa winem i rozpalonym
drągiem wypalił mu jedyne oko. Chytry Odyseusz przewidział także i udaremnił możliwość
udzielenia Polyfemowi (tak nazywał się potwór) pomocy przez innych Kyklopów, przedstawiając się imieniem: Nikt. Na krzyk Polyfema: „Nikt mnie morduje" Kyklopy stwierdziły,
że oszalał, i nie przybiegły do pieczary.

435 Tymczasem jęcząc z bólu, stękając bez przerwy,
Kyklop wrota namacał, i lekko jak pierwéj
Podniósł głaz, usiadł w bramie i szukał rękami,
By się który nie wymknął z naszych wraz z owcami.
Miał on mnie za wielkiego głupca oczywiście.
440 Nuż ja łeb sobie łamać, jak tu znaleźć wyjście,
By mych druhów i siebie wydobyć z tej toni,
A jedna myśl za drugą jak goni, tak goni:
Gra o życie. Jakiegoż zażyć tu fortelu?
Znalazłem go, i lepszym zdał mi się od wielu. [...]
Siadł w progu; macał pilnie grzbiet każdego tryka[2],
Lecz ani się domyślał, żem ja popod brzuchy
Wełnistych tryków moje popodsadzał druhy! [...]
Gdy uszedł dobry kawał, zaraz się odpaszę
485 Od mego capa; również robię i z drugimi.
Więc gdyśmy się ujrzeli naraz bezpiecznymi,
Zajmujemy te spasłe i udziaste tryki
I pędzim je na okręt krętymi przesmyki.
Widząc nas wracających, z radości aż skaczą
490 Nasi w nawie, zgubionych za to rzewnie płaczą;
Alem ich wnet uciszył, dając znać na migi,
Że to nie czas, i każę w okręt na wyścigi
Ładować naszą zdobycz wełnistą i daléj
Odbijać precz od lądu. Co gdy wykonali,
Zasiedli długie ławy i, robiąc wciąż wiosły,
Rozbijali te ciemne fale, co nas niosły. [...]

Przełożył Lucjan Siemieński

---

[1] **Pallada** – Atena.
[2] **tryka** – barana.

TYRTAJOS (VII w. p.n.e.)

Rzecz to piękna...

Fragment

Rzecz to piękna zaprawdę, gdy krocząc w pierwszym szeregu,
    Ginie człowiek odważny, walcząc w obronie ojczyzny;
Kiedy atoli swe miasto i ziemię żyzną porzuca,
    Wnet żebrakiem się staje – los to najgorszy ze wszystkich –
Jako że z miłą swą matką i z ojcem staruszkiem się błąka
    Dzieci maleńkie przy sobie mając i prawą małżonkę.
Wówczas wrogość go wita wśród ludzi, do których przybędzie
    Przed niedostatkiem uchodząc, biedą nieszczęsną trapiony,
Hańbą rodzinę okrywa, zeszpeca wygląd swój świetny,
    Wszak niesława, a także zło tuż za nim podąża.
Skoro więc błędny wygnaniec żadnego nie budzi współczucia,
    Żadną czcią się nie cieszy, przyszłość też rodu niweczy,
Walczmy mężnie w obronie tej naszej ziemi i dzieci,
    Choćbyśmy zginąć musieli, życia swojego nie szczędźmy.
Nuże, młodzieńcy, walczcie, a jeden przy drugim niech wytrwa,
    Myśli o szpetnej ucieczce nie dopuszczajcie, ni strachu,
Ale sercom w swych piersiach przydajcie wielkości i męstwa,
    Lęk przed życia utratą, z wrogiem się starłszy, odrzućcie,
Tych zaś, którym już wiek poruszania się lekkość odebrał,
    Nie zostawiajcie, uchodząc z bitwy, starców czcigodnych. [...]
Zatem niech każdy wytrwa w rozkroku stając, a obie
    Nogi niech oprze o ziemię mocno, i zęby zaciśnie.

Przełożył Włodzimierz Appel

* * *

SAFONA

Uroda cieszy

Uroda cieszy tylko oczy, dobroć
pięknym cię czyni...

Wydaje mi się ...

Wydaje mi się samym bogom równy
mężczyzna, który siadł naprzeciw ciebie,
i słowa twoje przyjmuje z zachwytem,
w oczarowaniu.

Słodkim uśmiechem budzisz w nim pragnienia,
lecz w piersi mej drży serce pełne lęku
i gdy na ciebie patrzę, głosu z krtani
dobyć nie mogę,

zamiera słowo, dreszcz przenika ciało
albo je płomień łagodny ogarnia,
ciemno mi w oczach, to znów słyszę w uszach
szum przejmujący.

Oblana potem, drżąca, zalękniona
blednę jak zwiędła, poszarzała trawa,

i już niewiele brak, abym za chwilę
padła zemdlona.

Ze wszystkim jednak trzeba się pogodzić
. . . .
. . . .

Oto rozkwita mi córka...

Oto rozkwita mi córka,
jak piękny, złocisty kwiat,
pełna uroku i wdzięku,
najmilsza moja Kleis...
Za całą Lidii[1] krainę
nie dałabym mej córki...

Przełożyła Janina Brzostowska

* * *

ANAKREONT

Słodki bój

Przynieś wodę, przynieś wino,
    przynieś, chłopcze, nam tu wieńce
Kwiatów pełne, bym z Erosem[2]
    stoczył słodki bój na pięści.

---

[1] **Lidia** – kraj położony w środkowej części zachodnich wybrzeży Azji Mniejszej.
[2] **z Erosem** – greckim bogiem miłości, którego rzymskim odpowiednikiem był Amor.

Igraszki

Fragment

Znów purpurową mnie piłką
Trafił Eros złotowłosy
I do igraszek z dziewczęciem
W barwnych sandałach zaprasza. [...]

Przełożył Jerzy Danielewicz

* * *

SOFOKLES

Antygona

Podane niżej fragmenty ilustrują różne sposoby przekładu.

Lament Antygony (epejsodion IV)

O, patrzcie na mnie, współziemianie, obywatele jednej ojczyzny, na mnie, idącą po ostatniej drodze, na mnie, ostatni raz patrzącą na światło Heliosa[1]! – Druga raz nigdy go już nie obaczę. – Śmierć, która w kolebce swojej wszystko usypia, wiedzie mnie żywą ku brzegom Acherontu[2] – mnie żywą, mnie nie poślubioną, mnie, o której uszy nie obiło się nigdy weselne pienie zaręczyn. – Acheront jeden tylko woła mnie do ślubu!

Przełożył Zygmunt Krasiński

Patrzcie, o patrzcie, wy, ziemi tej dzieci,
Na mnie, kroczącą w smutne śmierci cienie,
Oglądającą ostatnie promienie
Słońca, co nigdy już mi nie zaświeci;
Bo mnie Hadesa[3] dziś ręka śmiertelna
Do Acherontu bladych wiedzie włości
    Ani zaznałam miłości,
Ani mi zabrzmi pieśń weselna;
Ale na zimne Acherontu łoże
    Ciało nieszczęsne złożę.

Przełożył Kazimierz Morawski

---

[1] **Helios** – bóg słońca i jego uosobienie.
[2] **Acherontu** – rzeki oddzielającej w Hadesie świat żywych od świata zmarłych.
[3] **Hadesa** – posępnego boga świata podziemnego.

253

Friends, countrymen, my last farewell I make;
    My journey's done.
One last fond, lingering look I take
    At the bright sun.
For death who puts to sleep both young and old
    Hales my young life,
And beckons me to Acheron's dark fold
    An unwed wife.
No youths have sung the marriage song for me,
    My bridal bed
No maids have strewn with flowers from the lea,
    Tis Death I wed.

* * *

JAN PARANDOWSKI

Prometeusz (mit)

Podania głosiły, że człowiek jest tworem jednego z tytanów[1] – Prometeusza, który ulepił go z gliny pomieszanej ze łzami. Duszę zaś dał mu z ognia niebieskiego, którego parę iskier ukradł z rydwanu słońca[2].

Człowiek Prometeusza był słaby i nagi. Palce miał zakończone zbyt kruchymi paznokciami, by mu były obroną przed pazurami dzikich zwierząt. Jedynie jego postać, niepodobna do otaczających stworzeń, była widocznym obrazem bogów. Brakowało mu tylko ich siły. Niby mdłe zjawy senne błądzili ludzie, bezradni wobec potęg przyrody, której nie rozumieli. Wszystkie ich czyny były nieświadome i bezładne. Widząc to Prometeusz ponownie zakradł się do wielkiego spichlerza ognia niebieskiego i przyniósł na ziemię pierwsze zarzewie. W siedzibach ludzkich zapłonęły jasne ogniska, ogrzewając mieszkańców i płosząc drapieżne bestie. Mądry tytan uczył ludzi umiejętnego używania ognia, sztuk i rzemiosł.

Nie podobało się to Dzeusowi. Mając w pamięci niedawną walkę z gigantami[3], obawiał się wszystkiego, co pochodzi z ziemi. Kazał tedy Hefajstosowi, z bogów najbieglejszemu we wszystkich kunsztach, stworzyć kobietę cudnej urody, na wzór bogiń nieśmiertelnych. Gdy misterne to dzieło już było gotowe, Atena nauczyła pierwszą niewiastę pięknych robót kobiecych; Afrodyta[4] otoczyła jej oblicze

---

[1] **tytani** – stary ród bogów greckich. Podczas walki Kronosa z Zeusem tytani ogłuszeni piorunami Zeusa zostali pokonani i strąceni do Tartaru.

[2] **rydwan słońca** – według mitologii greckiej złoty pojazd, którym powoził bóg słońca Helios, przemierzając w ciągu dnia sklepienie niebieskie.

[3] **giganci** – istoty olbrzymiego wzrostu, wyobrażane z wężami zamiast nóg, uosabiające nieokiełznane siły przyrody, wybuchy wulkanów, trzęsienia ziemi itp.

[4] **Afrodyta** – bogini miłości i piękności, córka Zeusa i Hery.

wdziękiem i w oczy wlała urok uwodzicielski; Hermes[1] dał jej skryty i pochlebczy charakter wraz z darem kuszącej wymowy; w końcu ubrano ją w złoto i uwieńczono kwiatami. I nazwano ją Pandorą[2], albowiem była darem dla ludzi od wszystkich bogów i każdy z bogów obdarzył ją jakąś szczególną właściwością. W posagu otrzymała glinianą beczkę[3] szczelnie zamkniętą, której zawartości nikt nie znał.

Tak wyposażoną Pandorę zaprowadził Hermes, posłaniec bogów, na ziemię i zostawił ją przed chatą Prometeusza. Mądry tytan wyszedł przed dom przyjrzeć się pięknej nieznajomej i od razu zwietrzył jakiś podstęp. Nie przyjął jej więc, ale odprawił i innym doradzał tak samo postąpić. Lecz Prometeusz miał brata nie bardzo rozumnego, imieniem Epimeteusz, co się wykłada: „wstecz myślący". Ten nie tylko nie wygnał Pandory, lecz natychmiast się z nią ożenił. Pandora ciekawa była zajrzeć do owej beczki, którą bogowie dali jej we wianie. Ale przyszedł Prometeusz, odwiódł brata na stronę i przestrzegał: „Niemądry Epimeteuszu – rzekł – zrobiłeś już jedno głupstwo, żeś tę niewiastę, na zło chyba stworzoną przez bogów, przyjął do domu. Nie czyń przynajmniej drugiego głupstwa i nie otwieraj beczki ani żonie nie pozwalaj, bo tak mi się zdaje, że w niej jakieś wielkie licho siedzi". Epimeteusz przyrzekł, że się nad tym zastanowi. Miał zwyczaj myśleć bardzo długo i powoli, tak że zanim zdążył rozważyć słowa brata, szybkomówna Pandora nakłoniła go do otwarcia beczki. I oczywiście stało się nieszczęście. Ledwie podniesiono wieko, wyleciały na świat wszystkie smutki, troski, nędze i choroby i jak kruki obsiadły biedną ludzkość.

Prometeusz chciał teraz bogom podstępem za podstęp odpłacić. Zabił wołu i podzielił go na dwie części: osobno złożył mięso, które owinął skórą, oddzielnie zaś kości, i nakrył je tłuszczem. Za czym poprosił Dzeusa: „Którą część weźmiesz, będzie odtąd bogom poświęcona". Dzeus wybrał tę, gdzie było więcej tłuszczu, domyślając się pod jego grubą warstwą najdelikatniejszego mięsa. Natychmiast przekonał się, że były to same kości, okryte najgorszym tłuszczem. Ale wyrok był nie cofniony: te właśnie części zwierząt składano w ofierze bogom niebieskim.

Dzeus zemścił się okrutnie. Na jego rozkaz przykuto Prometeusza do skały Kaukazu. Co dzień zgłodniały orzeł zlatywał, by mu wyjadać wątrobę, która wciąż odrastała. Wokoło było pusto i głucho. Skazaniec nie słyszał głosu ludzkiego ani nie ukazywała mu się twarz przyjazna. Palony gorącymi promieniami słońca, bez ruchu i spoczynku, trwał Prometeusz, niby wieczny wartownik, dla którego zawsze za późno przychodzi noc w płaszczu gwiaździstym i za późno zorza poranku roztapia się w ciepłocie dnia. Jego próżne jęki spadały w przepaść gór jak martwe kamienie.

Prometeusz jest jedną z najwznioślejszych postaci w mitologii – bóg, który cierpiał przez miłość dla ludzi. Zanim do nich przemówił, byli jak ślepcy i brodzili w mroku, nie wiedząc ani o sobie nic, ani o świecie otaczającym, były im obce budowy kamienne, strzelające ku słońcu, nie znali sztuki ciesielskiej[4].

---

[1] **Hermes** – syn Zeusa i Mai, opiekun spokojnego ogniska domowego, posłaniec bogów.
[2] **Pandora** – obdarzona wszystkim; ; od gr. *pan* – wszystko i od gr. *doron* – dar.
[3] częściej spotyka się określenie „puszka Pandory".
[4] **sztuka ciesielska** – umiejętność wykonywania drewnianych konstrukcji budowlanych.

Nie umieli powiedzieć, kiedy następuje kres zimy lub kwietnej wiosny albo jesieni bogatej w plony. Żyli jak mrówki w ciemnych jaskiniach, aż on im pokazał, gdzie wschodzą gwiazdy i kędy zachodzą. Dał im naukę o liczbach, najprzedniejszą wiedzę i objawił kunszt pisma, ten skarbiec pamięci i źródło poezji. Oswoił zwierzęta, konie zaprzągł do wozu i na słone morze spuścił płócienoskrzydłe statki. Dał chorym lekarstwa kojące i wynalazł zioła, które ból usuwają. W głębi ziemi wyśledził cenne metale i objawił, jak ze snu, lotu ptaków i głosów w przyrodzie odgadywać przyszłość. Prometeusz w człowieku rozbudził ducha i dał mu moc panowania nad światem.

Lot Ikara (mit)

Na Krecie panował Minos. Był to rozumny król, który swoją potęgę umiał rozszerzyć bez podbojów, jedynie przez umiejętne współżycie z innymi krajami, skąd ciągnął zyski rozległym handlem. Miał wielką flotę i był prawdziwym władcą mórz. Nie było jednak szczęścia w jego domu. Jego żona, Pazyfae, urodziła dziecko, które miało kształt byka i człowieka. Ten syn szkaradny wyrósł na groźnego potwora i nazwano go Minotaurem. Król obawiając się, aby straszydło nie szkodziło jego poddanym, postanowił je zamknąć w jakimś bezpiecznym miejscu. W tym celu wybudowano wspaniały gmach, labirynt, o niezliczonej liczbie pokoi, z których gmatwaniny Minotaur wyplątać się nie mógł. Gdy go Tezeusz zabił, król kazał gmach wyprzątnąć i oczyścić i zamienił go na pałac, gdzie odtąd mieszkał, a po nim jego następcy.

Budowę labiryntu prowadził Ateńczyk Dedal. Był on mistrzem we wszystkich sztukach. Miasta zamawiały u niego posągi bogów i bohaterów i ludzie zjeżdżali się z daleka, na uroczyste święta, aby podziwiać kunszt tego artysty, o którym mówiono, że umie w drzewo lub kamień tchnąć duszę żywą, tak iż ma się wrażenie, jakby postacie jego ruszały się, chodziły, patrzyły. W niektórych świątyniach kapłani przywiązywali statuy łańcuchami w obawie, żeby nie uciekły. Późniejszym Grekom nie wydawały się one ani tak piękne, ani żywe. Przede wszystkim śmieszne.

Lecz za króla Minosa nikt nie śmiał się ani z Dedala, ani z jego tworów. Tym bardziej, że był godny sławy, ponieważ wynalazł mnóstwo rzeczy pożytecznych, np. świder, grundwagę[1]. Król kochał go tak bardzo, że nie chciał się z nim rozstać nawet wtedy, gdy Dedal, trapiony tęsknotą za ojczyzną, usilnie prosił o pozwolenie wyjazdu. Król nie pozwolił mu. Miał w tym trochę słuszności, gdyż Dedal zbyt długo był jego powiernikiem i zbyt dobrze znał różne tajemnice państwowe: taki człowiek za granicą mógł łatwo stać się niebezpieczny.

Wówczas Dedal wymyślił nowy i niesłychany sposób ucieczki. Z piór ptasich, sklejonych woskiem, sporządził olbrzymie skrzydła dla siebie i swego syna Ikara.

---

[1] **grundwaga** – przyrząd do wyznaczania linii prostopadłej.

Obaj przytwierdzili sobie skrzydła do ramion, a zanim ruszyli w drogę, rzekł ojciec do syna: „Pamiętaj, synu, żebyś zawsze latał środkiem, między morzem a niebem. Nie wolno ci zbyt wysoko szybować, gdyż gorąco promieni słonecznych roztopi wosk, który spaja skrzydła; ani nie zlatuj zbyt nisko, aby wilgocią wody nie nasiąknęły pióra".

Dedal leciał pierwszy i pokazywał drogę synowi. Rybak, który zakładał sieci wśród sitowia, pasterz idący za swymi trzodami, oracz postępujący za pługiem – wszyscy podnieśli zdziwione oczy ku niebu, gdzie w obłokach szybowali ci dwaj niezwyczajni latawcy. Zdumienie ogarnęło ludzi na widok czarodzieja, który ptakom wydarł tajemnicę lotu i pokonał powietrze, dotychczas niedostępne dla mieszkańców ziemi. Minęli wkrótce wyspę Samos, Paros i Delos, lecz Ikar, uniesiony zachwytem nad potęgą wynalazku, zapomniał o przestrogach ojca i coraz wyżej wzbijał się w błękitne przestworza. I wówczas stało się to, co powiedział Dedal. Pod wpływem żaru słonecznego wosk stopniał i pióra, jedno po drugim, zaczęły opadać. Ikar jak gromem rażony runął z wysokości na ziemię i zabił się na miejscu. Po długich poszukiwaniach odnalazł ojciec żałosne szczątki syna.

* * *

WERGILIUSZ (PUBLIUS VERGILIUS MARO)

Eneida

Fragment

Podane fragmenty ilustrują różne sposoby przekładu.

Księga II. Pożar Troi – opowiadanie Eneasza

Bezładne, trwożne okrzyki dobiegały już ze wszystkich murów. Choć nasz dom na ustroniu stał, gęstwiną drzew osłonięty – coraz głośniej rozlegała się nade mną wrzawa bitwy, straszliwy łoskot żelaza. Ocknąłem się, biegnę na szczyt dachu, staję, słucham pilnie. Było tak, jakby pola żniwne ogarnął – rozniecony wściekłością wichrów – pożar. Było tak, jakby potok szalony, w wielką rzekę wezbrany, płynął z gór, niszcząc pola, kładąc pokotem zasiewy radosne, pracą wołów wyhodowane, kładąc pokotem lasy; a gdzieś na szczycie samotnej skały nasłuchuje pasterz, przerażony. Zrozumiałem wszystko, już wiedziałem, jakim podstępem Grecy wzięli Troję. Runął w gruzy, strawiony ogniem, rozległy pałac Deifoba; Ukalegonta dom już płonie; wielka łuna rozświetla Sygejską Cieśninę. Bije stamtąd krzyk mężów zażarty i trąb rozgłośna wrzawa. Nie wiem, co czynić. Za broń chwytam. Jak walczyć? Chcę zebrać zastęp mężów, biec na pomoc moim towarzyszom. Gniew, rozpacz wszystkie myśli mroczy. Tylko to pamiętam: pięknie zginąć w bitwie. [...]

Przełożył Zygmunt Kubiak

257

„[...] Gród w ogniu! Umierajmy i runąć w bój śmiejmy!
Pobitym ufność jedna: nie żywić nadziei!...”[1]
355 To gniew młodzi w szał zmienia. Jak wśród leśnych kniei
We mgle szarej żarłoczne wilki, które sparła
Moc ślepa głodu, w norach zaś ich suche gardła
Wyciągają szczenięta – przez strzały, przez wroga
Na pewną śmierć kroczymy, gdzie ściele się droga,
360 Środkiem miasta; noc mroczna roztacza w krąg cienie...
Kto klęskę onej nocy, kto śmierci zniszczenie
Wypowie albo łzami dorówna zła miary?!
Władnący lat tak wiele – w gruz pada gród stary!
Po drogach, w progach domów i na świątyń stopnie
365 Rzucone tu i ówdzie, zsiniałe okropnie,
Leżą ciała; i nie sam lud Teukrów[2] w krwi kona:
Raz po raz zwyciężonym moc wraca do łona
I ginie Grek zwycięski; okrutny się ciska
Płacz wszędy, lęk i zgonów licznych widowiska! [...]

Przełożył Tadeusz Karyłowski

* * *

HORACY (QUINTUS HORATIUS FLACCUS)

Exegi monumentum aere perennius (Carm. III, 30)

Stawiłem sobie pomnik trwalszy niż ze spiży,
Od królewskich piramid sięgający wyżej;
Ani go deszcz trawiący, ani Akwilony[3]
Nie pożyją[4] bezsilnie, ni lat niezliczony

Szereg, ni czas lecący w wieczności otchłanie.
Nie wszystek umrę[5], wiele ze mnie tu zostanie
Poza grobem. Potomną sławą[6] zawsze młody,
Róść ja dopóty będę, dopóki na schody

---

[1] jest to sentencjonalne zakończenie przemówienia Eneasza wzywającego Trojan do walki.
[2] **Teukrów** – Trojan; **Teukros** – mitologiczny przodek królów trojańskich, który osiadł w Troadzie (Troi).
[3] **Akwilon** – wiatr północny.
[4] **nie pożyją** – nie pokonają, nie zniszczą.
[5] **nie wszystek umrę** (w oryginale: *non omnis moriar*) – najsławniejszy cytat z Horacego.
[6] **potomną sławą** – sławą u potomności.

Kapitolu z westalką[1] cichą kapłan kroczy.
Gdzie z szumem się Aufidus[2] rozhukany toczy,
Gdzie Daunus[3] w suchym kraju rządził polne ludy,
Tam o mnie mówić będą, że ja, niski wprzódy,

Na wyżyny się wzbiłem i żem przeniósł pierwszy
Do narodu Italów rytm eolskich wierszy[4].
Melpomeno[5], weź chlubę, co z zasługi rośnie,
I delfickim[6] wawrzynem wieńcz mi włos radośnie.

Przełożył Lucjan Rydel

Carmen III, 30

Exegi monumentum aere perennius
regalique situ pyramidum altius,
quod non imber edax, non aquilo impotens
possit diruere aut innumerabilis

annorum series et fuga temporum.
Non omnis moriar multaque pars mei
vitabit Libitinam: usque ego postera
crescam laude recens, dum Capitolium

scandet cum tacita virgine pontifex.
dicar, qua violens obstrepit Aufidus
et qua pauper aquae Daunus agrestium
regnavit populorum, ex humili potens

princeps Aeolium carmen ad Italos
deduxisse modos. Sume superbiam
quaesitam meritis et mihi Delphica
lauro cinge volens, Melpomene, comam.

---

[1] **z westalką** – kapłanką Westy, boginią ogniska domowego.
[2] **Aufidus** – rzeka w Apulii, rodzinnym kraju poety.
[3] **Daunus** – mitologiczny król skwarnej Apulii.
[4] **eolskich wierszy** – tj. liryków Alkajosa i Safony.
[5] **Melpomena** – muza tragedii.
[6] **delfickim** – tj. Apollinowym; w Delfach znajdowała się wyrocznia Apollina.

OWIDIUSZ (PUBLIUS OVIDIUS NASO)

Założenie Rzymu

Bliźniacy, przewodzący ludowi pasterzy,
Uradzili, że miasto zbudować należy.
Lecz zwoławszy wieśniaków spierali się, który:
Czy Romulus, czy Remus[1] ma zbudować mury.
Rzekł Romulus do brata: „I po cóż spór taki?
Przecie ufamy ptakom. Niech rozstrzygną ptaki".
Więc pierwszy na Palatyn[2] leśny wszedł o świcie,
Drugi na Awentyńskim[2] stanął czujnie szczycie.
Remus ujrzał sześć ptaków, tamten dwakroć tyle
I został panem miasta. Umowa trwa w sile.

Którego dnia oborać grunt, zgoda stanęła.
W święto bogini Pales[3] wzięto się do dzieła.
Kopią rów, na dno plony, które daje rola,
Kładą wraz z ziemią wziętą z sąsiedniego pola,
Na zasypanym miejscu ołtarz zbudowali
I wnet nowe ognisko płomieniem się pali.
Władca granice miasta znaczy bruzdy kołem;
Pług ciągnie biała krowa w parze z białym wołem.

„Jowiszu[4], ojcze Marsie[5] i Westo[6] – król rzecze –
Założyciela grodu weźcie w swoją pieczę.
I wy, bogowie inni, których z ludem sławię,
Na dzieło moje spojrzeć zechciejcie łaskawie.
Niechaj wiecznie potęga trwa możnego miasta,
Co niech na wschód i zachód władczo się rozrasta".
Kiedy tak prosił bogów, Jowisz z lewej strony
Dał znak grzmotem, i z lewej padł piorun rzucony,
Uszczęśliwiona wróżbą gromada radośnie
Zakłada podwaliny, i mur w oczach rośnie.

---

[1] **Romulus i Remus** – legendarni bliźniacy, wykarmieni przez wilczycę.
[2] **Palatyn i wzgórze Awentyńskie** – nazwy dwóch z siedmiu pagórków, na których został zbudowany Rzym. Pozostałe pięć to (podajemy nazwy spolszczone): Kapitol, Kwirynał, Wiminal, Wzgórze Eskwilińskie, Celius.
[3] **Pales** – starorzymska bogini. Z jej czcią wiążą się tzw. Palilie, święto pasterskie.
[4] **Jowisz** – ojciec bogów i ludzi, rzymski bóg odpowiadający greckiemu Zeusowi.
[5] **Mars** – rzymski bóg wojny, odpowiednik greckiego Aresa.
[6] **Westa** – bogini ogniska domowego u Rzymian.

Do strażnika, co w pieczy swej miał mury nowe,
Rzekł król: „Poruczam trosce twojej tę budowę.
Że mur czy rów przeskoczy, niech się nikt nie chlubi.
Jeśliby ktoś się ważył, śmiałka tego ubij!"
Nieświadom słów tych Remus szydzić z murów pocznie:
„Czyż to ma być obrona?" I skoczył niezwłocznie.
Strażnik godzi zuchwalca łopatą swą w ciemię
I Remus okrwawiony wali się na ziemię.

Król, kiedy wieść go doszła, dławi łzy wezbrane
I dając dzielny przykład, kryje w piersi ranę.
Nie chce płakać otwarcie, choć w głębi rozpacza,
I mówi: „Niech tak zawsze wróg ten mur przekracza"
Lecz każąc grześć zmarłego, już nie tłumi łkania
I miłości braterskiej wyrazu nie wzbrania.
Na marach pocałunek swój ostatni składa.
„Bracie, przez los wydarty, żegnam cię, o biada!" –

Rzecze. Namaszcza zwłoki przed gotowym stosem.
Łka piastun i piastunka z rozpuszczonym włosem,
I przyszli opłakują młodzieńca Kwiryci[1].
Wtem podłożony ogień drew stosu się chwyci.
Któż by zgadł, że się rodzi Miasto wolą męską,
Które na ziemiach stopę postawi zwycięską.

* * *

STARY TESTAMENT

Dzieje Noego. Potop

Fragment

Boże postanowienie zagłady

Kiedy zaś Pan widział, że wielka jest niegodziwość ludzi na ziemi i że usposobienie ich jest wciąż złe, żałował, że stworzył ludzi na ziemi, i zasmucił się. Wreszcie Pan rzekł: „Zgładzę ludzi, których stworzyłem, z powierzchni ziemi: ludzi, bydło, zwierzęta, zwierzęta pełzające i ptaki powietrzne, bo żal mi, że ich stworzyłem".

[Tylko] Noego Pan darzył życzliwością.

---

[1] **Kwiryci** – Rzymianie, obywatele rzymscy, nazwa pochodzi od wzgórza Kwirynał.

Zapowiedź potopu. Arka

Oto dzieje Noego.

Noe, człowiek prawy, wyróżniał się nieskazitelnością wśród współczesnych sobie ludzi; w przyjaźni z Bogiem żył Noe.

A Noe był ojcem trzech synów: Sema, Chama i Jafeta.

Ziemia została skażona w oczach Boga. Gdy Bóg widział, iż ziemia jest skażona, że wszyscy ludzie postępują na ziemi niegodziwie, rzekł do Noego:

„Postanowiłem położyć kres istnieniu wszystkich ludzi, bo ziemia jest pełna wykroczeń przeciw mnie; zatem zniszczę ich wraz z ziemią.

Ty zaś zbuduj sobie arkę z drzewa żywicznego, uczyń w arce przegrody i powlecz ją smołą wewnątrz i zewnątrz. A oto, jak masz ją wykonać: długość arki – trzysta łokci, pięćdziesiąt łokci jej szerokość i wysokość jej – trzydzieści łokci. Nakrycie arki, przepuszczające światło, sporządzisz na łokieć wysokie i zrobisz wejście do arki w jej bocznej ścianie; uczyń przegrody: dolną, drugą i trzecią. Ja zaś sprowadzę na ziemię potop, aby zniszczyć wszelką istotę pod niebem, w której jest tchnienie życia; wszystko, co istnieje na ziemi, wyginie, ale z tobą zawrę przymierze. Wejdź przeto do arki z synami twymi, z żoną i żonami twych synów. Spośród wszystkich istot żyjących wprowadź do arki po parze, samca i samicę, aby ocalały wraz z tobą od zagłady. Z każdego gatunku ptactwa, bydła i zwierząt pełzających po ziemi po parze; niechaj wejdą do ciebie, aby nie wyginęły. A ty nabierz sobie wszelkiej żywności – wszystkiego, co nadaje się do jedzenia – i zgromadź u siebie, aby była na pokarm dla ciebie i na paszę dla zwierząt".

I Noe wykonał wszystko tak, jak Bóg polecił mu uczynić.

A potem Pan rzekł do Noego: „Wejdź wraz z całą twą rodziną do arki, bo przekonałem się, że tylko ty jesteś wobec mnie prawy wśród tego pokolenia. Z wszelkich zwierząt czystych weź z sobą siedem samców i siedem samic, ze zwierząt zaś nieczystych po jednej parze: samca i samicę; również z ptactwa – po siedem samców i po siedem samic, aby w ten sposób zachować ich potomstwo dla całej ziemi. Bo za siedem dni spuszczę na ziemię deszcz, który będzie padał czterdzieści dni i czterdzieści nocy, aby wyniszczyć wszystko, co istnieje na powierzchni ziemi – cokolwiek stworzyłem".

I spełnił Noe wszystko tak, jak mu Pan polecił.

Potop

Noe miał sześćset lat, gdy nastał potop na ziemi.

Noe wszedł z synami, z żoną i z żonami swych synów do arki, aby schronić się przed wodami potopu. Ze zwierząt czystych i nieczystych, z ptactwa i ze wszystkiego, co pełza po ziemi, po dwie sztuki, samiec i samica, weszły do Noego, do arki, tak jak mu Bóg rozkazał.

A gdy upłynęło siedem dni, wody potopu spadły na ziemię. W roku sześćsetnym życia Noego, w drugim miesiącu roku, siedemnastego dnia miesiąca, w tym właśnie dniu trysnęły z hukiem wszystkie źródła Wielkiej Otchłani i otworzyły się upusty nieba; przez czterdzieści dni i przez czterdzieści nocy padał deszcz na ziemię. I właśnie owego dnia Noe oraz jego synowie, Sem, Cham i Jafet, żona Noego i trzy żony jego synów weszli do arki, a wraz z nimi wszelkie gatunki zwierząt, bydła, zwierząt pełzających po ziemi, wszelkiego ptactwa i istot ze skrzydłami. Wszelkie istoty, w których było tchnienie życia, weszły po parze do Noego do arki. Gdy już weszły do arki samiec i samica każdej istoty żywej, jak Bóg rozkazał Noemu, Pan zamknął za nimi [drzwi].

A potop trwał na ziemi czterdzieści dni i wody wezbrały, i podniosły arkę ponad ziemię. Kiedy przybywało coraz więcej wody i poziom jej podniósł się wysoko ponad ziemią, arka płynęła po powierzchni wód. Wody bowiem podnosiły się coraz bardziej nad ziemię, tak, że zakryły wszystkie góry wysokie, które były pod niebem. Wody się więc podniosły na piętnaście łokci ponad góry i zakryły je. Wszystkie istoty poruszające się na ziemi z ptactwa, bydła i innych zwierząt i z wszelkich jestestw, których było wielkie mnóstwo na ziemi, wyginęły wraz ze wszystkimi ludźmi. Wszystkie istoty, w których nozdrzach było ożywiające tchnienie życia, wszystkie, które żyły na lądzie, zginęły. I tak Bóg wygubił doszczętnie wszystko, co istniało na ziemi, od człowieka do bydła, zwierząt pełzających i ptactwa powietrznego; wszystko zostało doszczętnie wytępione na ziemi. Pozostał tylko Noe i to, co z nim było w arce. A wody stale się podnosiły z ziemi przez sto pięćdziesiąt dni.

Ale Bóg, pamiętając o Noem, o wszystkich istotach żywych i o wszystkich zwierzętach, które z nim były w arce, sprawił, że powiał wiatr nad całą ziemią, i wody zaczęły opadać. Zamknęły się bowiem zbiorniki Wielkiej Otchłani tak, że deszcz przestał padać z nieba.

Wody ustępowały z ziemi powoli, lecz nieustannie, i po upływie stu pięćdziesięciu dni się obniżyły. Miesiąca siódmego, siedemnastego dnia miesiąca arka osiadła na górach Ararat.

Woda wciąż opadała aż do miesiąca dziesiątego. W pierwszym dniu miesiąca dziesiątego ukazały się szczyty gór. A po czterdziestu dniach Noe, otworzywszy okno arki, które przedtem uczynił, wypuścił kruka; ale ten wylatywał i zaraz zawracał, dopóki nie wyschła woda na ziemi. Potem wypuścił z arki gołębicę, aby się przekonać, czy ustąpiły wody z powierzchni ziemi. Gołębica, nie znalazłszy miejsca, gdzie by mogła usiąść, wróciła do arki, bo jeszcze była woda na całej powierzchni ziemi; Noe, wyciągnąwszy rękę, schwytał ją i zabrał do arki. Przeczekawszy zaś jeszcze siedem dni, znów wypuścił z arki gołębicę i ta wróciła do niego pod wieczór, niosąc w dziobie świeży listek z drzewa oliwnego. Poznał więc Noe, że woda na ziemi opadła. I czekał jeszcze siedem dni, po czym wypuścił znów gołębicę, ale ona już nie powróciła do niego.

W sześćset pierwszym roku, w miesiącu pierwszym, w pierwszym dniu miesiąca wody wyschły na ziemi i Noe, zdjąwszy dach arki, zobaczył, że powierzchnia ziemi jest już prawie sucha.

A kiedy w miesiącu drugim, w dniu dwudziestym siódmym ziemia wyschła, Bóg przemówił do Noego tymi słowami: „Wyjdź z arki wraz z żoną, synami i z żonami twych synów.

Wyprowadź też z sobą wszystkie istoty żywe: z ptactwa, bydła i zwierząt pełzających; niechaj rozejdą się po ziemi, niech będą płodne i niech się rozmnażają".

Noe wyszedł więc wraz z arki z synami, żoną i z żonami swych synów. Wyszły też z arki wszelkie zwierzęta: różne gatunki zwierząt pełzających po ziemi i ptactwa, wszystko, co się porusza na ziemi.

Przymierze Boga z Noem

Noe zbudował ołtarz dla Pana i wziąwszy ze wszystkich zwierząt czystych i z ptaków czystych złożył je w ofierze całopalnej na tym ołtarzu. Gdy Pan poczuł miłą woń, rzekł do siebie: „Nie będę już więcej złorzeczył ziemi ze względu na ludzi, bo usposobienie człowieka jest złe już od młodości. Przeto już nigdy nie zgładzę wszystkiego, co żyje, jak to uczyniłem.

Będą zatem istniały, jak długo trwać będzie ziemia, siew i żniwo, mróz i upał, lato i zima, dzień i noc".

Tłumaczył Czesław Jakubiec
(*Biblia Tysiąclecia*, wyd. 3)

NOWY TESTAMENT

Syn marnotrawny

wg *Ewangelii św. Łukasza* rozdz. 15; w. 11-32)

Powiedział też: Pewien człowiek miał dwóch synów. Młodszy z nich rzekł do ojca: „Ojcze, daj mi część majątku, która na mnie przypada". Podzielił więc majątek między nich. Niedługo potem młodszy syn, zabrawszy wszystko, odjechał w dalekie strony i tam roztrwonił swój majątek, żyjąc rozrzutnie. A gdy wszystko wydał, nastał ciężki głód w owej krainie i on sam zaczął cierpieć niedostatek. Poszedł i przystał do jednego z obywateli owej krainy, a ten posłał go na swoje pola, żeby pasł świnie. Pragnął on napełnić swój żołądek strąkami, którymi żywiły się świnie, lecz nikt mu ich nie dawał. Wtedy zastanowił się i rzekł: Iluż to najemników mojego ojca ma pod dostatkiem chleba, a ja tu z głodu ginę. Zabiorę się i pójdę do mego ojca, i powiem mu: Ojcze, zgrzeszyłem przeciw Bogu i względem ciebie; już nie jestem godzien nazywać się twoim synem: uczyń mię choćby jednym z najemników. Wybrał się więc i poszedł do swojego ojca. A gdy był jeszcze daleko, ujrzał go jego ojciec i wzruszył się głęboko; wybiegł naprzeciw niego, rzucił mu się na szyję i ucałował go. A syn rzekł do niego: „Ojcze, zgrzeszyłem przeciw Bogu i względem ciebie, już nie jestem godzien nazywać się twoim synem". Lecz ojciec rzekł do swoich sług: „Przynieście szybko najlepszą szatę i ubierzcie go; dajcie mu też pierścień na rękę i sandały na nogi! Przyprowadźcie utuczone cielę i zabijcie: będziemy ucztować i bawić się, ponieważ ten syn mój był umarły, a znów ożył; zaginął, a odnalazł się". I zaczęli się bawić.

Tymczasem starszy jego syn przebywał na polu. Gdy wracał i był blisko domu, usłyszał muzykę i tańce. Przywołał jednego ze sług i pytał go, co to ma znaczyć. Ten mu rzekł: „Twój brat powrócił, a ojciec twój kazał zabić utuczone cielę, ponieważ odzyskał go zdrowego". Na to rozgniewał się i nie chciał wejść; wtedy ojciec jego wyszedł i tłumaczył mu. Lecz on odpowiedział ojcu: „Oto tyle lat ci służę i nigdy nie przekroczyłem twojego rozkazu; ale mnie nie dałeś nigdy koźlęcia, żebym się zabawił z przyjaciółmi. Skoro jednak wrócił ten syn twój, który roztrwonił twój majątek z nierządnicami, kazałeś zabić dla niego utuczone cielę". Lecz on mu odpowiedział: „Moje dziecko, ty zawsze jesteś przy mnie i wszystko moje do ciebie należy. A trzeba się weselić i cieszyć z tego, że ten brat twój był umarły, a znów ożył; zaginął, a odnalazł się".

Tłumaczył Walenty Prokulski
(*Biblia Tysiąclecia*, wyd. 3)

* * *

Pieśń o Rolandzie

Fragmenty

LXXIX

Zbroją się poganie w saraceńskie[1] kolczugi, wszyscy prawie w potrójne druciane koszulki, wiążą na głowie wyborne hełmy saragoskie, przypasują miecze z wieńskiej[2] stali. Mają bogate tarcze, walenckie[3] włócznie i sztandary białe, niebieskie i czerwone. Zostawili muły i koniuszych, siadają na konie i jadą w zwartym szeregu. Dzień jest jasny, słońce piękne, nie masz zbroi, która by sie nie lśniła. Tysiąc trąb gra, iżby było piękniej. Hałas jest wielki: Francuzi usłyszeli go. Oliwier mówił: „Panie towarzyszu, bardzo to być może, jak mniemam, iż będziemy mieli sprawę z Saracenami". Odpowie Roland: „Ach, dałby to Bóg! Trzeba nam tu wytrwać dla naszego króla. Dla swego pana trzeba ścierpieć wszelką niedolę i znosić wielkie gorąco i wielkie zimno, i oddać skórę, i nałożyć głową. Niech każdy się gotuje młócić dobrze, iżby nas nie pohańbiono w pieśni! Hańba dla pogan, prawo dla chrześcijan. Nie ode mnie spodziewajcie się złego przykładu!" [...]

LXXXIII

Oliwier powiada: „Poganie są bardzo silni; a naszych Francuzów, tak mi się zda, jest bardzo skąpo. Rolandzie, towarzyszu mój, zadmijże w swój róg; Karol[4] usłyszy i wojsko wróci". [...]

---

[1] **saraceńskie** – Saracenów, czyli niewiernych; w Średniowieczu ta ogólna nazwa oznaczała Arabów i wszystkich wyznawców religii mahometańskiej.

[2] **wieńskiej** – z Vienne nad Rodanem.

[3] **walenckie** – z Valence nad Rodanem lub Walencji w Katalonii; miasta te słynęły ze świetnych płatnerzy, czyli rzemieślników wykonujących zbroje.

[4] **Karol** – Karol Wielki (742-814), król Franków, koronowany na cesarza rzymskiego w 800 r.

LXXXIV

[...] Roland odpowie: „Nie daj Bóg, aby przeze mnie hańbiono mój ród i aby słodka Francja miała iść w pogardę! Raczej będę walił Durendalem co sił, moim dobrym mieczem, który noszę przy boku. Ujrzycie brzeszczot[1] jego cały zakrwawiony. Zdrajcy poganie zebrali się na swoje nieszczęście. Przysięgam wam, wszyscy skazani są na śmierć!" [...]

CXXVI

Bitwa jest cudowna i wielka. Francuzi walą ciemnymi kopiami. Gdybyście widzieli tyle cierpień, tyle ludzi nieżywych, rannych, okrwawionych! Leżą kupami, twarzą ku niebu, twarzą ku ziemi. [...]

CXXX

Roland powiada: „Sroga jest dla nas ta bitwa. Zatrąbię w róg; nasz Karol usłyszy". Oliwer powiada: „Nie byłby to czyn godny rycerza! Kiedym ci mówił, abyś to uczynił, nie chciałeś, druhu". [...]

CXXXI

[...] „Towarzyszu, to twoja wina, bo dzielność roztropna a szaleństwo to są dwie różne rzeczy, a miara warta jest więcej niż zarozumienie. Jeśli nasi Francuzi pomarli, to przez twoją płochość!" [...]

CXXXV

Hrabia Roland ma zakrwawione usta. Skroń mu pękła. Dzwoni w róg boleśnie, z lękiem. [...]

CXL

Roland patrzy na góry, na pola. Tylu Francuzów widzi leżących bez życia, zapłakał nad nimi szlachetny rycerz: „Panowie baronowie, niech Bóg wam uczyni zmiłowanie! Niech wpuści dusze was wszystkich do raju! Niech je położy między swoje święte kwiaty! Nigdy nie widziałem lepszych od was wasalów[2]. Tak długoście bez wytchnienia pełnili przy mnie służbę, zdobyliście dla Karola tak wielkie kraje! Cesarz was żywił na swoje nieszczęście. Ziemio francuska, jesteś lubym krajem – w tym dniu najgorsza klęska okryła cię żałobą! Barony francuskie, widzę oto, jak giniecie dla mnie, i nie mogę was obronić ani ocalić; niech Bóg was wspiera, on, co nigdy nie skłamał. [...]

---

[1] **brzeszczot** – ostrze miecza, klinga.
[2] **wasalów** – lenników; byli to feudałowie, którzy w zamian za otrzymaną ziemię pełnili służbę rycerską na rzecz potężniejszego pana – seniora.

CLXVIII

Roland czuje, że śmierć jest blisko. Uszami mózg mu się wylewa. Modli się do Boga za swoich parów[1], aby ich przyjął do nieba; następnie prosi anioła Gabriela za samego siebie. Bierze róg, iżby mu nikt nie robił wyrzutu, i drugą ręką swój miecz zwany Durendalem. Nieco dalej niż na strzelanie z kuszy idzie ku Hiszpanii[2] przez pole. Wstępuje na wzgórek. Tam, pod pięknym drzewem, są cztery głazy z marmuru. Na zielonej trawie upada na wznak. Omdlewa, śmierć jego się zbliża. [...]

CLXXI

Roland czuje, że oczy mu zachodzą mgłą. Staje na nogi, siłuje się, póki może. [...]

CLXXVI

Hrabia Roland leży pod sosną. Ku Hiszpanii obrócił twarz. Wiele rzeczy przychodzi mu na pamięć; tyle ziem, które zdobył dzielny rycerz, i słodka Francja, i krewniacy, i Karol Wielki, jego pan, który go wychował. Płacze i wzdycha, nie może się wstrzymać. Ale nie chce przepomnieć[3] siebie samego; bije się w piersi i prosi Boga o przebaczenie [...] Ofiarował Bogu swą prawą rękawicę[4], święty Gabriel wziął ją z jego dłoni. Opuścił głowę na ramię; doszedł, ze złożonymi rękami, swego końca. Bóg zsyła mu swego anioła Cherubina i świętego Michała opiekuna; z nimi przyszedł i święty Gabriel. Niosą duszę hrabiego do raju.

Przełożył Tadeusz Żeleński (Boy)

* * *

Bogurodzica

Bogurodzica dziewica[5], Bogiem sławiena[6] Maryja,
U twego syna Gospodzina[7] matko zwolena[8], Maryja!
Zyszczy[9] nam, spuści[10] nam.
Kyrieleison[11].

---

[1] **parów** – członków feudalnej grupy złożonej z równych sobie wasali pozostających pod zwierzchnictwem jednego seniora; od łac. *par* – równy.

[2] **idzie ku Hiszpanii** – oznacza to, że Roland chce umrzeć w kraju wrogów, jako ich zwycięzca.

[3] **przepomnieć** – zapomnieć.

[4] **ofiarował... rękawicę** – gest feudalny: wasal wraz z rękawicą odbierał lenno z ręki seniora i wraz z rękawicą je zwracał; Roland jako wasal Boga oddaje mu wraz z rękawicą swe życie jako Boże lenno.

[5] **Bogurodzica dziewica..., Maryja** – Bogurodzico dziewico..., Maryjo (formy mianownikowe w funkcji wołacza).

[6] **Bogiem sławiena** – przez Boga sławiona, chwalona.

[7] **Gospodzina** – Pana.

[8] **zwolena** – wybrana; lub wielebna, będąca we czci.

[9] **zyszczy** – pozyskaj.

[10] **spuści** – ześlij.

[11] *Kyrieleison* (*Kyrie eleison*, z gr.) – Panie, zmiłuj się.

Twego dziela[1] Krzciciela, bożycze,[2]
Usłysz głosy, napełń myśli[3] człowiecze.
Słysz[4] modlitwę, jąż nosimy[5],
A dać raczy[6], jegoż[7] prosimy:
A na świecie zbożny[8] pobyt,
Po żywocie rajski przebyt[9].
    Kyrieleison.

* * *

JAN DŁUGOSZ

Historiae Polonicae...

Fragmenty

Życie, obyczaje i ułomności Władysława Jagiełły (w skróceniu)

Był on synem Olgierda, księcia litewskiego, nazwiskiem Jagiełło, zrodzony z Maryi, córki księcia twerskiego, który był wyznawcą Kościoła greckiego [...] Za łaską i miłosierdziem Boga, który go w poczet prawowiernych chrześcijan policzyć raczył, przez prałatów i panów polskich z ciemnoty pogańskiej do światła wiary nawrócony, przyjął chrzest i otrzymał imię Władysław. Po chrzcie świętym połączył się ślubem małżeńskim z Jadwigą, królową węgierską i polską, córką Ludwika, króla węgierskiego; a po jej śmierci miał jeszcze trzy żony: Annę, Elżbietę i Zofię, z żadną jednak nie żył w szczerej i prawdziwej miłości małżeńskiej. Wzrostu był miernego, twarzy ściągłej, chudej, u brody nieco zwężonej. Głowę miał małą, podłużną, prawie całkiem łysą [...]; oczy czarne i małe, niestatecznego wejrzenia, ciągle latające; uszy duże, głos gruby, mowę prędką, kibić kształtną, lecz szczupłą, szyję długą. Na trudy, zimna, zawieje i kurzawy dziwnie był cierpliwy [...] Sypiać i wczasować się lubił aż do południa, toteż mszy świętej rzadko o właściwym czasie słuchał. W prowadzeniu wojen niedbały i ciężki, wszystko staranie na wodzów i zastępców składał. Łaźni zazwyczaj co trzeci dzień, a niekiedy częściej, używał. Do rozlewu krwi ludzkiej tak był nieskory, że często największym nawet winowajcom karę odpuszczał. Dla

---

[1] **dziela** – dla; twego dziela – dla, ze względu na twego.
[2] **bożycze** – bożycu, Synu Boga.
[3] **napełń myśli** – spełnij myśli, pragnienia.
[4] **słysz** – wysłuchaj.
[5] **jąż nosimy** – którą zanosimy.
[6] **raczy** – racz.
[7] **jegoż** – czego, o co.
[8] **zbożny (od „zboże")** – dostatni, szczęśliwy; lub: pobożny.
[9] **przebyt** – przebywanie, bytowanie, istnienie.

poddanych i zwyciężonych okazywał się dziwnie łaskawym i wspaniałym; tylko tym, którzy mu na łowach i w innych rozrywkach zawinili, nigdy nie mógł przebaczyć. W ludziach umiał dostrzegać cnoty i, nie zawiścią, ale przychylnością, mierząc czyny i zasługi swego rycerstwa, każdą sprawę chwalebną, czy to w wojnie, czy w pokoju spełnioną, hojnie i wspaniale nagradzał: małą rzeczą ludzi czynił odważnymi, odważnych bohaterami, gotowymi do największych dzieł i poświęceń. Nierozważną szczodrością i rozrzutnością więcej krajowi czynił uszczerbku niż inni chciwością i łakomstwem. W myślistwie był tak bardzo zamiłowany, że zaniedbywał sprawy państwa, czym słuszne na siebie ściągał zarzuty. Lubił patrzeć na bujającą w jego oczach huśtawkę. Co tydzień, w piątek, z wielką wstrzemięźliwością pościł, poprzestając na chlebie i wodzie. Zawsze trzeźwy, wina ani piwa nie pijał. Jabłek i ich zapachu nie cierpiał, jadał za to po kryjomu smaczne i słodkie gruszki. Do spełniania obrządków i obowiązków chrześcijańskich częstymi pobudzany przestrogami królowej Jadwigi, w święta Wielkanocy, Zesłania Ducha św., Wniebowzięcia N. Maryi Panny i Narodzenia Pańskiego przystępował do św. sakramentów pokuty i ołtarza; ale po jej śmierci obyczaj ten ograniczył do samych świąt Narodzenia Pańskiego i Wielkanocy. [...] Corocznie, w Wielki Piątek, dwunastu ubogim w swojej komnacie, w obecności kilku tylko sekretarzy, nogi umywał, a potem każdemu z nich dawał po 12 groszy, tudzież sukno i płótno na przyodziewek [...] Posty, wigilie i inne nabożeństwa tak żarliwie wypełniał, że więcej zwycięstw modlitwami swymi u Boga wyprosił, niźli orężem wywalczył. Szczery i prostoduszny, nie miał w sobie żadnej obłudy [...] Ozdób powierzchownych i szat wytwornych nie lubił; chodził zwykle w baranim kożuchu, suknem pokrytym; rzadko brał na siebie strój wykwintniejszy, np. płaszcz z szarego aksamitu, bez ozdób i bez złotogłowiu, i to tylko na większe uroczystości. W inne dni nosił odzież prostą, żółtawej barwy; nie cierpiał soboli, kun i lisów i innych miękkich a kosztownych futer: przez całe życie używał tylko zwyczajnych baranków, nawet w najostrzejszej porze zimowej [...] Miał niektóre zwyczaje zabobonne: wyrywał włosy z brody i, powplatawszy je między palce, wodą ręce obmywał; zawsze, nim z domu wyszedł, trzy razy obrócił się w koło, złamał słomkę na trzy części i ciskał je na ziemię. Nauczyła go tego wszystkiego matka, greckiego wyznania; ale dla czego i w jakim celu to czynił, nigdy w życiu nikomu nie powiedział, ani też to łatwo zgadnąć. Powiadają, że często powtarzał, niby przysłowie, to zdanie: „Słówko z ust wyleci ptaszkiem, ale, jeśli było niedorzeczne i chcesz je cofnąć, wróci wołem". Miał także zwyczaj upominać żartem rycerzy, żeby w boju nie stawali nigdy na przodzie ani w ostatnim szeregu, ale też nie chowali się do środka.

Bitwa pod Grunwaldem (w skróceniu)

We wtorek, w dzień Rozesłania Apostołów, 15 lipca, król Władysław postanowił przed świtem wysłuchać mszy św.; ale dla silnego i gwałtownie wiejącego wiatru nie można było tak spiesznie, jak nakazano, zatknąć i rozwinąć namiotu, w którym zwykle odprawiano nabożeństwo, bo co rozwinięto płótna, to je wiatr zrywał. Już wreszcie i dzień nastał, a wiatr począł się wzmagać gwałtowny. Gdy więc dla ciągłej zawiei niepodobna było kaplicy królewskiej mocno ustawić, za radą wielkiego książęcia

Aleksandra ruszył król obozem; a uszedłszy przestrzeń dwumilową, w której widzieć można było płonące dokoła włości nieprzyjaciół, stanął na polach wsi Rudy i Grunwaldu, mających się wsławić przyszłą w dniu tym bitwą, i pomiędzy gajami i gąszczami, które zewsząd to miejsce zakrywały, kazał rozbić namioty, a kaplicę obozową ponad jeziorem Lubnem na wyniosłym ustawić pagórku, aby przez ten czas, gdy wojsko rozmieszczać się miało na swoich stanowiskach, mógł wysłuchać nabożeństwa. Już mistrz pruski, Ulryk Jungingen, ściągnął do wsi Grunwaldu, którą miał swoją upamiętnić klęską, i z bliska stanął ze swoim wojskiem, a czaty królewskie jeszcze go nie dostrzegły. Po rozwinięciu więc kaplicy obozowej, kiedy król spieszył do niej na nabożeństwo, przybiegł Hanek, szlachcic ziemi chełmskiej, herbu Ostoja, z oznajmieniem, że nieprzyjaciela widział już o kilkanaście kroków od obozu. A gdy król zapytał, jak liczne było jego wojsko, Hanek odpowiedział, że jedną tylko ujrzał chorągiew[1] i natychmiast z doniesieniem o niej pospieszył. Ledwo te słowa domawiał, kiedy przybył Dersław Włostowski, szlachcic herbu Oksza, i oznajmił, że widział nadchodzące chorągwie nieprzyjaciół. Jeszcze i ten mówić nie skończył, a już nadbiegł trzeci, po nim czwarty, piąty i szósty, którzy zgodnie powtarzali, że nieprzyjaciel tuż pod obozem stał w gotowości do boju. Król Władysław, tak nagłym i niespodzianym nadejściem nieprzyjaciela niezmieszany, za najważniejszą rzecz osądził, aby wprzódy oddać powinność Bogu, nimby do wojny przystąpił. Zarazem, udawszy się do kaplicy obozowej, wysłuchał z wielkim nabożeństwem dwóch mszy, a prosząc Boga o pomoc, z większą, niż zwykle, modlił się gorącością ducha i żadne prośby i zaklęcia nie zdołały oderwać króla od nabożeństwa, póki go do ostatka nie skończył...

Wreszcie król skończył modlitwy, a przywdziawszy zbroję, świetnym od głowy aż do nóg okrył się rynsztunkiem. A chociaż rycerstwo, uszykowane w porządne hufce[2], wystąpiło już do boju i nieprzyjaciel z przeciwnej strony stał w gotowości i z orężem w ręku, tak, iż oba wojska zaledwo na rzut strzały były od siebie oddalone, i już nawet pojedyncze między nimi zagrały harce: uważano przecież za rzecz przyzwoitą, aby czekać, aż król sam wyda hasło do spotkania. Zaczem król Władysław w pełnej zbroi, siadłszy na konia, a wszystkie oznaki królewskie zostawiwszy na boku, dla obaczenia nieprzyjaciela podjechał na wyniosłe wzgórze i stanął na pagórku między dwoma gajami szeroko rozłożonym, skąd łatwy i dokładny podawał się widok na wojska nieprzyjacielskie. Napatrzywszy się do woli zastępom nieprzyjaciół, zjechał na równinę i wielu z towarzyszów pasem rycerskim ozdobił; dla dodania zaś swoim serca krótką, ale silną zagrzał ich przemową, a sam z konia tak, jak na nim ubrany siedział, ponowił jeszcze spowiedź. Gdy wytrąbiono hasło bojowe, wszystko wojsko królewskie zaśpiewało pieśń ojczystą „Bogurodzica", a potem z podniesionymi kopiami pobiegło do bitwy. W tej samej chwili obydwa wojska z głośnym, jak zwykle przed walką, okrzykiem zwarły się z sobą w nizinie, która je przedzielała. Krzyżacy, dwakroć uderzywszy z dział, silnym natarciem na próżno usiłowali przełamać i zmieszać swych przeciwników szyki, lubo[3] wojsko pruskie z głośniejszym krzykiem i z wyższego

---

[1] **chorągiew** – tu: oddział jazdy rycerskiej.
[2] **hufiec** – oddział wojska składający się z kilku chorągwi.
[3] **lubo** – chociaż.

pagórka ruszyło do walki. Było w miejscu spotkania sześć wysokich dębów, na które powłaziło wiele ludzi, czy królewskich, czy krzyżackich, dla przypatrzenia się z góry pierwszemu na siebie nieprzyjaciół natarciu i obu wojsk powodzeniu. Tak straszny za ich spotkaniem z wzajemnego uderzenia kopii, chrzęstu ścierających się zbroi i szczęku mieczów powstał huk i łomot, że go na kilka mil w okolicy słychać było. Mąż na męża napierał, kruszyły się z trzaskiem oręże, godziły w twarz wymierzone wzajem groty. W tym zamieszaniu i zgiełku trudno rozróżnić było dzielniejszych od niewieściuchów; wszyscy bowiem jakby w jednym zawiśli tłumie. I nie cofali sie wcale z miejsca, ani jeden drugiemu ustępował pola, aż gdy nieprzyjaciel, zwalony z konia albo zabity, rum[1] otwierał zwycięzcy. Gdy na koniec połamano kopie, zwarły się z sobą tak silne obu stron szyki i oręże, że już tylko topory i groty, na drzewcach ponasadzane, tłukąc o siebie, przeraźliwy wydawały łoskot, jakby bijące w kuźniach młoty. Jeźdźcy, ściśnieni w natłoku, szablą tylko nacierali na siebie, i sama już wtedy siła, sama dzielność osobista przeważała...

W czasie toczącej się z zaciętością z obu stron bitwy stał Władysław, król polski, z bliska i przypatrywał się dzielnym czynom swoich rycerzy, a położywszy zupełną ufność w Bogu, oczekiwał spokojnie ostatecznego pogromu i ucieczki nieprzyjaciół, których widział na wielu miejscach złamanych i pierzchających. Tymczasem wystąpiło do boju szesnaście pod tyluż znakami hufców nieprzyjacielskich, świeżych i nietkniętych, które jeszcze nie doświadczyły oręża; a część ich, zwróciwszy się ku tej stronie, gdzie król polski stał z przyboczną tylko strażą, pędziły z wymierzonymi włóczniami, jakby prosto ku niemu. Wrzał gorącą chęcią boju król Władysław i, spinając konia ostrogami, chciał rzucić się na najgęstsze szyki nieprzyjacielskie; ledwo drużyna przybocznej straży zdołała go wstrzymać w zapędzie. Jakoż jeden z drużyny, Zoława, Czech, chwycił sam konia królewskiego za wędzidło, aby nie mógł dalej postąpić, aż król zniecierpliwiony uderzył go z lekka końcem swej rohatyny[2], wołając, aby go puścił, a nie bronił mu wyruszyć do walki. Dopiero, gdy wszyscy rycerze straży królewskiej oświadczyli, że wolą raczej na wszystko się odważyć, niźli tego dopuścić, zezwolił na ich prośbę i dał się powstrzymać. A wtem dobiega rycerz z obozu Prusaków, Niemiec, nazwiskiem Dypold Kikierzyc, złotym pasem opięty, w białej podbitej kiecce niemieckiego kroju, którą u nas jupką albo kaftanem zowią, i cały okryty zbroją, towarzysz ze znaku większej chorągwi pruskiej, do owych szesnastu należącej, i, rozpędzony na koniu bułanym, dociera aż do miejsca, kędy król stał, a wywijając włócznią, godzi prosto na króla wobec całego wojska nieprzyjacielskiego. Gdy więc król Władysław, podniósłszy także włócznię, czekał jego spotkania, Zbigniew z Oleśnicy, pisarz królewski, prawie bezbronny, bo w ręku miał jeno drzewce wpółzłamane, uprzedził cios królewski, a ugodziwszy w bok owego Niemca, zwalił go z konia na ziemię. Padł struchlały, a drżącego z bojaźni król Władysław uderzywszy włócznią w czoło, które z opadnięciem przyłbicy odsłoniło się rycerzowi, zostawił go wreszcie nietkniętym. Ale rycerze, trzymający straż przy królu, ubili go na miejscu, a piesze żołdaki zdarły z zabitego odzież i zbroję.

---

[1] **rum** – wolne miejsce.
[2] **rohatyna** – włócznia.

Wojsko krzyżackie, szesnaście owych chorągwi składające, spostrzegłszy, że pomieniony[1] rycerz trupem poległ, zaraz zaczęło się cofać na hasło jednego z Krzyżaków, dowódcy chorągwi, który siedząc na białym koniu, kopią dawał znak do odwrotu i wołał po niemiecku: herum, herum! Zwróciwszy się potem, ruszył na prawo, kędy stała wielka chorągiew królewska, już po zadanej klęsce nieprzyjaciołom, wraz z innymi chorągwiami polskimi. Rycerze królewscy, ujrzawszy te szesnaście chorągwi, jedni, poznawszy w nich nieprzyjaciół, jak rzeczywiście było, drudzy, wziąwszy je za wojsko litewskie, a to z przyczyny lekkich i rzutnych włóczni, zwanych sulice, których w wojsku krzyżackim wielka była liczba – nie zaraz uderzyli na Krzyżaków; spierali się bowiem z sobą i długo byli w niepewności; wreszcie, wyprowadzeni z błędu, nie wątpiąc już o nieprzyjacielu, w kilkanaście chorągwi rzucili się na owe szesnaście znaków, do których przyłączyły się i inne, i krwawą z nimi stoczyli bitwę. A lubo Krzyżacy przez jakiś czas wytrzymali natarcie, w końcu jednak, przeważną liczbą wojsk królewskich zewsząd otoczeni, pobici zostali na głowę. Prawie wszystko rycerstwo, walczące pod owymi szesnastu znakami, legło na placu lub dostało się do niewoli. Po zniesieniu zatem i rozbiciu całej potęgi nieprzyjacielskiej, przy czym także Wielki Mistrz pruski, Ulryk, marszałkowie, komturowie, rycerze wszyscy i najznakomitsi w wojsku pruskim panowie poginęli, reszta nieprzyjaciół poszła w rozsypkę, a raz tył podawszy, pierzchała ciągle w popłochu.

Władysław, król polski, nierychłe wprawdzie i ciężkim okupione trudem, zupełne jednak nad mistrzem i Krzyżakami odniósł zwycięstwo. Obozy nieprzyjacielskie, zasobne w wielkie bogactwo i zapasy, wozy i wszystek sprzęt wojenny Mistrza i rycerstwa pruskiego, polski żołnierz opanował i złupił. Znaleziono zaś w obozie krzyżackim kilka wozów, naładowanych samemi dybami i okowami, które Krzyżacy, z pewnością rokując sobie zwycięstwo, więcej przyszłym triumfem, niżeli bitwą, zajęci, do pętania Polaków przygotowali. Były i inne wozy, pełne łuczywa smolnego, a oblanego łojem i smołą, kiścieni, także smołą i tłustością wysmarowanych, którymi Polaków pobitych i uciekających gnać mieli przed sobą. Za wcześnie cieszyli się zwycięstwem, z pychą zaufani w siebie i niepomni, że zwycięstwo jest w ręku samego Boga.

Legło w tej bitwie 50 000 nieprzyjaciela, a 40 000 wzięto do niewoli.

* * *

Legenda o św. Aleksym

Fragment

W Rzymie jedno panię było,
Coż Bogu rado służyło, [...]
Eufamijan jemu dziano[2],
Wielkiemu temu panu.

---

[1] **pomieniony** – wymieniony, ten, o którym była mowa.
[2] **dziać** – nazywać, nadawać imię.

25   A żenie [jego] dziano Aglijas;
       Ta była ubostwu w czas[1]. [...]
          A gdy się mu syn narodził,
       Ten się w lepsze przygodził[2]:
35   Więcci mu zdziano Aleksy,
       Ten był oćca barzo lepszy[3].
          Ten więc służył Bogu rad.
       Iże[4] był star dwadzieścia, k temu cztyrzy lata,
       Więc k niemu rzekł ociec słowa ta:
40   „Miły synu! Każę tobie,
       Pojimże jekąć[5] żonę sobie;" [...]
50   A więc mu cesarz dziewkę[6] dał,
       A papież ji z nią oddał[7]. [...]
       Ktorej krolewnie Famijana dziano,
       Co ją Aleksemu dano. [...]
60   A gdy się z nią pokładał,
       Tej nocy z nią gadał;
       Wrocił zasię[8] pirścień jej,
       A rzekł tako do niej:
       „Ostawiam cię przy twym dziewstwie[9],
65   Wroć mi ji, gdy będziewa oba w niebieskim krolewstwie;
       Jutroć się bierzę[10] od ciebie
       Służyć temu, cożci jest w niebie"; [...]
          A jeko zajutra[11] wstał,
85   Od obiada się precz brał; [...]
       Nabrał sobie śrzebra, złota dosyć,
90   Co go mogł piechotą nosić;
       Więc się na morze wezbrał,
       A ociec w żałości ostał, [...]
95   Więc to święte plemię[12]
       Przyszło w jedną ziemię;
       Rozdał swe rucho[13] żebrakom,

---

[1] **była ubostwu w czas** – pomagała ubogim.
[2] **ten się w lepsze przygodził** – był zdatny do czegoś lepszego.
[3] **ten był oćca barzo lepszy** – był znacznie lepszy niż ojciec.
[4] **iże** – ponieważ.
[5] **pojimże jekąć** – pojmij, poślub zaraz.
[6] **dziewkę** – cesarską córkę.
[7] **ji z nią oddał** – jego z nią złączył, zaślubił.
[8] **zasię** – z powrotem.
[9] **dziewstwie** – dziewictwie.
[10] **się bierzę** – odchodzę, wyruszam.
[11] **a jeko zajutra** – a skoro nazajutrz.
[12] **plemię** – potomek.
[13] **rucho** – szaty, odzież.

Śrzebro, złoto popom, żakom[1].
Więc sam pod kościołem siedział,
100 A o jego księstwie[2] nikt nie wiedział.
Więc to zawżdy[3] wstawał reno,
Ano kościoł zamkniono;
Więc tu leżał podle proga,
Falę, proszę[4] swego Boga, [...]
Eż się zstało w jeden czas,
Wstał z obraza[5] Matki Bożej obraz,
Szedł do tego człowieka,
110 Jen się kluczem opieka[6],
I rzekł jest tako do niego:
„Wstani, puści człowieka tego,
Otemkni mu kościoł Boży,
Ać[7] na tym mrozie nie leży".
115 Żak się tego barzo lęknął,
Wstawszy, kościoł otemknął.
To się niejedną dziejało,
Ale się często dziejało.
Więc żak powiedał każdemu,
120 I staremu, i młodemu.
A gdyż to po nim uznali,
Wieliką mu falę[8] dali,
Za świętego ji trzymano[9]
Wiele mu prze Bog[10] dawano. [...]
   A więc świętemu Aleksemu,
Temu księdzu[11] wielebnemu,
Nieluba[12] mu fała była,
Co się mu ondzie[13] wodziła.
150 Tu się wezbrał jeko mogę,
Wsiadł na morze w kogę[14],

---

[1] **popom, żakom** – kapłanom i klerykom, studentom teologii.
[2] **księstwie** – książęcym pochodzeniu.
[3] **zawżdy** – zawsze.
[4] **falę, proszę** – chwaląc, prosząc.
[5] **z obraza** – prawdopodobnie winno być: z ołtarza.
[6] **jen się kluczem opieka** – klucznika; tego, który się opiekuje kluczem.
[7] **ać** – niech.
[8] **falę** – chwałę, cześć.
[9] **za świętego ji trzymano** – uważano go za świętego.
[10] **prze Bog** – z przyczyny Boga, w imię Boga.
[11] **księdzu** – księciu.
[12] **nieluba** – niemiła.
[13] **ondzie** – tam.
[14] **w kogę** – na okręt.

Brał się do ziemie, do jednej;
Do miasta [Tarsa w] Syr[yj]ej. [...]
    Więc się wietr obrocił;
Ten ci [ji] zasię nawrocił.
A gdy do Rzyma przyjał[1], Bogu dziękował,
Iż ji do ziemie przygnał,
160 A rzekąc: „Już tu chcę cirzpieć
Mękę i wszytki złe file imieć[2]
U mego oćca na dworze,
Gdyżeśm nie przebył za morze”. [...]
Tu pod wschodem[3] leżał,
Każdy nań pomyje, [złą wodę][4] lał.
    A leżał tu sześćnaćcie lat,
Wsztko cirzpiał prze Bog rad; [...]
A więc gdy już umrzeć miał,
Sam sobie list napisał,
I ścisnął ji twardo w ręce,
190 Popisawszy swoje wszytki męki,
I wszytki skutki[5], co je płodził,
Jako się na świat narodził.
A gdy Bogu duszę dał,
Tu się wieliki dziw stał:
195 Samy zwony zwoniły,
Wszytki, co w Rzymie były.
Więc się po nim pytano,
Po wszytkich domiech szukano; [...]
Jedno młode dziecię było,
To im więc wzjawiło[6],
A rzekąc: „Aza wy nie wiecie o tym
Kto to umarł? Jać wam powiem:
205 U Eufamijanać leży,
O jimże ta fała bieży;” [...]
    Więc tu papież z kardynały,
210 Cesarz [z] swymi kapłany
Szli są k niemu z chorągwiami;
Zwony wżdy zwonili sami;
Tu więc była ludzi siła[7],

---

[1] **przyjał** – przyjechał.
[2] **imieć** – mieć.
[3] **pod wschodem** – pod schodami.
[4] **[złą wodę]** – wtrącona przez kopistę glosa, tj. objaśnienie, do słowa „pomyje”.
[5] **skutki** – czyny, sprawy.
[6] **wzjawiło** – oznajmiło.
[7] **siła** – wiele, mnóstwo.

Silno wielka ciszczba była.
215 Kogokole[1] para[2] zaleciała
Od tego świętego ciała,
Ktory le[3] chorobę miał,
Natemieście[4] zdrow ostał; [...]
Chcieli mu list z ręki wziąć,
Nie mogli go mu wziąć. [...]
Jedno[5] przyszła żona jego,
A ściągła rękę do niego,
235 Eż[6] jej w rękę wpadł list,
Przeto, iż był jeden do drugiego czyst.
A gdy ten list oglądano,
Natemieście uznano,
Iż był syn Eufamijanow[7],
240 A księdza rzymskiego cesarzow
A gdy to ociec [tu rękopis się urywa]

PRZECŁAW SŁOTA (ZŁOTA)

O zachowaniu się przy stole
(inaczej: Wiersz o chlebowym stole)

Fragmenty

Gospodnie, daj mi[8] to wiedzieć,
Bych[9] mogł o tem cso[10] powiedzieć,
O chlebowem stole.
Zgarnie na się wszytko pole,
Cso w stodole i w tobole,
Cso le się na niwie zwięże[11],
To wszytko na stole lęże[12]; [...]

---

[1] **kogokole** – kogokolwiek.
[2] **para** – zapach, tchnienie.
[3] **ktory le** – ktokolwiek.
[4] **natemieście** – natychmiast, od razu.
[5] **jedno** – skoro tylko, kiedy.
[6] **eż** – aż.
[7] **syn Eufamijanow, a księdza rzymskiego cesarzow** – syn Eufamijana, księcia cesarza rzymskiego.
[8] **Gospodnie, daj mi** – Panie, daj mi, pozwól.
[9] **bych** – bym.
[10] **cso** – co, coś.
[11] **cso le się na niwie zwięże** – cokolwiek się w polu urodzi.
[12] **lęże** – legnie, znajdzie się.

Z jutra[1] wiesioł nikt nie będzie,
Aliż gdy za stołem siędzie,
Toż wszego myślenia zbędzie;
A ma z pokojem sieść,
A przy tem się ma najeść.
A mnogi idzie za stoł,
Siędzie za nim jako woł,
Jakoby w ziemię wetknął koł. [...]
A grabi się w misę przod[2],
Iż mu miedźwno[3] jako miod;
Bogdaj mu zaległ usta wrzod!
A je z mnogą twarzą cudną[4],
A będzie mieć rękę brudną; [...]
Sięga w misę prze drugiego,
Szukaję[5] kęsa lubego,
Niedostojen[6] nics dobrego. [...]
    Panny, na to się trzymajcie,
Małe kęsy przed się[7] krajcie!
Ukrawaj często a mało,
A jedz, byleć się jedno[8] chciało.
Tako panna, jako pani
Ma to wiedzieć, cso się gani;
Lecz rycerz albo panosza[9]
Czci[10] żeńską twarz, toć przysłusza[11]. [...]
    Przymicie to powiedanie
Prze waszę cześć, panny, panie!
Też, miły Gospodnie moj,
Słota, grzeszny sługa twoj,
Prosi za to twej miłości,
Udziel nam wszem swej radości. *Amen*

---

[1] **z jutra** – z rana.
[2] **grabi się w misę przod** – pcha się pierwszy do miski.
[3] **miedźwno** – miodowo, słodko.
[4] **z... twarzą cudną** – z paniami.
[5] **szukaję** – szukając.
[6] **niedostojen** – niewart, niegodny.
[7] **przed się** – przecież, jednak.
[8] **jedno** – tylko.
[9] **panosza** – niższy szlachcic, giermek.
[10] **czci** – szanuje; także: częstuje.
[11] **toć przysłusza** – to przecież się należy, tak przystoi.

Satyra na leniwych chłopów

Chytrze bydlą[1] z pany kmiecie,
Wiele sie w jich siercu plecie.
Gdy dzień panu robić mają,
Częstokroć odpoczywają,
A robią silno obłudnie:
Jedwo wynidą pod południe,
A na drodze postawają,
Rzekomo pługi oprawiają;
Żelazną wić[2] doma złoży,
A drzewianą na pług włoży;
Wprzągają chory dobytek,
Chcąc zlechmanić[3] ten dzień wszytek:
Bo umyślnie na to godzi,
Iż sie panu źle urodzi.
Gdy pan przydzie, dobrze orze –
Gdy odydzie, jako gorze[4];
Stoji na roli, w lemiesz klekce:
Rzekomoć mu pług orać nie chce;
Namysłem[5] potraci kliny,
Bieży do chrosta po jiny;
Szedw do chrosta, za krzem leży,
Nierychło zasię wybieży.
Mnima-ć każdy człowiek prawie[6],
By był prostak na postawie,[7]
Boć sie zda jako prawy wołek,
Aleć jest chytry pachołek.

---

[1] **bydlą** – żyją, postępują.
[2] **wić** – łańcuch przy pługu.
[3] **zlechmanić** – przepróżniaczyć, nic nie robić.
[4] **jako gorze** – jak najgorzej.
[5] **namysłem** – rozmyślnie.
[6] **prawie** – naprawdę, prawdziwie.
[7] **na postawie** – z pozoru.

ROMAN BRANDSTAETTER

Kopernik

Dramat w trzech aktach. Zakończenie aktu I

(Drzwi się otwierają. Kopernik staje w drzwiach.)

KOPERNIK

Księże biskupie!

WACZENRODE

Mikołaju!

(Kopernik rzuca się do jego kolan.)

WACZENRODE

(drżącą ręką gładzi go po głowie)

Dobrze, że jesteś, Mikołaju. Dobrze. Wstań.

(Kopernik podniósł się z kolan.)

Chwała Bogu na wysokościach, że pozwolił mi oglądać twoje oblicze w chwili śmierci.

KOPERNIK

Księże biskupie!

WACZENRODE

Nie lękaj się. Śmierć wszystkim pisana. Nie widziałem cię dwa lata. Zmęczony jesteś podróżą.

KOPERNIK

Powiedz, czym mogę ci pomóc.

WACZENRODE

Nie troskaj się o mnie. Jestem stary, zmęczony życiem. Muszę odejść. Radość moja jest wielka, że przed śmiercią mogę cię jeszcze zobaczyć. Usiądź Mikołaju, usiądź.

(Kopernik usiadł. Zapada zmierzch.)

W ciężkiej dla nas chwili przybyłeś tutaj, Mikołaju. Ważą się losy Warmii. Panowie warmińscy życzą sobie, byś jak najśpieszniej objął w Fromborku administrację ziem kapitulnych. Prawy człowiek powinien zasiąść na tym urzędzie. Otrzymaliśmy poufne wiadomości, że wielki mistrz Albrecht gromadzi siły zbrojne nad granicą

Warmii i zamierza uderzyć na nasze ziemie. Wysłaliśmy do króla polskiego poselstwo z prośbą o pomoc.
Otwórz okno.

KOPERNIK

Duszno ci jest, księże biskupie?

WACZENRODE

Nie. Ale chcę, żebyś otworzył okno.

(Kopernik otworzył okno.)

Co widzisz w oknie?

KOPERNIK

Noc. Deszcz ustał. Wiatr rozpędził chmury. Księżyc wzeszedł. W dali widać zarys katedry, drzewa...

WACZENRODE

To wszystko jest Warmia. Umęczona przez wrogów, słona od łez i tłusta od krwi.

(Kopernik milczy.)

Za nocą, wichrem i katedrą jest Polska, święta ziemia, matka nasza najmiłościwsza, serce naszych serc, źrenica naszych źrenic. Kochaj tę ziemię.

KOPERNIK

Zawsze ją kochałem i zawsze będę kochać.

WACZENRODE

Co jeszcze widzisz w oknie?

KOPERNIK

(spojrzał w głąb nocy, po chwili oczy zwrócił ku niebu)

Gwiazdy.

WACZENRODE

Gwiazdy.

(Kopernik pochylił głowę.)

Gwiazdy.

(Kopernik milczy.)

Podczas twojego pobytu w Italii doszły mnie o tobie niepokojące wieści z Ferrary i Padwy. Z początku wydawało mi się, że są to tylko głupie plotki, którym nie należy dać wiary, ale potem niestety otrzymałem potwierdzenie owych wiadomości z ust poważnych ludzi.

KOPERNIK

Nie wiem, co masz na myśli, księże biskupie.

WACZENRODE

Myśl twoja błądzi po krętych drogach.

KOPERNIK

Mów otwarcie i jasno, księże biskupie. Wiesz przecież dobrze, że zawsze przed tobą serce otwierałem, niczego nie ukrywając.

WACZENRODE

(szeptem)

Gwiazdy.

(Kopernik milczy.)

WACZENRODE

(szeptem)

„... który umocnił ziemię na jej fundamentach i nie będzie poruszona na wieki i na zawsze..."

(Kopernik milczy.)

WACZENRODE

„...ziemia zaś niech stoi na wieki, słońce niech wschodzi i zachodzi..."

(Kopernik milczy.)

WACZENRODE

(szeptem)

[...] jak mi doniesiono, ośmielasz się twierdzić, że ziemia porusza się dokoła słońca, a słońce stoi nieruchome w środku wszechświata. Prawda to?

KOPERNIK

Prawda.

WACZENRODE

Skąd wiesz o tym?

KOPERNIK

Z obliczeń matematycznych, z obserwacji, z liczb i narzędzi astronomicznych.

WACZENRODE

Jakie wnioski wysnułeś z owych obserwacji?

KOPERNIK

(zapatrzony w gwiaździstą noc)

Zdobyłem najpiękniejszą prawdę, jaką może zdobyć człowiek. Prawdę nieba. Trwanie Ziemi w bezwładnej nieruchomości jest tylko złudzeniem naszego lichego wzroku! Wątpliwa jest prawda zmysłów, księże biskupie! Wielka jest prawda naszego rozumu! [...]

(wyciąga z zanadrza plik pergaminów)

Tu są niezbite dowody.

WACZENRODE

Jaki jest tytuł twojego dzieła?

KOPERNIK

„De revolutionibus" [1]

WACZENRODE

(szeptem)

Apage satanas. [2]

(Ukrył twarz w dłoniach. Kopernik milczy.)

WACZENRODE

(podniósł głowę)

Czy wiesz, Mikołaju, co czynisz wyważając świat z jego posad? Czy zdajesz sobie w pełni sprawę, że burząc niewzruszoną hierarchię wszechświata całkowicie odmieniasz życie ludzkie?

KOPERNIK

Życie wszechświata nie obraca się dokoła życia człowieka, który jest tylko drobną śrubką w machinie kosmosu. Ludzie i Ziemia, księże biskupie, nie trwają w martwocie, ale w ciągłym ruchu, w wiecznej zmienności, o której przed wiekami pisał wielki Heraklit. [3]

---

[1] **De revolutionibus** (łac.) [czyt. rewolucjonibus] – o obrotach (początek tytułu głównego dzieła Kopernika).

[2] **Apage satanas** (łac.) – precz szatanie.

[3] **Heraklit z Efezu** – filozof grecki (ok. 400 p.n.e.).

WACZENRODE

Źle czynisz, Mikołaju, źle czynisz, odbierając spokój człowiekowi. Nie strącaj Ziemi z jej piedestału, Mikołaju! Nie odbieraj człowiekowi szczęścia, Mikołaju!

KOPERNIK

Czy niewiedza jest szczęściem?

WACZENRODE

Czy sądzisz, że wiedza daje szczęście człowiekowi, że mu odbiera lęk przed śmiercią, że napełnia spokojem i ciszą jego serce i myśli?

KOPERNIK

Wiem, że są mroki nieprzebyte, morza ciemności, nierozświetlone żadnym światłem... Te mroki pragnę rozerwać, chcę z nich wydrzeć tajemnicę kosmosu i przynieść człowiekowi światło prawdziwej wiedzy.

(Waczenrode milczy.) [...]

WACZENRODE

Nie udźwigniesz jego ciężaru. [...]

WACZENRODE

(szeptem)

Wyjm, Mikołaju, z zanadrza owe pergaminy, na których napisałeś twe dzieło, i wrzuć je w ogień.

(Kopernik milczy.)

Wrzuć je w ogień, Mikołaju. Ogień czeka na twe pergaminowe karty. Niechaj się one spopielą, niechaj staną się nieczytelne i martwe, a wtedy twoje serce znowu ożyje, Mikołaju.

(Kopernik milczy.)

Daj mi te pergaminy! Te! W zanadrzu!

(Kopernik cofnął się.)

Daj!

(Kopernik milczy. Waczenrode z trudem, ostatnim wysiłkiem podniósł się z fotela.)

KOPERNIK

Co robisz, księże biskupie?!

(Podbiegł, by go podtrzymać.)

WACZENRODE

Daj te pergaminy! Daj!

KOPERNIK

Księże biskupie!

WACZENRODE

Musisz! Musisz!

(Padł na fotel, odpychając od siebie Kopernika. Z trudem oddycha.)

KOPERNIK

(ukłąkł przed nim)

Uspokój się, księże biskupie. Byłeś moim troskliwym opiekunem. Dałeś mi wychowanie i wiedzę. Całym sercem jestem ci za to wdzięczny. Kocham cię tak, jak się kocha odchodzący świat, który się na zawsze żegna. Szanuję cię za twoją niezłomność i za twój mrok, i za twoje błądzenie, i za twoją wiarę.

WACZENRODE

(nie patrząc na Kopernika)

Niech ci Bóg przebaczy owe ciemności, w których się pogrążasz. Pamiętaj... Kochaj Polskę miłością nad śmierć silniejszą. Zachowaj czystość ciała i duszy. Jak cię obronić przed życiem? Przed ludźmi? W każdym człowieku jest wołanie grzechu.

(Tchu mu zabrakło, głowa jego opadła na piersi.)

KOPERNIK

Księże biskupie!

(Waczenrode milczy.)

KOPERNIK

(szarpnął go za ramię)

Wuju Łukaszu!

(Waczenrode milczy.)

KOPERNIK

(Ujął go za rękę, głowę odchylił ku tyłowi i przymknął jego powieki. Podszedł do drzwi i otworzył je na roścież.)

Piotrze!

PIOTR Z TORUNIA[1]

(wszedł)

Co się stało, Mikołaju?

---

[1] **Piotr z Torunia** – sekretarz biskupa Waczenrodego.

(Kopernik wskazał ręką na biskupa.)

PIOTR Z TORUNIA

(Woła w głąb komnaty, z której przed chwilą wyszedł.)

Dostojni panowie!

(Panowie kapitulni wchodzą.)

Książę biskup warmiński Łukasz Waczenrode, udzielny pan na Ziemi Warmińskiej, przewodniczący Ziem Pruskich, lennik Korony Polskiej, miłościwego pana Zygmunta Jagiellona najwierniejszy sługa, Bogu Wszechmogącemu oddał ducha! Módlmy się!

(Wszyscy klękają. Z głębi zamku dobiega dźwięk organów.)

Wieczne odpoczywanie racz mu dać, Panie, a światło wiekuiste niechaj mu świeci na wieki wieków. Amen.

WSZYSCY

Amen.

KOPERNIK

(po chwili)

Amen.

Koniec aktu pierwszego

* * *

KLEMENS JANICKI

Elegia: O sobie samym do potomności
(*De se ipso ad posteritatem...*)

Fragmenty

Jeżeli znajdziesz się kiedyś, życzliwy człowieku, który zechcesz poznać dzieje mego
   minionego żywota,
przeczytaj ten wiersz pośpiesznie dyktowany, gdy wodna puchlina[1] chciała mnie już
   zesłać na letejskie wody[2].

---

[1] **wodna puchlina** – choroba, która spowodowała śmierć Janickiego.
[2] **letejskie wody** – mityczna podziemna rzeka Lete, której wody dawały duszom zmarłych zapomnienie przeszłości.

Nad żnińskimi bagnami leży wieś, która otrzyma nazwę od niejakiego Januszka[1].
Tędy mieli niegdyś polscy królowie często jeździć utartą drogą z Gniezna do
Prus[2].
Tę ziemię od dawna przewracał pługiem mój ojciec, człek dobry i uczciwy w swoim
ubogim stanie. [...]
Przypadły [...] moje urodziny na dzień czwarty po Idach listopadowych[3], na niedzielę
w samo południe.
W tym dniu nasz król zdjął roczną żałobę, którą nosił po śmierci małżonki[4] [...]
Zaledwie miałem pięć lat, kiedy oddano mnie na zacne nauki i postawiono po raz
pierwszy przed bramami muz.
Ojciec bowiem, który niezmiernie mnie miłował, nie chciał, abym żył ciężko
pracując [...]
Skorom od niewykształconych nauczycieli otrzymał pierwsze początki nauk – a jest
to jedyny mój dług u was, żnińscy obywatele –
poszedłem do gimnazjum, które Lubrański[5] założył niedawno nad czystymi jak szkło
wodami uroczej Warty.
Tu znalazłem kogoś, kto z wielką sławą wykładał całą wiedzę, jaką
wydało Lacjum[6], jaką wydała Grecja.
On[7] to ochoczo zaopiekował się mą młodością i kształcił mnie rzetelnie
i szczerze.
Wtedy to po raz pierwszy usłyszałem nieśmiertelne imię wielkiego Marona[8] i twoje
imię, szczęsny Nazonie[9].
Usłyszałem i począłem czcić poetów i powtarzać sobie, że po bogach niczego ponad
nich nie masz na świecie. [...]
Kiedy pierwszy raz odczytałem swe wiersze przed pełną salą słuchaczy, miałem
piętnaście lat i dziewięć miesięcy. [...]
Powszechnie się też podobałem, nie żebym na to zasłużył, ale powodem tego były
nadzieje, jakie budziłem jako dziecko. [...]
Poniosła mnie miłość sławy, której w ten sposób zakosztowałem, tym bardziej, że
z natury rwałem się do niej [...]

---

[1] **wieś, która otrzymała nazwę... Januszka** – Januszkowo, miejsce urodzenia poety.

[2] **drogą z Gniezna do Prus** – wielkim, znanym już w Starożytności traktem handlowym z południa na północ.

[3] rachuba według starożytnego kalendarza rzymskiego: trzynasty dzień miesiąca (w marcu, maju, lipcu i październiku piętnasty dzień) nazywał się *idus*; „dzień czwarty po Idach listopadowych" wypadał więc siedemnastego.

[4] **nasz król... po śmierci małżonki** – Zygmunt I Stary, po śmierci Barbary Zapolyi.

[5] **biskup Jan Lubrański** – założyciel gimnazjum w Poznaniu w latach 1515-1520, jednej z najlepszych ówczesnych szkół humanistycznych.

[6] **Lacjum** – Rzym.

[7] chodzi tu o sławnego humanistę niemieckiego Krzysztofa Hegendorfina.

[8] **Marona** – Wergiliusza.

[9] **Nazonie** – Owidiusza.

Ale żałosne ubóstwo powstrzymało mnie w połowie drogi nie pozwalając piąć
się wyżej. [...]

[...] przyjął mnie na swój dwór Kmita[1] [...]

I on to bez żadnej zwłoki i nie szczędząc kosztów wysyła mnie do tak upragnionego
przeze mnie Lacjum.

Szczęśliwy więc ze spełnienia mych życzeń jadę tam niby kupiec po szlachetne nauki
i uzyskuję gościnę u euganejskiej Pallady[2].

Ale zawistny los zmógł mnie chorobą i zmusił do powrotu w strony ojczyste
[...]

Lecz dosyć o tym. A teraz wracam do ciebie[3], który mi jesteś życzliwy, abyś się
dowiedział wszystkiego o mym życiu. [...]

Wygląd mój był niezgorszy i twarz nie ponura, ale z widocznymi na niej wyraźnie
oznakami wrodzonej nieśmiałości.

Miałem łatwość wysłowienia, głos wyraźny, cerę bladą, a postawę w samą miarę.

Nie znosiłem lekceważącego traktowania i skłonny byłem do gniewu, w którym
nieraz trwałem przez wiele dni. [...]

Wielu mych ziomków zmylonych powierzchownymi oznakami uważało, żem był
rozpustnie oddany Wenerze,

czy to dlatego, żem lubił lutnię, śpiew i żarty, czy też że będąc jeszcze niemal
dzieckiem opiewałem miłość [...]

Jeśli może spytasz, gdzie się podziały te utwory, wiedz, że znalazły się w ogniu, jak
wiele innych płodów mego talentu,

zasługujących na krótki żywot, jak wszystkie utwory, z którymi spieszno ambitnej,
głupiej młodości.

A teraz, gdy skończone piąte pięciolecie mego życia wzywa mnie do większych
dzieł, odwołują mnie oto stąd

i umieram przedwcześnie nie mogąc już, ojczyzno ty moja, sławić cię takimi
pieśniami, jakimi pragnąłem [...].

Przełożył Edwin Jędrkiewicz

---

[1] **Piotr Kmita** – wojewoda krakowski, marszałek koronny, mecenas Janickiego.
[2] **euganejska Pallada** – padewska Pallas Atena, bogini mądrości; na pd.-zach. od Padwy ciągnęły
się góry Euganejskie.
[3] po dygresji poeta zwraca się znów do czytelnika.

MIKOŁAJ REJ

Krótka rozprawa między trzemi osobami, Panem, Wójtem a Plebanem,

Którzy i swe, i innych ludzi przygody wyczytają[1], a takież i zbytki, i pożytki dzisiejszego świata

Fragmenty

AMBROŻY KORCZBOK ROŻEK[2] KU DOBRYM TOWARZYSZOM

1   Towarzyszu, nie masz li co czynić,
    Postój mało, nie wadzić to przeczcić[3]! [...]
5   Rozmawia tu z sobą trojaki stan:
    Pan, Wójt prosty, trzeci z nimi Pleban,
    Wyczytając przypadłe przygody[4],
    Skąd przychodzą ludziom zysk i szkody. [...]

PAN MÓWI

    Miły wójcie, cóż sie dzieje?
    Aboć[5] sie ten ksiądz z nas śmieje?
    Mało śpiewa, wszytko[6] dzwoni,
    Msza nie była jako łoni[7].
35   Na naszym dobrym nieszporze
    Już więc tam swą każdy porze[8]:
    Jeden wrzeszczy, drugi śpiewa,
    A też jednak rzadko bywa.
    Jutrzniej[9], tej nigdy nie słychać,
40   Podobno musi zasypiać;
    Odśpiewa ją czasem sowa,
    Bo więc księdzu cięży głowa.
    A wżdy przedsię jednak łają,
    Chocia mało nauczają. [...]

[handwritten note:] Pan kpi sobie z powinności księdza. Na swój sposób opisuje msze, na której ksiądz nic nie robi.

---

[1] **wyczytają** – wyliczają, wymieniają.
[2] **Ambroży Korczbok Rożek** – pseudonim Reja.
[3] **przeczcić** – przeczytać.
[4] **przypadłe przygody** – sprawy, przypadki pospolite, codzienne.
[5] **aboć** – czy.
[6] **wszytko** – ciągle, tylko.
[7] **jako łoni** – jak przed rokiem.
[8] **swą każdy porze** – każdy robi, co chce.
[9] **jutrzniej** – pierwszego nabożeństwa porannego.

WÓJT

    Miły panie, my prostacy,
50 A cóż wiemy nieboracy?
    To mamy za wszytko zdrowie[1],
    Co on nam w kazanie powie:
    Iż gdy wydam dziesięcinę,
    Bych był nagorszy, nie zginę,
55 A dam li dobrą kolędę[2],
    Że z nogami w niebie będę. [...]

PLEBAN

    Bo byś baczył, miły bracie,
100 Na jakiem ci ksiądz warstacie[3]!
    Musi wszytkiego zaniechać,
    Kto sie chce wami opiekać[4],
    A opuścić dobre mienie,
    Łatając wasze zbawienie.
105 Wszak wiesz, że rzemieślnik każdy
    Potrzebuje płacej zawżdy. [...]

PAN

115 [...] Hardzie tu strząsasz porożym[5],
    A zowiesz sie posłem bożym.
    Prawda, żeś jego pastyrzem,
    A w wielu sprawach kanclerzem,
    Lecz czasem na wełnę godzisz[6],
120 Kiedy za tym stadem chodzisz. [...]
    Ale dziś wasze nauki!
    Rozliczne w nich najdzie sztuki.
    Nie rzecze nic żadny prózno,
160 Chocia z sobą siedzą rózno.
    Aboć wezmą, abo co daj,
    Tak kazał święty Mikołaj[7],
    Bo jestli mu barana dasz,
    Pewny pokój od wilka masz.

[handwritten note: Pan wspomina księdzu, iż pomimo ten jest posłańcem od Boga, potrafi czasem Obdzierać ze skóry prostych ludzi.]

---

[1] **zdrowie** – tu: radę, wskazówkę.
[2] **kolędę** – daninę w naturze pobieraną pod koniec roku przez księdza chodzącego „po kolędzie".
[3] **na jakiem... warstacie** – jakie ma trudne zadanie.
[4] **opiekać** – opiekować.
[5] **strząsasz porożym** – pokazujesz rogi.
[6] **na wełnę godzisz** – obdzierasz ze skóry.
[7] św. Mikołaj miał ochraniać przed napaścią wilków.

165 Dobry też Lenart[1] dla koni,
Dla wieprzów święty Antoni.
Więc świętego Marka chwali,
Więc Piotra, co kopy pali[2], [...]
    Bo sie już więc tam łomi chróst,
Kiedy sie zejdą na odpust[3]. [...]
Ksiądz w kościele woła, wrzeszczy,
Na cmyntarzu beczka trzeszczy,
185 Jeden potrząsa kobiałką,
Drugi bębnem a piszczałką,
Trzeci, wyciągając szyję,
Woła: – „Do kantora[4] piję!" –
Kury wrzeszczą, świnie kwiczą,
190 Na ołtarzu jajca liczą.
Wieręsmy[5] odpust zyskali,
Iżechmy sie napiskali. [...]

WÓJT

Miły panie, Bógżeć zapłać!
Snać by tobie lepiej gęś dać,
215 Kiedybyś nam tak chciał kazać,
Niż ten tłusty połeć mazać[6]. [...]

PLEBAN

    [...] A tkniż jedno[7] świeckich urzędów,
470 Jestli tam nie więcej błędów? [...]
    Ale co ma pleban prosty
Ugodzić w ty dworskie chłosty,
Zwłaszcza w kącie doma siedząc,
Jedno co kęs od bab wiedząc
635 Abo słysząc, gdy ziemianie
Siedząc narzekają na nie.
    „Wierę snać z sejmu naszego
Nie słychamy nic dobrego,
Już to kielka niedziel bają,

---

[1] **Lenart** – św. Leonard.
[2] św. Piotr strzegł przed piorunami często godzącymi w kopy żniwne; jego święto przypadało 1 sierpnia.
[3] **bo sie... na odpust** – odpust, połączony z jarmarkiem, odbywał się na przykościelnym cmentarzu ogrodzonym płotem z chrustu.
[4] **do kantora** – do śpiewaka kościelnego.
[5] **wieręsmy** – na pewno, ani chybi... zyskaliśmy.
[6] **tłusty połeć mazać** – przysłowie zastosowane do mającego się dobrze, tłustego księdza.
[7] **jedno** – tylko.

640 A w ni w czym¹ sie nie zgadzają. [...]
    Pewnie Pospolitej Rzeczy
    Żadny tam nie ma na pieczy.
645 Boć i owi z pustą głową,
    Co je rzkomo posły zową,
    Więcej też sobie folgują²,
    A to, co jem trzeba, kują.
    Bo jedni są, co sie boją,
650 Drudzy o urzędy stoją,
    Jako tako pochlebuje,
    Gdy co kto smacznego czuje.
    Bo acz to jest wielki urząd,
    Kto chce łatać ten spólny błąd³,
655 Lecz gdy nie będzie pilności,
    A prawej, spólnej miłości,
    Przedsię z oną płochą radą
    Na chromem⁴ do domu jadą". [...]

WÓJT

    Panie, słysząc aż straszno stać!
    Jakoż prostak nie ma sie bać?
    Każdy tu, co ji ksiądz liczy,
750 Ubogiego kmiecia ćwiczy, [...]
    Ksiądz pana wini, pan księdza,
    A nam prostym zewsząd nędza, [...]
    Urzędnik, wójt, szołtys, pleban,
    Z tych każdy chce być nad nim pan. [...]

PAN

    Wójcie, głębokoś snać zabrnął,
    Patrzaj, by sie nie ochynął⁵. [...]
1715 A wszędy ruszasz zuchwałych,
    A k temu stanów niemałych:
    Graczów, myśliwców, pijanic,
    Wszytki sobie tu masz za nic;
    Utratniki, białe głowy
1720 Ruszasz zuchwałemi słowy. [...]

----

¹ **w ni w czym** – w niczym.
² **folgują** – dogadzają.
³ **spólny błąd** – niedomagania państwowe.
⁴ **na chromem** – zwrot przysłowiowy: z niczym.
⁵ **by sie nie ochynął** – byś nie utonął.

1725   Ale snać mówiąc ku prawdzie,
        Wielkieć zbytki wszędy najdzie, [...]

PLEBAN

        Panie, byś chciał wszytko baczyć[1],
        Trzeba by sie dłużej ćwiczyć.
1935 Iście uważyć[2] każdy stan
        Trudno ma wójt, pan i pleban. [...]
        Bo nam mało po tym swarze,
        A nikt sie jem nie ukarze[3].
1945 Onym[4] to więcej przystoi,
        Co je na to szczęście stroi,
        A Bóg je na to przełożył,
        By sie na wszem z nich rząd[5] mnożył,
        A Rzecz Pospolita stała
1950 A ni na czym nie chramała. [...]

Żywot człowieka poćciwego[6]

Fragmenty

Księgi II, Kapitulum XVI
2. Rok na czterzy części rozdzielon

Ale iż rozne są czasy w roku, też są i rozne przypadki i w gospodarstwie, i w każdej sprawie człowieka poćciwego, gdyż rok jest na czworo rozdzielon: naprzód wiosna, więc lato, potym jesień, więc zima. A w każdym z tych czasów i potrzebnego a roznego gospodarstwa, i rozkosznych czasów i krotofil[7] swych w swoim onym pomiernym a w spokojnym żywocie poćciwy człowiek może snadnie użyć. Bo gdy przypadnie wiosna, azaż[8] owo nie rozkosz z żonką, z czeladką po sadkoch, po ogródkoch sobie chodzić, szczepków naszczepić, drobne drzewka rozsadzić, niepotrzebne gałązki obcinać, mszyce pozbierać, krzaczki ochędożyć, okopać, trzaskowiskiem[9] osypać? [...]

---

[1] **baczyć** – rozeznać, rozważyć.
[2] **iście uważyć** – prawdziwie ocenić, rozsądzić.
[3] **nikt sie jem nie ukarze** – nikt nie wyciągnie zeń (ze sporu) odpowiedniej nauki.
[4] **onym** – tym wysoko postawionym: królowi i senatorom.
[5] **rząd** – ład, porządek.
[6] dziś: **poczciwego** – zacnego, dobrego.
[7] **krotofil** – tu: rozrywek, przyjemności.
[8] **azaż** – czy, czyż.
[9] **trzaskowiskiem** – wiórami, trzaskami.

Też sobie i wineczka, i różyczek możesz przysadzić, bo się to barzo łacno wszytko a za barzo małą pracą przyjmie. [...] Więc też sobie pójdziesz potym do ogródeczków, do wirydarzyków[1], grządki nadobnie każesz pokopać. [...] To sobie z oną rozkoszą nasiejesz ziółek potrzebnych, rzodkiewek, sałatek, rzeżuszek, nasadzisz maluneczków[2], ogóreczków. I majoranik, i szałwijka, i ine ziółka, wszytko to nic nie wadzi. Więc włoskich grochów, więc wysokich koprów, więc i inych wiele rzeczy, co się to wszytko przygodzi. Bo to zasię kiedy wzejdzie, tedy to i panienki albo ty ine domowe dzieweczki mogą wypleć i ochędożyć. Więc nie wadzi brzoskwiniową, morellową, marunkową kosteczkę[3] wsadzić albo też włoski orzeszek, bo to wszytko prędko uroście, a przedsię i pożytek uczynić może. [...]

5. Lato gdy przydzie, co z nim czynić

Nuż gdy przydzie ono gorące lato, azaż nie rozkosz, gdy ono wszystko, coś na wiosnę robił, kopał, nadobnieć doźrzeje a poroście? Anoć niosą jabłuszka, gruszeczki, wisneczki, śliweczki z pierwszego szczepienia twego; więc z ogródków ogóreczki, maluneczki, ogrodne ony ine rozkoszy. Ano młode masłka, syreczki nastaną, jajka świeże, ano kurki gmerzą, ano gąski gągają, ano jagniątka wrzeszczą, ano prosiątka biegają, ano rybki skaczą; tylko sobie mówić: „Używaj, miła duszo; masz wszytkiego dobrego dosyć". [...]

* * *

ANDRZEJ FRYCZ MODRZEWSKI

O poprawie Rzeczypospolitej
(*Commentatorium de Republica emendanda...*)

Fragmenty

Księga II, O prawach
Rozdział III

Zdarzyło się w pewnym mieście, że dwu ludzi, jeden ze stanu szlacheckiego, drugi plebejusz, obaj zasobni w ziemię i bogacze, pobili ciężko i wielokrotnie poranili człeka nie tak bogatego, jak oni, przecież jednak szlachcica. Zaprowadzono go do balwierza[4], ponieważ jednak niektóre rany były śmiertelne, przeto zmarł w miesiąc albo dwa. Odwiedzający go w czasie choroby – czy to z powinności przyjacielskiej, czy przysłani przez sędziego dla obejrzenia jego ran, pytali, któremu

---

[1] **wirydarzyków** – tu: ogródków kwiatowych.
[2] **maluneczków** – melonów.
[3] **marunkową kosteczkę** – pestkę śliwki.
[4] **balwierza** – fryzjera, cyrulika; tu: felczera.

z napastników przypisywał większą winę. Odpowiedział, że to ów szlachcic rozpoczął zwadę i bójkę, ale że bili go obaj jednakowo zaciekle, tak – że zgoła nie wie, kto z nich zadał mu cięższe rany. Nastawano wtedy na niego pytaniami mówiąc, że za poranienie obaj napastnicy muszą być ukarani; gdyby zaś owe rany miały spowodować śmierć, którego z nich należy pozwać o mężobójstwo? Prawa nasze bowiem nie pozwalają karać dwu ludzi za jedno mężobójstwo. Odrzekł na to ów ciężko poraniony, że o życiu swym całkowicie już zwątpił, nie może jednak ustalić wedle swego sumienia, z jakim niedługo stanie przed sądem boskim, którego z tamtych dwu powinno się obwinić o zabójstwo, skoro on zginąć musi od ran zadanych przez obu.

Kiedy ów człowiek umarł od ran, szukają owego plebejusza, stawiają go przed sądem, oskarżają, głowę mu ucinają [...] Ale ten napastnik, który jest szlachcicem, żyje dotychczas i chodzi na oczach ludzkich. Powiadają ludzie: trzeba go pozwać z jego posiadłości przed sędziego i ukarać wedle prawa polskiego grzywną pieniężną albo za rany, albo za mężobójstwo. Na Boga nieśmiertelnego! Czyż to nie tak, jakby dla tych dwu rodzajów ludzi chciało się mieć dwie różne Rzeczypospolite, i to tak od siebie odległe, że z żadnej z nich nie masz dostępu do drugiej, że żadna od drugiej pomocy nie potrzebuje, że mieszkańcy żadnej ani się ze sobą nie stykają, ani nie znają, że wreszcie ni im woda wspólna, ni powietrze, ni słońce? Czyż nie jest jakimś potwornym dziwem to, co się u nas praktykuje, że mianowicie z tych samych ludzi, mieszkających ze sobą pospołu w jednej Rzeczypospolitej, jedni za to samo płacą głową, za co innych traktuje się najbardziej pobłażliwie?

I nie można mieć nadziei, żeby Rzeczpospolita, w której panuje takie prawo [...] – żeby taka Rzeczpospolita zmierzała do tego celu, dla którego powstają ludzkie społeczności, a to aby wszyscy obywatele mogli żyć spokojnie i szczęśliwie [...]

Księga V, O szkole
Rozdział II

Widzimy codziennie bardzo wielkie wydatki na rozmaite sprzęty, wspaniałe domy, wyszukane biesiady i inne niekonieczne rzeczy. Czemu nie można znaleźć sposobu na pokrywanie słusznych wydatków, których nie można na nic lepiej obrócić niż na odnowienie i utrzymanie szkół? Jeśli bowiem idzie o pożytek, nie masz doprawdy większego nad ten, który ma ze szkół religia i państwo [...] Nigdy bez gniewu nie patrzę na przewrotność tych ludzi, którzy nauczycieli szkolnych mają niemal za nic, choć ich tak samo powinni szanować jak lekarzy, prawników i innych dobrze zasłużonych wobec Rzeczypospolitej. Praca nauczyciela w szkole nie mniejsza niż tamtych, użyteczność zaś równa albo i większa, bo jeśli społeczność nie może się obejść bez tamtych, to jakże obejdzie się bez tego, kto troszczy się o zachowanie i krzewienie nauki, z której pielęgnowania i dzieł spływają na Rzeczpospolitą i religię tak liczne oraz wielkie korzyści [...]

Przełożył Edwin Jędrkiewicz

JAN KOCHANOWSKI

Fraszki

Do Hanny

Na palcu masz dyjament, w sercu twardy krzemień,
Pierścień mi, Hanno, dajesz, już i serce przemień!

Do gór i lasów

Wysokie góry i odziane lasy[1]!
Jako rad na was patrzę, a swe czasy
Młodsze wspominam, które tu zostały,
Kiedy na statek[2] człowiek mało dbały.
Gdziem potym nie był? Czegom nie skosztował?
Jażem przez morze głębokie żeglował,
Jażem Francuzy, ja Niemce, ja Włochy,
Jażem nawiedził Sibilline lochy[3].
Dziś żak[4] spokojny, jutro przypasany
Do miecza rycerz; dziś miedzy dworzany
W pańskim pałacu, jutro zasię cichy
Ksiądz w kapitule[5], tylko że nie z mnichy
W szarej kapicy[6] a z dwojakim płatem[7];
I to czemu nic? jesliże opatem?[8]
Taki był Proteus[9], mieniąc sie to w smoka,
To w deszcz, to w ogień, to w barwę obłoka.
Dalej co będzie? Srebrne w głowie nici,
A ja z tym trzymam, kto co w czas uchwyci.

Na lipę

Uczony gościu! Jesli sprawą mego cienia
Uchodzisz gorącego letnich dni promienia,

---

[1] **odziane lasy** – okryte lasami lub: strojne, liściaste lasy.
[2] **statek** – powagę, stateczność.
[3] **Sibilline lochy** – jaskinie w pobliżu Neapolu, siedziba legendarnej wieszczki Sybilli.
[4] **dziś żak...** – po opisaniu podróży zagranicznych poeta mówi o swych losach w kraju: żak – student Akademii Krakowskiej, rycerz – w wyprawie Zygmunta Augusta w r. 1568, ksiądz – nie miał wyższych święceń kapłańskich, ale otrzymał beneficjum (dochody, ziemię) z probostwa katedralnego, miał też prawo udziału w radzie biskupiej.
[5] **kapituła** – zgromadzenie dostojników duchownych.
[6] **w szarej kaplicy** – w mniszym habicie.
[7] **płat** – kawałek sukna stanowiący część stroju zakonnego, tzw. szkaplerz.
[8] **jesliże opatem?** – zagadkowa wzmianka dotycząca starań o jakieś opactwo.
[9] **Proteus** – według mitologii greckiej bożek wodny, mogący dowolnie odmieniać („mienić") swą postać; przysłowiowe uosobienie zmienności.

Jeslić lutnia na łonie i dzban w zimnej wodzie
Tym wdzięczniejszy, że siedzisz i sam przy nim w chłodzie,
Ani mię za to winem, ani pój oliwą,
Bujne drzewa nalepiej dżdżem niebieskim żywą;
Ale mię raczej daruj rymem pochwalonym,
Co by zazdrość uczynić mógł nie tylko płonym[1],
Ale i płodnym drzewom; a nie mów: „Co lipie
Do wirszów?" Skaczą lasy, gdy Orfeusz skrzypie[2].

Do fraszek

Fraszki nieprzepłacone, wdzięczne fraszki moje,
W które ja wszytki kładę tajemnice swoje;
Bądź łaskawie Fortuna[3] ze mną postępuje,
Bądź inaczej, czego snadź[4] więcej sie najduje.
Obrałliby sie[5] kiedy kto tak pracowity,
Żeby z was chciał wyczerpać umysł mój zakryty[6]?
Powiedzcie mu, niech próżno nie frasuje głowy,
Bo sie w dziwny Labirynt i błąd wda takowy,
Skąd żadna Aryjadna, żadne kłębki tylne
Wywieść go móc nie będą, tak tam ścieżki mylne.
Na koniec i sam cieśla, który to mistrował,
Aby tu rogatego chłopobyka chował,
Nie zawżdy do wrót trafi, aż pióra zszychtuje
Do ramienia, toż ledwe wierzchem wylatuje.

---

[1] **płonym** – nieurodzajnym.
[2] **gdy Orfeusz skrzypie** – aluzja do muzyki mitologicznego Orfeusza, w której takt poruszały się drzewa, skały i zwierzęta.
[3] **Fortuna** – w mitologii rzymskiej bogini losu i szczęścia.
[4] **snadź** – więc, jednak.
[5] **obrałliby sie** – gdyby się znalazł.
[6] **umysł... zakryty** – ukrytą myśl, zamysł; poeta przestrzega przed zbyt dosłownym odczytywaniem informacji o sobie, zawartych we fraszkach, równie krętych i „mylnych", jak mitologiczny labirynt na Krecie, w którym przebywał Minotaur, pół człowiek, pół byk.

Pieśni

Księgi wtore

Pieśń V

Wieczna sromota i nienagrodzona
Szkoda, Polaku! Ziemia spustoszona
Podolska leży[1], a pohaniec sprosny[2],
Nad Niestrem siedząc, dzieli łup żałosny!

Niewierny Turczyn psy zapuścił swoje[3],
Którzy zagnali piękne łanie[4] twoje
Z dziećmi pospołu, a nie masz nadzieje,
By kiedy miały nawiedzić swe knieje.

Jedny za Dunaj Turkom zaprzedano,
Drugie do hordy dalekiej zagnano;
Córy szlacheckie (żal się mocny Boże!)
Psom bisurmańskim[5] brzydkie ścielą łoże.

Zbójce (niestety), zbójce nas wojują,
Którzy ani miast, ani wsi budują;
Pod kotarzami[6] tylko w polach siedzą,
A nas nierządne, ach, nierządne, jedzą! [...]

Wsiadamy? Czy nas półmiski trzymają?
Biedne półmiski, czego te czekają?
To pan, i jadać na śrzebrze godniejszy,
Komu żelazny Mars będzie chętniejszy.

Skujmy talerze na talery[7], skujmy,
A żołnierzowi pieniądze gotujmy!
Inszy to darmo po drogach miotali,
A my nie damy, bychmy w cale[8] trwali?

Dajmy; a naprzód dajmy! Sami siebie
Ku gwałtowniejszej chowajmy potrzebie.

---

[1] poeta opisuje napad Tatarów na Podole w 1575 r.; uprowadzili oni wtedy ponad 50 tys. Polaków.
[2] **sprosny** – ohydny; tu: okrutny.
[3] Tatarzy byli poddanymi sułtana tureckiego, który wysługiwał się nimi, jak myśliwy psami.
[4] **łanie** – tu: przen. kobiety.
[5] **bisurmańskim** – muzułmańskim.
[6] **pod kotarzami** – pod namiotami.
[7] **skujmy talerze na talery** – przetopmy talerze (srebrne) na talary.
[8] **w cale** – w całości, nienaruszenie.

Tarczej niż piersi pierwej nastawiają,
Pozno puklerza przebici macają[1].

Cieszy mię ten rym: „Polak mądr po szkodzie”;
Lecz jesli prawda i z tego nas zbodzie[2],
Nową przypowieść Polak sobie kupi,
Że i przed szkodą, i po szkodzie głupi.

Pieśń XIX

Jest kto, co by wzgardziwszy te doczesne rzeczy
Chciał ze mną dobrą tylko sławę mieć na pieczy,
A starać sie, ponieważ musi zniszczeć ciało,
Aby imię przynajmniej po nas tu zostało?

I szkoda zwać człowiekiem, kto bydlęce żyje
Tkając, lejąc w się wszytko, póki zstawa szyje[3];
Nie chciał nas Bóg położyć równo z bestyjami:
Dał nam rozum, dał mowę, a nikomu z nami.

Przeto chciejmy wziąć przed się myśli godne siebie,
Myśli ważne na ziemi, myśli ważne w niebie;
Służmy poczciwej sławie, a jako kto może,
Niech ku pożytku dobra spólnego pomoże.

Komu dowcipu równo z wymową dostaje[4],
Niech szczepi między ludźmi dobre obyczaje;
Niechaj czyni porządek, rozterkom zabiega,
Praw ojczystych i pięknej swobody przestrzega.

A ty, coć Bóg dał siłę i serce po temu,
Uderz sie z poganinem, jako słusze[5] cnemu;
Prostak to, który wojsko z wielkości szacuje:
Zwycięstwo liczby nie chce, męstwa potrzebuje.

Śmiałemu wszędy równo, a o wolność miłą
Godzi sie oprzeć, by więc i ostatnią siłą;
Nie przegra, kto frymarczy na sławę żywotem[6],
Azaby go lepiej dał w cieniu darmo potem?

---

[1] **pozno puklerza przebici macają** – za poźno chwytać za puklerz, kiedy się jest przebitym (szablą).
[2] **zbodzie** – zwiedzie, tj. dowiedzie niesłuszności i tego przysłowia.
[3] **póki zstawa szyje** – póki starczy gardła.
[4] **komu dowcipu równo z wymową dostaje** – kto ma zarówno talent, jak i wymowę.
[5] **jako słusze** – jak przystoi.
[6] **kto frymarczy na sławę żywotem** – kto wymienia, sprzedaje życie za sławę.

Pieśń XXIV

Niezwykłym i nie leda piórem opatrzony
Polecę precz, poeta, ze dwojej złożony
Natury[1]; ani ja już przebywać na ziemi
Więcej będę; a większy nad zazdrość, ludnemi

Miasty wzgardzę. On, w równym szczęściu urodzony,
On ja[2], jako mię zowiesz, wielce ulubiony
Mój Myszkowski[3], nie umrę ani mię czarnymi
Styks[4] niewesoła zamknie odnogami swymi.

Już mi skóra chropawa padnie na goleni,
Już mi w ptaka białego wierzch się głowy mieni;
Po palcach wszędy nowe piórka się puszczają,
A z ramion sążeniste skrzydła wyrastają.

Terazże, nad Ikara prędszy przeważnego,
Puste brzegi nawiedzę Bosfora hucznego
I Syrty Cyrynejskie[5], muzom poświęcony
Ptak[6], i pola zabiegłe za zimne Tryjony[7].

O mnie Moskwa i będą wiedzieć Tatarowie,
I róznego[8] mieszkańcy świata Anglikowie;
Mnie Niemiec i waleczny Hiszpan, mnie poznają,
Którzy głęboki strumień Tybrowy pijają[9].

Niech przy próznym pogrzebie[10] żadne narzekanie,
Żaden lament nie będzie ani uskarżanie:
Świec i dzwonów zaniechaj, i mar drogo słanych,
I głosem żałobliwym żołtarzów[11] śpiewanych!

---

[1] **ze dwojej złożony natury** – dwojakiej natury: śmiertelnej i nieśmiertelnej; ludzkiej i ptasiej.
[2] **on ja** – drugi ja, taki sam jak ja.
[3] **Piotr Myszkowski** – biskup krakowski, podkanclerzy koronny, wybitny humanista, przyjaciel i protektor Kochanowskiego.
[4] **Styks** – mityczna rzeka w podziemnym świecie umarłych.
[5] **Syrty Cyrynejskie** – zatoki przy północnych brzegach Afryki.
[6] **muzom poświęcony ptak** – łabędź.
[7] **Tryjony** – okolice na dalekiej Północy, podbiegunowe.
[8] **róznego** – innego, odmiennego (czyli wyspiarskiego).
[9] **którzy... strumień Tybrowy pijają** – Rzymianie, Włosi.
[10] **próznym pogrzebie** – pogrzebie bez umarłego, bez jego ciała, które uleciało, stając się ptakiem.
[11] **żołtarzów** – psalmów, pieśni pogrzebowych.

Pieśń świętojańska o sobótce

Gdy słońce Raka zagrzewa[1],
A słowik więcej nie spiewa,
Sobótkę, jako czas niesie,
Zapalono w Czarnym Lesie.

Tam goście, tam i domowi
Sypali się ku ogniowi;
Bąki za raz troje grały[2]
A sady się sprzeciwiały.

Siedli wszyscy na murawie[3];
Potym wstało sześć par prawie
Dziewek jednako ubranych
I belicą[4] przepasanych.

Wszytki spiewać nauczone,
W tańcu także niezganione;
Więc koleją zaczynały,
A pierwszej tak począć dały:

PANNA I

Siostry, ogień napalono
I placu nam postąpiono;
Czemu sobie rąk nie damy,
A społem nie zaspiewamy?

Piękna nocy, życz pogody,
Broń wiatrów i nagłej wody;
Dziś przyszedł czas, że na dworze
Mamy czekać ranej zorze.

Tak to matki nam podały,
Samy także z drugich miały,
Że na dzień świętego Jana
Zawżdy sobótka palana. [...]

---

[1] 23 czerwca.
[2] **Bąki za raz troje grały** – trzy kobzy (dudy, instrumenty) grały równocześnie.
[3] **na murawie** – na gęstej trawie.
[4] **belica (bylica)** – zioło.

PANNA II

To moja najwiętsza wada,
Że tańcuję barzo rada;
Powiedzcież mi, me sąsiady,
Jest tu która bez tej wady?

Wszytki mi się uśmiechacie,
Podobno ze mną trzymacie;
Postępujmyż tedy krokiem,
Aleć nie masz jako skokiem.

Skokiem taniec nasnadniejszy,
A tym jeszcze pochodniejszy,
Kiedy w bęben przybijają,
Samy nogi prawie drgają. [...]

PANNA X

Owa u ciebie, mój miły,
Me prośby ważne nie były;
Próznom ja łzy wylewała
I żałosnie narzekała.

Przedsięś ty w swą drogę jechał,
A mnieś, nieszczęsnej, zaniechał
W ciężkim żalu, w którym muszę
Wiecznie trapić moję duszę.

Bodaj wszytkich mąk skosztował,
Kto naprzód wojsko szykował
I wynalazł swoją głową
Strzelbę srogą, piorunową [...]

PANNA XI

Skrzypku, by w tej pięknej rocie[1]
Usłyszeć co o Dorocie,
Weźmi gęśle, jakoć miła,
A zagraj nie myśląc siła!

Nieprzepłacona Doroto,
Co między pieniędzmi złoto,
Co miesiąc między gwiazdami,
Toś ty jest między dziewkami!

---

[1] **by w tej pięknej rocie** – w tym pięknym kole.

Twoja kosa rozczosana[1]
Jako brzoza przyodziana;
Twarz jako kwiatki mieszane
Lelijowe i różane. [...]

PANNA XII

Wsi spokojna, wsi wesoła,
Który głos twej chwale zdoła?
Kto twe wczasy, kto pożytki
Może wspomnieć za raz wszytki?

Człowiek w twej pieczy uczciwie
Bez wszelakiej lichwy żywie;
Pobożne jego staranie
I bezpieczne nabywanie.

Inszy się ciągną przy dworze
Albo żeglują przez morze,
Gdzie człowieka wicher pędzi,
A śmierć bliżej niż na piędzi.

Najdziesz, kto w płat język dawa[2],
A radę na funt przedawa,
Krwią drudzy zysk oblewają,
Gardła na to odważają.

Oracz pługiem zarznie w ziemię;
Stąd i siebie, i swe plemię,
Stąd roczną czeladź i wszytek
Opatruje swój dobytek.

Jemu sady obradzają,
Jemu pszczoły miód dawają;
Nań przychodzi z owiec wełna
I zagroda jagniąt pełna.

On łąki, on pola kosi,
A do gumna wszytko nosi.
Skoro też siew odprawiemy,
Komin wkoło obsiędziemy.

---

[1] **kosa rozczosana** – rozpuszczony warkocz (włosy).
[2] mowa o zawodzie adwokata, który za pieniądze przemawia i radzi.

Tam już pieśni rozmaite,
Tam będą gadki pokryte[1],
Tam trefne plęsy z ukłony,
Tam cenar, [tam] i goniony[2].

A gospodarz wziąwszy siatkę
Idzie mrokiem na usadkę
Albo sidła stawia w lesie;
Jednak zawżdy co przyniesie.

W rzece ma gęste więcierze,
Czasem wędą ryby bierze;
A rozliczni ptacy wkoło
Ozywają się wesoło.

Stada igrają przy wodzie,
A sam pasterz, siedząc w chłodzie,
Gra w piszczałkę proste pieśni;
A faunowie skaczą leśni.

Zatym sprzętna gospodyni
O wieczerzej pilność czyni,
Mając doma ten dostatek,
Że się obejdzie bez jatek[3].

Ona sama bydło liczy,
Kiedy z pola idąc ryczy,
Ona i spuszczać pomoże[4];
Męża wzmaga, jako może.

A niedorośli wnukowie,
Chyląc się ku starszej głowie,
Wykną przestawać na male[5],
Wstyd i cnotę chować w cale.

Dzień tu, ale jasne zorze
Zapadłyby znowu w morze,
Niżby mój głos wyrzekł wszytki
Wieśne wczasy i pożytki.

---

[1] **gadki pokryte** – zagadki.
[2] tu: nazwy tańców.
[3] **bez jatek** – bez sklepów miejskich.
[4] tu: pomaga doić krowy. Szlachcianki polskie nie doiły krów; pomysł ten przejęty z Horacego, służy idealizowaniu życia na wsi.
[5] **Wykną przestawać na male** – przyzwyczajają się do skromnego trybu życia.

Psałterz Dawidów

Psalm 91 [Kto się w opiekę...]

Kto się w opiekę poda Panu swemu,
A całym prawie sercem ufa Jemu,
Śmiele rzec może: „Mam obrońcę Boga,
Nie będzie u mnie straszna żadna trwoga".

Ciebie on z łowczych obieży wyzuje[1]
I w zaraźliwym powietrzu ratuje;
W cieniu swych skrzydeł zachowa cię wiecznie,
Pod Jego pióry ulężesz bezpiecznie.

Stateczność Jego tarcz i puklerz mocny,
Za którym stojąc, na żaden strach nocny,
Na żadną trwogę ani dbaj na strzały,
Którymi sieje przygoda w dzień biały.

Stąd wedla ciebie tysiąc głów polęże,
Stąd drugi tysiąc; ciebie nie dosięże
Miecz nieuchronny, a ty przedsię swymi
Oczyma ujźrzysz pomstę nad grzesznymi.

Iżeś rzekł Panu: „Tyś nadzieja moja",
Iż Bóg nawyższy jest ucieczka twoja –
Nie dostąpi cię żadna zła przygoda
Ani się najdzie w domu twoim szkoda.

Aniołom swoim każe cię pilnować,
Gdziekolwiek stąpisz, którzy cię piastować
Na ręku będą, abyś, idąc drogą,
Na ostry krzemień nie ugodził nogą.

Będziesz po żmijach bezpiecznie gniewliwych
I po padalcach deptał niecierpliwych;
Na lwa srogiego bez obawy wsiędziesz
I na ogromnym smoku jeździć będziesz.

Słuchaj, co mówi Pan: „Iż mię miłuje,
A przeciwko[2] mnie szczerze postępuje –

---

[1] **z łowczych obieży wyzuje** – uwolni z sideł, zasadzek.
[2] **przeciwko** – tu: wobec.

304

Ja go też także w jego każdą trwogę
Nie zapamiętam[1], i owszem, wspomogę.

Głos jego u mnie nie będzie wzgardzony,
Ja z nim w przygodzie; ode mnie obrony
Niech pewien będzie, pewien i zacności,
I lat szedziwych, i mej życzliwości!"

Ten sam psalm według Biblii Tysiąclecia (wyd. 3)

Psalm 91 (90)

O Bożej opiece

1   Kto przebywa w pieczy Najwyższego
    i w cieniu Wszechmocnego mieszka,
2   mówi do Pana: «Ucieczko moja i Twierdzo,
    mój Boże, któremu ufam».
3   Bo On sam cię wyzwoli
    z sideł myśliwego
    i od zgubnego słowa.
4   Okryje cię swymi piórami
    i schronisz się pod Jego skrzydła:
    Jego wierność to puklerz i tarcza.
5   W nocy nie ulękniesz się strachu
    ani za dnia – lecącej strzały,
6   ani zarazy, co idzie w mroku,
    ni moru, co niszczy w południe.
7   Choć tysiąc padnie u twego boku,
    a dziesięć tysięcy po twojej prawicy:
    ciebie to nie spotka.
8   Ty ujrzysz na własne oczy:
    będziesz widział odpłatę daną grzesznikom.
9   Albowiem Pan jest twoją ucieczką,
    jako obrońcę wziąłeś sobie Najwyższego.
10 Niedola nie przystąpi do ciebie,
    a cios nie spotka twojego namiotu,
11 bo swoim aniołom dał rozkaz o tobie,
    aby cię strzegli na wszystkich twych drogach.
12 Na rękach będą cię nosili,
    abyś nie uraził swej stopy o kamień.

---

[1] **nie zapamiętam** – nie zapomnę.

13 Będziesz stąpał po wężach i żmijach,
    a lwa i smoka będziesz mógł podeptać.

14 Ja go wybawię, bo przylgnął do Mnie;
    osłonię go, bo uznał moje imię.

15 Będzie Mnie wzywał, a Ja go wysłucham
    i będę z nim w utrapieniu,
    wyzwolę go i sławą obdarzę.

16 Nasycę go długim życiem
    i ukażę mu moje zbawienie.

Przełożyli: o. Augustyn Jankowski OSB i ks. Lech Stachowiak

Kolejna wersja psalmu 91 i pochodząca z „Psałterza floriańskiego", pierwszej księgi polskiej. Nieznany tłumacz dokonał przekładu z łaciny, przy pomocy przekładu czeskiego. Tu oznaczony jest on jako Psalm 90, co wynika z różnicy w numeracji psalmów w zapisie hebrajskim (91) a przekładem greckim (Septuagintą) i łacińskim (Wulgatą) – w obu 90. Czasem (np. w Biblii Tysiąclecia) stosuje się w związku z tym numerację podwójną.

Psalm 90

Jenże[1] przebywa w pomocy Najwyższego, w zaszczyceniu[2] Boga nieba przebędzie. Rzecze Gospodnu: Przyjemca[3] mój jeś[4]. Ty i utoka[5] moja, Bóg mój; pwać[6] będę weń. Bo On zbawił mnie z sidła łowców i od słowa przykrego. Plecoma swoimi zasłoni ciebie i pod piórmi Jego pwać będziesz. Szczytem[7] ogarnie ciebie prawda Jego; nie będziesz sie bać od strachu nocnego, od strzały, latającej we dnie, od potrzebizny[8], chodząc we ćmach, od biegu[9] i dyabła przepołudniego[10]. Upadną od boku twego tysiąc, i dziesięć tysięcy od prawic[11] twoich ku tobie zaprawdę nie przybliży sie. Zaprawdę wszako oczyma twyma uznamionasz[12] i odpłatę grzesznych uźrzysz. Bo Ty jeś, Boże, nadziejo moja, wysoki położył jeś utok[13] mój. Nie przystąpi k tobie złe, a bicz nie przybliży sie przybytkowi twemu. Bo angiełom swoim Bóg kazał o tobie, bychą[14] strzegli ciebie we wszech drogach twoich. W ręku nosić będą ciebie, aby nie

---

[1] **jenże** – który.
[2] **zaszczycać** – bronić.
[3] **przyjemca** – obrońca.
[4] **mój jeś** – jesteś.
[5] **utoka** – ucieczka.
[6] **pwać** – ufać.
[7] **szczytem** – tarczą.
[8] **potrzebizna** – potrzeba, przygoda.
[9] **bieg** – nabieg, najazd (nieprzyjaciela).
[10] **przepołudni** – południowy.
[11] **od prawic** – z prawej strony.
[12] **uznamionasz** – będziesz oglądał.
[13] **utok** – ucieczka.
[14] **bychą** – 3 osoba l.m. czasu przeszłego dokonanego (aorystu) od czasownika „być". Czas ten odmieniał się w języku staropolskim tak: L. pojed.: bych, by, by. L. podwójna: bychwa, byśta, byśta. L. mnoga: bychom, byście, bychą.

uraził o kamień nogi twojej. Na żmii i na bazyliszku chodzić będziesz i podepczesz lwa i smoku. Bo w Mię pwał, zbawię ji, zaszczycę ji, bo poznał imię Moje. Wołał ku Mnie i wysłuszam ji; z nim jeśm w zamątce[1], wyjmę i sławić będę ji. Długość dni napełnię ji i pokażę jemu zbawienie Moje.

Treny

Tren I

Wszytki płacze, wszytki łzy Heraklitowe[2]
    I lamenty, i skargi Simonidowe[3],
Wszytki troski na świecie, wszytki wzdychania
    I żale, i frasunki, i rąk łamania,
Wszytki a wszytki za raz[4] w dom sie mój noście,
    A mnie płakać mej wdzięcznej dziewki pomożcie,
Z którą mię niepobożna śmierć rozdzieliła
    I wszytkich moich pociech nagle zbawiła!
Tak więc smok, upatrzywszy gniazdo kryjome,
    Słowiczki liche zbiera, a swe łakome
Gardło pasie; tymczasem matka szczebiece
    Uboga, a na zbójcę co raz sie miece,
Prózno! bo i na samę okrutnik zmierza,
    A ta nieboga ledwe umyka pierza.
„Prózno płakać" – podobno drudzy rzeczecie.
    Cóż, prze Bóg żywy, nie jest prózno na świecie?
Wszytko prózno! Macamy, gdzie miękcej w rzeczy[5],
    A ono wszędy ciśnie! Błąd – wiek człowieczy[6]!
Nie wiem, co lżej: czy w smutku jawnie żałować,
    Czyli sie z przyrodzeniem gwałtem mocować?

Tren V

Jako oliwka mała pod wysokim sadem
    Idzie z ziemie ku górze macierzyńskim szladem,
Jeszcze ani gałązek, ani listków rodząc,
    Sama tylko dopiro szczupłym prątkiem wschodząc:
Tę jesli, ostre ciernie lub rodne[7] pokrzywy

---

[1] **zamątek** – smutek.
[2] **Heraklitowe** – Heraklita z Efezu, filozofa greckiego, który uchodził za pesymistę wciąż płaczącego nad znikomością spraw ludzkich.
[3] **Simonidowe** – Symonidesa z Kos, liryka greckiego, także autora trenów.
[4] **za raz** – razem, jednocześnie.
[5] **w rzeczy** – jakby, niby.
[6] **błąd – wiek człowieczy** – życie ludzkie jest błądzeniem.

Uprzątając, sadownik podciął ukwapliwy[1],
Mdleje zaraz, a zbywszy siły przyrodzonej,
  Upada przed nogami matki ulubionej –
Takci sie mej najmilszej Orszuli dostało.
  Przed oczyma rodziców swoich rostąc[2], mało
Od ziemie sie co wzniózwszy, duchem zaraźliwym
  Srogiej Śmierci otchniona[3], rodzicom troskliwym[4]
U nóg martwa upadła. O zła Persefono[5],
  Mogłażeś tak wielu łzam dać upłynąć płono?

Tren VI

Ucieszna[6] moja śpiewaczko! Safo słowieńska[7]!
  Na którą nie tylko moja cząstka ziemieńska[8],
Ale i lutnia dziedzicznym prawem spaść miała[9]!
  Tęś nadzieję już po sobie okazowała,
Nowe piosnki sobie tworząc, nie zamykając
  Ustek nigdy, ale cały dzień prześpiewając,
Jako więc lichy słowiczek w krzaku zielonym
  Całą noc prześpiewa gardłkiem swym ucieszonym.
Prędkoś mi nazbyt umilkła! Nagle cię sroga
  Śmierć spłoszyła, moja wdzięczna szczebiotko droga!
Nie nasyciłaś mych uszu swymi piosnkami,
  I tę trochę teraz płacę sowicie łzami.
A tyś ani umierając śpiewać przestała,
  Lecz matkę, ucałowawszy, takeś żegnała:
„Już ja tobie, moja matko, służyć nie będę
  Ani za twym wdzięcznym stołem miejsca zasiędę;
Przyjdzie mi klucze położyć, samej precz jechać,
  Domu rodziców swych miłych wiecznie zaniechać"[10].
To, i czego żal ojcowski nie da serdeczny
  Przypominać więcej, był jej głos ostateczny.
A matce, słysząc żegnanie tak żałościwe,
  Dobre serce, że od żalu zostało żywe.

---

  [7] **rodne** – płodne, bujne.
  [1] **ukwapliwy** – nazbyt gorliwy, pospieszny i przez to nieostrożny.
  [2] **rostąc** – rosnąc (od „rostę, rościesz" itd.).
  [3] **otchniona** – owiana.
  [4] **troskliwym** – tu: zatroskanym, strapionym.
  [5] **Persefona** – w mitologii greckiej władczyni państwa umarłych, żona Hadesa.
  [6] **ucieszna** – rozkoszna, przyjemna.
  [7] **Safo** (Safona) – wybitna poetka grecka.
  [8] **ziemieńska** – ziemska.
  [9] **lutnia... spaść miała** – miał przejść talent poetycki.
  [10] cytat z pieśni weselnej panny młodej przy przenosinach z domu ojcowskiego.

Tren VII

Nieszczęsne ochędóstwo[1], żałosne ubiory
    Mojej najmilszej cory!
Po co me smutne oczy za sobą ciągniecie,
    Żalu mi przydajecie?
Już ona członeczków swych wami nie odzieje –
    Nie masz, nie masz nadzieje!
Ujął ją sen żelazny, twardy, nieprzespany...
    Już letniczek pisany[2]
I uploteczki[3] wniwecz, i paski złocone,
    Matczyne dary płone.
Nie do takiej łożnice[4], moja dziewko droga,
    Miała cię mać uboga
Doprowadzić! Nie takąć dać obiecowała
    Wyprawę, jakąć dała!
Giezłeczkoć[5] tylko dała a lichą tkaneczkę[6];
    Ociec ziemie bryłeczkę
W główki włożył. – Niestetyż, i posag, i ona
    W jednej skrzynce zamkniona!

Tren X

Orszulo moja wdzięczna, gdzieś mi się podziała?
    W którą stronę, w którąś sie krainę udała?
Czyś ty nad wszytki nieba wysoko wzniesiona
    I tam w liczbę aniołków małych policzona?
Czyliś do raju wzięta? Czyliś na szczęśliwe
    Wyspy[7] zaprowadzona? Czy cię przez teskliwe
Charon[8] jeziora wiezie i napawa zdrojem
    Niepomnym[9], że ty nie wiesz nic o płaczu mojem?
Czy, człowieka zrzuciwszy i myśli dziewicze,
    Wzięłaś na się postawę i piórka słowicze?
Czyli sie w czyścu czyścisz, jesli z strony ciała
    Jakakolwiek zmazeczka na tobie została?

---

[1] **ochędóstwo** – stroje.
[2] **letniczek** – letnia sukienka; **pisany** – wzorzysty, barwny.
[3] **uploteczki** – wstążki do warkoczyków.
[4] **łożnica** – łóżko.
[5] **giezłeczko** – koszulka.
[6] **tkaneczka** – tkanina.
[7] **szczęśliwe wyspy** – według mitologii greckiej wyspy wiecznej radości.
[8] **Charon** – przewoźnik zmarłych przez Styks i Acheront do Hadesu.
[9] **zdrojem niepomnym** – wodą mitycznej rzeki Lety sprowadzającej niepamięć przeszłości.

Czyś po śmierci tam poszła, kędyś pierwej była[1],
    Niżeś sie na mą ciężką żałość urodziła?
Gdzieśkolwiek jest, jesliś jest, lituj mej żałości,
    A nie możesz li w onej dawnej swej całości,
Pociesz mię, jako możesz, a staw sie przede mną
    Lubo snem, lubo cieniem, lub marą nikczemną!

* * *

JAN ANDRZEJ MORSZTYN

Niestatek I

Oczy są ogień, czoło jest zwierciadłem,
    Włos złotem, perłą ząb, płeć mlekiem zsiadłem,
Usta koralem, purpurą jagody[2],
    Póki mi, panno, dotrzymujesz zgody.
Jak się zwadzimy, jagody są trądem,
    Usta czeluścią, płeć blejwasem[3] bladem,
Ząb szkapią kością, włosy pajęczyną,
    Czoło maglownią, a oczy perzyną[4].

Niestatek II

Prędzej kto wiatr w wór zamknie, prędzej i promieni
    Słonecznych drobne kąski wżenie[5] do kieszeni,
Prędzej morze burzliwe groźbą uspokoi,
    Prędzej zamknie w garść ten świat, tak wielki, jak stoi, [...]
Prędzej płacząc nad Etną łzami ją zaleje,
    Prędzej niemy zaśpiewa, a ten, co szaleje,
Co mądrego przemówi; prędzej stała będzie
    Fortuna i śmierć z śmiechem w jednym domu siędzie,
Prędzej prawdę poeta powie i sen płonny[6],
    Prędzej i aniołowi płacz nie będzie plonny[7],

---

[1] **Czyś po śmierci tam poszła, kędyś pierwej była** – platoński motyw powrotu duszy po śmierci do miejsc, w których przebywała przed wcieleniem i narodzinami.

[2] **jagody** – policzki, lica.

[3] **blejwas** (z niem.) – biała farba.

[4] **perzyna** – tu: zgliszcze, popielisko.

[5] **wżenie** – wpędzi.

[6] **płonny** – ulotny, próżny.

[7] **płacz nie będzie plonny** – płacz nie przyniesie plonu, nic nie wyjedna.

Prędzej słońce na nocleg skryje się w jaskini,
  W więzieniu będzie pokój, ludzie na pustyni,
Prędzej nam zginie rozum i ustaną słowa –
  Niźli będzie stateczną która białogłowa.

Do trupa (sonet)

Leżysz zabity i jam też zabity,
  Ty – strzałą śmierci, ja – strzałą miłości,
  Ty krwie, ja w sobie nie mam rumianości,
  Ty jawne świece, ja mam płomień skryty.

Tyś na twarz suknem żałobnym nakryty,
  Jam zawarł zmysły w okropnej ciemności;
  Ty masz związane ręce, ja, wolności
  Zbywszy, mam rozum łańcuchem powity.

Ty jednak milczysz, a mój język kwili,
  Ty nic nie czujesz, ja cierpię ból srodze;
  Ty jak lód, a jam w piekielnej śrzeżodze[1].

Ty się rozsypiesz prochem w małej chwili;
  Ja się nie mogę, stawszy się żywiołem
  Wiecznym mych ogniów, rozsypać popiołem.

* * *

WACŁAW POTOCKI

Pospolite ruszenie

Dano znać do obozu od placowej straży,
  Że nieprzyjaciel nocą na imprezę waży[2],
Że Kozacy strzelają często z samopałów.
  Toż rotmistrz: „Dobosz, obudź ichmości do wałów!
Niechaj każdy przy swoim zbrojno stawa koszu[3];
  Nie mijajże żadnego namiotu, doboszu!"
A ten: „Wstawajcie waszmość czym prędzej, dla Boga,
  Pan rotmistrz rozkazuje, bo już w polu trwoga!"

---

[1] **w śrzeżodze** – w upale.
[2] **na imprezę waży** – planuje napad, uderzenie.
[3] **przy koszu** – na stanowisku obozowym.

Aż jaki taki w swoim ozwie się namiecie:
  „Bij kto s... syna kijem, niech nie plecie!
Kto widział ludzi budzić w pierwospy[1]! Oszalał?
  Pan rotmistrz abo sobie gorzałki w czub nalał?
Niechże sam strzeże, jeśli tak dalece tchorzy,
  A wolnej, równej szlachty sobie snem nie morzy!
Sprawi się w Proszowicach[2], za pomocą Bożą,
  Że braciej[3] rozkazuje z chłopami na strożą!"
Widząc dobosz, że go nikt zgoła nie usłucha,
  Poszedł i sam spać, nim kto strzepie mu kożucha;
I rotmistrz, towarzystwo kiedy się nie trwoży,
  Zdjąwszy zbroję ze grzbieta, znowu się położy.

Zbytki polskie

Fragment

O czymże Polska myśli i we dnie, i w nocy?
  Żeby sześć zaprzęgano koni do karocy;
Żeby srebrem pachołków od głowy do stopy;
  Sługi odziać koralem[4], burkatelą[5] stopy;
Żeby na paniej perły albo dyjamenty,
  A po służbach złociste świeciły się sprzęty;
Żeby pyszne aksamit puszyły sobole;
  Żeby im grały trąby, skrzypce i wijole[6];
Żeby po stołach w cukrze piramidy stały
  I winem z suchych groznów[7] wspienione kryształy.
Już ci niewiasty złotem trzewiki, niestoty[8],
  Mężowie nim wszeteczne wyszywają boty.
Już perły, już kanaki[9] noszą przy kontuszach;
  Poczekawszy, będą je nosili na uszach.
Żeby w drodze karety, w domu drzwi barwiani[10]
  Strzegli z zapalonymi lontami dragani[11].
O tym szlachta, panowie, o tym myślą księża,

---

[1] **w pierwospy** – przy pierwszym spaniu.
[2] **sprawi się...** – będzie się musiał z tego tłumaczyć na sejmiku w Proszowicach.
[3] **braciej** – braciom szlachcie.
[4] **odziać koralem** – odziać w liberię koralowej barwy.
[5] **burkatelą** – brokatem, tj. jedwabną materią bogato haftowaną złotymi i srebrnymi nićmi.
[6] **wijole** – instrumenty smyczkowe.
[7] **groznów** – gron.
[8] **niestoty** – niestety.
[9] **kanaki** – naszyjniki.
[10] **barwiani** – odziani w barwy swego pana.
[11] **dragani** – dragoni.

Choć się co rok w granicach swych ojczyzna zwęża,
Choć na borg¹ umierają żołnierze niepłatni,
Choć na oczy widzą jej peryjod ostatni²,
Że te wszytkie ich pompy, wszytkie ich splendece³
Pogasną, jako w wodzie utopione świece. [...]

Wojna chocimska

Fragmenty

Część pierwsza

1   Wprzódm niźli sarmackiego Marsa krwawe dzieje
Potomnym wiekom Muza na papier wyleje,
Niż durnego⁴ Turczyna propozyt⁵ szkarady
Pisać pocznę w pamiętne Polakom przykłady [...]
Boże! którego nieba, ziemie, morza chwalą,
Co tak mdłym piórem, jako władniesz groźną stalą,
Co się mścisz nad ostatnim tego domu węgłem,
10 Gdzie kto usty przysięga sercem nieprzysięgłem –
Ciebie proszę, abyś to, co ku Twojej wdzięce
W tym królestwie śmiertelne chcą wspominać ręce,
Szczęścić raczył [...]

Część czwarta

35 [...] Zabielały się góry i Dniestrowe brzegi
(Rzekłby kto, że na ziemię świeże spadły śniegi),
Skoro Turcy stanęli, skoro swoje w loty
Okiem nieprzemierzone rozbili namioty.
Nie toczyli obozu, nie ciągnęli sznurów,
40 Ale tak małą garstkę wzgardziwszy giaurów⁶,
Kędy kto szedł, tam stanął – na mocy się czują,
Jeśli nas nie wystraszą, to pewnie zaplują. [...]
Obróci się Chodkiewicz czołem na swe szyki,
Gdzie widząc zgromadzone wszystkie pułkowniki
I rotmistrze, i wielką część z narodów obu⁷
Żywej młodzi, starego trzyma się sposobu

---

¹ **na borg** – na kredyt.
² **peryjod ostatni** – ostateczny kres, schyłek.
³ **splendece** – splendory, wspaniałości.
⁴ **durnego** – zarozumiałego, szalonego.
⁵ **propozyt** – zamiar (szkaradny).
⁶ **giaurów** – niewiernych; w rozumieniu mahometan: chrześcijan.
⁷ **narodów obu** – Polski i Litwy.

545 Zawołanych hetmanów, zdjąwszy szyszak z głowy,
Krótkiej, lecz zwięzłej do nich zażyje przemowy: [...]
„Ani mnie ust natura formowała z miodu,
Ani też tam oracyj trzeba i wywodu,
Gdzie Bóg, Ojczyzna i Pan[1] swoje składy święte
W archiwie piersi waszych chowają zamknięte. [...]
Wam Ojczyzna rodzice, krewne, dzieci małe,
Płeć niewojenną, dziewki oddaje dojźrałe;
565 Te-ż by miały ku żądzy psiej pogańskiej juchy
W opłakanej niewoli rodzić Tatarczuchy?
Wam ubogich poddanych chrześcijańskie gminy,
Ojczyste na ostatek ściany i kominy
Pokazuje z daleka Matka utrapiona[2];
570 Pod wasze się z tym wszystkim dziś kryje ramiona,
Do was obie wyciąga ręce wolność złota,
Niech się sam w swych poganin obierzach[3] umota! [...]
585 Więc, o kawalerowie, w których serce żywe
I krew igra, przyczyny mając sprawiedliwe
Tak koniecznej potrzeby[4], Litwa i Polanie,
Osiądźcie Turkom karki i nastąpcie na nie!
Niechaj was to nie stracha, niech oczu nie mydli,
590 Że się poganin upstrzy, uzłoci, uskrzydli.
Namioty, słonie, muły, wielbłądy i osły –
To nie bije; stąd serca przodkom waszym rosły
Do szczęśliwych tryumfów; i mięso, i pierze –
Lubią sławę i złoto przy sławie żołnierze.
595 Mało co tam wojennych – dziady, kupce, Żydy,
Martauzy[5] postroili i dali im dzidy;
Co człek, to tam rzemieślnik, cień ich tylko ma tu
Osman – każdy zostawił serce u warstatu. [...]
Tedy do tak nikczemnej, marnej szewskiej smoły
Sarmatów będę równał? Naród, który z szkoły
605 Marsowej pierwsze przodki, stare dziady liczy,
Który wprzód w szabli niźli w zagonach dziedziczy.
Którym Chrobry Bolesław, gdy Rusina zeprze,
Żelazne[6] za granicę postawił na Dnieprze,
Gdy Niemca[7], co w fortecach i w swej ufał strzelbie,

---

[1] **Pan** – król.
[2] **Matka utrapiona** – ojczyzna.
[3] **w obierzach** – w sidłach.
[4] **potrzeby** – bitwy, wojny.
[5] **martauzy** – handlarzy niewolników.
[6] **żelazne** – domyślnie: słupy.
[7] **gdy Niemca** – domyślnie: wyparł, pobił.

610   Takież kazał kolumny kopać i na Elbie[1].
      Tylą tedy tryumfów ozdobione dłonie,
      Tylą nieprzyjacielskiej krwie kurzące bronie,
      Skorośmy niespokojne skrócili sąsiady,
      Podnieśmy na Turczyna, z którym dziś do zwady
615   Pierwszy raz przychodzimy". [...]

* * *

JAN CHRYZOSTOM PASEK

Pamiętniki

Fragmenty

Rok Pański 1667
[komendy[2]]

[...] Namówił mię, żeśmy pojechali w Krakowskie. Pojechał pan Remiszow-
ski do Olszówki pod Wodzisław do siostry swojej, ja zaś do wuja mego, pana
Wojciecha Chociwskiego. Stamtąd, wziąwszy z sobą wuja i syna jego, umyśli-
łem sobie: „Nie damy za to nic, choć tej wdowie przypatrzemy się; wszak
mam inszą okazyją gotową, jeżeli się ta nie będzie zdała, bo panny Śladkowskiej
pewnie przede mną nicht[3] nie weźmie". Przyjechaliśmy tedy do Olszówki *ipso
die festi Beatissimae Mariae Virginis*[4], zażywszy nabożeństwa u obrazu cudownego N. Panny. Przyjechaliśmy tedy bez muzyki, żeby się to nie znaczyło, że
w komendy; aleć uznawszy szczerą inklinacyją[5] – i strona gospodarza poczęła
się przymawiać o muzykę – posłałem dopiero do Wodzisławia; wnet ich przy-
prowadzono. Dopieroż w taniec. Pyta mię wuj: „Cóż ci się podobała ta wdowa?" – Odpowiedziałem: „Bardzo mi się jej serce chwyciło; gdyby można
mówić z nią dziś i wyrozumieć, jakim mi jest przyjacielem?" – Odpowie wuj:
„Mówić z nią dziś nie jest moda, bo to pierwszy dzień; ale co o przyjaźń już ja
zrozumiał, żeć jest przyjacielem, bo ja białogłowę zaraz zrozumiem, kogo upo-
doba, choćby do niego i słowa nie mówiła. Możesz tu nie powątpiewać w tej
okazyjej; jeżelić się samemu podoba, pewnie cię, widzę, nie minie. Jakoż
i gardzić nie masz czym; białogłowa poczciwa, gospodyni dobra, w domu
porządek i dostatek wszelki; te wioski, co to trzyma, prawda jest, że to jest

---

[1] **na Elbie** (Łabie) – gdzie Bolesław Chrobry miał rzekomo wbijać słupy graniczne.
[2] **komendy** – tu: zaloty.
[3] **nicht** (gwarowe) – nikt.
[4] ***ipso die festi Beatissimae Mariae Viginis*** (łac.) – w sam dzień święta Najświętszej Panny Marii
(8 września).
[5] **inklinacyją** – skłonność.

arenda[1], ale ona ma piniądze i na Smogorzowie dożywocie. Luboć[2] to tam uwięzili w rękach rodzonego dziecinnego stryja[3], u pana Jana Łąckiego, człowieka z głową niespokojną, aleć ja o ciebie się nie frasuję, będziesz umiał sobie z nim postąpić. Ponieważ ci tu P. Bóg skłonił serce, Jego to jest święta w tym wola, a ja jutro, da P. Bóg, traktować o tym będę". – Po tych mowach poszedłem do tańca z nią, a przetańcowawszy, usiadłem też z nią zaraz obok. [...]

Mówię do niej te słowa: „Moja Mościa Pani, damie w domu WMMPaniej[4] prezentuję się komplementem, ale tylko za rekwizycją[5] JMości pana rodzonego WMMPaniej wstąpiłem na czas krótki kłaniać WMMPaniej. Aleć tak mi się tu upodobała pasza, żebym na jedną strawę[6] przyjął służbę do Gód[7], a za dobrym ukontentowaniem i w dalsze nie wymówiłbym się czasy. Jeżeliby na cokolwiek przygodziłaby się usługa moja WMMPaniej, sam się dobrowolnie z tą odzywam ochotą. Bo krwawymi Marsa nasyciwszy się zabawami, już też na potrzebniejszą ku starości rad bym odmienił szarżą[8], to jest uczyć się ekonomiki przy dobrej jakiej gospodyniej, przystawszy za parobka, albo – jako tu zowią – poganiacza. WM. moja wielce Mościa Pani, jeżeli nie masz kompletu sług sobie potrzebnych, a ja w kompucie[9] życzliwych zmieścić się mogę, jeżeli moję do swojej usługi gardzić będziesz ochotę czyli akceptować, racz się rekoligować[10], o zasługach zaś w żadnę nie wchodzę kontrowersyją, aż wprzód od WMMPaniej usłuszę, z jaką to moja do przysługi WMMPaniej opowiedziana ochota przyjęta będzie wdzięcznością".

Odpowieda mi tedy tak: „Mój Mości Panie! Prawdać to, że tu u nas w tym kraju sług od Gód tylko przyjmują, a kto zaś p św. Janie[11] służbę obejmuje, już ten zasług nie może wziąć zupełnych, tylko, co każe dyskrecyja[12]. Ale to ma się rozumieć o podlejszych tylko sługach. Poważniejszy zaś sługa kiedy przystaje, już się z nim nie jednamy do Gód, ale do tego czasu, o którym przystaje. Jednak ja z WMMPanem w ten kontrakt nie chcę się wdawać wiedząc, że WMMPan, jako człowiek rycerski, wielkim nauczyłeś się żyć żołdem, ja zaś, uboga szlachcianka, mogłabym się nie zdobyć na taką zapłatę. Ale tak, rada bym ja wiedziała WMMPana wolą, czym byś się kontentował, a ja zaś obaczywszy, jeżeli temu wystarczyć będę mogła, deklaruje WMMPanu i jutra nie czekając". [...]

---

[1] **arenda** – dzierżawa.

[2] **luboć** – chociaż.

[3] **dziecinnego** – ze strony dzieci, po ojcu dzieci.

[4] **WMMPaniej** – Waszmość Mościa Pani – tytuł grzecznościowy używany pomiędzy szlachtą.

[5] **za rekwizycją** – za wezwaniem.

[6] **na jedną strawę** – tylko za wyżywienie.

[7] **do Gód** – Bożego Narodzenia; wtedy godzono nową służbę.

[8] **szarżą** – tu: zajęcie, zawód.

[9] **w kompucie** – w liczbie.

[10] **rekoligować się** – opamiętać się.

[11] **po św. Janie** – tj. po 24 czerwca, czyli w drugiej połowie roku.

[12] **dyskrecyja** – łaska.

Dopiero ja podziękowałem. Wypisować, co się przy afektach[1] mówiło, siła[2] by. A potem – miałem wyrostka Dzięgielowskiego, co grał na skrzypcach i śpiewał ładnie – kazałem mu zaśpiewać:

Niech komu nadzieja ściele
Różnych fortun ma myśl wiele:
Ja już będę tryumfował,
Kiedym szczęśliwie stargował.

Domyślili się, co się dzieje po tej pieśni.

* * *

JAN SOBIESKI

List do Marysieńki

Fragment   W Pielaskowicach, we wtorek [9 VI 1665]

Żoneczko moja najśliczniejsza, największa duszy i serca mego pociecho!

Tak mi się twoja śliczność, moja złota panno, wbiła w głowę, że zawrzeć oczu całej nie mogłem nocy. P. Bóg widzi, że sam nie wiem, jeśli tę *absence*[3] znieść będzie można; bo ażem sobie uprosił M. Koniecpolski[4], że ze mną całą przegadał noc tę przeszłą. Dziś ani o jedzeniu, ani o spaniu i pomyśleć niepodobna. Owo widzę, że mię twoje wdzięczne tak oczarowały oczy, że bez nich i momentu wytrwać będzie niepodobna, i tak tuszę, że *notre amour ne changera jamais en amitié, ni en la plus tendre qui fût jamais*[5]. To jest pewna, że już od dawnego czasu zdało mi się, żem bardziej i więcej kochać nie mógł; ale teraz przyznawam, że lubo nie bardziej, bo niepodobna kochać bardziej, ale *je vous admire*[6] coraz więcej, widząc perfekcję[7], a tak dobrą i w tak pięknym ciele duszę. Owo zgoła, serca mego królewno, chciej tego być pewna, że wprzód wszystko wspak się odmieni przyrodzenie, niżeli najmniejszą odmianę śliczna Astrée[8] w swym uzna Celadonie[9].

Z Warszawy żaden mój dotąd nie powrócił posłaniec. Ja jutro stąd, da P. Bóg, przede dniem w swoją wybiorę się drogę. Z naszych piszą mi krajów[10], że

---

[1] **afektach** – sympatiach, miłości, uczuciu do jakiejś osoby.
[2] **siła** – dużo, wiele.
[3] **absence** – [twoją] nieobecność.
[4] **M. Koniecpolski** – Mikołaja Koniecpolskiego, dworzanina Jana Sobieskiego.
[5] **notre amour... jamais** (fr.) – nasza miłość nigdy nie zmieni się w przyjaźń i nigdy nie będzie bardziej czuła.
[6] **je vous admire** (fr.) – uwielbiam, adoruję cię.
[7] **perfekcję** – doskonałość.
[8] **Astrée** – imię z romansu Honoriusza d'Urf'ego *Astrea* nadane Marysieńce przez męża.
[9] **Celadon** – miano bohatera z tego samego utworu, przyjęte przez Sobieskiego.
[10] **z naszych piszą mi krajów** – tj. z Rusi, rodzinnych stron Sobieskiego.

orda przyszła już pewnie do p. wojewody ruskiego; p. wojewoda też krakowski już się pewnie ruszył od Tarnopola w Ukrainę, poszedł za nim i p. Sieniawski. Nie wiem tedy, kto pójdzie teraz do boku Króla JMci[1], ponieważ co życzliwsi wszyscy w Ukrainie, a drudzy albo przy tamtej stronie[2], albo w domu, na rzeczy patrząc, siedzieć będą. [...]

Kompanii wszystkiej kłaniam. [...] A całuję uniżenie śliczne nóżeczki i rączeczki.

* * *

JAN Z KIJAN

Fraszki Sowiźrzała Nowego

Nauki potrzebne do rzemiosła

Fragmenty

Kto by się chciał na świecie rzemiosłem zabawić,
    Masz to sobie w warstacie z tablicą postawić:
Nauki sowiźrzalskie, jak się masz sprawować,
    Nigdzie miejsca nie zagrzać, ustawnie wędrować.
A gdzie siędziesz u mistrza[3], tak się cicho sprawuj,
    Póki cię nie zrozumie, w niecnoty się wprawuj.
Leż aże do południa, ani się daj budzić,
    Musi pan przyjść do ciebie, za łeb cię wycudzić.
Wstawszy, nie umywaj się ani też czesz głowy,
    Nie będzieć nic od tego, choć cię gromią słowy.
Drew ci nie każą rąbać, nie chodź też po wodę,
    Jeślić po wodę każą, uczyńże ty szkodę.
A boty niechaj będą opatrzone błotem,
    Powiedz panu, że się to samo wytrze potem.
Gdy pan żupan[4] położy, to w kieszeni macaj,
    Naczynie na warstacie opak powywracaj.
Pamiętaj zawsze zełgać, gdy cię poślą kędy,
    Panu dla uczciwości ukradni co wszędy.

---

[1] **Króla JMci** – Jana Kazimierza; Sobieski pełnił wówczas, tj. w roku pisania tego listu, funkcję marszałka wielkiego koronnego.

[2] **przy tamtej stronie** – przy hetmanie Jerzym Sebastianie Lubomirskim, który w latach 1665-1666 wywołał rokosz przeciw królowi.

[3] **u mistrza** – u majstra, rzemieślnika.

[4] **żupan** – strojny ubiór męski, długi, z wąskimi rękawami, sfałdowany z tyłu, zapinany na gęste haftki lub pętelki.

Dzieci pańskie podraźnić, a z panią się poswarz,
  Sam niecnotę zbroiwszy, przed panem ją oskarż. [...]
Co zarobisz, to przepij albo przegraj w karty,
  Nie dbaj gdy cnota cała, choć żupan podarty.
Nie daj sobie nic mówić, kiedyć kto co rzecze,
  Pięścią zaraz w paszczekę, jeślić nie uciecze. [...]

* * *

IGNACY KRASICKI

Bajki

Wstęp do bajek

Był młody, który życie wstrzemięźliwe pędził;
Był stary, który nigdy nie łajał, nie zrzędził;
Był bogacz, który zbiorów potrzebnym[1] udzielał;

Był autor, co się z cudzej sławy rozweselał;
Był celnik, który nie kradł; szewc, który nie pijał;
Żołnierz, co się nie chwalił; łotr, co nie rozbijał;
Był minister rzetelny, o sobie nie myślał;
Był na koniec poeta, co nigdy nie zmyślał.
  – A cóż to jest za bajka? Wszystko to być może!
  – Prawda, jednakże ja to między bajki włożę.

Szczur i kot

„Mnie to kadzą" – rzekł hardzie do swego rodzeństwa
Siedząc szczur na ołtarzu podczas nabożeństwa.
Wtem, gdy się dymem kadzideł zbytecznych zakrztusił –
Wpadł kot z boku na niego, porwał i udusił.

Jagnię i wilcy

Zawżdy[2] znajdzie przyczynę, kto zdobyczy pragnie.
Dwóch wilków jedno w lesie nadybali jagnię.
Już go mieli rozerwać, rzekło: „Jakim prawem?"
„Smacznyś, słaby i w lesie!" – Zjedli niezabawem.

---

[1] **potrzebnym** – potrzebującym, ubogim.
[2] **zawżdy** – zawsze.

Malarze

Dwaj portretów malarze słynęli przed laty:
Piotr dobry, a ubogi, Jan zły, a bogaty.
Piotr malował wybornie, a głód go uciskał.
Jan mało i źle robił, więcej jednak zyskał.
Dlaczegóż los tak różny mieli ci malarze?
Piotr malował podobne, Jan piękniejsze twarze.

Chart i kotka

Chart, widząc kotkę, że mysz jadła na śniadanie,
Wymawiał jej tak podły gust i polowanie.
Rzekła kotka, wymówką wcale nie zmieszana:
„Wolę ja mysz dla siebie niż sarnę dla pana."

Kulawy i ślepy

Niósł ślepy kulawego, dobrze im się działo;
Ale, że to ślepemu nieznośno się zdało,
Iż musiał zawżdy słuchać, co kulawy prawi,
Wziął kij w rękę: „Ten – rzecze – z szwanku nas wybawi."
Idą; a wtem kulawy krzyknie: „Umknij w lewo!"
Ślepy wprost, i choć z kijem, uderzył łbem w drzewo.
Idą dalej; kulawy przestrzega od wody;
Ślepy w bród; sakwy zmaczał, nie wyszli bez szkody.
Na koniec, przestrzeżony, gdy nie mijał dołu,
I ślepy, i kulawy zginęli pospołu.
    I ten winien, co kijem bezpieczeństwo mierzył,
I ten, co bezpieczeństwo głupiemu powierzył.

Kruk i lis (z Ezopa)

    Bywa często zwiedzionym,
    Kto lubi być chwalonym.
  Kruk miał w pysku ser ogromny;
    Lis, niby skromny,
  Przyszedł do niego i rzekł: „Miły bracie,
Nie mogę się nacieszyć, kiedy patrzę na cię!
    Cóż to za oczy!
    Ich blask aż mroczy!
    Czyż można dostać
    Takową postać?
    A pióra jakie!
    Szklniące, jednakie.

A jeśli nie jestem w błędzie,
  Pewnie i głos śliczny będzie."
Więc kruk w kantaty[1]; skoro pysk rozdziawił,
Ser wypadł, lis go porwał i kruka zostawił.

Dewotka

Dewotce służebnica w czymsiś przewiniła
Właśnie natenczas, kiedy pacierze kończyła.
Obróciwszy się przeto z gniewem do dziewczyny,
Mówiąc właśnie te słowa: „...i odpuść nam winy,
Jako my odpuszczamy", biła bez litości.
Uchowaj, Panie Boże, takiej pobożności!

Ptaszki w klatce

„Czegoż płaczesz? – staremu mówił czyżyk młody –
Masz teraz lepsze w klatce niż w polu wygody."
„Tyś w niej zrodzon – rzekł stary – przeto ci wybaczę;
Jam był wolny, dziś w klatce – i dlatego płaczę."

Satyry

Do króla

Fragmenty

Im wyżej, tym widoczniej[2]. Chwale lub naganie
Podpadają królowie, najjaśniejszy panie!
Satyra prawdę mówi, względów się wyrzeka.
Wielbi urząd, czci króla, lecz sądzi człowieka.
Gdy więc ganię zdrożności i zdania mniej baczne[3],
Pozwolisz, mości królu, że od ciebie zacznę.
    Jesteś królem, a czemu nie królewskim synem[4]?
To niedobrze; krew pańska jest zaszczyt przed gminem[5].
Kto się w zamku urodził, niech ten w zamku siedzi;
Z tegoć powodu nasi szczęśliwi sąsiedzi.
Bo natura na rządczych pokoleniach[6] zna się:

---

[1] **w kantaty** – zaczął śpiewać; **kantata** – utwór muzyczno-wokalny o charakterze uroczystym.
[2] **im wyżej, tym widoczniej** – im kto wyżej wyniesiony w społecznej hierarchii, tym baczniej (uważniej) obserwowany.
[3] **mniej baczne** – pochopne, nierozważne.
[4] **nie królewskim synem** – Stanisław August był synem kasztelana krakowskiego Stanisława Poniatowskiego.
[5] **gminem** – tu: stanem szlacheckim.
[6] **rządczych pokoleniach** – dynastiach panujących.

Inszym powietrzem żywi, inszą strawą pasie.
Stąd rozum bez nauki, stąd biegłość bez pracy;
Mądrzy, rządni, wspaniali, mocarze, junacy –
Wszystko im łatwo idzie, a chociażby który
Odstrychnął[1] się na moment od swojej natury,
Znowu się do niej wróci, a dobrym koniecznie
Być musi i szacownym w potomności wiecznie. [...]
      Tyś królem, czemu nie ja? Mówiąc między nami,
Ja się nie będę chwalił, ale przymiotami
Niezłymi się zaszczycam. Jestem Polak rodem,
A do tego i szlachcic, a choćbym i miodem
Szynkował, tak jak niegdyś ów bartnik w Kruszwicy[2],
Czemuż bym nie mógł osieść na twojej stolicy?
      Jesteś królem – a byłeś przedtem mości panem[3];
To grzech nieodpuszczony. Każdy, który stanem
Przedtem się z tobą równał, a teraz czcić musi,
Nim powie: „najjaśniejszy”, pierwej się zakrztusi;
I choć się przyzwyczaił, przecież go to łechce:
Usty cię czci, a sercem szanować cię nie chce. [...]
Zawżdy to lepiej było, kiedy cudzy[4] rządził.
      Czyń, co możesz, i dziełmi sąsiadów zadziwiaj,
Szczep nauki, wznoś handel i kraj uszczęśliwiaj –
Choć wiedzą, chociaż czują, żeś jest tronu godny,
Nie masz chrztu, co by zmazał twój grzech pierworodny[5]. [...]
      Źle to więc, żeś jest Polak; źle, żeś nie przychodzień;
To gorsza (luboć, prawda, poprawiasz się co dzień) –
Przecież muszę wymówić, wybacz, że nie pieszczę –
Powiem więc bez ogródki: oto młodyś jeszcze.
Pięknież to, gdy na tronie sędziwość się mieści;
Tyś nań wstąpił mający lat tylko trzydzieści[6],
⌐ Bez siwizny, bez zmarszczków: zakał[7] to nie lada.
· Wszak siwizna zwyczajnie talenta posiada,
‹ Wszak w zmarszczkach rozum mieszka, a gdzie broda siwa,
· Tam wszelka doskonałość zwyczajnie przebywa. [...]
      To już trzy, com ci w oczy wyrzucił, przywary.
A czwarta jaka będzie, miłościwy panie?

----

[1] **odstrychnął** – odszedł, odstąpił.
[2] **bartnik w Kruszwicy** – Piast, legendarny założyciel dynastii Piastów.
[3] **mości pan** – skrót tytułu grzecznościowego „miłościwy pan”, przysługujący w Rzeczypospolitej każdemu szlachcicowi.
[4] **cudzy** – obcy, z obcej dynastii.
[5] **grzech pierworodny** – tzn. szlacheckie, a nie królewskie pochodzenie króla.
[6] **lat trzydzieści** – w momencie elekcji w 1764 r. Stanisław August miał 32 lata.
[7] **zakał** – wada, przywara.

O sposobie rządzenia niedobre masz zdanie.
Król nie człowiek. To prawda, a ty nie wiesz o tym;
Wszystko ci się coś marzy o tym wieku złotym[1].
Nie wierz bajkom! Bądź takim, jacy byli drudzy.
Po co tobie przyjaciół? Niech cię wielbią słudzy.
Chcesz, aby cię kochali? Niech się raczej boją.
Cóżeś zyskał dobrocią, łagodnością twoją?
Zdzieraj, a będziesz możnym, gnęb, a będziesz wielkim;
Tak się wsławisz a przeciw nawałnościom wszelkim
Trwale się ubezpieczysz. [...]
   Księgi lubisz i w ludziach kochasz się uczonych;
I to źle. Porzuć mędrków zabałamuconych.
Żaden się naród księgą w moc nie przysposobił:
Mądry przedysputował, ale głupi pobił.
Ten, co niegdyś potrafił floty duńskie chwytać –
Król Wizimierz[2] – nie umiał pisać ani czytać.
   Waszej królewskiej mości nie przeprę[3], jak widzę;
W tym się popraw przynajmniej, o co ja się wstydzę.
Dobroć serca monarchom wcale nie przystoi;
To mi to król, co go się każdy człowiek boi,
To mi król, co jak wspojźrzy, do serca przeniknie.
Kiedy lud do dobroci rządzących przywyknie,
Bryka, mościwy królu, wzgląd wspacznie obróci[4]:
Zły, gdy kontent, powolny[5], kiedy się zasmuci.
   Nie moje to jest zdanie, lecz przez rozum bystry
Dawno tak osądziły przezorne ministry.
Wiedzą oni (a czegóż ministry nie wiedzą?),
Przy sterze ustawicznie, gdy pracują, siedzą,
Dociekli, na czym sekret zawisł panujących.
   Z tych więc powodów, umysł wskróś przenikających,
Nie trzeba, mości królu, mieć łagodne serce:
Zwycięż się, zgaś ten ogień i zatłum w iskierce!
   Żeś dobry, gorszysz wszystkich, jak o tobie słyszę,
I ja się z ciebie gorszę i satyry piszę.
Bądź złym, a zaraz kładąc twe cnoty na szalę,
Za to, żeś się poprawił, i ja cię pochwalę.

---

[1] **wiek złoty** – Stanisław August pragnął, aby jego rządy były „złotym wiekiem" kultury polskiej, na wzór panowania cesarza starożytnego Rzymu Oktawiana Augusta.

[2] **król Wizimierz** – postać legendarna, syn Lecha.

[3] **nie przeprę** – nie przekonam.

[4] **wzgląd wspacznie obróci** – przychylność zrozumie opacznie, na opak, odwrotnie.

[5] **powolny** – zgodny, uległy.

Żona modna

„A ponieważ dostałeś, coś tak drogo cenił,
Winszuję, panie Piotrze, żeś się już ożenił."
„Bóg zapłać." „Cóż to znaczy? Oziębie dziękujesz,
Alboż to szczęścia swego jeszcze nie pojmujesz?
Czyliż się już sprzykrzyły małżeńskie ogniwa?"
„Nie ze wszystkim – luboć to zazwyczaj tak bywa,
Pierwsze czasy cukrowe." „Toś pewnie w goryczy?"
„Jeszczeć!" „Bracie, trzymaj więc, coś dostał w zdobyczy!
Trzymaj skromnie, cierpliwie, a milcz tak jak drudzy,
Co to swoich małżonek uniżeni słudzy,
Z tytułu ichmościowie, dla oka dobrani,
A jejmość tylko w domu rządczyni i pani.
Pewnie może i twoja?" „Ma talenta śliczne: ·
Wziąłem po niej w posagu cztery wsie dziedziczne,
. Piękna, grzeczna, rozumna." „Tym lepiej." „Tym gorzej.
Wszystko to na złe wyszło i zgubi mnie wsporzej[1];
Piękność, talent wielkie są zaszczyty[2] niewieście,
Cóż po tym, kiedy była wychowana w mieście."
„Alboż to miasto psuje?" „A któż wątpić może?
Bogdaj to żonka ze wsi!" „A z miasta?" „Broń Boże!
    Źlem tuszył[3], skorom moją pierwszy raz obaczył,
Ale żem to, co postrzegł, na dobre tłumaczył,
Wdawszy się już, a nie chcąc dla damy ohydy,
Wiejski Tyrsys[4], wzdychałem do mojej Filidy[5].
    Dziwne były jej gesta i misterne wdzięki,
A nim przyszło do ślubu i dania mi ręki,
Szliśmy drogą romansów, a czym się uśmiéchał,
Czym się skarżył, czy milczał, czy mówił, czy wzdychał,
Widziałem, żem niedobrze udawał aktora,
Modna Filis gardziła sercem domatora.
I ja byłbym nią wzgardził, ale punkt honoru,
A czego mi najbardziej żal, ponęta zbioru,
Owe wioski, co z mymi graniczą, dziedziczne,
Te mnie zwiodły, wprawiły w te okowy śliczne.
    Przyszło do intercyzy[6]. Punkt pierwszy: że w mieście
Jejmość przy doskonałej francuskiej niewieście,

---

[1] **wsporzej** – szybciej.
[2] **zaszczyty** – tu: zalety.
[3] **tuszyć** – uważać.
[4] **Tyrsys** – imię męskie często występujące w konwencjonalnych sielankach.
[5] **Filida (Filis)** – imię kobiece używane w sielankach.
[6] **intercyza** – umowa przedślubna ustalająca sprawy majątkowe współmałżonków.

Co lepiej (bo Francuzka) potrafi ratować,
Będzie mieszkać, ilekroć trafi się chorować.
Punkt drugi: chociaż zdrowa, czas na wsi przesiedzi,
Co zima jednak miasto stołeczne odwiedzi.
Punkt trzeci: będzie miała swój ekwipaż[1] własny.
Punkt czwarty: dom się najmie wygodny, nieciasny,
To jest apartamenta paradne dla gości,
Jeden z tyłu dla męża, z przodu dla jejmości.
Punkt piąty: a broń Boże! – Zląkłem się. A czego?
«Trafia się – rzekli krewni – że z zdania wspólnego
Albo się węzeł przerwie, albo się rozłączy!»
«Jaki węzeł?» «Małżeński.» Rzekłem: «Ten śmierć kończy.»
Rozśmieli się z wieśniackiej przytomni prostoty.
I tak płacąc wolnością niewczesne zaloty,
Po zwyczajnych obrządkach rzecz poprzedzających
Jestem wpisany w bractwo braci żałujących.
      Wyjeżdżamy do domu. Jejmość w złych humorach:
«Czym pojedziem?» «Karetą.» «A nie na resorach?»
Dali-ż ja po resory. Szczęściem kasztelanic,
Co karetę angielską sprowadził z zagranic,
Zgrał się co do szeląga. Kupiłem. Czas siadać.
Jejmość słaba. Więc podróż musimy odkładać.
Zdrowsza jejmość. Zajeżdża angielska karéta.
Siada jejmość, a przy niej suczka faworyta.
Kładą skrzynki, skrzyneczki, woreczki i paczki,
Te od wódek pachnących[2], tamte od tabaczki,
Niosą pudło kornetów[3], jakiś kosz na fanty[4];
W jednej klatce kanarek, co śpiewa kuranty[5],
W drugiej sroka, dla ptaków jedzenie w garnuszku,
Dalej kotka z kocięty i mysz na łańcuszku.
Chcę siadać, nie masz miejsca; żeby nie zwlec drogi,
Wziąłem klatkę pod pachę, a suczkę na nogi.
Wyjeżdżamy szczęśliwie, jejmość siedzi smutna,
Ja milczę, sroka tylko wrzeszczy rezolutna.
Przerwała jejmość myśli: «Masz waćpan kucharza?»
«Mam, moje serce!» «A pfe, koncept z kalendarza[6],
Moje serce! Proszę się tych prostactw oduczyć!»

---

[1] **ekwipaż** – powóz, kareta.
[2] **wódki pachnące** – wody kolońskie, perfumy.
[3] **kornet** – czepiec, kobiece nakrycie głowy.
[4] **fanty** – tu: cenne drobiazgi.
[5] **kurant** – prosta melodia.
[6] osiemnastowieczne kalendarze, główna lektura prowincjonalnej szlachty, zawierały bałamutne wiadomości, przypowiednie i niewybredne żarty.

Zamilkłem. Trudno mówić, a dopieroż mruczyć.
Więc milczę. Jejmość znowu o kucharza pyta.
«Mam, mościa dobrodziejko». «Masz waćpan stangréta?»
«Wszak nas wiezie». «To furman. Trzeba od parady
Mieć inszego. Kucharza dla jakiej sąsiady
Możesz waćpan ustąpić.» «Dobry.» «Skąd?» «Poddany.»
«To musi być zapewne nieoszacowany,
Musi dobrze przypiekać racuszki, łazanki,
Do gustu pani wojskiej, panny podstolanki.
Ustąp go waćpan; przyjmą pana Matyjasza,
Może go i ksiądz pleban użyć do kiermasza[1].
A pasztetnik?» «Umiał-ci i pasztety robić.»
«Wierz mi waćpan, jeżeli mamy się sposobić
Do uczciwego życia, weźże ludzi godnych,
Kucharzy cudzoziemców, pasztetników modnych,
Trzeba i cukiernika. Serwis zwierściadlany
Masz waćpan i figurki piękne z porcelany?»
«Nie mam.» «Jak to być może? Ale już rozumiem
I lubo[2] jeszcze trybu wiejskiego nie umiem,
Domyślam się. Na wety[3] zastawiają półki[4],
Tam w pięknych piramidach krajanki, gomółki,
Tatarskie ziele[5] w cukrze, imbier[6] chiński w miodzie,
Zaś ku większej pociesze razem i wygodzie
W ładunkach bibułowych kmin kandyzowany[7],
A na wierzchu toruński piernik pozłacany.

   Szkoda mówić, to pięknie, wybornie i grzecznie,
Ale wybacz mi, waćpan, że się stawię sprzecznie[8],
Jam niegodna tych parad, takiej wspaniałości.»
Zmilczałem, wolno było żartować jejmości.
Wjeżdżamy już we wrota, spoźrzała z karety:
«A pfe, mospanie! parkan, czemu nie sztakiety[9]?»
Wysiadła, a z nią suczka i kotka, i myszka;
Odepchnęła starego szafarza Franciszka,
Łzy mu w oczach stanęły, jam westchnął. W drzwi wchodzi.

---

[1] **kiermasz** – tu: obchód rocznicy poświęcenia kościoła połączony z jarmarkiem.

[2] **lubo** – chociaż, mimo że.

[3] **na wety** – na deser.

[4] w niezamożnych domach szlacheckich, nie mających specjalnych zastaw, wzdłuż wąskich stołów ustawiano półki, na których podawano słodycze.

[5] **tatarskie ziele** – liście tataraku.

[6] **imbier,** dzisiaj **imbir** – roślina podzwrotnikowa, której korzenia używa się jako kuchennej przyprawy.

[7] **w ładunkach bibułowych kmin kandyzowany** – kmin obsmażony w cukrze podawano w papierowych tutkach.

[8] **stawić się sprzecznie** – sprzeciwiać się.

[9] **sztakiety** – sztachety, metalowe ogrodzenie.

«To nasz ksiądz pleban.» «Kłaniam.»[1] Zmarszczył się dobrodziéj.
«Gdzie sala?» «Tu jadamy.» «Kto widział tak jadać!
Mała izba, czterdziestu nie może tu siadać.»
Aż się wzdrgnął Franciszek, skoro to wyrzekła,
A klucznica natychmiast ze strachu uciekła.
Jam został. Idziem dalej. «Tu pokój sypialny.»
«A pokój do bawienia?» «Tam gdzie i jadalny.»
«To być nigdy nie może! A gabinet?» «Daléj.
Ten będzie dla waćpani, a tu będziem spali.»
«Spali? Proszę, mospanie, do swoich pokojów.
Ja muszę mieć osobne od spania, od strojów,
Od książek, od muzyki, od zabaw prywatnych,
Dla panien pokojowych, dla służebnic płatnych.
A ogród?» «Są kwatery z bukszpanu, ligustru[2]».
«Wyrzucić! Nie potrzeba przydatnego lustru[3].
To niemczyzna. Niech będą z cyprysów gaiki,
Mruczące po kamieniach gdzieniegdzie strumyki,
Tu kiosk[4], a tu meczecik[5], holenderskie wanny[6],
Tu domek pustelnika, tam kościół Dyjanny[7].
Wszystko jak od niechcenia, jakby od igraszki;
Belwederek[8] maleńki, klateczki na ptaszki,
A tu słowik miłośnie szczebioce do ucha,
Synogarlica jęczy, a gołąbek grucha,
A ja sobie rozmyślam pomiędzy cyprysy
Nad nieszczęściem Pameli albo Heloisy[9]...»
Uciekłem, jak się jejmość rozpoczęła zżymać,
Już też więcej nie mogłem tych bajek wytrzymać.
Uciekłem. Jejmość w rządy; pełno w domu wrzawy,
Trzy sztafety[10] w tygodniu poszło do Warszawy;
W dwa tygodnie już domu i poznać nie można.
Jejmość w planty[11] obfita, a w dziełach przemożna,
Z stołowej izby belki wyrzuciwszy stare,

---

[1] **kłaniam** – forma pozdrowienia z odcieniem lekceważącym.
[2] **kwatery z bukszpanu, ligustru** – typ ogrodu w końcu XVIII w. wychodzący z mody. **Kwatery** – klomby; **bukszpan, ligustr** – gatunki krzewów sadzonych najczęściej jako żywopłot.
[3] **lustr** – blask.
[4] **kiosk** – altana.
[5] **meczecik** – mała budowla na wzór meczetu, świątyni muzułmańskiej.
[6] **holenderskie wanny** – baseny wokół fontann.
[7] **kościół Dyjanny** – pawilon ogrodowy przypominający świątynię Diany, w mitologii rzymskiej bogini gór, lasów i zwierząt.
[8] **belwederek** – budynek na wzniesieniu, z którego roztacza się rozległy widok.
[9] **Pamela, Heloisa** – imiona tytułowych bohaterek powieści sentymentalnych.
[10] **sztafeta** – posłaniec konny.
[11] **planta** – plan, pomysł.

Dała sufit, a na nim Wenery ofiarę[1].
Już alkowa złocona w sypialnym pokoju,
Gipsem wymarmurzony gabinet od stroju.
Poszły słojki z apteczki, poszły konfitury,
A nowym dziełem kunsztu[2] i architektury
Z półek szafy mahoni, w nich książek bez liku,
A wszystko po francusku; globus na stoliku,
Buduar[3] szklni się złotem, pełno porcelany,
Stoliki marmurowe, zwierściadlane ściany.
Zgoła przeszedł mój domek warszawskie pałace,
A ja w kącie, nieborak, jak płaczę, tak płaczę.
    To mniejsza, lecz gdy hurmem zjechali się goście,
Wykwintne kawalery i modne imoście.
Bal, maski, trąby, kotły, gromadna muzyka,
Pan szambelan za zdrowie jejmości wykrzyka,
Pan adiutant wypija moje stare wino,
A jejmość, w kącie szepcząc z panią starościną,
Kiedy się ja uwijam jako jaki sługa,
Coraz na mnie pogląda, śmieje się i mruga.
    Po wieczerzy fajerwerk. Goście patrzą z sali,
Wpadł szmermel[4] między gumna, stodoła się pali.
Ja wybiegam, ja gaszę, ratuję i płaczę,
A tu brzmią coraz głośniej na wiwat trębacze.
Powracam zmordowany od pogorzeliska,
Nowe żarty, przymówki, nowe pośmiewiska.
Siedzą goście, a coraz więcej ich przybywa,
Przekładam zbytni ekspens[5], jejmość zapalczywa
Z swoimi czterema wsiami odzywa się dwornie.
«I osiem nie wystarczy» – przekładam pokornie.
«To się wróćmy do miasta.» Zezwoliłem, jedziem;
Już tu od kilku niedziel zbytkuję i siedziem.
Już... ale dobrze mi tak, choć frasunek bodzie,
Cóż mam czynić? Próżny żal, jak mówią, po szkodzie."

Pijaństwo

,,Skąd idziesz?" ,,Ledwo chodzę." ,,Słabyś?" ,,I jak jeszcze.
Wszak wiesz, że się ja nigdy zbytecznie nie pieszczę,

---

[1] **Wenery ofiara** – malowidło przedstawiające rzymską boginię miłości, Wenerę, składającą bogom ofiarę z gołębi.
[2] **kunszt** – umiejętność, sztuka.
[3] **buduar** – mały, elegancki pokój kobiecy.
[4] **szmermel** – fajerwerk, który przed zgaśnięciem daje wystrzał.
[5] **ekspens** – wydatek.

Ale mi zbyt dokucza ból głowy okrutny.”
„Pewnieś wczoraj był wesół, dlategoś dziś smutny.
Przejdzie ból, powiedzże mi, proszę, jak to było?
Po smacznym, mówią, kąsku i wodę pić miło.”
„Oj, niemiło, mój bracie! bogdaj z tym przysłowiem
Przepadł, co go wymyślił; jak było, opowiem.
   Upiłem się onegdaj dla imienin żony;
Nie żal mi tego było. Dzień ten obchodzony
Musiał być uroczyście. Dobrego sąsiada
Nieźle czasem podpoić; jejmość była rada,
Wina mieliśmy dosyć, a że dobre było,
Cieszyliśmy się pięknie i nieźle się piło.
Trwała uczta do świtu. W południe się budzę,
Cięży głowa jak ołów, krztuszę się i nudzę[1].
Jejmość radzi herbatę, lecz to trunek[2] mdlący.
Jakoś koło apteczki[3] przeszedłem niechcący,
Hanyżek[4] mnie zaleciał, trochę nie zawadzi.
Napiłem się więc trochę, aczej[5] to poradzi:
Nudno przecie. Ja znowu, już mi raźniej było,
Wtem dwóch z uczty wczorajszej kompanów przybyło.
Jakże nie poczęstować, gdy kto w dom przychodzi?
Jak częstować, a nie pić? i to się nie godzi.
Więc ja znowu do wódki, wypiłem niechcący:
Omne trinum perfectum[6], choć trunek gorący,
Dobry jest na żołądek. Jakoż w punkcie[7] zdrowy,
Ustały i nudności, ustał i ból głowy.
Zdrów i wesół wychodzę z moimi kompany,
Wtem obiad zastaliśmy już przygotowany.
Siadamy. Chwali trzeźwość pan Jędrzej, my za nim,
Bogdaj to wstrzemięźliwość, pijatykę ganim,
A tymczasem butelka nietykana stoi.
Pan Wojciech, co się bardzo niestrawności boi,
Po szynce, cośmy jedli, trochę wina radzi:
Kieliszek jeden, drugi zdrowiu nie zawadzi,
A zwłaszcza kiedy wino wytrawione, czyste.
Przystajem na takowe prawdy oczywiste.

---

[1] **nudzę** – mam nudności.

[2] **trunek** – tu i w innych miejscach satyry w znaczeniu: napój.

[3] **apteczka** – osobny pokoik, schowek na wódki, likiery, przyprawy, zioła i leki.

[4] **hanyżek** – wódka anyżowa.

[5] **aczej** – a może, nuż.

[6] *Omne trinum perfectum* [czyt. ...perfektum] – przysłowie łacińskie: „Każda trójca tworzy doskonałość.

[7] **w punkcie** – natychmiast.

Idą zatem dyskursa tonem statystycznym[1]
O miłości ojczyzny, o dobru publicznym,
O wspaniałych projektach, mężnym animuszu;
Kopiem góry[2] dla srebra i złota w Olkuszu,
Odbieramy Inflanty i państwa multańskie[3],
Liczemy owe sumy neapolitańskie[4],
Reformujemy państwo, wojny nowe zwodzim,
Tych bijem wstępnym bojem[5], z tamtymi się godzim,
A butelka nieznacznie jakoś się wysusza.
Przyszła druga; a gdy nas żarliwość porusza,
Pełni pociech, że wszyscy przeciwnicy legli,
Trzeciej, czwartej i piątej aniśmy postrzegli.
Poszła szósta i siódma, za nimi dziesiąta,
Naówczas, gdy nas miłość ojczyzny zaprząta,
Pan Jędrzej, przypomniawszy żurawińskie klęski[6],
Nuż w płacz nad królem Janem. «Król Jan był zwycięski!
– Krzyczy Wojciech. – Nieprawda!» A pan Jędrzej płacze.
Ja gdy chcę ich pogodzić i rzeczy tłumaczę,
Pan Wojciech mi przymówił: «Słyszysz waść[7]» – mi rzecze.
«Jak to waść! Nauczę cię rozumu, człowiecze.»
On do mnie, ja do niego, rwiemy się zajadli,
Trzyma Jędrzej, na wrzaski służący przypadli,
Nie wiem, jak tam skończyli zwadę naszą wielką,
Ale to wiem i czuję, żem wziął w łeb butelką.
Bogdaj w piekło przepadło obrzydłe pijaństwo!
Cóż w nim? Tylko niezdrowie, zwady, grubijaństwo.
Oto profit[8]: nudności i guzy, i plastry.”

    ,,Dobrze mówisz, podłej to zabawa hałastry,
Brzydzi się nim człek prawy, jako rzeczą sprosną.
Z niego zwady, obmowy nieprzystojne rosną,

---

[1] **tonem statystycznym** – wzorowanym na statystach, tj. mężach stanu.

[2] **góry** – kopalnie. Znane od XIII w. olkuskie kopalnie srebra i ołowiu znajdowały się w ruinie; w w. XVIII wiele uchwał sejmikowych i sejmowych domagało się ich odbudowy, do czego jednak nie doszło.

[3] **państwa multańskie** – Mołdawia i Wołoszczyzna, księstwa naddunajskie zhołdowane za Władysława Jagiełły Polsce, która jednak utraciła tu wszelkie wpływy na rzecz Turcji po klęsce pod Cecorą w 1620 r.

[4] **sumy neapolitańskie** – 430 tysięcy dukatów neapolitańskich pożyczonych przez Bonę królowi hiszpańskiemu Filipowi II i nigdy nie odzyskanych; wracano do tej sprawy wielokrotnie na sejmikach.

[5] **wstępnym bojem** – w pierwszym starciu.

[6] **żurawińskie klęski** – traktat zawarty z Turkami przez Jana Sobieskiego w Żurawnie w 1676 r., który oddawał Turcji znaczną część ziem ukraińskich.

[7] **waść** – skrócone ,,wasza mość”, zwrot o odcieniu lekceważącym, używany w stosunku do drobnej szlachty i mieszczan.

[8] **profit** – korzyść, zysk.

Pamięć się przez nie traci, rozumu użycie,
Zdrowie się nadweręża i ukraca życie.
    Patrz na człeka, którego ujęła moc trunku,
Człowiekiem jest z pozoru, lecz w zwierząt gatunku
Godzien się mieścić, kiedy rozsądek zaleje
I w kontr[1] naturze postać bydlęcą przywdzieje.
Jeśli niebios zdarzenie wino ludziom dało
Na to, aby użyciem swoim orzeźwiało,
Użycie darów bożych powinno być w mierze.
Zawstydza pijanice nierozumne zwierzę,
Potępiają bydlęta niewstrzymałość naszą,
Trunkiem według potrzeby gdy pragnienie gaszą,
Nie biorą nad potrzebę; człek, co nimi gardzi,
Gorzej od nich gdy działa, podlejszy tym bardziéj.
    Mniejsza guzy i plastry, to zapłata zbrodni,
Większej kary, obelgi takowi są godni,
Co w dzikim zaślepieniu występni i zdrożni,
Rozum, który człowieka od bydlęcia różni,
Śmią za lada przyczyną przytępiać lub tracić.
Jakiż zysk taką szkodę potrafi zapłacić?
Jaka korzyść tak wielką utratę nadgrodzi?
Zła to radość, mój bracie, po której żal chodzi.
    Ci, co się na takowe nie udają zbytki,
Patrz, jakie swej trzeźwości odnoszą pożytki:
Zdrowie czerstwe, myśl u nich wesoła i wolna,
Moc i raźność niezwykła i do pracy zdolna,
Majętność w dobrym stanie, gospodarstwo rządne,
Dostatek na wydatki potrzebnie rozsądne.
Te są wstrzemięźliwości zaszczyty, pobudki,
Te są." „Bądź zdrów!" „Gdzie idziesz?" „Napiję się wódki."

Monachomachia

Fragmenty

Pieśń pierwsza

[...] Wojnę domową śpiewam więc i głoszę,
Wojnę okrutną, bez broni, bez miecza,
Rycerzów bosych i nagich[2] po trosze,

---

  [1] **w kontr** – przeciwko.
  [2] **rycerzów bosych i nagich** – zakonnicy niektórych reguł chodzili przez cały rok w sandałach na bosą nogę i bez bielizny pod habitem.

Same ich tylko męstwo ubezpiecza:
Wojnę mnichowską... Nie śmiejcie się, proszę:
Godna litości ułomność człowiecza.
Śmiejcie się wreszcie, mimo wasze śmiéchy,
Przecież ja powiem, co robiły mnichy.

W mieście, którego nazwiska nie powiem,
Nic to albowiem do rzeczy nie przyda;
W mieście, ponieważ zbiór pustek[1] tak zowiem,
W godnym siedlisku i chłopa, i Żyda;
W mieście (gród, ziemstwo trzymało albowiem
Stare zamczysko[2], pustoty ohyda)
Było trzy karczmy, bram cztery ułomki,
Klasztorów dziewięć i gdzieniegdzie domki.

W tej zawołanej ziemiańskiej stolicy
Wielebne głupstwo od wieków siedziało;
Pod starożytnej schronieniem świątnicy
Prawych[3] czcicielów swoich utuczało.
Zbiegał się wierny lud; a w okolicy
Wszystko odgłosem uwielbienia grzmiało.
Święta prostoto! ach, któż cię wychwali!
Wiekuj szczęśliwie!... ale mówmy daléj! [...]

W tym było stanie rozkoszne siedlisko
Świętych próżniaków. Ach, losie zdradliwy!
Ty, co z niewczesnych odmian masz igrzysko
I nieszczęść ludzkich jesteś tylko chciwy,
Masz świat, dziwactwa twego widowisko.
Jęczy pod ciężkim jarzmem człek cnotliwy.
Mniejsza, żeś państwa, trony, berła skruszył:
Będziesz tak śmiałym, żebyś kaptur ruszył?

Już były przeszły owe sławne wojny,
Którym się niegdyś świat zdumiały dziwił.
Już seraficzny zakon[4] był spokojny,
Już karmelowi[5] nikt się nie przeciwił;
Już kaznodziejski[6] wzrok mniej bogobojny

---

[1] **zbiór pustek** – wiele miast ówczesnych znajdowało się w kompletnej ruinie.
[2] w starym zamczysku mieściły się sądy: grodzki i ziemski.
[3] **prawy** – prawowity.
[4] **seraficzny zakon** – zakon franciszkanów.
[5] **karmel** – zakon karmelitów.
[6] **kaznodziejski** – mowa o zakonie dominikanów, którego oficjalna nazwa brzmi: Zakon Kaznodziejów.

Oka na kaptur spiczasty nie krzywił;
Dawnych niechęci mgłę rozniosły wiatry,
Szczęśliwe były nawet bonifratry[1].

Ta, która nasze padoły przebiega
I samym tylko nieszczęściem się pasie,
Jędza niezgody, co Parysa-zbiega
Znalazła niegdyś na górnym Idasie[2],
Słodki raj mnichów gdy w locie postrzega,
Jęknęła w złości i zatrzymała się;
Widząc fortunny los spokojnych mężów,
Świsnęły żądła najeżonych wężów.

Wstrzęsła pochodnią, natychmiast siarczyste
Iskry na dachy i wieże wypadły;
Wskróś przebijają gmachy rozłożyste,
Już się w zakąty najciaśniejsze wkradły;
A gdzie milczenia bywały wieczyste,
Wszczyna się rozruch i odgłos zajadły.
Rażą umysły żądze rozjuszone,
Budzą się mnichy, letargiem uśpione.

Wtenczas, nie mogąc znieść tego rozruchu,
Ojciec Hilary obudzić się raczył.
Wtenczas ksiądz przeor, porwawszy się z puchu,
Pierwszy raz w życiu jutrzenkę obaczył.
Klął ojciec doktor[3] czułość swego słuchu,
Wstał i widokiem swym ojców uraczył,
I co się rzadko w zgromadzeniu zdarza,
Pędem niezwykłym wpadł do refektarza[4].

Na taki widok zbiegłe braci trzody
Pod rzędem kuflów garncowych uklękły:
Biegli ojcowie za mistrzem w zawody.
Ten, strachem zdjęty i srodze przelękły,
Wprzód otarł z potu mięsiste jagody[5],

---

[1] **bonifratry** (bonifratrzy) – zakon założony przez Jana Bożego, poświęcający się pracy w szpitalach, a zwłaszcza opiece nad chorymi umysłowo.
[2] **Parysa... na... Idasie** – według mitologii greckiej Parys, królewicz trojański (jako dziecko ukryty przed śmiercią w lasach gór **Idy**), miał rozstrzygnąć spór, której z bogiń należy przyznać jabłko z napisem „Najpiękniejszej", podrzucone przez **Eris, boginię niezgody**.
[3] **ojciec doktor** – kierownik szkoły klasztornej.
[4] **refektarz** – sala jadalna w klasztorze.
[5] **jagody** – policzki.

Siadł, ławy pod nim dubeltowe jękły,
Siadł, strząsnął mycką, kaptura poprawił
I tak wspaniałe wyroki objawił:

„Bracia najmilsi! Ach, cóż się to dzieje?
Cóż to za rozruch u nas niesłychany?
Czy do piwnicy wkradli się złodzieje?
Czy wyschły kufle, gąsiory i dzbany?
Mówcie!... Cokolwiek bądź, srodze boleję;
Trzeba wam pokój wrócić pożądany...”
Wtem się zakrztusił, jęknął, łzami zalał;
Przeor tymczasem pełny kubek nalał.

Już się dobywał na perorę[1] nową,
Doktor, gdy postrzegł likwor przeźroczysty.
Wódka to była, co ją zwą kminkową,
Przy niej toruński piernik pozłocisty,
Sucharki masą oblane cukrową,
Dar przeoryszy[2] niegdyś uroczysty.
Zachęca przeor, w urzędzie chwalebny:
„Racz się posilić, ojcze przewielebny!”

O rzadki darze przedziwnej wymowy,
Któż ci się oprzeć, któż sprzeciwić zdoła?
Tak łagodnymi zniewolony słowy,
Wziął doktor kubek w pocie swego czoła,
Łyknął dla zdrowia posiłek gotowy.
Lecz żeby jeszcze myśl przyszła wesoła,
W świętym orszaku, w gronie miłych dzieci
Raczył się napić raz drugi i trzeci. [...]

„Wiem, bom to czytał w uczonym Tostacie[3],
Po ciemnej nocy że jasny dzień wschodzi.
Na godnym kiedy cnota majestacie
Siędzie, o szczęściu wątpić się nie godzi.
Czegoż się, mili bracia, obawiacie?
Z nami jest ojciec doktor i dobrodziéj.
Dał szczęsne hasło, orzeźwił swym wzrokiem;
Cieszmy się pewnym Fortuny wyrokiem.” [...]

---

[1] **perora** – przemowa.
[2] **przeorysza** – przełożona klasztoru żeńskiego.
[3] **Tostat** (Tostatus) – średniowieczny teolog hiszpański.

Ojciec Pankracy, Nestor[1] różańcowy,
Co trzykroć braci i siostry odnowił[2],
Nim puścił strumień łagodnej wymowy,
Najprzód starszyznę i braci pozdrowił:
Słodkimi serca zniewalając słowy,
Miękczył umysły, a nadzieje wznowił.
„Wierzcie – rzekł – bracia, zgrzybiałej siwiźnie:
Rzadko się płochość z ust starych wyśliźnie.

Od tylu czasów siedząc na urzędzie,
Znam, co są ludzie, wiem, co są zakony.
Wkrada się zazdrość, wkrada niechęć wszędzie:
I święty kaptur, chociaż uwielbiony,
Nigdy tak mocnym, tak dzielnym nie będzie,
Żeby człek pod nim był ubezpieczony.
Choć w zacność, mądrość każdy z was zamożny,
Niech będzie czuły[3], niech będzie ostrożny.

O, mili bracia, gdybyście wiedzieli,
Jakie to były niegdyś wasze przodki!
Inaczej wtenczas niż teraz myśleli,
Insze sposoby były, insze środki.
Lepiej się działo, byliśmy weseli;
Teraz, nieczułe i gnuśne wyrodki,
Albo zbyt trwożni, albo zbyt zuchwali,
Nie ważym rzeczy na roztropnej szali.

Moja więc rada: wyzwać na dysputę[4]
Tych, co się nad nas gwałtownie wynoszą.
Niech znają bronie jeszcze nie zepsute,
Niechaj litości, zwyciężeni, proszą;
A za najsroższą hardości pokutę
Niech oni sami nasze laury głoszą.
Wyjdziemy sławni z niesłusznej potwarzy,
Zgnębim potwarców... tak robili starzy.”

Rzekł – i natychmiast doktor się obudził,
Przeor odecknął, lektor przetarł oczy;
Makary, co się słuchaniem utrudził,

---

[1] **Nestor** – jeden z bohaterów „Iliady”, najstarszy i najbardziej doświadczony z wodzów greckich
w wojnie trojańskiej; tu: najstarszy spośród mnichów.
[2] **trzykroć... odnowił** – przeżył w klasztorze trzy pokolenia zakonników.
[3] **czuły** – czujny.
[4] **dysputa** – dyskusja na tematy filozoficzne lub teologiczne.

Wymknął się cicho i ku celi toczy,
Ojciec Ildefons, co równie się znudził,
Bryknął jak rześki rumak na poboczy[1].
Morfeusz[2], patrząc na dzieci kochane,
Siał słodkie spania i sny pożądane.

Pieśń druga[3]

[...] „Przyjmuję chętnie uczone wyzwanie[4],
Stawim się w miejscu, które mianujecie.
Jeszcze nam siły na tę wojnę stanie,
Jeszcze broń dobra, której sprobujecie:
Hardym w przegranej będzie ukaranie,
Będzie pokuta, kiedy tego chcecie.
Nie zna zazdrości, kto przestał na swoim;
Podchlebstw nie chcemy, a gróźb się nie boim." [...]

Pieśń czwarta

[...] Schodzą się mędrcy i bieli, i szarzy,
Czarni, kafowi[5], w trzewikach i bosi,
Rumiana dzielność błyszczy się na twarzy,
Tuman mądrości nad łbami unosi,
Zazdrość i Pycha zjadłe oczy żarzy. [...]

Pieśń piąta

I śmiech niekiedy może być nauką,
Kiedy się z przywar, nie z osób natrząsa,
I żart dowcipną przyprawiony sztuką
Zbawienny, kiedy szczypie, a nie kąsa;
I krytyk zda się, kiedy nie z przynuką[6],
Bez żółci łaje, przystojnie się dąsa.
Szanujmy mądrych, przykładnych, chwalebnych,
Śmiejmy się z głupich, choć i przewielebnych.

Wpada Hijacynt, nowa postać rzeczy!
Miejsce dysputy zastał placem wojny:

---

[1] **na poboczy** – na wodzy, w cuglach.
[2] **Morfeusz** – według mitologii greckiej bożek snu.
[3] akcja tej pieśni toczy się w klasztorze karmelitów.
[4] **przyjmuję wyzwanie** – jest to odpowiedź przeora karmelitów na wezwanie dominikanów do dysputy.
[5] **bieli... kafowi** – określenie kolorów habitów poszczególnych zakonników.
[6] **nie z przynuką** – nie z natarczywością.

Jeden drugiego rani i kaleczy,
Wziął w łeb od razu[1] nasz rycerz spokojny.
Widzi, że skromność już nie ubezpieczy,
Więc dzielny w męstwie, w oddawaniu hojny,
Jak się zawinął i z boku, i z góry,
Za jednym razem urwał dwa kaptury.

Lecą sandały i trepki, i pasy,
Wrzawa powszechna przeraża i głuszy.
Zdrętwiał Hijacynt na takie hałasy,
Chciałby uniknąć bitwy z całej duszy,
Więc przeklinając nieszczęśliwe czasy
Resztę kaptura zasadził na uszy.
Już się wymykał – wtem kuflem od wina
Legł z sławnej ręki ojca Zefiryna.

Ryknął Gaudenty jak lew rozjuszony,
Gdy Hijacynta na ziemi zobaczył;
Nową więc złością z nagła zapalony,
Żadnemu z ojców, z braci nie przebaczył: [...]

Już był wyciskał talerze i szklanki,
Pękły i kufle na łbach hartowanych,
Porwał natychmiast księgę zza firanki:
Wojsko afektów zarekrutowanych[2].
Nią się zakłada[3], pędzi poza szranki
Rycerzów długą bitwą zmordowanych. [...]

Wojna powszechna! Jak zabieżyć złemu,
W kącie z proboszczem vicesgerent[4] radzą,
A chcąc usłużyć dobru powszechnemu,
Doktora tamże do siebie prowadzą.
Każdy z nich daje zdanie po swojemu.
Prałat[5], gdy postrzegł, że się darmo wadzą,
Biorąc wzgłąbsz[6] rzeczy przez swój wielki rozum,
Rozkazał przynieść *vitrum gloriosum*[7]. [...]

---

[1] **od razu** – z miejsca.
[2] **„Wojsko afektów"** – książka Hilariona Falęckiego, której początek tytułu brzmi: „Wojsko serdecznych nowo rekrutowanych na większą chwałę afektów." Książkę tę, będącą typowym wytworem schyłkowej kultury czasów saskich, kilkakrotnie wznawiano.
[3] **zakłada się** – zamierza.
[4] **vicesgerent** – [czyt. wicesgerent], urzędnik wykonujący wyroki sądowe; tu przewodniczył dyskusji.
[5] **prałat** i proboszcz to jedna osoba.
[6] **wzgłąbsz** – dogłębnie.
[7] *vitrum gloriosum* (łac.) – [czyt. witrum gloriozum], sławny puchar.

Pieśń szósta

[...] Postawion puchar na miejscu osobnym;
Odkrył go prałat, aby był widziany.
Zadziwił oczy widokiem ozdobnym,
Szklni się w nim kruszec srebrno-pozłacany.
Wiele pomieścić trunku był sposobnym,
Miara oznacza: był to dzban nad dzbany! [...]

[...] Stanęli wszyscy na te widowisko,
A gdy się puchar coraz zbliżać raczył,
Krzyknęli: „Zgoda!" – i wojny siedlisko
W punkcie dzban miejscem pokoju oznaczył.
Czarni i bieli, kafowi i szarzy,
Wszystko się łączy, wszystko się kojarzy. [...]

Czytaj i pozwól, niech czytają twoi,
Niech się z nich każdy niewinnie rozśmieje.
Żaden nagany sobie nie przyswoi,
Nicht się nie zgorszy, mam pewną nadzieję.
Prawdziwa cnota krytyk się nie boi,
Niechaj występek jęczy i boleje.
Winien odwołać, kto zmyśla zuchwale:
Przeczytaj – osądź. Nie pochwalisz – spalę.

Mikołaja Doświadczyńskiego przypadki

Fragmenty

Księga pierwsza

[...] Urodziłem się w domu uczciwym, szlacheckim; którego roku, nie wyrażam, bo to się na nic nikomu nie zda; do mojej historii chronologia mniej potrzebna, a mnie też nie bardzo miło przypominać sobie, żem stary. [...]

Nim zacznę mówić o moim wychowaniu, nie od rzeczy zda mi się namienić cokolwiek o tych, od których życie powziąłem, to jest po prostu o moim ojcu i o mojej matce. Ojciec mój, po stopniach: skarbnik, wojski, miecznik, łowczy, cześnik, podstoli, sześćdziesięcioletnie ziemi swojej i województwa usługi a ustawiczne na sejmiki elekcyjne[1] i gospodarskie peregrynacje[2] przy kresie życia szczęśliwie nadgrodzone i ukoronowane zobaczył: został stolnikiem[3]. [...] Nic on o tym nie

---

[1] **sejmiki elekcyjne** – wybierano na nich urzędników ziemskich.
[2] **peregrynacje** – wędrówki, podróże.
[3] wszystkie wymienione tu urzędy ziemskie były wówczas tytularne, tzn. nie wiązało się z nimi pełnienie żadnych funkcji.

wiedział, co robili Grecy i Rzymianie, i jeżeli co zasłyszał o Czechu i Lechu, to chyba w parafii na kazaniu. [...] Wreszcie, był to człowiek rzetelny, szczery, przyjacielski; i choć nie umiał cnót definiować, umiał je pełnić. Z tej jednak nieumiejętności definiowania pochodziło, iż się był względem ludzkości[1] nieco pomylił; rozumiał albowiem, iż dobrze w dom gościa przyjąć jest toż samo, co się z nim upić. [...]

Matka moja, z dzieciństwa wychowana na wsi, dla odpustu chyba nawiedzała pobliższe miasta; skąd każdy łatwo wynieść sobie może, że jej na wielu teraźniejszych talentach brakło. [...]

Pierwiastki[2] szkolne szły trybem zwyczajnym. Pojętność miałem wielką, ale wstręt do nauk jeszcze większy. [...]

Nieskończenie przypadł mi do gustu mój nowy pan guwernor[3], stąd jednak najbardziej, gdy jaśnie i oczewiście matce mojej wyprobował[4], iż szkolna nauka żakom tylko przystoi, zacnego zaś panięcia dowcip[5] regułami zacieśniony na to by się tylko przydał, żeby go palcem po Paryżu wskazywano. [...] [Matka] za radą brata swego umyśliła mnie wysłać do cudzych krajów[6].

[...] Po dość długiej, wielce zabawnej, a więcej jeszcze kosztownej podróży stanąłem szczęśliwie w Paryżu 3 lutego o godzinie trzeciej z południa. [...]

Jeszczem był nazajutrz u gotowalni[7], gdzie sprowadzony najcelniejszy perukarz nowe systema modnej symetrii pracowicie układał, gdy lokaj najęty wszedł, opowiadając wizytę jegomościa pana hrabi Fickiewicz. [...] Na fundamencie więc rozmaitych jego powieści ułożyliśmy plantę[8] życia w Paryżu. [...] Ułożyliśmy więc dla honoru narodu polskiego wszelkimi sposobami o to się starać, żeby i w guście, i w magnificencji przepisać[9] kawalerów tamecznych. Jakoż zaraz skonfiskowane były suknie, którem z Warszawy przywiózł; owe pasamany drzewickie[10] nie zdały się do mojej paradnej liberii. Ja zaś więcej jak tydzień musiałem czekać na wygotowanie ekwipażu, garderoby i liberii dla czterech lokajów, dwóch laufrów[11], Murzyna i huzara. Gdy już wszystko było na pogotowiu, dopiero za przewodnictwem jegomościa pana hrabi, i ja sam także hrabia, wyjechałem na świat wielki. [...] Wspaniała moja rozrzutność uczyniła mnie sławnym po całym Paryżu. [...]

Że się dobre złym płaci, nauczyło mnie smutne doświadczenie. Gdyby się było skończyło na nauce, byłaby rzecz znośniejsza, ale po wyszłym już roku bytności paryskiej, gdy trzy razy przysyłane z Polski weksle połowę już tylko zapłaciły tego,

---

[1] **ludzkości** – uprzejmości, gościnności.

[2] **pierwiastki** – pierwsze lata.

[3] **guwernor** (guwerner) – nauczyciel domowy; tu: francuski kamerdyner Damon, wynajęty z sąsiedzkiego dworku, podający się za arystokratę.

[4] **wyprobował** – wyperswadował, wykazał.

[5] **dowcip** – bystrość, inteligencja.

[6] **wysłać do cudzych krajów** – aby w ten sposób przerwać melancholię syna wywołaną nieszczęśliwą miłością.

[7] **u gotowalni** – przy toalecie.

[8] **plantę** – plan.

[9] **w magnificencji przepisać** – przewyższyć pod względem wspaniałomyślności.

[10] **pasamany drzewickie** – galony i tkane ozdoby do ubiorów wyrabiane w Drzewicy.

[11] **laufrów** – tu: gońców.

co się bankierowi należało, nie chciał już dalej na kredyt dawać. [...] Ogołocony ze wszystkiego, długami obciążony za granicą i w ojczyźnie, miałem się za zgubionego. [...]

Raz, gdym [...] nad portem[1] chodził, przybliżył się ku mnie kapitan jednego okrętu, który miał z portu wychodzić. Gdy mnie pytał o przyczynę tak głębokiej melancholii, odkryłem mu stan mój okropny; [...] przyjął z ochotą moje prośby i zaraz nazajutrz, za nadejściem dobrego wiatru, puściliśmy się na morze. [...]

Przez dni sześć trwała ustawiczna burza, wzmagały się wiatry, maszt pryncypalny[2] złamał się [...]. W jednym momencie wpędzony na skały okręt rozbił się z nieznośnym trzaskiem. [...] Szczęściem zachwyciłem dość sporą deszczkę, porwałem ją i takem mocno trzymał, iż mimo ustawiczne fluktami[3] rzucania, podniesienia i spadki, na pół żywy wyrzucony byłem na piasek lądowy; bojąc się, żeby mnie powracająca nazad fala nie zagarnęła, biegłem piaskiem bez oddechu. Siły mnie na koniec opuściły i padłem bez zmysłów.

Księga druga

[...] Kraj ten zewsząd był morzem oblany i całej wyspy powszechne nazwisko Nipu. Język narodu dość łatwy, ale nieobfity: żeby im wytłumaczyć skutki i produkcje kunsztów[4] naszych zbytkowych, musiałem czynić opisy dokładne i dobierać podobieństw. Nie masz i u Nipuanów słów wyrażających kłamstwo, kradzież, zdradę, podchlebstwo. Terminów prawnych nie znają. [...]

Namieniłem wyżej, iż osądzony za dzikiego, oddany byłem gospodarzowi mojemu na naukę. [...]

Praca i myśl wolna wzmocniły słaby niegdyś mój temperament. W niedostatku zwierściadła, gdym się w wodzie przezierał, postrzegłem płeć moją, prawda, przyczernioną, ale twarz pełną i rumieniec żywy. [...]

Mając iść w dość daleką podróż, wziął mnie Xaoo[5] z sobą. [...] – My nie znamy – mówił – tego, co wy nazywacie monarchią, arystokracją, demokracją, oligarchią *etc.* W zgromadzeniu naszym nie masz żadnej innej zwierzchności politycznej prócz naturalnej rodziców nad dziećmi. [...] Człowiek jednakowo z drugim człowiekiem rodzący się nie może, a przynajmniej nie powinien by sobie przywłaszczać zwierzchności nad nim; wszyscy są równi. [...]

Że zawiłości prawne i wykręty jurystów[6] nie mają tam miejsca, pochodzi to z szczęśliwej nieświadomości tej nauki, która na dobro nasze, jak nam wierzyć każą, wymyślona, nadała umiejętność zatłumienia prawdy i usprawiedliwienia najwyższych występków. [...]

---

[1] **nad portem** – w Amsterdamie, dokąd Mikołaj uciekł po kryjomu z Paryża.
[2] **pryncypalny** – główny.
[3] **fluktami** – falami.
[4] **kunsztów** – sztuk, rzemiosł.
[5] **Xaoo** – mędrzec, patriarchalny zwierzchnik społeczności Nipuanów.
[6] **jurystów** – znawców prawa, prawników.

Prawdę powiedzieli starzy, iż słodki dym ojczyzny[1]. [...] Odwiedziłem więc łódź moją[2] i gdym ją opatrywał, znalazłem, iż w niczym nie była uszkodzona. Zrobiłem do niej maszt, sporządziłem żagle, wiosła były na pogotowiu. [...]

Księga trzecia

[...] Wiatr pomyślny pędził moją łódkę; ja, zamyślony, siedziałem w niej spokojnie. [...] Żal postradanego towarzystwa poczciwych ludzi opanował serce moje; łzy obfite, tym prawdziwsze, ile bez świadków, były hołdem powinnym ich cnocie, dowodem wdzięczności za tyle dobrodziejstw wyświadczonych. [...]

Osiadłem z radością na wsi, tumultu miejskiego, niewczasów, ustawicznej włóczęgi aż nadto świadom. W przeciągu lat dziesięciu dworak w Warszawie, w Paryżu galant[3], oracz w Nipu [...] – zostałem w Szuminie filozofem[4]. [...]

Za punkt największy gospodarstwa wziąłem sobie szczęśliwość moich poddanych. Gorszyli się z tego sąsiedzi, odradzali kroki, które mi na dobre nie miały wynieść; jedni mnie żałowali, drudzy się śmiali z mojego nierozeznania. Widzą teraz, że i rola u mnie lepiej uprawna niż u nich, i czynsz nie zaległy, i gumna we dwójnasób, a moi chłopi, dobrze odziani, w pierwszych teraz ławkach parafii siedzą. [...]

* * *

FRANCISZEK KARPIŃSKI

Laura i Filon

Fragmenty

LAURA

Już miesiąc[5] zeszedł, psy się uśpiły
    I coś tam klaszcze za borem.
Pewnie mnie czeka mój Filon miły
    Pod umówionym jaworem.

Nie będę sobie warkocz trefiła[6],
    Tylko włos zwiążę splątany;
Bobym się bardziej jeszcze spóźniła:
    A mój tam tęskni kochany.

---

[1] wyrażenie użyte po raz pierwszy w „Odysei" Homera.
[2] łódź tę, ocalałą z rozbitego okrętu, znalazł Mikołaj nad brzegiem morza.
[3] **galant** – elegant, fircyk.
[4] **filozofem** – tu: reformatorem.
[5] **miesiąc** – księżyc.
[6] **trefiła** – splatała.

Wezmę z koszykiem maliny moje
    I tę pleciankę różowę;
Maliny będziem jedli oboje,
    Wieniec mu włożę na głowę. [...]

Oto już jawor... Nie masz miłego!
    Widzę, że jestem zdradzona!
On z przywiązania żartuje mego;
    Kocham zmiennika Filona.

Pewnie on teraz koło bogini
    Swej, czarnobrewki Dorydy,
Rozrywkę sobie okrutną czyni
    Kosztem mej hańby i biédy. [...]

Ale któż zgadnie: przypadek jaki
    Dotąd zatrzymał Filona?
Może on dla mnie zawsze jednaki,
    Może ja próżno strwożona? [...]

Och nie! on zdrajca; on u Dorydy,
    On może teraz bez miary
Na sprośne z nią się wydał bezwstydy...
    A ja mu daję ofiary... [...]

Tłukę o drzewo koszyk mój miły,
    Rwę wieniec, którym splatała;
Te z nich kawałki będą świadczyły,
    Żem z nim na wieki zerwała...

                    *

Kiedy w chrościnie Filon schroniony
    Wybiegł do Laury spłakanéj,
Już był o drzewo koszyk stłuczony,
    Wieniec różowy stargany.

FILON

O popędliwa! a ja niebaczny!...
    Lauro!... poczekaj... dwa słowa...
Może występek mój nie tak znaczny,
    Może zbyt kara surowa.

Jam tu przed dobrą stanął godziną,
    Długo na ciebie klaskałem.

Gdyś nadchodziła, między chrościną
    Naumyślnie się schowałem.

Chcąc tajemnice twoje wybadać,
    Co o mnie będziesz mówiła,
A stąd szczęśliwość moję układać;
    Ale czekałem zbyt siła[1]. [...]

Ale w tym wszystkim złość nic nie miała:
    Wszystko z powodu dobrego,
Ja wiem, dlaczegoś tyle płakała;
    Ty wiesz, mój podstęp dlaczego.

LAURA

Dajmy już pokój troskom i zrzędzie,
    Ja cię niewinnym znajduję;
Teraz mój Filon droższy mi będzie,
    Bo mię już więcej kosztuje.

FILON

Teraz mi Laura za wszystko stanie,
    Wszystkim pasterkom przodkuje;
I do gniewu ją wzrusza kochanie,
    I dla miłości daruje. [...]

Do Justyny

Tęskność na wiosnę

Już tyle razy słońce wracało
    I blaskiem swoim dzień szczyci[2],
A memu światłu cóż to się stało,
    Że mi dotychczas nie świéci?

Już się i zboże do góry wzbiło,
    I ledwie nie kłos chce wydać;
Całe się pole zazieleniło:
    Mojej pszenicy nie widać!

Już słowik w sadzie zaczął swe pieśni,
    Gaj mu się cały odzywa;

---

[1] **siła** – tu: długo.
[2] **szczyci** – ozdabia.

Kłócą powietrze ptaszkowie leśni:
    A mój mi ptaszek nie śpiéwa!

Tyle już kwiatów ziemia wydała
    Po onegdajszej powodzi;
W różne się barwy łąka przybrała:
    A mój mi kwiatek nie schodzi!

O wiosno! Pókiż będę cię prosił,
    Gospodarz zewsząd stroskany?
Jużem dość ziemię łzami urosił:
    Wróć mi urodzaj kochany!

Pieśń poranna

Kiedy ranne wstają zorze,
Tobie ziemia, Tobie morze,
Tobie śpiewa żywioł wszelki:
Bądź pochwalon, Boże wielki!

A człowiek, który bez miary
Obsypany Twymi dary,
Coś go stworzył i ocalił,
A czemuż by Cię nie chwalił?

Ledwie oczy przetrzeć zdołam,
Wnet do mego Pana wołam,
Do mego Boga na niebie
I szukam Go koło siebie.

Wielu snem śmierci upadli,
Co się wczora spać pokładli,
My się jeszcze obudzili,
Byśmy Cię, Boże, chwalili.

Pieśń wieczorna

Wszystkie nasze dzienne sprawy
Przyjm litośnie, Boże prawy!
A gdy będziem zasypiali,
Niech Cię nawet sen nasz chwali.

Twoje oczy obrócone
Dzień i noc patrzą w tę stronę,

Gdzie niedołężność człowieka
Twojego ratunku czeka!

Odwracaj nocne przygody,
Od wszelakiej broń nas szkody;
Miej nas wiecznie w Twojej pieczy,
Stróżu i Sędzio człowieczy!

Pieśń o narodzeniu Pańskim

Bóg się rodzi, moc truchleje;
Pan niebiosów obnażony;
Ogień krzepnie, blask ciemnieje;
Ma granice – nieskończony;
Wzgardzony – okryty chwałą,
Śmiertelny – Król nad wiekami!...
A Słowo Ciałem się stało
I mieszkało między nami.
　　　Cóż, Niebo, masz nad ziemiany[1]?
　　　Bóg porzucił szczęście swoje,
　　　Wszedł między lud ukochany,
　　　Dzieląc z nim trudy i znoje.
　　　Niemało cierpiał, niemało,
　　　Żeśmy byli winni sami.
　　　A Słowo Ciałem się stało
　　　I mieszkało między nami.
W nędznej szopie urodzony,
Żłób Mu za kolebkę dano!
Cóż jest, czym był otoczony?
Bydło, pasterze i siano.
Ubodzy! was to spotkało
Witać Go przed bogaczami!
A Słowo Ciałem się stało
I mieszkało między nami.
　　　Potem i króle widziani
　　　Cisną się między prostotą,
　　　Niosąc dary Panu w dani:
　　　Mirrę, kadzidło i złoto.
　　　Bóstwo to razem zmieszało
　　　Z wieśniaczymi ofiarami!...
　　　A Słowo Ciałem się stało
　　　I mieszkało między nami.

---

[1] **ziemiany** – tu: mieszkańców Ziemi.

Podnieś rękę, Boże Dziécię!
Błogosław ojczyznę miłą,
W dobrych radach, w dobrym bycie
Wspieraj jej siłę – swą siłą,
Dom nasz i majętność całą,
I Twoje wioski z miastami.
A Słowo Ciałem się stało
I mieszkało między nami.

* * *

FRANCISZEK SALEZY JEZIERSKI

Katechizm o tajemnicach rządu polskiego...

Pytanie: Jaka jest postać polityczna Polski?
Odpowiedź: Polska jest królestwem, bezkrólewiem, Rzecząpospolitą.
P. Kto stworzył Rzeczpospolitą?
O. Przywileje i nierząd.
P. Kto trzyma władzę prawodawczą i wykonawczą w Rzeczypospolitej?
O. Król, senat i rycerstwo, trzy stany, a jeden szlachcic.
P. Król jestże szlachcicem?
O. Jest.
P. Senator jestże szlachcicem?
O. Jest.
P. Poseł jestże szlachcic?
O. Jest.
P. Więc te wszystkie trzy stany są tylko jednym stanem?
O. To jest tajemnica nigdy nie pojęta rozumem, że Rzeczpospolita, mając tylko jeden stan szlachecki do swojego rządu, przecież z tego stanu zrobiła trzy stany tak cudownym sposobem, jako i to, że z jednej króla pojedynczej osoby ma także jeden stan zupełny.
P. Wszakże z tego daje się widzieć, że cały majestat rządu polskiego jest tylko rzecząpospolitą szlachecką?
O. To jest jawna pewność, że w narodzie polskim, kto nie jest szlachcicem, nie może być nawet człowiekiem. [...]
P. Chłop rolnik w Polszcze nie jestże człowiekiem?
O. Zapewne nie jest.
P. A jakże, kiedy on ma duszę i ciało i jest takąż osobą z przyrodzenia jak szlachcic?
O. Chłop w Polszcze ma tylko przymioty duszy i ciała, ale zaś osoba jego nie jest człowiekiem, ale rzeczą własną szlachcica, który będąc panem jednowładnym chłopa, może go przedawać i kupować, obracać na swój pożytek, tak jak bydło przedaje się z folwarkami i opisami inwentarzów.

P. Mieszczanin czyli[1] jest człowiekiem?

O. Mieszczanin nie jest zupełnym człowiekiem, ale jest pośredniczym jestestwem[2] między człowiekiem-szlachcicem a nieczłowiekiem-chłopem. [...]

Wyznanie rządu polskiego

Wierzę i wyznaję wolność stanu szlacheckiego w Polszcze, stworzycielkę nierządu, ucisku, ohydy, która wyzuła chłopów z prawa człowieka, a mieszczanina z prawa obywatela, z której poczęło się możnowładztwo panów, wyrządzające niezgodę, podłość i podział szlachty na partie, idące za duchem szalbierstwa i zuchwalstwa możnych. Wierzę, że król, wyzuty z władzy należącej do tronu, cierpi przymówki, często nadaremne, o nieszczęścia kraju, których przyczyną jest możnowładztwa przewodzenie. [...] Wierzę w przekupienie senatu i posłów. Wierzę w obcowanie ich z postronnymi ministrami za porozumieniem się ich łakomstwa. Wierzę w zmartwychwstanie cudzej przemocy i nierządu. Wierzę w odpuszczenie krzywoprzysięstwa i zdrady, i kiedyś przecie otrzymanie lepszego rządu[3] w Polszcze. *Amen.*

* * *

HUGO KOŁŁĄTAJ

Do Stanisława Małachowskiego, Referendarza Koronnego, o przyszłym sejmie Anonima listów kilka

O wolność rolnika

Fragmenty

Ktokolwiek pójdzie za duchem prawa, temu nietrudno będzie dostrzec widocznej kontradykcji[4], jaką wystawiać sobie zwykliśmy o poddaństwie ludu. Pomyślmy nieco na tym, że wszyscy, ile nas tylko ziemia polska nosi, bez żadnego wyjątku, ubogiego i bogatego, jesteśmy poddani Rzplitej. Ona ma najwyższą nad nami władzę, jej prawa nad nami panują, jej wola nam rozkazuje, jej siła nas broni, jej moc nas poskramia i karze. Przez jakież uprzedzenie najlichszego żebraka od tej najwyższej wyjąć możemy władzy? Przez jakąż zuchwałość możemy sobie przywłaszczać nad ubogim rolnikiem udzielne i niepodległe panowanie, a do tego, jak z sprzecznym serca uczuciem człowiek wolny ośmieli się być despotą osoby drugiego i gwałcić to prawo, którego w sobie więcej niż źrzenicy oka przestrzega? Jeżeli jeden człowiek nie może

---

[1] **czyli** – czy.
[2] **pośredniczym jestestwem** – istotą pośrednią.
[3] **rządu** – tu: ustroju.
[4] **kontradykcja** – sprzeczność.

być Piotra i Pawła poddanym, nie może tym bardziej być razem poddanym i Rzplitej, i prywatnego obywatela; jakaż więc zachodzi różnica między szlachcicem a chłopem, którą nam duch prawa widocznie wskazuje? Oto, że szlachcic, poddany Rzplitej, może posiadać dobra stałe we wszystkich Polski prowincjach, a chłop, poddany Rzplitej, posiadać ich nie może; że szlachcic, mający wolność posiadania dóbr stałych, jako prawy[1] dziedzic, może nimi pod opieką praw rozrządzać, jak mu się tylko podoba, a chłop, nie mający nigdzie dóbr stałych w Polszcze, wolen jest tylko ich używać podług kondycyj[2], jakie od dziedzica przyjął: czyli w odrabianiu pańszczyzny, czyli w opłaceniu czynszu.

Prawdo! Najlitościwszy nieba darze! Jeżeli kiedykolwiek przemieszkiwanie twoje między ludźmi gruntowało szczęście narodów, zstąp dzisiaj do serc wolnych Polaków, oświeć ich rozum i natchnij wspaniałym do wolności przywiązaniem. Niech ta ziemia, którą opatrzna ręka wolności ludzkiej naznaczyła, nie cierpi więcej w łonie swoim najlichszego niewolnika! Niech najbogatszy i okryty wielkością obywatel odda hołd powszechnej Opatrzności, szanując ludzkość w najuboższym rolniku! Niech się aby raz na tym pozna, że cała jego okazałość i zbytki są darem nędznej wieśniaka ręki! Że cała jego wspaniałość ubogiego ludu świetnieje potem! Ten to krwawy pot, z łzami i uciskiem zmieszany, położył tak wielką różnicę kondycyj, obudził zuchwałość stanów, żeśmy prawie zapomnieli na koniec, iż jesteśmy podobnej natury ludzie i równej podlegli nędzy. Ten to jęk uciśnionych ściąga podobno z wysoka okropne na naród nasz plagi, poddając nas wstydliwemu upodleniu i dependencji[3] obcej za tak wielkie upodlenie, które natura ludzka w naszym ponosi prawodawstwie. Niewielkich po nas stan tego domaga się ofiar. Nie potrzebuje on próżnego gminowładztwa, żąda tylko sprawiedliwości naturalnej, żąda sprawiedliwości cywilnej. Oddajmy to, cośmy mu świętokradzko wydarli, w czymeśmy prawo boskie i ludzkości zgwałcili, to jest oddajmy mu wolność i jego osoby, i jego rąk, a lud ten pracowity, lud żywiący nas i dający żyzność włościom naszym, podwoi ochotę i szczerze przywiązawszy się do ziemi ubogaci nierównie całą powszechność, powiększy nasze dostatki, kochać będzie ojczyznę i znać ją za prawdziwie swoją, względem której niczym się dzisiaj od bydląt nie różni.

Niech będzie rolnik co do osoby i rąk swoich zupełnie wolny, lecz niech będzie poddany prawu, które własna na niego wkłada potrzeba. Nie ma on ziemi, ale ma pracowite ręce, którymi i siebie wyżywić, i pana zbogacić zdoła. Niech będą obowiązani panowie podług swojej potrzeby uczynić kontrakty z rolnikami, jak każdy lepiej dla siebie osądzi, bądź na czynsz, bądź na robotę, byle tak czynsz, jak robota wypływały z rzetelnego szacunku[4], jaki okaże intrata czysta[5] w nadanym im

---

[1] **prawy** – prawowity, prawdziwy.
[2] **podług kondycji** – tu: według warunków.
[3] **dependencja** – zależność.
[4] **szacunek** – ocena.
[5] **intrata czysta** – czysty dochód.

gruncie. Kontrakty takowe, jak są dziełem dobrej woli ludzkiej, tak je obiedwie strony świętobliwie dochować powinny. [...]

Przyszłe więc prawodawstwo te dwie rzeczy najistotniej obwarować powinno: w o l n o ś ć o s o b y r o l n i k a i w ł a s n o ś ć g r u n t o w ą d z i e d z i c a.

Do Prześwietnej Deputacyi

Fragmenty

Uiściły się[1] życzenia całego narodu: już jest wyznaczona deputacyja do napisania konstytucyj rządu naszego, która będzie sławną epoką kończącego się ośmnastego wieku, jeżeli nam przywróci rząd dobry, jeżeli człowieka wróci człowiekowi, jeżeli prawa własności osobistej[2], ruchomej i gruntowej każdemu upewni, jeżeli człowieka wyjmie od ludzi[3], a podda prawu, jeżeli prawo wydobędzie z prawdziwych jego źródeł, to jest sprawiedliwości naturalnej, jeżeli na koniec cały naród ubeśpieczy od przemocy wewnętrznej i obcej. Tego to wyciąga po was cała powszechność[4], zacni mężowie! Podjęliście się dla narodu najistotniejszej usługi, dzieła, które ma wam zjednać w odległej potomności błogosławieństwo ludzi, co tę wolną ziemię posiadać będą. [...]

Mężowie wybrani! [...] Czujecież w sobie tyle odwagi, abyście być mogli godnymi podać prawdę narodowi polskiemu? Nie oglądajcie się na spółczesnych; nie ten to zepsuty wiek ma błogosławić imiona wasze; wy, owszem, macie wydać walką uprzedzeniu i obłudzie, wy macie przywrócić sprawiedliwość, wy to powszechne chaos urządzić, a zatem wy winniście zupełnie przygotować się przeciw potwarzy, nienawiści i zemście, które interes prywatny, zepsucie serc ludzkich, znarowiona zuchwałość przeciw wam wywierać zechce. Nie lękajcie się bynajmniej, że prawa wasze wzgardzone lub odrzucone zostaną. Prawda mieć będzie swych zwolenników, rozejdą się oni po całym narodzie, zaniosą ją pod strzechę uciśnionego i wzgardzonego człowieka, czas dokaże reszty. Do was należy nie odstępować prawdy ani myślić o tym, jakimi drogami to święte bóstwo panować zacznie nad całą narodu powszechnością. Ufam przeto, że w przepisie praw waszych nie będzie miała miejsca ani chytra obłuda, ani podła bojaźń, ani tym bardziej niesprawiedliwość, na prywatne korzyści względna. Człowiek i jego beśpieczeństwo, obywatel i jego szczęśliwość, ojczyzna i jej całość będą jedynym prawidłem robót waszych.

Ale roztropność, najszlachetniejszy rozumu ludzkiego przymiot, [...] zastanawiać was podobno będzie nad tym, iż jeszcze nie przyszła pora, ażeby w całej zupełności odkryć można prawdę narodowi polskiemu. Lecz taż sama roztropność nigdy tak rozpacznych myśli przypuszczać nie dozwala; jej wysługa w prawodawstwie potrzebna jest tylko do wynalezienia sposobu, jak ma być prawda ludziom

---

[1] **uiścić się** – spełnić się.
[2] **własność osobista** – nietykalność, wolność osobista.
[3] **człowieka wyjmie od ludzi** – uwolni chłopa od zwierzchnictwa właściciela ziemskiego.
[4] **powszechność** – społeczność, ogół.

podana, nie zaś do tego, aby ją przed nimi do czasu taić lub przez wzgląd na uprzedzenia łamać prawa sprawiedliwości i ludzkości. Nie masz czasu ani względu na czas, w którym by się godziło prawa człowieka gwałcić lub zgwałconych nie powrócić. Nie może się nazwać ten naród swobodnym, gdzie człowiek jest nieszczęśliwym, nie może być ten kraj wolnym, gdzie człowiek jest niewolnikiem. [...] Mówić albowiem, że lud nieoświecony nie może mieć w całości praw sobie wróconych, jest mówić przeciwko regułom roztropności i słuszności. [...] Ktokolwiek na nieoświeconego człowieka jarzmo niewoli wkładać usiłuje, niech się wróci do serca swego, niech pomyśli, że gdyby przypadek jego samego w liczbie pospólstwa umieścił, pozwoliłżeby na odjęcie praw sobie przyrodzonych, na odjęcie beśpieczeństwa swej osoby i swego majątku? Alboż możemy mówić, że stan szlachecki, któremu nie tylko wolność, ale nawet i równość w rządzie prawa polskie zabeśpieczyły, jest powszechnie oświecony? [...]

Cóż jest poddany czyjejkolwiek włości? Jak go uważać należy w porządku przyrodzenia, względem którego równymi wszystkich mieć chciała Opatrzność? Czy biały, czy czarny niewolnik, czy pod przemocą niesprawiedliwego prawa, czy pod łańcuchami jęczy, człowiek jest i w niczym od nas się nie różni. [...]

Lecz nie lepiejże wprzód oświecić pospólstwo, aby go przysposobić roztropnie do przyjęcia świętego wolności daru? Nie lepiej – odpowiadam – owszem, byłby to najsroższy prawodawca, który by oczekiwał oświecenia ludu dla powrócenia mu wolności. Nie masz nic straszniejszego w naturze ludzkiej jak oświecony niewolnik; czuje on wtenczas cały ciężar niesprawiedliwości, który go uciska, a nie myśląc o niczym więcej jako o przywróceniu sobie praw przyrodzonych, obraca do tego cały rozum, aby się mógł zemścić na tym, który dziedzictwo jego dotąd niesprawiedliwie posiadał, zapala swe serce, aby się zdobyć mogło na najsroższe sposoby zemsty. Niechaj nikogo nie zadziwia okrucieństwo ludu, o którym albo się nam czytać, albo słyszeć zdarzyło, bo płód, którego ojcem jest ucisk, a matką niewola, musi przechodzić jadem i srogością wszystko to, cokolwiek na umyśle wystawić sobie możemy drapieżnego i zabijającego. Spieszmyż się wróć ludziom, co im natura ubeśpieczyła[1]; oświeceni sami sobie odbiorą, a nieoświeceni będą narzędziem obłudnika i despoty do wydarcia swobód naszych; im mniej zaradzić temu w dzisiejszej rewolucji[2] zechcemy, tym pewniejszymi być możemy, że albo my, albo nasze potomstwo stanie się ofiarą rozpaczy i zemsty ludu. [...]

Ale nie na tym dosyć: roztropność woła nas, abyśmy ubeśpieczywszy ludzi upewnili prawa wszystkich właścicieli ziemi. Dziwujemy się nędzy miast naszych, nie mamy żadnego, które by kwitnącym stanem zrównać się mogło z obcymi. Czemuż? Bo właściciel ziemi miejskiej nic nie znaczy w rządzie naszym, tak jak rolnik w prawach człowieka! [...] Kto by mi to dał, ażeby każdy nieuprzedzonym umysłem chciał rozebrać[3] tak wielkie pożytki z przyłączenia do rządu krajowego

---

[1] **ubeśpieczyć** – zapewnić.
[2] **w dzisiejszej rewolucji** – tym pojęciem Kołłątaj określa tylko przemiany społeczne i umysłowe w Polsce.
[3] **rozebrać** – rozważyć, ocenić.

rzeczonego stanu (tj. mieszczan). Jakaż by radość nie opanowała natychmiast serca tych obywatelów! Jaka wdzięczność nie łączyła ich najściślej z nami! [...] Jak wiele gorliwości, jak wiele dałoby się widzieć heroizmów! [...] Zgoła nowy lud dałby nową Rzeczypospolitej siłę, a my przez sprawiedliwe prawodawstwa wyroki zasłużylibyśmy na powszechne całej Europy uwielbienie, rzucilibyśmy postrach na nieprawych wolności naszej ciemiężycielów, zachęcilibyśmy z odległych krajów przyjaciół wolności, którzy nie wiedząc, gdzie się przed uciskiem schronić, idą za morze do ziemi Franklina i Waszyngtona[1]. Każdy starałby się Polskę mieć swoją ojczyzną! [...]

Polacy! Ośmielcie się, aby raz być narodem, a narodem prawdziwie wolnym!

* * *

STANISŁAW STASZIC

Uwagi nad życiem Jana Zamoyskiego
kanclerza i hetmana wielkiego koronnego, do dzisiejszego stanu Rzeczypospolitej Polskiej przystosowane

Fragmenty

Edukacja

„Zawsze takie rzeczypospolite[2] będą, jakie ich młodzieży chowanie" – tak Jan Zamoyski w *diploma*[3], swojej Akademii[4] nadanym, zaczyna [...].

Lecz, jako w edukacji nauką najpierwszą jest nauka moralna, tak w moralnej nauce zasadą najgruntowniejszą być powinna religia. [...]

Teologia, osobliwie *speculativa*[5], od edukacji publicznej być odłączoną powinna. Bo sposób uczenia się teologii jest zupełnie przeciwny sposobowi dochodzenia i poznawania natury. Pierwsza same prawdy wieczne powiada; druga dopiero szukać ich karze. [...] W kraju wolnym jedyną i pospolitą[6] edukacją być powinny szkoły rycerskie. Tam szkoła obywatela niech będzie razem szkołą rycerza. Każdy wolny obywatel z natury swojego stanu jest oraz rycerzem, czyli swojego kraju żołnierzem. Wolność bez niebezpieczeństwa własnej zguby, nikomu[7] powierzyć nie może swojej obrony. [...]

---

[1] **ziemia Franklina i Waszyngtona** – Ameryka Północna.

[2] **rzeczypospolite** – tu: republiki.

[3] *diploma* – akta nadania, przywileje.

[4] Jan Zamoyski założył w Zamościu w 1595 r. Akademię, przekształconą pod zaborem austriackim w szkołę średnią.

[5] **teologia** *speculativa* (łac., czyt. spekulatiwa) – teologia spekulatywna, zajmująca się dociekaniem istoty Boga.

[6] **pospolitą** – powszechną.

[7] **nikomu** – tzn. nikomu obcemu, sąsiadom lub wojskom najemnym.

Po skończonej edukacji szkolniczej zaczynać się powinna edukacja obywatelska, w której by kawaler młody to wykonywał, czego się uczył. [...]

Prawodawstwo

[...] Najpierwszym i najmocniejszym nieprzyjacielem sejmów, czyli prawodawstwa, jest osobiste dobro. Osobistość zawsze się względów domaga – prawa równość stanowią. [...]

Drugim błędem w sejmach polskich była jednomyślność, która sama tylko prawa robiła. [...] Człowiek często z sobą samym zgodzić się nie może, często dla niewiadomości nad wyborem swojego dobra z sobą samym długo i przykro kłóci się. Chcieć, aby wpośród kilkuset osób jednego głupiego nie było, jest to nie znać ludzi.

Szczęśliwość większej części obywatelów jest dobrem publicznym. Wola większej połowy narodu jest wolą powszechną. Głosów większość na sejmie prawa stanowić powinna. [...]

Władza wykonywająca[1]

[...] Oświeceńsze narody moc wykonywającą, czyli rząd do wszystkich należący, demokracją, rząd w ręce jednej części ludu oddany arystokracją, rząd powierzony jednej osobie monarchią nazwały. [...] Ta prawda wszędzie jest prawdą, że we wszystkich towarzystwach[2] ludzkich ten, który podług upodobania swojego prawa wydaje, jest wszystkim – ci, którzy go poniewolnie słuchać muszą, są niczym. [...]

Władza sądownicza

[...] To prawo jest godnym ludzi prawem: nikogo więzić nie będziemy, tylko przekonanego sądem[3]. Bogdajby w teraźniejszym rzeczy ułożeniu, gdzie niewola staje się człowieka potrzebą, zostawiło człowieczeństwo dla siebie w wszystkich krajach przynajmniej jedno to prawo! Ale gdzie takie jest prawo, trzeba aby sąd trwał nieustannym[4]. [...]

Wolne obieranie królów

[...] Polsko! wyrzekaj się czym prędzej tych wszystkich okoliczności przez które obce narody do twego rządu mieszać się łatwość będą miały. Dziś twój stan jest taki, że im mniej sposobów do wpływania w rządy twoje cudzoziemcom zostawisz, tym dłużej i lepiej sobie wewnętrzną spokojność upewnisz. Zgoda słabych zamocni.

Następstwo tronu Polskę od dalszego podziału zachowa. [...]

---

[1] dziś: wykonawcza.

[2] **towarzystwach** – społeczeństwach.

[3] **przekonanego sądem** – tzn. tylko na mocy wyroku sądowego. Jest to słynna zasada *neminem captivabimus*, gwarantująca szlachcie nietykalność osobistą, wywodząca się z przywilejów nadanych przez Władysława Jagiełłę w pocz. XV w.

[4] **aby sąd trwał nieustannym** – by istniała nieprzerwana możliwość rozpatrywania spraw w sądach, a nie tylko w okresach ustalonych sesji.

Polska

„Czemuż, daremna myśli, która wykonaną nie będziesz, przerywasz użyteczniejsze me prace? Czemu, maro miłości Ojczyzny, której już nie mam, przychodzisz tak rano kłócić mojej duszy spokojność?" [...] Tak sobie rozmyślając, spostrzegłem ku polskiej stronie – pod górą na dole – bydła, koni, wozów, kobiet, dzieci i mężczyzn gromadę. Widząc tamże rozległy na milę zapust[1], po którym ornych niegdyś zagonów jeszcze wznosiły się grzbiety, domyślałem się, że jest to nowa obsada. Pobiegłem ku niej z radością. Błogosławiąc, chciałem jej życzyć szczęśliwego początku.

Moja radość trwała niedługo. Usłyszałem, że są to ludzie, którzy uciekają z Polski za granicę z tych przyczyn: że złych mieli panów, na których sprawiedliwości nie mają, że chłop polski większy daje podatek niżeli chłop zagraniczny, że za granicą sprawiedliwość, obronę i bezpieczeństwo majątku ich stanu człowiek odbiera, przychodnie podatku żadnego przez 10 lat nie zapłacą i ich dzieci do żołnierzy brane nie będą *etc.* Z żałością mówiłem do nich: „A komu się uskarżycie, jeżeli wam nie dotrzymają tej obietnicy?" – Odezwało się kilka razem: „W tym kraju nie dotrzymać mam słowa może tylko jeden monarcha; w Polszcze każdy szlachcic". Na to odpowiedzieć nie umiałem. „Szczęść wam Boże", rzekłem tylko. [...]

Przestrogi dla Polski

Do panów czyli możnowładców

Fragmenty

[...] Powiem, kto mojej ojczyźnie szkodzi.

Z samych panów zguba Polaków. Oni zniszczyli wszystkie uszanowanie dla prawa. Oni, rządowego posłuszeństwa cierpieć nie chcąc, bez wykonania zostawili prawo. Oni zupełnie zagubili wyobrażenie sprawiedliwości w umysłach Polaków. Oni prawo zamienili w czczą formalność, która tylko wtenczas ważną była, kiedy prawo ich dumie, łakomstwu i złości służyło. [...]

Kto na sejmikach uczy obywatela zdrady, podstępów, podłości, gwałtu? – Panowie. Kto niewinną szlachtę, najpoczciwiej i najszczerzej ojczyźnie życzącą, oszukuje, przekupuje i rozpaja? – Panowie. Kto od wieku robił nieczynną władzę prawodawczą, rwał sejmy? – Panowie. Kto sądowe magistratury zamieniał w targowisko sprawiedliwości albo w plac pijaństwa, przekupstwa, przemocy? – Panowie. Kto koronę przedawał? – Panowie. Kto koronę kupował? – Panowie.

Kto wojsko obce do kraju wprowadził? – Panowie.

Kto od pewnego czasu, niby to czynność sejmu powracając, zamienił wolę narodu w wolę dworu moskiewskiego? – Panowie. Kto przedawał Polaków? – Panowie. Kto przy rozbiorze kraju brał zagraniczne pensje? – Panowie. [...]

---

[1] **zapust** – zapuszczony, zaniedbany grunt.

Tak jest: panowie przyprowadzili kochaną ojczyznę do tego stopnia upadku, słabości i wzgardy, z której ją dzisiaj z taką trudnością – dla przeszkody tychże panów! – sama szlachta dźwiga.

Rozpustni, lekkomyślni, chciwi i marnotrawni, dumni i podli, dzielność praw zniszczywszy, na wszystkie namiętności wyuzdani panowie byli w Polszcze[1]. [...]

Konstytucja 3 Maja 1791 r. – preambuła[2]
Obl[atum][3] de 5 Maii 1791

USTAWA RZĄDOWA
[3 maja 1791 r.]

W imię Boga w Trójcy Świętej jedynego. Stanisław August z bożej łaski i woli narodu Król Polski, Wielki Książę Litewski, Ruski, Pruski, Mazowiecki, Żmudzki, Kijowski, Wołyński, Podolski, Podlaski, Inflancki, Smoleński, Siewierski i Czernichowski, wraz z Stanami Skonfederowanymi i w liczbie podwójnej naród polski reprezentującymi.

Uznając, iż los nas wszystkich od ugruntowania i wydoskonalenia konstytucji narodowej jedynie zawisł, długim doświadczeniem poznawszy zadawnione rządu naszego wady, a chcąc korzystać z pory, w jakiej się Europa znajduje i z tej dogorywającej chwili, która nas samym sobie wróciła, wolni od hańbiących obcej przemocy nakazów, ceniąc drożej nad życie, nad szczęśliwość osobistą, egzystencję polityczną, niepodległość zewnętrzną i wolność wewnętrzną narodu, którego los w ręce nasze jest powierzony, chcąc oraz na błogosławieństwo, na wdzięczność współczesnych i przyszłych pokoleń zasłużyć, mimo przeszkód, które w nas namiętności sprawować mogą, dla dobra powszechnego, dla ugruntowania wolności, dla ocalenia Ojczyzny naszej i jej granic, z największą stałością ducha niniejszą konstytucję uchwalamy i tę całkowicie za świętą, za niewzruszoną deklarujemy, dopóki by naród w czasie prawem przepisanym wyraźną wolą swoją nie uznał potrzeby odmienienia w niej jakiego artykułu. Do której to konstytucji dalsze ustawy sejmu teraźniejszego we wszystkim stosować się mają.

---

[1] niniejsza charakterystyka możnowładców pomija oczywiście fakt, że i w tej warstwie znajdowali się ludzie zasłużeni dla kraju.

[2] **preambuła** – wstęp do aktu prawnego dużej rangi; od łac. *preambulus* – idący przodem.

[3] *oblatum* (łac.) – wniesione do akt, zarejestrowane.

JULIAN URSYN NIEMCEWICZ

Powrót posła

Scena 4, akt II

SZARMANTCKI

ufryzowany, z wielkim halsztukiem[1] i w fraku eleganckim, rzuca się na Walerego i całuje go

Pozwól się, przyjacielu, na łono twe rzucić,
Ucałować, przypomnieć w tej przyjaźni świętej,
W młodych leciech w konwikcie[2] tak czule powziętej,
Wiek minął, jakeśmy się z sobą rozdzielili,
Panowie tu na nowo Polskę przerobili,
Ledwiem ją poznał, kiedym wrócił z zagranicy.
Lecz jak to? lato całe strawiłem w stolicy:
Nigdzie nie spotkać?

WALERY

               Mocno tego żałowałem;
Moje zabawy, domy, które uczęszczałem,
Może, że nie te były, kędyś waćpan bywał.

SZARMANTCKI

Wtenczas u Kolsonowej[3] najwięcejm przebywał,
W ulicy Ujazdowskiej. Wpośród pracy takiéj
Jakżeś też nie wyjechał i razu na raki?

WALERY

Prawdziwie, że się tego nieskończenie wstydzę;
Lecz słodzę stratę, kiedy dziś waćpana widzę.
Jak długo odwiedzałeś waćpan cudze kraje?

SZARMANTCKI

Rok tylko, alem przejął wszystkie ich zwyczaje.
Prawdziwie, już nie mogłem w ojczyźnie usiedzić:
Najprzód, ojciec mi kazał w sprawach się swych biedzić,
Jeździć po trybunałach, to śliczne zabawy!
Wolałem przegrać dobra niż pilnować sprawy.

---

[1] **halsztuk** (z niem.) – szeroki krawat wiązany wysoko pod brodą.
[2] **konwikt** (z łac.) – szkoła, zwykle przyklasztorna, z internatem.
[3] **Kolsonowa** – właścicielka modnej restauracji w Warszawie.

W rok zdało mu się oddać mię do gabinetu[1],
Porzuciłem: nie umiem dochować sekretu.
Dalej, próbując mojej w żołnierce ochoty,
Nabył dla mnie chorągiew w rejmencie[2] piechoty;
I to mi się sprzykrzyło. Przecież Opatrzności
Zdało się ojca mego przenieść do wieczności.
Zobaczywszy się panem znacznego majątku,
Z radości nie wiedziałem, co robić z początku...

poprawiając halsztuka i desynując[3] się

To prawda, że Bóg człeka stworzył dosyć ładnie:
Żeby jednak wykształcić figurkę dokładnie,
Chciałem Paryż odwiedzić; dobra więc dzierżawą
Puściwszy, rozstałem się z kochaną Warszawą.

WALERY

Toś się waćpan podówczas w Paryżu znajdował,
Gdy rewolucja, gdy się ów zapał zajmował?[4]

SZARMANTCKI

To mię też zamieszanie z Francji wypędziło.

WALERY

Właśnie wtenczas w tym kraju zostać się godziło,
Patrzyć na naród dzielny, długo uciskany,
Który poznawał siebie i rwał swe kajdany,
Jak na gruzach tyranii wyniósł rząd swobodny:
Był to widok człowieka rozsądnego godny.
Pewnieś się waćpan starał widzieć i być wszędy,
Zważałeś ich ustawy, a nawet i błędy?

SZARMANTCKI

Wyznam waćpanu: nie wiem, co się z nimi stało,
Bo mię wszystkie ich czyny obchodziły mało.
Dziękuję za tę sławną i wolność, i trudy:
Nie uwierzysz, w Paryżu jakie teraz nudy.
Nic na świecie tak wielkiej nie nadgrodzi szkody;
Panienek ani ujrzeć, teatra, ogrody,

---

[1] **gabinet** – tu: kancelaria królewska.

[2] **rejment (regiment)** – oddział wojska.

[3] **desynując się** – układając, poprawiając mój wygląd.

[4] mowa o Wielkiej Rewolucji Francuskiej, która rozpoczęła się 5 maja 1789 r.

Bulwary¹ i foksale² są prawie bez ludzi;
Człowiek nie ma co robić, cały dzień się nudzi.
Raz, pamiętam, wyszedłem kupować guziki
Do pąsowego fraku; kupcy, czeladniki,
Jak gdyby ich umyślnie obrano z rozsądku,
Na warcie strzegli w mieście dobrego porządku:
Tak mię to rozgniewało, żem się wraz zawinął
I czym prędzej przez Kale³ do Anglii popłynął.

WALERY

Przynajmniej ten kraj sławny, tak rozsądnie wolny,
Zastanowić uwagę waćpana był zdolny?
Rząd jego, rękodzieła i ustaw tak wiele
Dłużej go zatrzymały?

SZARMANTCKI

                    Tylko trzy niedziele
Bawiłem w Anglii: srodze powietrze niezdrowe.
Kupiłem dwie par sprzączek i szpadę stalowę;
Byłem na Parlamencie: tak jak u nas, krzyki.
Lecz za to, co za sklepy, łańcuszki, guziki,
Kursa koni! to w świecie najlepsza ustawa!
Ach! przyjacielu, co to za szczęście, zabawa;
Tych się cudzoziemcowi opuścić nie godzi.
Co to za widowisko! człek w głowę zachodzi,
Nie możesz pojąć, jeden za drugim jak leci
Na takich koniach, ot tak prawie małe dzieci.
Pamiętam, dnia jednego śmiech mię bierze pusty,
Angielczyk jeden, z małą peruczką i tłusty,
Przegrał niezmierny zakład, w zapalczywym gniéwie
Chciał koniowi w łeb strzelić; przypadam szczęśliwie,
Daję sto funtów: i tak od śmierci niebogę
Uwalniam, biedną klaczkę, gniadą białonogę.
Potem fraszek kupiwszy moc na darowizny,
Powróciłem nareście do matki ojczyzny.
Kiedym ja się tak bawił, pan, sławą okryty,
Chodził ustawnie koło Rzeczypospolitéj,
Wpośród obywatelskich trawił czas swój trudów:
Winszuję bardzo ustaw, nie zazdroszczę nudów.

---

¹ **bulwary** (z fr.) – szerokie ulice spacerowe wysadzane drzewami.
² **foksal** (z fr.) – ogród miejski służący do zabaw.
³ **Kale**, właściwie Calais – port francuski.

WALERY

Ta przyjaźń, z którąś waćpan raczył mnie uprzedzić,
Jeżeli mi pozwala prawdę mu powiedzieć,
Powiem: że to bez zysku żadnego jeżdżenie
Wymówić chyba może wiek, niedoświadczenie.
Odtąd innym winieneś zatrudnić się celem:
Pamiętać, żeś Polakiem, żeś obywatelem,
Żeś najpierwsze twe winien ojczyźnie usługi.

SZARMANTCKI

Mam się znów dosługiwać? To sposób zbyt długi!
Urzędy, dostojeństwa, słowem, wszystkie żądze
Łatwe do dostąpienia, gdy człek ma pieniądze;
Będą się kłaniać, chociaż nie będę pracować.

WALERY

Będą się kłaniać, ale nie będą szacować;
Publicznego szacunku ten tylko bezpieczny,
Kto cnotliwie pracując ludziom pożyteczny.
Ale go nie otrzyma, kto tylko próżnuje.

SZARMANTCKI

Chcesz, bym był posłem na sejm, co dziś następuje?
Bardziej się jeszcze znudził jak tu waćpanowie?
A dobrodzieju! wolę nade wszystko zdrowie.
Lata przeszłego, gdyście na sesjach siedzieli,
Gdyście się przez dzień cały męczyli, krzyczeli,
Ja, z pudrem i z pomadą włos sczesawszy wonną,
Wsiadłszy w mą karyjolkę[1] alboli też konno,
Obleciałem Mokotów, Wolę, Królikarnię,
Łazienki i Powązki, czasem Bażantarnię;
Wieczorem, przebrawszy się, przy powiewnym chłodzie,
Łajałem wraz z drugimi sejm w Saskim Ogrodzie;
Wypiłem z przyjaciółmi ponczu dużą czarę,
Zjadłem brzoskwiń, morelów za dukatów parę;
Potem koło dziesiątej, kończąc dzień przyjemny,
Foksalowe zabawy okrywał mrok ciemny[2].

---

[1] **karyjolka (kariolka**, z wł.) – odkryty powóz na dwóch kołach.
[2] **Mokotów... foksalowe** – nazwy modnych wówczas miejsc spacerowych w Warszawie.

WALERY

Gdyby tak każdy żyć chciał, czym by Polska była?

SZARMANTCKI

Nie wiem, co by z nią było, leczby się bawiła! [...]

* * *

JÓZEF WYBICKI

Pieśń legionów polskich
we Włoszech

Jeszcze Polska nie umarła,
Kiedy my żyjemy.
Co nam obca moc wydarła,
Szablą odbierzemy.
    Marsz, marsz, Dąbrowski,
    Do Polski z ziemi włoskiéj,
    Za Twoim przewodem
    Złączem się z narodem.

Jak Czarnecki[1] do Poznania
Wracał się przez morze
Dla ojczyzny ratowania
Po szwedzkim rozbiorze.
    Marsz, marsz...

Przejdziem Wisłę, przejdziem Wartę,
Będziem Polakami.
Dał nam przykład Bonaparte,
Jak zwyciężać mamy,
    Marsz, marsz...

Niemiec, Moskal nie osiędzie,
Gdy jąwszy pałasza,
Hasłem wszystkich zgoda będzie
I ojczyzna nasza.
    Marsz, marsz...

---

[1] powinno być: Czarniecki. **Stefan Czarniecki** (1599-1665) – hetman polski koronny, wybitny wódz.

Już tam ojciec do swej Basi
Mówi zapłakanéj:
„Słuchaj jeno, pono nasi
Biją w tarabany[1]".
    Marsz, marsz...

Na to wszystkich jedne głosy:
Dosyć tej niewoli,
Mamy racławickie kosy,
Kościuszkę Bóg pozwoli.
    Marsz, marsz...

Mazurek Dąbrowskiego

Jeszcze Polska nie zginęła,
Kiedy my żyjemy.
Co nam obca przemoc wzięła,
Szablą odbierzemy.
    Marsz, marsz, Dąbrowski,
    Z ziemi włoskiej do Polski,
    Za Twoim przewodem
    Złączym się z narodem.

Przejdziem Wisłę, przejdziem Wartę,
Będziem Polakami.
Dał nam przykład Bonaparte,
Jak zwyciężać mamy,
    Marsz, marsz...

Jak Czarniecki do Poznania
Po szwedzkim zaborze,
Dla ojczyzny ratowania
Wrócim się przez morze.
    Marsz, marsz...

Mówił ojciec do swej Basi
Cały zapłakany:
„Słuchaj jeno, pono nasi
Biją w tarabany".
    Marsz, marsz...

---

[1] **tarabany** – podłużne bębny używane w ówczesnym wojsku.

A
Mingled Chime

A DA CAPO PRESS REPRINT SERIES

The Lyric Stage

GENERAL EDITOR: DALE HARRIS

SARAH LAWRENCE COLLEGE

A
Mingled Chime

AN AUTOBIOGRAPHY BY

SIR THOMAS BEECHAM, BART.

DA CAPO PRESS · NEW YORK · 1976

Library of Congress Cataloging in Publication Data

Beecham, Thomas, Sir, bart., 1879-1961.
  A mingled chime.

  (The Lyric stage)
  Reprint of the ed. published by Putnam, New York.
  1. Beecham, Thomas, Sir, bart., 1879-1961.
  2. Conductors (Music)—England—Biography. I. Title.
  [ML422.B33A2 1976b]   785′.092′4 [B]   76-40182
  ISBN 0-306-70791-8

This Da Capo Press edition of *A Mingled Chime* is an unabridged
republication of the first edition published in New York in 1943.
It is reproduced from an original in the collections of
the Memorial Library, University of Wisconsin.

Published by Da Capo Press, Inc.
A Subsidiary of Plenum Publishing Corporation
227 West 17th Street, New York, N.Y. 10011

Manufactured in the United States of America

A MINGLED CHIME

A
Mingled Chime

AN AUTOBIOGRAPHY BY

SIR THOMAS BEECHAM, BART.

G. P. PUTNAM'S SONS, NEW YORK

Designed by Robert Josephy

To
BETTY

CONTENTS

Contents

A MINGLED CHIME

I. INFANCY

In planning this book I made the proper resolution to set down nothing that I had not seen or heard for myself. I therefore left the opening chapter until the end, hoping that the shadowy impressions of my earliest days might by that time have taken a more tangible shape. But, to my dismay, that far-off period continued to be as vague as ever, and it was clear that if I were to give any account of it all, I should have to seek the aid of others who were then on the scene. There was the alternative of leaving it out entirely and beginning my tale at a point of date where my remembrance of the past was less uncertain. But if we are to believe with Wordsworth that the child is father to the man, it would be only natural that even "in the silken sail of infancy" I gave forth some sign, no matter how insignificant, of the way I was later to go, which ought to be faithfully recorded here.

Among my distinguished contemporaries there is hardly one who cannot trace back the origin of his talent to an unbelievably early age; and although I knew well that such phenomenal accomplishment had never been mine, I must surely have shown some bent for, or anyway taken some interest in the art which was to be the main preoccupation of my life. But the trouble about gathering knowledge from other persons is the comparative unreliability of their testimony. This anyone will endorse who has observed the distracted efforts of half a dozen different witnesses in a law action to describe the same event; and certainly no magistrate of experience would dissent from the opinion of Pilate in the first, and Pirandello in the twentieth century, that final truth is beyond human discovery. Yet in rare cases the elusive goddess has been known to disclose, if not the whole, at least a small part of her mysterious countenance. And so might it be in mine if I approached the shrine in humble mood and with honest intent.

A survey of likely sources of information led to the unwelcome discovery that the only person available for my purpose was an aged relative, whose society I had hardly been sedulous in cultivating for twenty years past and whose reception of me might be far from gracious. But no other choice offered itself, and bracing myself for the ordeal I set out to drop my pitcher of enquiry into the forbidding well of family judgment. Should any man desire to know, I will not say the truth, but the next worst thing about himself, let him hasten to his nearest of kin. There he will look into a mirror which diminishes the reflection of his personality as effectively as the wrong end of an opera glass lessens the size of objects upon the stage, and he will see himself just as the disillusioned Hoffman saw all around him after the loss of his magic spectacles.

Without question there are times when silence is the wiser portion of narrative, and none ever understood this better than the author of *Tristram Shandy* in his discreet handling of Uncle Toby's romantic adventure with the Widow Wadman. For when that gallant old fellow went a-wooing, two of the chapters given up to this immortal affair, which with a less tactful author might have been as overflowing with impertinent detail as a cinema love scene, are left wholly to the chaste imagination of the reader. In like manner I might have advantageously dropped the curtain here for a few blank moments and, raising it again at a more satisfactory stage of my story, spared myself the chagrin of a confession truly humiliating, had I not consecrated myself to the upright spirit of candid avowal. For whether it be in one of those capacious tomes of a thousand and one pages, some slenderer volume, or even an illustrated article for a popular magazine, we are always invited to believe that the hero of the tale performed fabulous feats while hardly out of the cradle. In one instance we may read how the mighty atom of virtuosity committed to memory the entire well-tempered clavichord of Bach before mastering his alphabet. In another there is a beautiful account of an oratorio for double chorus and orchestra, all composed at the age of five and informed with the deepest religious feeling. Not all of our prodigies scale such heights as these; but there is never wanting in the least remarkable of them some touch of that divinity which separates him from the common-or-garden little boy and betrays from the very beginning the presence of Apollo and his sacred Nine.

None of this god-like dispensation was my lot, and nothing could shake the tenacious recollection of the revered relic of my clan that I as a small child had not the slightest taste or aptitude for the arts. Indeed I was the most ordinary and, in some ways, the most satisfactory kind of youngster any parents could wish to have. I disliked noise of any sort, never indulged in it myself, was a model of taciturnity and gentle melancholy, and altogether an embryonic hero for a Bulwer-Lytton novel. My mother, feeling now and then some uneasiness on my account, would talk rashly of calling in expert opinion to solve the problem. But my father, who had a larger share of this world's prudence, was profoundly grateful for the unexpected blessing that had come his way and, fearful lest something might suddenly happen to bring it to an end, always managed to restrain her from doing anything of the kind.

But did I think of nothing or fail to find an interest in something all those months and years I sat in my corner and silently looked out on the world? Indeed I thought long and earnestly, but never for a moment about music, poetry or pictures. The whole world of beauty and romance was summed up for me in clothes, and never did I weary of regarding them and reflecting on their wonder and meaning. And the longer I think about it, the more I question if there can be any more fitting subject for the growing mind to exercise itself upon, and whether it has ever been studied by any writer, ancient or modern, with the high seriousness it deserves. Otherwise we should have been told long ago what

Helen of Troy wore when she went off with Paris, what Venus herself tried on when she first emerged from her island water, how Romulus came by his famous red boots and why he fancied this particular color. Things like these, were they known, would throw more real light on the culture of the antique world than three-quarters of the repetitious narration found in the bulk of its chronicles; and although I have now and then wondered if the lost books of Livy contained something to enlighten us, the chances are against it if we take into account the indifference of the average historian to most subjects in which posterity is genuinely interested. The great task remains unattempted, and I commend it to some of our present day scribes who are groping about for fresh material, with much the same success as rewarded Diogenes' search for an honest man.

My impressions of the fashions of that day would fill a dozen ladies' journals, but one or two specimens only of the taste of the last quarter of the nineteenth century will be noted here, as despite the doctrine of the Eternal Return, we may not see them again in our time. My father took pride in some special articles of apparel for the ceremony of smoking, then a luxury enjoyed in moderation at appointed times only, but now a necessity practised universally and on every possible occasion in and out of season. Even the sanctity of the dinner hour has been profaned by its more abandoned addicts, to the misery of that dwindling minority which still retains an appreciation of good food and fine wine. In our establishment it was sternly disallowed in most rooms and barely tolerated in any; and for the due fulfillment of the rite my father had to ascend to a remote den on the top floor, sometimes with a few congenial devotees but more frequently alone. There he would put on a cap of Turkish design crowned with a long flowing tassel, and a richly colored jacket decorated with gold-braided stripes and silver buttons. On the rare occasions I was admitted to this holy of holies, I would gaze upon this gorgeous spectacle with rapture while my sire puffed away in placid and silent content, absorbed in reflections which I felt sure were of world-shaking import.

Less impressive but equally exotic were my grandfather's trousers, which in those days were to be seen only on
octogenarian farmers in distant parts of the land. Voluminous in
build, of rough and thick material and variegated in hue, they
perpetuated a design that was probably of vast antiquity. We know
that as far back as the epoch of the Flavian emperors, Britons wore
trousers of a staggering amplitude that provoked high hilarity
among the wits of Rome; and there is no reason why, in a conservative country like England, this particular model should not
have survived throughout eighteen hundred years in undiminished
integrity. Hitched well up to the chest and minus that disfiguring
line of division in the facade, which only an inartistic age could
tolerate for a moment even on the grounds of utility, there were
no visible means of entrance or exit. And as I never had the courage to ask, I daily worried my young brains near to distraction over
the way he both got into and out of them.

I shall refrain from describing how my curiosity was
aroused by the wardrobe of the distaff side of the family, as I
should not like it to be thought that I am wanting in domestic
piety: indeed I am as full of it as was the great Eneas himself. But
there was one specimen in it which I cannot pass over, for the
reason that it effected a powerful revolution in my entire mental
equipment and was responsible for the cast it has taken on ever
since. This was my grandmother's bustle. The ordinary contraption
of the kind is designed confessedly to disclose or hide, add or sub-
tract, according to the needs of the case. But the bustle must be
in a class by itself, for no one has ever been able to explain to me
its precise purpose; and it would seem more akin to one of those
inexplicable ornaments we see on Gothic churches, which have
little or no apparent connection with the main design. But whatever it was, or howsoever it arose, it was the first potent revolutionary influence in my life and the source of my earliest
disenchantment. For I lived long under the agreeable delusion that
it was no garment at all, but a portion of my venerable relative's
own person; and it is hard to imagine and impossible to describe

the shock to my youthful senses the day she arrived without it, bustles just about then beginning to go out of fashion. That same hour I became a philosopher, filled with a lively appreciation of the mutability of all earthly things; a fully fledged disciple of Heraclitus to whom had been vouchsafed a revelation as miraculous as it was complete.*

My own habiliments were mainly of that picturesque species which certain doting mothers inflict upon their helpless offspring, thereby exposing them to the derision of those luckier infants who can roll in the mud and split their pants to their hearts' content without drawing wailings and reproaches from solicitous nannies. And as my discontent was increased by the possession, long after it was due for removal, of a luxuriant crop of curls which excited the malevolent attention of every other boy or girl who came anywhere near it, life on the whole was a grim and bitter business for me. My pleasantest moments were our annual visits during the summer months to the seaside, where the whole family renewed its amphibious nature after the immemorial fashion of every inhabitant of the British Isles. There I was permitted to shed my detested finery, and it was during one of these excursions, I am happy to relate, that I lapsed temporarily from that lofty level of moral perfection which was both the pride and perturbation of my circle.**

* I never look back upon that landmark in my earthly experiences without repeating to myself the words of the sublime Seneca, who has written more eloquently on such matters than anyone else before or since.

Ommia tempus edax depascitus, omni carpit,
Omnia sede movet. . . .

** The opinion I have expressed about the value of corroborative testimony is amply confirmed by an incident which occurred after the completion of this chapter. During the summer of 1942 while in Los Angeles I renewed acquaintance with my second nurse, who took charge of me when I was about six. This clear-minded and vigorous old lady, so far from supporting the legend of my moral impeccability, declared roundly that I was a more than ordinarily mischievous urchin, to whom she delighted (as often as her conscience permitted) to administer corporal chastisement. She lamented, however, that her good intentions were not always appreciated by some of the family, and on one occasion my grandfather, resenting what he thought to be an ill-timed effort of disciplinary zeal, threatened retaliation upon her with an umbrella of Magog-like dimensions unless she at once desisted.

It was at Southport, that most untypical of watering places, where the sea goes out daily about three-quarters of a mile, leaving broad stretches of dry hard sand that reach nearly to the next town. On these ran wooden ships built upon wheels and propelled by sails, each holding twenty or thirty passengers and traveling at a really formidable speed over a surface as smooth as a billiard table. Into one of them I crept like a stowaway when no one was looking, attached myself to a kindly looking female and was off and away hundreds of yards before my absence was discovered and a small army of persons set to roam the beach in search of me. Fortunately my father was not on the spot, or I should have been made to realize the enormity of my crime, according to the method approved by the wisest of Israel's rulers. But my mother and nurse, with that blessed disposition of all good women, were so overjoyed at my safe return that I was not only fully forgiven but awarded an extra helping at my tea of the principal delicacies of South Lancashire, fresh potted shrimps and Eccles cakes, ecstatic joys in those days and still very appetizing trifles to a palate that has grown, like Iago, nothing if not critical.

2. EARLY CHILDHOOD

Thus my existence moved onward in silence and contemplation until my sixth year, when I was taken to my first concert. It was a piano recital, and a series of new pieces by Grieg gave the program a distinction we find none too frequently in events of this kind nowadays. Long after I had been put to bed that evening I lay awake thinking hard about my novel experience, and the music revolved distractingly in my head over and over again like a blatant merry-go-round at a country fair. Suddenly a daring idea came to me: I got out of bed, went downstairs to the drawing room where I heard voices, opened the door and walked in. There I found several of the family as well as my nurse, to whom my mother was giving some orders, and amid profound and astonished silence I advanced to the middle of the floor and said: "Please may I learn the piano?"

The spectacles fell from my grandfather's nose as if removed by magic; the book he was reading dropped just as precipitately from my father's hands to the floor; my mother tried to scream but surprise had deprived her of voice, and my old nurse, nicknamed Tiny, who was of immense physique and suffered from heart trouble, burst into tears and nearly fainted away. I was hurried quickly out of the room and submitted to an exhaustive examination, as if I had been a complicated piece of machinery run down in some vital part; but as nothing untoward was revealed I was returned to bed, and the little party went below again to determine what was to be done next. The debate was long and animated but, once the shock of bewilderment had worn off, it began to be glimpsed that the crisis was less physiological than spiritual.

The following day the Don Basilio of our establishment, the local organist, was called in, and I was made to undergo another rigorous but this time aesthetical inspection. This excellent man, who derived most of his income from teaching the piano and the rudiments of music to the children of half the families in the district, pronounced emphatically that I was suffering from a long suppression of the artistic instinct and should be given relief without delay. I must have had some innate, if unconscious, acquaintance with the great Carthusian principle—"Now or when," for to his evident satisfaction I decided to have my first lesson there and then. I was promptly placed before the keyboard, and for a few minutes several pairs of eyes watched, as breathlessly as if Liszt or Rubinstein were upon the stool, my attempts to penetrate the mysteries of five consecutive notes. In this modest and not unromantic fashion was I introduced to the divine art.

I found the lessons wholly to my liking. There was sometimes a little practice and always a great deal of conversation, or rather monologue, on the part of my master. He was a singleminded enthusiast, with Mozart as the object of his worship, and any criticism or depreciation of his idol, however guardedly expressed, never failed to arouse in him a storm of agitation and disgust. Some of this adoration, I fear, proceeded more from faith than learning, for one of his favorite compositions was the notorious *Twelfth Mass*, much of it obviously the production of another hand. But a small Lancashire town of the eighties was hardly the place where nicety of taste or scholarship was likely to be found "in excelsis," and I am not ashamed to confess that for many years I shared his guilty attachment for this pleasant example of musical forgery.

Discovering that what I loved best to hear were the stories of the operas, he would relate to me at almost every visit those of *Figaro*, *Don Giovanni*, and *The Magic Flute*, punctuating the narrative with excerpts from the better known vocal and instrumental numbers. And so it came about that, almost before I had struggled through my scales, the joyous shapes of Susanna, Zerlina, Cherubino, and Papageno were nearly as living to me as the real people I saw daily in my home. It was an agreeable system of instruction, if possibly not the soundest on which to found a method of pianoforte playing; for though I worked along conscientiously enough to acquire an early knowledge of the gentle flights of Dussek and Clementi, the glamour of the stage, even if seen from afar, gradually dissipated much of that other and earlier spell laid upon me in the concert room. A longing for a nearer view of my enchanted world began to take possession of me, but this was not easy to gratify, as my age was considered far too tender for the profane contact of the theater.

The mechanical genius of the present age has decreed that if Mahomet cannot go to the mountain, then the mountain must go to Mahomet; or, in other words, if man does not want to go forth in search of music, he can stay comfortably at home and have it brought to him there. But even in those unenlightened days we had our makeshifts for the genuine article. My father nourished a passion for musical boxes of every description, and the house almost overflowed with them. Some were cunningly designed as bits of ordinary domestic furniture or objects of common use, and the visitor who hung up his hat on a certain peg of the hall rack, or who absent-mindedly abstracted the wrong umbrella from the stand, would be startled at having provoked into life the cheerful strains of William Tell or Fra Diavolo. But others were serious and solid affairs, elaborate of build, full of strange devices and bringing forth sounds of elfin delight. That delicate tintinnabulating tone, those laughing cascades of crystalline notes, that extravagance of ornament truly rococo, the comic battery of drums and other tiny clattering things, how I loved them then, and how I lament their absence now! For they would seem to have vanished utterly from the earth like a part of some submerged civilization, and though I have wandered over most of the land of their origin in search of surviving specimens, a generation has grown up to which they are almost as unfamiliar as the velocipede or spinning wheel. And yet to have them back again I would cheerfully throw into the sea or on to the dust heap most of those triumphs of modern invention which claim to be trustworthier instruments of reproduction.

I am often asked if it is not all to the good that music should be conveyed, no matter how, to tens of thousands who knew nothing of it before. It is an artful question, not to be answered after the style of a witness in the box by a plain yea or nay; and I reply by countering with another from my side. Can some of these whirrings and whizzings, these metallic dronings and lugubrious whinings be said to be music at all? But if I don't like the sound, surely I must admit that some of the spirit of the great masters is there. Yes, I do, and just about as much as there is of the real thunder of Jupiter in the little box that Calchas the Soothsayer carries about with him in Offenbach's *La Belle Heléne*. I am beginning to think that a certain supersensory percentage of the human tribe of today must be evolving in a way that enables it to absorb music through some other medium than their ears alone. Not otherwise can I account for the growing disregard, even among musicians, of what is after all an important element in music, sound. What largely distinguishes good music from bad is the beautiful sound of the one as compared with the ugly sound of the other, and the nice question arises to which I have yet to receive a plain answer. Does music which is beautiful when played exactly in accordance with its composer's intentions, and which is made to sound ugly by being played under totally different conditions, remain good or turn bad? But my musical boxes, what of them? Although toys, and none pretended they were anything better, they were lovely toys and harmless to offend the most fastidious ear. Hearing them render anything grave or monumental suggested tiny copies of Michael Angelo or John of Bologna done in Dresden or Chelsea porcelain, and if one could not help laughing, at all events the laughter was kindly and affectionate.

It was the custom during the greater part of the nine-

teenth century, while they were building up their businesses, for
Lancashire merchants and manufacturers to live on or very near
the premises where their warehouses or factories were located, and
work started at six in the morning. But in the eighties there came
a relaxation of this Spartan régime, employers and employees alike
were allowed to remain a little longer abed, and the increase of
branch railway lines gave easier access to the adjacent country, enabling those who could to move out of town. It was in my seventh
year that we left St. Helens for Huyton, a village six miles southward and half way on the road to Liverpool. Our new home was a
moderate-sized but commodious mansion, and my father, whose
chief hobby after music was building, lost no time in adding a
large wing of which the ground floor was a single room of small
concert hall dimensions. The front of the house had a clear view
over several miles of meadows to a rising slope which was the limit
of our horizon, and beyond it was a gradual descent through fields
to other villages and the river Mersey. On the edge of the ascent
was a picturesque group of fourteenth century buildings which had
formerly been a monastic establishment. Of these only the Abbey
Church remained ecclesiastical property, the remainder having
been divided into two parts and converted into an imposing castel-
lated house and a delightful country inn. The latter with its terraces
and sunken bowling green was a favorite spot of ours for drives
and picnics, and in later years when I was in the neighborhood for
concert or opera performances, I often went out to stay a day or
two there in preference to the huge modern hotel in Liverpool.

There was a private school about a hundred yards beyond the bottom of our garden, and to it I was sent to pick up
those rudiments of instruction which have harassed the soul of
every small child for the past two thousand years, and which no
one ever seems to question must be the basis of all human knowledge. But I have to confess that during my first year or two I was
a thoroughly idle and indifferent pupil and much preferred to be
at home, especially in the music room where had now been installed a pipe organ, an American organ, a concert grand piano,

and musical boxes of every kind. My mother disdained the services of a housekeeper and ruled her little domain very much as my father did his business, giving personal attention to every side of it. She enrolled me in her service whenever she thought I had not enough to do to keep me out of mischief, more especially on Sundays when I was sent into the kitchen to assist in the preparation of the midday meal. Invariably an ample loin of beef was roasted on a spit before an immense fire, and like the young Tournebroche my function was to keep it in motion, pouring and repouring over the meat the juice which flowed from it.* While this, the major part of the ceremony, was going on, there would be cooking of Yorkshire pudding, pies, and pastries in the back kitchen, and during the final stage my mother would appear arrayed in a beautiful silk dress with sleeves rolled up, to appraise our labors and give the finishing touches to everything with her own hands.

In spite of my disinclination for regular scholastic work, I was not wanting in industry where my real interest was excited. I had learned to read at a very early age, and as we had an excellent library I dipped into everything I could understand from boys' tales of adventure to Shakespearean plays. It was in my eighth year that it was discovered I had an unusually retentive memory. Seeing me one day with a copy of *Macbeth*, my father suggested that I learn a portion of it (one of the witches' scenes) for recitation before a party of friends. When at the end of my performance one of the guests asked if I knew any more, I replied by giving him the rest of the act and, encouraged by the praises I received, had the entire play on the tip of my tongue in a few days' time. But the recollection of verse, although not of prose, was always a natural and unlabored process of mind with me, particularly

---

* "*J'avais six ans, quand, un jour, rajustant son tablier, ce qui était en lui signe de résolution, il me parla de la sorte:*

'*. . . Miraut, notre bon chien, a tourné ma broche pendant quatorze ans. . . . Mais il se fait vieux. . . . Jacquot, c'est a toi, mon fils, de prendre sa place. . . .*' *À compter de ce jour, assis du matin au soir, au coin de la cheminée, je tournai la broche, ma Croix de Dieu ouverte sur mes genoux. . . ."*—Chapter I, *La Rotisserie de la Reine Pédauque,* Anatole France.

if it had the rhythmic and musical quality which to my way of thinking the Elizabethans possessed in larger measure than our later poets.

Meanwhile my piano lessons continued with regularity, my preceptor coming out from St. Helens once or twice a week. It was impossible for me not to sense that he was almost desperately anxious that I should be something of a success, and I gleaned later on that almost at the beginning of my studies he had declared that I had a musical talent which might go far, if I could be induced to practice with greater regularity. As I was not without some real affection for him, which the frequent gift of Everton Toffee and Edinburgh Rock did nothing to decrease, I did work as hard as I could, but without much enthusiasm for the sort of piece he placed before me. With his passion for eighteenth century piano music he was incapable of understanding that I could have progressed three times more speedily had he fed me on an wholly different musical diet. I would listen with joy to anyone playing Chopin, Schumann, or some of the later writers for the instrument such as Grieg. But the pre-Beethoven classical masters did not hold a very high place in my esteem; I had never heard them rendered by a great artist, was unaware how much more difficult they were to make grateful to the ear than their successors, and of their symphonic work I knew nothing as the sound of an orchestra was as yet unknown to me. The youthful mind has no creative imagination of its own, and in the case of a great amount of music its consciousness can be fully awakened only by hearing it given with all or most of the effect intended by the composer. Even in maturity we are surprised and delighted by some penetrating stroke of interpretation which throws fresh light on a piece with which we have been familiar for years. But in childhood we start from nowhere and wander about blindly as in a fog, unless we have the luck to find the rare kind of pedagogue who has a clairvoyant insight into the needs of our nascent personalities.

The consequence of this was that most of the time I spent at the piano was given up to hammering out all the opera scores I could read. Observing that in many of them the orchestral instrumentation was indicated, I endeavored to reproduce as much of it as I could on the organ. As my feet did not reach the pedals, my father would sometimes collaborate by adding the missing part, but usually more to my embarrassment than gratification. Even at that age I listened to his efforts on that none too tractable instrument with mixed feelings of respect and bewilderment, for it seemed quite outside his power ever to bring about a synchronism of manuals and pedals, and the bass part always had a lower octave played in perpetually disturbing syncopation. But as no one had the heart to draw his attention to this little foible, he would dream away at the keyboard for hours at a time without the slightest suspicion that he was not the soul of accuracy. And these, it may be, were his happiest moments.

3. LATER CHILDHOOD

It was not until a year or two later that the event occurred which threw all the previous excitements of my life well into the shade. This was the arrival in my home of a gigantic object, as big as the side of a cottage, which reproduced not too inaccurately the sound and effect of an orchestra of forty or forty-five players. This super-musical box performed symphonies of Mozart and Beethoven, preludes and selections from the operas of Verdi, Rossini, and Wagner, and miscellaneous pieces of a dozen other composers great and small. As the young Walt Whitman learned the meaning of song from the birds of the South that sang to him, a child on that lonely beach of Long Island, their carols of joy and despair; so I, listening every day to the magical sounds that rolled about my ears, began to comprehend something of the grandeur and pathos, of the fire and tenderness that dwelt in the souls of those masters dead and gone. I had each piece played again and again until I would strum or whistle it by heart, and consumed with the desire to hear these glorious outpourings in their integrity, I importuned my parents with tenacity until I had gained my point. To my going to concerts there was no really serious opposition although, as they were nearly all given at night, it meant late hours and a carriage drive of seven miles each way between our home and Liverpool. But the opera house was a very different matter, and many were the family consultations before it was conceded that I was old enough for such a high adventure. For in those days there were sharply divided opinions about the stage in our part of the kingdom, and if anyone had then prophesied that within half a lifetime it would come to be regarded as the

18

most moral and respectable of British institutions, he would certainly have run the risk of being locked up as an outrageous lunatic.

When I pay my visits, all too rare, to the blameless entertainment provided by our lyric and comedy theaters, when I hear that ultra-refinement of speech, and view that decorous restraint of action, both of which have become models for the young people of our best families, I find it hard to believe that all this was once an offense and stumbling-block to millions of my countrymen. In a play I saw some years back the heroine puzzled me by her cautious interpretation of a part which was crying out for a strong infusion of what our American cousins elegantly call "pep"; and as I knew she was not without talent I expressed a little surprise to the lady sitting next to me. She agreed, but considered that there was good and sufficient reason for it, as the subject of my criticism was shortly to be joined in matrimony with the scion of a noble family owning decided views about the demeanor in public of its female members. As this thrilling piece of information was imparted to me with an obvious touch of compassion for my ignorance of such important matters, I did my best to be suitably impressed, although I could not help adding that the intimate link connecting the two hitherto independent (but not mutually excluding) entities, propriety and the peerage, was something wholly new to me. But what was obscure in my case seemed clear enough to everyone else. For on the evening following the publication of the happy news, the dear chocolate-munching, paper-bag-rustling, and teaspoon-dropping creatures of the pit greeted the fortunate young lady on her entrance with a thundering ovation. The enthusiasm spread to the stalls and boxes, old gentlemen entirely unacquainted with one another arose solemnly and shook hands, and even the orchestra betrayed an emotion which had been conspicuously wanting in their rendering of the incidental music. It was one of those occasions that reflect credit on us as a people of sentiment and character, and several minutes elapsed before the piece could resume its ordinary course. Some of us, dating from a rougher and ruder generation, may have a nervous feeling that this continued process of keying down is being carried a fraction too far, and that there appears to be looming in the near distance the pale specter of a universal anaemic gentility. But we are probably wrong, and anyway what are such trumpery losses when set off against the immense gain in purification and uplift! It is pretty certain that we English are the only nation which is one hundred per cent sound about this sort of thing, and it must be a comfort to many that, although in the years preceding 1939 we seemed to have lost the desire to impose the way of peace upon a distracted world, we were resolute that the pretensions of Art must yield place to those of Society.*

But in those earlier days of which I am writing, I knew dozens of nice sensible persons who had never been inside a theater, and whom no material inducement could ever have enticed there. Concerts possibly, especially if an oratorio was in the program, but the play never. Some ancient prejudices expire as slowly and painfully as the Pickwickian frog, as I discovered a generation later when conducting the Choral Society of a large town in the neighborhood of Manchester. At the close of the concert I received a deputation from the ladies of the choir who wished to ask a favor of me. Would I write to the secretary of the Society that in my opinion a number of attendances at my annual opera season, which was then running in Manchester, was indispensable to the completion of their musical education? Inquiring the object of all this, I was told that none of them had yet been allowed to see a performance, as the right sort among their people never went to the theater. But there was the birth of an idea that opera might be less baneful in its influence than other forms of entertainment, and this promising revolution in public opinion could be expedited by a word or two from me. I have a very particular esteem for this enterprising town and its amiable chapel-going citizens, for out of the hundreds, it may be thousands, of letters I have written publicly and privately in support of some musical cause or other, this is one of the few which ever obtained a tangible result. Shortly

* *Hae tibi erunt artes, pacisque imponere morem.*—Virgil, *Aeneid*, Book 6.

afterwards a great battle was fought and won, and the fruits of victory included a special train, provided by the railway company to transport a numerous band of operatic pilgrims to the shrine of their devotions and the innocent enjoyment of that chaste masterpiece, *La Traviata.*

As nearly all those who fall heavily in love profess to find their faculties stimulated in every direction, and to discover a fresh color and meaning in all they see or hear, even so had the revelation of the beauty and eloquence of great music a like effect on me. I became attentive to my lessons in school, worked a bit on my own at home, developed sensibilities and sensitivenesses which troubled a little my elders, and ceased to find enjoyment in the books which most boys of my age would be found reading at that time. An uncle, my father's younger brother, was living in our village, and it was his custom every Sunday afternoon to retire to his library, where he remained absorbed in some book or other until dinner time. He frequently visited our house to play billiards and, discovering there a kindred spirit, took to inviting me to lunch and a reading séance with him afterwards. These occasions became an institution with me, continuing over several years until he left to settle in London, and the number of books I got through must have been prodigious. There was hardly a novelist big or small of the nineteenth century that I did not dive into and digest, both those of English and of foreign celebrity, although my choice of the latter was determined by their fitness to be placed in my hands. My decided preference was for the more vivid and picturesque style of the French masters like Victor Hugo, and it was over his *Quatre-Vingt-Treize,* my especial favorite, that I fell into temporary disgrace with my sympathetic relative. In spite of a gentleman's agreement between us, I surreptitiously abstracted the work from its shelf, intending to return it before he should discover its disappearance. But alas, I left it in our garden where I had been re-reading it for the fifth or sixth time; that day it rained hard, the unfortunate volume,• which was elegantly bound and one of a set, was completely ruined, and several weeks passed before I was restored to favor.

He was an odd personality, this uncle of mine, and something of an enigma not only to me but to everyone else who came into touch with him. While yet a very young man, he had been sent by my grandfather on a year's trip round the world, spending several months in Far-Eastern lands, particularly Japan, then a medieval country with habits and customs unchanged for five hundred years, and an army equipped (shades of Dugald Dalgetty!) with bows and arrows. He had returned from the Land of the Rising Sun with an unhealthy admiration for its art, which infected both my father and mother to the extent of lumbering our house with hundreds of those utterly useless and unattractive ivory figures, screens, and other preposterous knick-knacks which even then I regarded with dismay and aversion. His manner and behavior, I think, were laboriously modeled upon some character he had read about either in history or fiction, his speech was almost tiresomely precise, his dress was immaculate, and he wore a top hat on every possible occasion. He took an intelligent interest in conversation but was never known to commit himself to a definite view or to betray bias on any subject under the sun. Toward humor or jest he took up an attitude unfailingly discouraging to the unhappy joker of the occasion, appraising and analyzing every word uttered with the cool curiosity of a scientist examining a new-found germ under a powerful microscope. One indubitable virtue he had: he was an admirable host with as fine an appreciation of wine as I have known in any man. Dining with him was a privilege, for one was certain to find not only that the Bordeaux or Burgundy was of the best, but that the temperature of either, an almost forgotten refinement, had been perfectly calculated before appearance on the table.

My father about this time began to make more frequent trips to the United States, where some ten years earlier he had established a branch of his business, and each time he returned he brought with him some product of Yankee invention to be used in his factory or home. Thus we had a system of central heat-ing when such a thing was almost unknown among us, and, I believe, the first private electric lighting plant to be installed in the country. My bedroom walls were covered with pictures of the Yosemite Valley, the Bridal Veil Falls, the Grand Canyon, and the Big Trees, and as I had as yet seen no part of the world other than our corner of South Lancashire, as unexciting a spot as any to be found in the kingdom, I longed for the day when I too would have the chance of gazing on these wonderful sights. I asked him for American books, of which we had none in the library except *Uncle Tom's Cabin* and a volume of Longfellow, and he obtained for me all the works of Poe, Bret Harte, and Mark Twain, the first of whom shared my poetical idolatry for years to come with Shakespeare and Byron.

My mother was a slightly built creature who preserved an admirable figure until the end of a long life, in spite of numerous children and an intermittent nervous malady, which first manifested itself when I was between ten and eleven, and which obliged her as time went on to relinquish more and more the care of her house and go southward to some place on the sea like Eastbourne or Bournemouth, where she could be looked after until well again. As these absences became more frequent and, coupled with those of my father, made a large house half tenanted hardly the cheeriest place for children, I was sometimes sent off during school holidays to friends or relations. It was through a closer contact with persons whom I had known only casually that I made what was to me a startling discovery; namely, the absence of similarity between the private and public behavior toward one another of most married people. Husbands who were loquacious and confident when encouraged and protected by the presence of half a dozen others, relapsed into submissive and silent humility when alone with the partners of their joy, and *vice versa*. This phenomenon, together with an aphorism I had recently read in a French philosopher, that while there were heaps of satisfactory marriages, there were no charming ones,* inspired me with distrust of an institution which I

* *Il y a de bons mariages, mais il n'y en a point de délicieux.*—La Rochefoucauld.

had regarded some years earlier with unqualified favor. The number of my romantic attachments to little girls between six and ten had been a source of constant entertainment to the rest of my family, although I was never teased about them at the time. Very clear in my memory is the flattering gravity of attention which was given to my announcement of formal engagement to at least four of my fancies on the same day.

I had endured, as I have related, one overwhelming revelation of the truth that "so may the outward shows be least themselves," and here was another to deepen the questioning vein in my growing mind. Already I had noted in all the romances I was reading that while their authors devoted hundreds of pages to the trials and sorrows of two young people sighing and panting to be united in holy wedlock, to the unending intrigues and struggles set going to bring them to the foot of the altar, as well as to the divisions created in happy families and between devoted friends during the accomplishment of this sublime purpose, very little was ever said about its aftermath. A long observation of my fellow creatures has led me well on the road to a belief that the world is about equally divided between those who are dying to rush into hymeneal bondage and those who with an equal ardor are dying to rush out of it. But this is a thorny and delicate question, the eventual determination of which I am quite willing to leave to those who spend their lives in drawing up on paper one scheme after another for the reformation, alteration, and amelioration of everything on earth, the planet itself included. In the baffling world of humanity there was however one unchanging element, the super-musical box, for which every few months there arrived from Switzerland a consignment of newly perforated rolls through which issued some great strain of melody that I had not heard before. Here was a world at once real and ideal, diminishing care, augmenting pleasure, and shutting the door on the community outside with its eternal load of problems which no one seemed able to solve.

I had by now been taken to a number of orchestral

concerts and opera performances, but not so many of the latter, as any stage piece had an exciting and sometimes disturbing effect which did not wear off for days afterwards. The three works which made the greatest impression on me were the *Romeo and Juliet* of Gounod (which I much preferred to *Faust*), *Figaro*, and, most of all, *Aïda*, which for long I considered all that an opera should be. There were perhaps passages in the earlier Wagner works (the later had not yet reached us) which made a greater musical appeal to me, and the stories I found enthralling; but the Venusberg scene, the "Tournament of Song" in *Tannhäuser*, and most of the second act of *Lohengrin* jogged along far too deliberately for my juvenile enjoyment. After the sounds and sights of the lyric drama, simple plays seemed dull and shoddy. Unaided or palliated by the influence of music I found them almost unbearably unconvincing, and the grotesque noises produced by a foolish little band of five or six playing incidental music only increased my contempt for this feeble sort of show. As I suffered from an wholly misplaced sense of humor my responses to it were often inexcusable, and on one occasion so deplorable that I was not again taken to a play for at least a year afterwards. It was during that good old national melodrama *East Lynne*, which has reduced to copious floods of tears as many millions of my countrymen as that perennial rib-tickler *Charley's Aunt* has to hilarity. The appearance of the ill-fated heroine was always heralded by a performance on the solo violin of the air "When other lips" from *The Bohemian Girl*, and after a few repetitions of this languishing trifle I was suddenly taken with a fit of the giggles which neither the threats of my father nor the entreaties of my mother, who were sitting on either side of me, were effective to control. As our little party was in the front row of the stalls, we became the unwelcome object of attention from both stage and house, and I had to be taken out and left in charge of the bar attendant until the conclusion of the piece. This fatal tendency to uncontrollable mirth in the presence of sob-stuff is something I have never been able to conquer. Twenty years or more later, having been induced to see another full-blooded specimen of the same class of enter-tainment, *The Worst Woman in London*, I was so moved, in exactly the opposite way the authors of the piece had intended, that I was requested to retire to avoid interfering with the enjoy-ment of the audience.

4. MUSIC IN LANCASHIRE

So far as I know, a history of the part played by English musicians in the development of their art during the nineteenth century in Lancashire has yet to be written. But he who one day attempts the task will find it easily the shortest on record, and if there were another Tacitus among us he would dispose of the whole period in a single word—Germany. For there was scarcely a town of any size with the slightest musical culture (outside choral singing) that did not owe every ounce of it to some enterprising son of the Fatherland, amateur or professional, who had settled there. Orchestras, opera companies, or string quartets, it would be hard to find anything that was not their handiwork; spiritually we were as a conquered, or at the least an occupied territory, and over it all reigned in unchallenged sovereignty the genial figure of Charles Hallé.

Of Hallé's gifts as pianist and conductor there were opposing divisions, even schools, of opinion. Formerly there were no more than two sorts of virtuosi, the exceptions being so rare as to count hardly at all. The first sort relegated emotion to a back seat from which there was no danger of its interfering with the calculated operations of technique; and the second gave it free rein to go dashing ahead as contemptuous of its harassed satellite as the North Wind of the obstacles it sweeps from its course. Hallé definitely belonged to the former class, although Berlioz, who, had he been an executive artist, would assuredly have been included in the latter, writes of him somewhere as "ce pianiste sans peur et sans reproche." This is magnificent, but hardly criticism. I know scores of performers who are obviously "sans peur"

27

but I should hesitate to apply the rest of the phrase to them; and as for the few who may be deserving of the "sans reproche," I usually feel when I hear them that their perfection hangs upon a discretion far too wary to have kindled the enthusiasm of the lively Hector. But whatever may have been his actual accomplishment as an artist, there can be no question of one thing; this energetic Teuton did more for music in the North of England than all the men who came before and after him put together.

No one can honestly maintain that the lives of musicians taken as a whole make exciting reading. They create too often the melancholy impression that their subjects have been victims rather than rulers or priests of destiny. It is a relief therefore to note some stirring and fortunate enterprise such as Hallé's invasion and conquest of Manchester, an achievement worthy almost to rank with the stories of Arthur or Roland. Possibly it was something more like this or a prevision of it that Berlioz had in mind when he penned the splendid compliment borrowed from the annals of chivalry. Otherwise, to a true Frenchman, the exchange of his own exhilarating capital for a somber provincial town in a land where music was supposed popularly to be as scarce as the sunshine, must have seemed outside rational explanation; and certainly no man could have exiled himself from the Paris of the eighteen forties or fifties with a light heart. A full generation had yet to pass before the favorite city of Julian* was to be gladdened

* Few things in history are stranger than this preference of the great apostate. It might have been expected that the most lettered of the Emperors since Marcus Aurelius would have favored one of the famous centers of learning in Gaul like Toulouse or Bordeaux. But he who had passed his youth beneath the venerable shade of the Athenian myrtles and in the splendid schools of Constantine's new metropolis spent the happiest years of his life in a remote little town virtually untouched by Roman culture. The certificate of good conduct he gives the place and its inhabitants may have an interest for those who associate the modern Lutetia with a different outlook upon earthly delights. "They worship Venus," he writes, "as the goddess of holy wedlock, and make use of Bacchus' gifts only because that deity is the father of honest pleasure. Dancing of all kinds they shun as licentious and the theater they avoid like the plague." I once showed this historical extract to a distinguished French ecclesiastic whose erudition it had escaped. His comment was, "I am hardly surprised, for it has often been alleged that we were slower to accept the blessings of Christianity than most other parts of the Empire."

with the sight of the Eiffel Tower and the Trocadero, those architectural glories of the Third Republic; nor had the Tuileries yet succumbed to the rage of the Commune or the Place Vendôme to the boon of foreign commerce. And what good company abounded there, especially for an artist who happened to be both likeable and sociable! The list of resident musicians, in addition to Berlioz, included Chopin, Rossini, Auber, Gounod, and Meyerbeer, and as for painters, sculptors, and men of letters, there were geniuses of varying rank in nearly every other street. On such a circle and environment young Hallé turned his back, and forever; and if I have spoken of his descent on Manchester as an adventure both spirited and romantic, I can compare the subsequent forty-odd years of his life there only with the sustained fortitude of St. Simeon Stylites on his Thebaid column. Peace has its heroes as well as war and, while it is impossible to compute, it is easy to imagine the dozens of battles, skirmishes and other minor encounters fought and won in the name of art, and the hundreds of strongholds of prejudice and indifference attacked and carried by storm or strategy. For the land was barren, and the soil he had marked out for working was frequently hard and intractable. But by slow degrees the desert underwent an impressive transformation, and the good tidings were carried to every corner of that region of cotton, clogs, and chimneys, until Hallé and his orchestra became household words where the mere names of the great composers had once been unknown.

The metamorphosis of Manchester into an oasis of civilization reacted nowhere more healthily than upon the great rival city on the banks of the Mersey. Liverpool, proud in the possession of an older musical culture as well as the most beautiful concert hall in the kingdom, had declined upon that state of ease without dignity generally begotten of an absence of competition. Dethroned without reasonable hope of reinstatement from its position as chief center in the county of orchestral music, it flung itself for the consolation of its injured self-esteem into the siren arms of grand opera. The leading impresario of the day, Carl Rosa, was encouraged to make his headquarters there and was given a support so solid and sustained that after a while he purchased the principal theater in the town as a permanent home for his company.

Its annual season, which lasted from Christmas to spring, was the important social event of the year. Not to be a subscriber or to be seen there often was to confess oneself, if not unmusical, at least unfashionable, and the representations were crowded except when some complete novelty was brought forward. Then the general public, just as it does today, would mark its disapproval by staying away until the offending work had gone round the rest of the world at least half a dozen times. By and by certain persons would begin to demand in the Press why they were being persistently denied the hearing of a masterpiece that was growing almost stale everywhere else, and the periodical complaints stimulated a flood of general indignation, which was permitted to rise to boiling pitch before a crafty management appeased it with a production. Then we turned up in our thousands, indulging in an immense amount of self-congratulation at having vindicated the good name of the town in artistic affairs, and thoroughly happy in the belief that we were backing the right horse. But, being a well-balanced community which rarely remained for long in a condition of mental exaltation, our ecstasies speedily subsided. We soon returned to our normal outlook, very much after the fashion of an injudicious reveler who faces the cold morning that follows a hectic night, and proceeded to deal with the next new work in precisely the same way.

There were many who found admirable this steady refusal of the British public to traffic seriously with art or artists until either had been sealed seventy times seven with the blessing of every other nation. Why, they asked, waste time, money, and, what is far more prodigal, brainwork on discovering merit for ourselves, when others appear only too willing to relieve us of the trouble and responsibility? Surely a people which has secured such predominance in the world has the right to insist that all things which are presented for its final approval should first pass through the testing furnace of foreign opinion. Our youthful geniuses, however, so far from acquiescing patiently in this perfect scheme of things, clamored loudly to know what part in it had been reserved for them. I have to admit that, with our habitual tendency to compromise and our kindly desire to hurt nobody's feelings, we shrank from telling them that it was infinitesimally small. But this pretty game of evasion played itself out sooner or later, with disillusionment on the one side, embarrassment on the other, and on both a realization that the epigram of the greatest American of the last century on the subject of hoodwinking the masses, remains forever the one unassailable maxim of sociopolitical science.

But there is always a minority, odd folk generally, that pines for newness, and such existed among us as it did everywhere else. I have often wondered why the sibyl who rules over the shadowy realm of prophecy declines to take the faintest interest in art. Certainly there is no instance known to me of an accurate forecast in one generation of the state of music in the next. Perhaps this is well, for with a clairvoyant vision before our eyes of the surprises of 1920-1940, we might have been less complacent about the achievement of our own day. Of course we had nothing like the wonderful fellows of recent times, all of them busily staking out claims in a brand new Jerusalem of music; and while it may be that few have yet penetrated the inner courts of their temple, it is a comfort to learn that the privilege of entry can be ours through submission to a novitiate which seems to be hardly less arduous than that of the lovers in *The Magic Flute*. There is a cross-grained and cantankerous clique that strives to refute the necessity of what it denounces as a purgatory of probation, and asks why, if there be anything in their recondite message of real beauty, it should not be surrendered less reluctantly. Otherwise by the time it is freely and fully vouchsafed, there will be another fashion let loose on the world and a fresh set of demands to test its endurance. Should that happen, it is conceivable that a true comprehension of today's music never will be obtained and that all its soaring inspiration is destined to an immortality of mis-conception.*

I turn from the contemplation of this melancholy con-tingency back to the times when man was of cruder fiber and Art was shallow enough to be fathomed in a week or even in a day. We were innocently happy in the steady stream which flowed from the pens of men like Brahms, Grieg, and Dvorak, and hardly a month would go by without bringing us a volume of their songs, piano pieces, a quartet, or some minor orchestral work. Now and then, usually about twice a year, a bigger gun would be fired off in the way of a symphony such as the Fifth of Tschaikowsky, or an opera like the *Manon* of Massenet and the *Otello* of Verdi. Nor can it be forgotten that Wagner's later operas, although com-pleted twenty years earlier, were only then beginning to filter through and were just as new to us as anything written in the previous week. Many are the thrills which I have enjoyed from the sound of melody fresh to my ear, but none keener than those excited by the first hearings of *Tristan* and *Die Meistersinger* in the full flush of their modernity.

It is only of professional musicians and organizations of the period that I so far have written, and there remains for brief consideration the amateur, by no means the least important ele-ment in any artistic community; for without a certain degree of culture in the audience, a virtuoso reproduces the subtler and finer sides of his art in vain. It must be allowed too that amateurs have an honorable place in the history of music and that we owe to them more than one reform or innovation, not the least being the invention of Grand Opera; although I have often wondered whether its creator would not have paused after the first experimen-tal effort, if he could have foreseen the incredible amount of trouble he was bringing into the world. Furthermore, that which goes on

---

* Upon this perpetually recurring delusion of humanity Pope has said the last word:

> "We think our fathers fools, so wise we grow,
> Our wiser sons, no doubt, will think us so."

within the walls of the house, the sort of book that is read or class of music that is studied and practiced, mirrors the intellectual life of a people even more faithfully than the public careers of prominent individuals.

If the opera season was decidedly the most fashionable institution in Liverpool, the most interesting and the most esteemed was its orchestral society. The founder and conductor was a cotton merchant of German origin who had gradually increased the number of his players to one hundred, of which only a small percentage was professional. Rodewald's policy was progressive, and by giving works that were either unknown or off the beaten track, he and his colleagues acquired a good deal more than merely local prestige. It became the ambition of every young musician who could scrape or blow a few notes to become a member, and this stimulated the study of instruments which are not usually the hobby of amateurs or that make for the greater tranquillity of the home. Anyone who walked through my village on a winter evening might have heard in every fourth or fifth house the pathetic wailings of flutes and clarinets, the solemn chortling of bassoons and horns, or the more majestic complaints of trombones and tubas. There was for several years quite a minor rage for this harmless species of indoor entertainment, with here and there a few out-of-the-way manifestations of it. I wish that some enquiring spirit would write a little work on the elective affinities between players and instruments; the mystical promptings that fire a man's soul with a life-long passion for the bassoon or triangle; why large men so often find their joy in the piccolo, and small in the contrabass; and, more cryptic than anything else, the preference in a certain community for one instrument over another. In ours it was the "soft complaining flute" that became the chosen object of its fancy, and the practical impossibility of using more than a limited number in all the organizations of the district was powerless to check the unbridled pursuit of it. Four of its devotees, unable to find opportunity for individual display in either an orchestra or a chamber music combination, sought consolation in playing together. As the quartet consisted of a wealthy landowner, a doctor, a green grocer, and a gas works man, we were privileged to behold a demonstration of social equality that alarmed the county families as much as it cheered the lesser fry. They met regularly for practice about twice a week after working hours in a room on the ground floor of one of their houses, and as they never troubled to pull down the blinds, they provided a free peep-show that was an unfailing delight to all in the vicinity.

5. PUBLIC SCHOOL LIFE

As I approached my fourteenth year there came upon me that vague but familiar dissatisfaction with everything in the scheme of existence, which the mind at that age is powerless to analyze. Little more than the organic need for new outlets and fresh surroundings, it is none the less a dangerous moment at whatever stage of life it appears; for men do not go in search of adventure, even the ultimate adventure, for most of the reasons that poets, politicians or coroners' juries would have us believe, but simply for change, without which they would perish slowly or quickly according to the demands of their different natures. As there was little to dislike and much to love in my home, I often strove to silence the voice of discontent within me, but the fullest parental indulgence could not have appeased the unsleeping desire to be up and about something else. At length the hour struck for the fulfillment of my indefinable longings and I was duly dispatched to a public school.

Nemesis descended upon me swiftly, and for the best part of my first year I was the most desolate and woeful of small objects in this world. In Mr. Shaw's play *Caesar and Cleopatra* there is a passage where the great Julius excuses the insular prejudices of his henchman Britannus by saying: "He thinks that the customs of his tribe and island are the laws of nature." Even so had I childishly imagined that the conditions of my own home life must have their counterpart everywhere else, and I was lost pathetically in an environment which touched at hardly any point the little world I had hitherto known. No opera, no concerts, not even a string quartet; and perhaps worst of all no super-musical

35

box to turn on some familiar master strain at a moment's notice. Here I was transported to a sphere alien to mine in habit and mentality, and I began to realize the full meaning and value of that which I had lost, from the day when I had no longer the unlimited chance of enjoying it. In classroom or chapel fragments of *Aïda* or *Tannhäuser* haunted my brain, and scenes from a dozen other operas passed before my eyes. I thought and dreamt of little but music, and even the mild exertion of construing Cornelius Nepos and the Gallic Wars was a painful effort of concentration. It is true that we were not wholly without entertainment of a kind, but those who ruled us had decreed that what was fit for our aesthetic health was an occasional party of glee-singers or comic recitalists.

As I sat in the great hall with three or four hundred others listening to these artless diversions, I fancied myself once more in short frocks playing with toys in the nursery, and the shock of joy was almost too much for me when, in a miscellaneous concert made up chiefly of Scotch ballads and imitation negro songs, a foreign violinist appeared to play an arrangement of the "Preislied" from *Die Meistersinger*. The beautiful melody sounded doubly alluring to my starved ear and I sat in a state of half trance with my hands tighly clasped together, from which I was rudely aroused by a sturdy kick from the boy sitting behind me and a scornful reminder that it was not a prayer meeting that was going on. Carried away with fury and careless of the consequences, I seized the disturber of my halcyon dream tightly by the hair, and a lively scrap followed which resulted in both of us being ejected from the building. The combat, which was renewed with vigor outside, was decided in favor of my assailant, who was somewhat bigger and stronger than I; but this reverse pained me less than an interview later in the evening with my house master, who rounded off a stern admonition by saying reproachfully, "And I understood, Beecham, that you were fond of music!"

The holidays that followed my first term were at Christmas time, and I went in for an orgy of opera-going on which I spent all my available pocket money. To make my meager supply meet my avid need I patronized the gallery, and most nights I was the first to arrive at its door, generally in company with another youthful enthusiast. The sensation of the moment was *Cavalleria Rusticana*, which seemed to announce a new star in the sky of Italian music and a potential successor to the veteran Verdi. But the dazzling promise of Mascagni's early days has never been fully fulfilled, and he is but one of the numerous young men of my generation who, either from some defect in themselves or a hostile element in the genius of the age, have disappointed an expectant world. A great deal now, as in previous ages, is laid to the charge of the time spirit; but I prefer to remember what Goethe once said to Eckermann on this score—"Everyone accuses the present age of immorality, but I see nothing in it to prevent a man being moral if he wants to be so."

No healthy and well constituted boy, however, can be unhappy long at a public school, for in spite of its detractors it remains the best and most original of British institutions. A French historian has attributed many of our successes at the expense of his own countrymen in every part of the world, during the lengthy duel between the two nations in the eighteenth century, to the larger proportion of our youth which had been trained at an early age to exercise authority and cultivate initiative. If this be so, then the legend that the public school has played a leading part in the consolidation of our Empire is not wholly without foundation, as the order of capacity or talent essential for such an enterprise is precisely that which ranks superior in its estimation to others that are purely intellectual. And having adopted the creed that the formation of character is of greater value in the long run than the enlightenment of mind, its doctrine preaches that, as nine-tenths of the world's practical affairs are carried on by men in association with or opposition to other men, the expanding spirit, influenced and dominated by a daily routine which is wholly masculine, reaches the gateway to maturity the better for being unweakened by the condoning conditions of home life. Such a system has its undeniable limitations, as any that is distinctly lopsided is bound to have; and Matthew Arnold has somewhere quoted a foreign observer of our rule in India to the effect that the English are just but not amiable. Perhaps this was the commentator's way of suggesting that our disposition and manners were lacking in that ease and grace impossible of acquisition save through frequent association with the softer and more pliant half of humanity. But during the last twenty years no one can accuse us of any lack of easy tolerance. Indeed, it is likely that a fair percentage of the world's present troubles proceeds from our excessive indulgence in an over-prolonged mood of acquiescence; and it may interest those on the lookout for historical coincidences that it was during the same period when my country seemed to have forgotten its old instinct for clear decision and rapid action that the public school tradition was the persistent object of a destructive criticism. But whatever may be its merits or demerits it is assuredly one of the rare examples found among us of an idea worked out with complete logic and consistency. For while most modern nations at some time or other have admitted the necessity of making work and religion compulsory in their schools, it has been left to the Englishman to discover and proclaim that games are not only of equal importance but worthy of an even greater measure of respect and veneration.

As time went on I became not only reconciled but attached to my life at Rossall. Occupying a bleak and isolated position on the North Lancashire coast, several miles away from any town and with few houses in the district, the place was not without charm of a gray and gloomy kind. Although little to the liking of that type of individual (everywhere in the majority) that is distressed or ill at ease if every leisure minute of the day is not spent in the pursuit of strange sights and novel experiences, it was not an unsympathetic milieu for the budding artist or philosopher, for whom a crowded calendar of activity is of small use. Indeed for most young people a reasonable allowance of obligatory boredom is by no means an evil, especially if the outlets for serious mischief be few and far between. The mind, if there is anything in it, is reduced to the extremity of thinking occasionally for itself, and it is probably during these periods of enforced tranquillity, which so many of us keenly resent, that the bulk of the worthwhile thought given to the world has had its birth.

It was in the summer of 1893 that my father took me with him on a visit to the United States. This was a great event in the life of an obscure member of the Lower School and I was an object of envy to masters and boys alike. We sailed on the *Campania*, then the largest ship afloat, and on board was a distinguished party of artists all bound for the Chicago Exhibition, a celebration which had been advertised to the world as the greatest of its kind that ever had been or would ever be again on this earth. Among the group was Ben Davies, then at the height of his reputation, and at the usual concert of the voyage I played his accompaniments as well as those of the other vocalists. His was a voice of uncommon beauty, round, full, and expressive, less inherently tenor than baritone, and, like all organs of this mixed genre, thinned out perceptibly on the top. Later on the upper notes disappeared entirely, but the middle range preserved to the end of a prolonged spell of singing days·most of its former opulence and charm. We reached New York toward the end of August and went to stay at the old Astor House, at that time one of the leading hotels of the city. The temperature was tropical and in my search for cooling drinks I made acquaintance with the ice cream soda, which I at once decided was every bit as good as any nectar served to the dwellers on Olympus. But mosquitoes, which were and still are the terror of my existence, beset me day and night and I was hardly sorry when my father gave the sign to set out for Chicago. There we stayed in a hotel on the lake which enjoyed a .welcome breeze for the greater part of the day and for two weeks gave ourselves up to the delights of the magnificent entertainment we had come to view. Since that time I have seen dozens of the same kind of event but never anything to compare with this. Years afterwards, whenever I ventured to repeat this opinion my hearers would pooh-pooh it on the grounds of my extreme youth at the time or the impressions of a mind new to such a spectacle. But I had only to produce photographs of the various pavilions, notably those representing New York State and California (the latter housing the most brilliant display of the products of the earth ever contained under one roof), for them all to come round to my view.

Our itinerary of travel was not extensive, owing to my father's preoccupation with business in two or three large cities, but we managed to squeeze in a trip to Niagara and another by pleasure steamer up the Hudson River to Albany, from where we went on by train to Boston. At the last moment he found it impossible to get through his work in time to catch the boat which we had planned to take and I was obliged to return alone. The assemblage on board was this time far less glamorous than on the voyage westward, and I was beginning to think that the inevitable concert which I helped to organize was going to be a distinctly dull affair. But one day a fellow passenger approached me and with a slight air of mystery inquired if I knew that one of the world's greatest singers was on board and had not been asked to take part in it. I told him it was no fault of mine and begged him to produce this gift from the gods. He went off in search of his friend and returned after a while to announce that the latter would meet me in about half-an-hour in the big salon, which would probably then be empty as most of the passengers would be dressing for dinner. Just before the appointed time I went below and awaited the arrival of the illustrious stranger with some excitement, for although I had had the opportunity of meeting and playing accompaniments for a fair number of well-known singers, I had not yet met a star of the very first magnitude. Presently there entered one of the largest men I have ever seen. So prodigious was his bulk that he could scarcely walk at all and supported himself on two sticks. At first I hardly knew what to say, his whole appearance being so utterly unlike anything I had ever associated with public performance. Then he began to sing, having selected as his opening number the "Abendstern" from *Tannhaüser*, and inexperienced as I was I knew at once that here was something quite phenomenal. There being no one else in the room and finding that I had knowledge of most of the baritone songs from the popular operas, he went on happily for quite a time to my wonder and delight. The voice was of great range and uncommon power, and like that of Plançon, rolled out in immense waves of sound with the easiest production and the most consummate control. Afterwards his companion told me that he had been one of the great opera singers of the day but had been obliged to quit the stage because of this unfortunate physical over-growth which the medical science of the day was impotent to reduce. He sang at the concert to an audience as astonished and enchanted as myself, but only on that one occasion, nor did I see him again until the moment of landing at Liverpool, when I caught a glimpse of a huge and unwieldy object being assisted down the gangway by a small contingent of stewards and deckhands. But some forty years later, while conducting a series of concerts in Stockholm, I went to a representation at the Royal Opera and in one of the intervals walked around the foyer to inspect the memorials to singers of a bygone day. There in the center were two statues, one of Jenny Lind and the other of my ship companion, Carl Frederick Lundqvist, the greatest baritone voice that ever came out of Sweden.

I got back to school a week or two after the term had begun and my friends were agog to hear of my adventures. I think I must have disappointed them more than a little for I then suffered from a disability which has never wholly left me, the incapacity to talk very much about an event which has made an impression on me until some time after it has happened. But I had my albums of pictures to show, and these were more convincingly descriptive than any oral accounts that I could have given them. The winter holidays I passed much the same way as in the year before, crowding into one brief month all I could in the way of opera and concert-going to make up for the slender musical diet of the previous twelve weeks. Yet it would be hardly fair if I conveyed the impression that we never had music of any kind worth hearing at Rossall. Now and then some artist of minor celebrity would pay us a visit, and in the following year, 1894, we had a really grand festivity, the jubilee of the school, which included in its program of events several choral and orchestral concerts. For these a large contingent of the Hallé orchestra was brought from Manchester and I was enrolled as a temporary member in the percussion department. It was also about this time that I began to play the piano at the school concerts, and when in 1896 I became the captain of my house I was permitted to have an instrument of my own in my study. But as this departure from precedent began and ended with me, I could never ascertain from the guarded comments of my superiors whether it was rated a success or not. Influenced more by the urgings of one of my form-masters than by any overpowering aesthetic impulse I let myself in for playing the big drum in a military band. Rossall was the first school in the country to found a Cadet Corps and to practice all the operations and maneuvers of a miniature army; and my chief recollection of this quasi-patriotic effort was tramping up and down the country on what seemed like endless and fruitless quests, clad in a tight and ill-fitting uniform and burdened with a gigantic object which every five minutes I longed to heave into the nearest ditch. Probably like most other people I have passed the greater part of my life doing things I have not wanted to do, but I cannot recall any task which ever irked me more than this rash association with the Rossall Cadet Corps.

I took part in nearly all games but with a well-calculated absence of zeal, as I saw that a fuller absorption in them would rob me of many of the hours I preferred to give to books and music. This coolness of mine toward the supreme value of athletics was regarded by nearly everyone with mixed feelings. My prowess at the keyboard was in one way recognized as an asset to school prestige, but that anyone should choose to devote days and weeks to the practice necessary for an adequate rendering of a difficult piano piece, when he might be winning life's greatest crown in a football or hockey team, was the subject of a fairly general if compassionate disapproval. It was not as if I were wholly without capacity for sport. I was strong, active, and exceptionally quick on my feet, and on those infrequent occasions when I did turn out on the playing fields displayed an aptitude which perhaps was overestimated because of its unexpectedness. Accordingly it was not until my last year that, influenced a little by mob psychology and rather more by the entreaties of my house master, I agreed to propitiate the offended deities of the establishment by the sacrifice of some of the precious time I might have spent profitably in other ways. My virtue was rewarded by a place in the school cricket eleven, and it may surprise those who associate artistic temperament with high emotional impulse to learn that my chief value to the side was a cautious stolidity which, although unproductive of many runs, enabled me to keep my wicket up for hours. It was not very exciting for me, and it must have been definitely unattractive to the spectator, but I found some compensation in observing the exasperation and recklessness produced in the opposition bowling by my defensive tactics. If we fail to find enjoyment in some tedious effort that has been forced upon us, it is always a pleasing source of comfort that others involved in it may be suffering even more.

6. OXFORD

The closing phase of my school life was not unlike that which I had known five years earlier before leaving home. Once more the itch for change began to torment and divert my mind constantly to other places and other pursuits; I had outlasted my time at Rossall and was moving away daily from all that was in its capacity to give me. It was inevitable in those days that to any young person whose main concern was music England could not be expected to compare favorably with the Continent. For there it was that all those semi-legendary figures from Palestrina to Wagner had lived and labored, and my own country in point of musical prestige was as nothing compared with Italy, Germany, Austria, or even Russia. But unquestionably it was Germany above all which attracted and influenced the youth of my generation. After 1871 it had become the political leader of Europe, its population had increased almost as rapidly as that of the United States, and its commercial expansion was beginning to be a bogey to those who for half a century had been indulging in the dream that Great Britain had been chosen by a kindly Providence to remain for all time the workshop of the world. The numerous travel agencies, the uniformity of currency, and the non-existence of passports made access to every part of the Continent, except Russia, cheap and easy: and I had already seen something of it owing to the rather exceptional circumstances of my home life. My mother had become an almost chronic invalid, my father spent much of his time abroad during my summer holidays, and my only brother was nine years younger than myself. I was allowed therefore to go off, with friends generally, but by myself occasionally, to neighboring lands such as France, Belgium, Switzerland, and Scandinavia, where I had the chance of viewing some of those famous cities whose riper culture contrasted pleasingly with that of our own in the North and Midlands.

With few roots in the past and of comparatively mushroom growth, Lancashire had been almost the last county in England to be touched by civilization, its history until the beginning of the nineteenth century being almost a blank. Prior to the great Industrial Revolution it had played an inconspicuous part in national affairs, and it would be hard to name more than two or three of its sons who had won celebrity in any line of public activity. Even at the close of the century it presented an oddly mixed picture of modernity and feudalism, a genial equalitarianism in the middle and lower classes being set off by a profound reverence for the old county families. The true Lancastrian delighted to remember that the head of the House of Stanley had once been King in Man and had held his court in the beautiful medieval city of Chester. Having tea one day at the house of a leading lawyer of the district, I noticed a singular object which occupied the central position on the main wall of his library, a small cigarette in a largish frame, and learned that this had been offered to my host during some public celebration by one of the most venerated notabilities of the county. Instead of lighting he had preserved it in this way as a choice family heirloom to be handed down to future generations; and if regarded as a manifestation of the higher Toryism I find it even more affecting than that historic exploit eighty years earlier, of the author of *Waverly*, who, after a banquet in Edinburgh, carried off in his pocket the wine glass from which the Regent had been drinking, and arrived at Abbotsford only to find that during the ride he had sat on and broken it to pieces.

But it was not only upon the musicians among us that Germany exercised a powerful spell. For half a century the reputation of its schools and universities had been spreading far and wide; young Englishmen started going to Heidelberg and Göttingen instead of to Oxford and Cambridge, and towns like Dresden and Munich contained literally scores of institutions at which our girls scratched the surface of those alien arts and elegancies which guileless parents had been led to believe were vitally essential to the making of the perfect English lady. The study of Italian literature, which had been fashionable in the days of Hazlitt and Peacock, had given way to that of German, and the bolder speculations of Schopenhauer and Nietzsche were ousting from favor the harmless ruminations of Huxley and Spencer. It is hardly surprising then how compelling for me was the lure of such a land, with its century of opera houses playing the year round, its dozens of symphony orchestras, and an artistic life generally that seemed to exist in like degree nowhere else. There was my goal, and I must reach it somehow or other.

But in my calculations I had reckoned without the rigid conservatism of my environment. My father, outside the conduct of his own business, was a man of pathetic simplicity and uncertain judgment. When any matter arose in connection with his family which demanded careful consideration or firm decision, he would call into consultation either his lawyer or the clergyman whose church he attended, more often the latter, who was his most intimate friend. This worthy man was quite aghast at the idea that any member of his congregation should wish to pursue his studies abroad and marshaled all the forces of argument, social, instructional, and religious, against the horrid plan. Of course I must go to an English university and tread the safe path of orthodoxy: any other course would lead surely and speedily to disaster and damnation. My father, who knew as little of the realities of the case as his spiritual adviser, was impressed and alarmed by the stream of warning poured into his ear, and resolutely set his face against any such dangerous departure. I was given the choice of Oxford or Cambridge, and as some of my closest school friends were going there that term I chose Oxford.

There are three or four ancient spots which in their combination of urban and rural charm are among the greater glories of England, and of these the most wholly delightful is this home of lost causes. It is also one of the half dozen small cities left unspoiled in the world, where an artist, a philosopher, or a scholar might care to pass his declining days; and I trust that none of my friends in the place will doubt my affection for it, if I say that my brief residence there was so much lost time for me. The main trouble was that I could not bring myself to understand why I had been sent there at all. For my father had often intimated how much he looked forward to my succeeding him in our family business, and in that case the scholastic routine of Oxford seemed to provide the least useful preparation thinkable for such a career. Had I been intended for Politics, the Bar, or the Church, with London as my probable base of activity, there might have been social advantages as well as a specific course of training for any of these professions. But my future lay elsewhere, nor did it add to my content that the town musically was a backwater if compared with any of the centers I had visited abroad.

It is not out of place, I feel, to vent here a few casual reflections upon our higher system of education which have been passing through my mind for some years. Three and four centuries ago Englishmen were entering universities at an age when nowadays we should expect to find them still tied to their mother's apron strings. There may be pious devotees of modern learning who will fail to be impressed by this admitted precocity, but it is unlikely that any unprejudiced critic can be found anywhere to allege that Tudor or Stuart scholarship was inferior to our own. As I see it, a boy now is sent to some preparatory institution at seven or eight, remains there until he is twelve or thirteen, passes on to a public school, where he continues the self-same curriculum, reaches the University when he is eighteen or so, and gives up three or four years more to a course of study which differs only in minor detail from that of the two earlier periods. Something like fourteen or fifteen years out of a lifetime spent in one unvaried groove of instruction. To my way of thinking this is excessive and prompts the feeling that the average Englishman remains in tutelage far too long. Formerly the gifted section of our youth was to the front in political life, dedicated to the task of empire-building in distant lands or writing dramatic masterpieces, at a stage when its descendants have hardly begun to think seriously about such matters. I have frequently wondered why so many of my country-men carry on even into middle life the appearance as well as the mentality of the schoolboy, an unchanging immaturity which sepa-rates them sharply from the males of most other nations, and if the cause of it is not to be traced to the absorption in a monoto-nous scheme of work and play, which to judge by results must pro-ceed at an incredibly slow rate of progress. It may be that the general decline of genius and talent among our people is due partly to an educational stagnation that has debilitated its intellectual life and fostered that spiritual sterility which for nearly a genera-tion has been slowly creeping over every part of the Empire, and which even the most superficial observer cannot fail to note and lament.

However, if the present system is to be maintained, then surely some of its more obvious limitations and defects could be overcome by the inclusion in the syllabus of a few subjects of real interest, such as for instance the female sex. Whatever dif-ferences of view there may exist among foreigners as to the merits or demerits, the virtues or vices of the Englishman, there is general agreement that he knows less about woman and her ways than the masculine creature of nearly every other civilized country. Several years ago I read in a novel by a Spanish writer whose name I have forgotten, a suggestion that every university ought to have at least one "Chair of Amoristics," and I cannot imagine why this admirable idea has been adopted nowhere. What a heaven-sent boon it would be to both sexes, and how the unhappy effects of an over-indulgence in Hellenic and Hebraical research could be relieved and lightened by the diversion to a topic, which after all occupies the mind of the ordinary man more than any-thing else in the world! George Moore has related how once he passed an idle hour in a club-room scrutinizing about fifty men sitting there in silence, and how he could not fail to recognize by the expression on each face that its owner's thoughts were lingering unmistakably upon some woman or other. And yet, while fourteen years are given up to the construction of Latin verses or the examination of Greek roots, all the knowledge about the most important mystery on earth has to be gained by every young person going unaided his or her own sweet way, as if we did not all know what wise old Samuel Johnson had to say long ago in disapproval of self-educated men. The more I think about the foundation of such a Chair, the more I am taken with the notion. And what a charming relaxation it would be for those of our elder statesmen, who upon retirement must find time hanging rather heavily on their hands; especially those who, having forfeited the smile of fortune, are obliged to suffer unwilling elevation to the chillier temperature of the Upper House! How such a change of occupation would have appealed, for instance, to the distinguished author of *The Pathway to Reality*, whom a grateful public, upon the outbreak of the last war, rewarded for his admirable services at the War Office, which included the establishment of our Territorial Army, by clamoring for his removal on the ground that he had spent a portion of his youth at a foreign university.*

As I wanted as much spare time as was possible for music, I lived outside my college, Wadham, in Walton Street, where I could play the piano as much as I liked without disturbing my neighbors; and it was about the same time that I began to compose, mostly songs and little pieces. Indeed my first term was almost crowded with one activity or another, for I attended faithfully a large number of lectures, appeared at college concerts, and played in its football team, this being perhaps my most surprising achievement, as I had neither attempted nor attained this dizzy height

---

* Should such a chair ever be founded, I can think of no more fitting inscription to be placed over the door of its lecture room than the epigram which stands at the head of the amatory section of the Greek Anthology:

Νέοις ἀνάπτων καρδίας σοφὴν ζέσιν,
ἀρχὴν Ἔρωτα τῶν λόγων ποιήσομαι.
πυρσὸν γὰρ οὗτος ἐξανάπτει τοῖς νέοις.

while at Rossall. During the Christmas vacation I went over with a friend to Dresden for a round of opera performances, parties, and dances on the ice, and, looking back over the years, I have no doubt that it was this sympathetic experience which was the initial cause of my backsliding from the virtuous resolution I had formed to make the best of my stay at Oxford. For in the following term my attendances in chapel and classroom grew less and my concentration on music greater, and I was so haunted by memories of the happy time I had spent in Dresden that, hearing of the production of a new opera shortly to be given there, I absented myself for a whole week from the university to go over and see it, a crime of the first magnitude against college discipline and one which, had it been discovered, would have brought about my instant expulsion. A trip to Italy during the spring did nothing to correct this refractory state of mind, and the sight of the cradle of the Latin race, instead of stimulating the keener pursuit of my classical studies, only the more convinced me of the futility of my existence at Oxford. I struggled through the summer term with difficulty, and then begged my father to let me go down and gratify my earlier desire to pass on to some Continental capital, where I could improve my modern languages, equip myself better for a business career, and revel in that fuller musical life which was wanting at home. At first he was not disinclined to listen to me, but once again the shadow of the priesthood crossed my path, my plea was rejected, and I had to resign myself to settling down quietly, anyway for a time, in a provincial district, comforted only by the hope that something better might one day turn up. By an odd chance it was the frustration of my cherished plans that brought about my introduction to that branch of musical work which years later was to be the substance of my whole career.

Having a good deal of time on my hands, I commenced the formation of an orchestral society in my birthplace, St. Helens, collected all the amateur forces that were available, added the leaven of a solid professional contingent, and burst upon my fellow-townsmen with a series of classical concerts. At once I realized that here was the medium of musical expression which I had vainly sought in the piano or any other solo instrument. I bought loads of scores, studied them voraciously, and found to my agreeable surprise that I had little difficulty either in grasping their contents or in committing them to memory. This unexpected discovery that I and the orchestra seemed meant for one another inspired me with a confidence in my capacities which I had not felt before and without which I could not have ventured so boldly to grasp an opportunity of facing as conductor a large and famous body of musicians which was offered me shortly afterwards. My father, who was Mayor of the town that year, had decided to add to the regular public functions a concert by the Hallé Orchestra and its conductor Hans Richter. Richter had only recently come to Manchester, and his appointment had not been made without considerable opposition from many who wished to see Englishmen holding the few big posts in the country. In those days he enjoyed a commanding prestige which owed more to his personal association with Richard Wagner than to a talent, which had decidedly marked limitations. A few things he interpreted admirably, a great many more indifferently, and the rest worse than any other conductor of eminence I have ever known. But his readings of Beethoven and Wagner were considered sacrosanct, and from them there was no right of appeal.

For this particular concert there had been chosen a program composed mainly of the works of these two masters and the town and district hummed with excitement at the coming event. Almost at the eleventh hour the devastating intelligence arrived that Richter could not appear: my father was in despair, his magnificent entertainment seemed threatened with disaster. He consulted me as to what was to be done and I made the suggestion that I should take the absentee's place. When he had recovered from the shock of this audacious proposition he communicated with the authorities at Manchester, who were equally aghast that a boy hardly twenty years of age, and an amateur at that, should dare at a moment's notice to step into the shoes of their god-like chief. Fortunately for me, the principal violinist flatly declined to play at all, insisting that another conductor of experience and reputation should be engaged, and my father who until that moment had been in a state of vacillation arose in paternal wrath and put him down. He had now perhaps begun to realize, being the astutest advertiser of his day, that what had at first looked like a possible reverse might be worked up to a definite advantage. Anyway he politely informed the recalcitrant leader that he might go to the devil, that his son was going to conduct and no one else: and if the Hallé Orchestra did not wish to play it could stay away and he would send to London for another. I went in person to Manchester and interviewed the business manager of the Society, J. A. Forsyth, who was polite and neutral about the whole matter, and the concert took place without any of the hitches expected in most quarters and hoped for in some. Many years were to go by before the Hallé Orchestra and I were to meet again, and it would have required an unusual gift of prophecy to foretell in that year of 1899 that one day I should be connected with it for a longer period than with any other in England, save those of my own creation.

It was difficult to say along what road I should have traveled had I remained longer in Lancashire. Perhaps I should have settled down permanently in business or adopted later on some career, political or diplomatic, that with us has always been regarded as safe and respectable. One thing however is quite certain; never in the minds of either my familiars or myself was there even the vestige of an idea that one day I might take up music as a profession. But before long an event happened to upset the calculations of everyone. A grave difference of opinion between my father and myself led to my leaving his house; I went to London, and for the next nine years I neither saw nor heard from him.

7. BAYREUTH AND YOUNG GERMANY

It was during the summer of the same year, 1899, that I paid my first visit to Bayreuth, and it may be imagined with what excitement I had been looking forward to this event which inspired as much enthusiasm in the musically devout of the end of the nineteenth century as did a pilgrimage to some shrine such as that of Thomas à Becket at Canterbury in the Middle Ages. I journeyed by slow steps through Bruges, Brussels, Cologne, Frankfurt, and Nuremburg, suitably preparing my mind for the great experience by a re-study of the music dramas I was to hear under ideal conditions, as well as an extensive dip into German history, folk lore, and lyrical poetry, and after about ten days reached the little Franconian capital on an evening early in August. The town was hot, stuffy, and packed, the only accommodation I could secure was inadequate and uncomfortable, and a large number of the visitors seemed to be from my own country. This was an unwelcome surprise, for I had vaguely imagined that I should find myself in the pure atmosphere of an undiluted Teutonism, and the prevailing sound of my own tongue gave the place something of the tone of a holiday resort at home that dulled a little the edge of my expectations. With the splendid snobbery of youth I declined to believe that this familiar crowd of knickerbockered sportsmen, gaitered bishops, and equine-visaged ladies could have any real affinity with the spirit of the mighty genius who had completed on the stage the task which Walter Scott a century earlier had begun in the novel, the reconstruction of the age of chivalry and romance. I coveted the happiness and applauded the prejudice of the royal Ludwig, and had I been a millionaire would have waited

53

until the close of the Festival and engaged the company to play its program all over again for the benefit of an audience of one, myself.

There were signs too that Bayreuth was ceasing to be the inviolate shrine of the Wagner cult and that the German public was beginning to lose some of an earlier faith in its artistic integrity. The air was filled with the din of controversy over the policy of Wahnfried as well as the quality of the performances at the Festspielhaus, and the redoubtable Felix Weingartner was to the front with a pamphlet in which he vigorously attacked both. The malcontents quite unambiguously proclaimed the decadence of the Festival and accused Cosima of having handed over the splendid musical machine of her husband as a toy for their son to play with, deplored the engagement not only of singers who had little or no knowledge of the true Wagnerian style, but of conductors whose addiction to slow tempi weakened that force and liveliness which Richard had always demanded in the rendering of his music and, worst of all, clamored loudly for the removal from the chair of the youthful Siegfried, whose left-handed direction they denounced as feeble and uninspiring. Naturally the Wahnfried circle responded to its critics with the counter-accusations of intrigue and jealousy and, so far as I could judge, seemed for the moment to be having the better of the argument. The personal prestige of Cosima, a remarkable woman of considerable attraction and indomitable will, still ran high, and if she did not know what Richard's true intentions and wishes had been, then no one did.

My own sympathies veered toward the opposition camp, as the representations I heard were distinctly disappointing. Although I had not seen "The Ring" before and could not therefore judge where in detail I found them wanting, the singing, playing, and stage production all fell below the level I had previsioned. The inevitable crowd of cranks and faddists swelled the ranks of worshippers and the bookshops overflowed with literary curiosities, some of them linking up the music dramas with every recent "ism" in philosophy, politics, science, and even hygiene, one bright effort going so far as to allege that Parsifal was less of an art work than a piece of propaganda for the higher vegetarianism and not to be comprehended fully unless accepted as such. It was something of a relief to escape from this unidyllic environment into the country for a change of air during a pause in my cycle of performances, and as I had been told of a little Spa, Alexandersbad, some twenty miles out where one went to drink the steel water springs and take walks in the pine woods all around, I went and remained there for the rest of my visit, going into Bayreuth only on the days of performance.

There was a fair sprinkling of persons of my own age but, with the exception of a few Americans of German extraction, no foreigners by myself, and I struck up acquaintance with some students and young naval officers who manifested the keenest interest in everything English. There was a curious duality of outlook in all of them, a genuine admiration of Great Britain, its institutions and customs, coupled with a firm belief that Germany was destined in the coming years to supersede it as a leader in world affairs. They spoke with an assurance, even a note of fatalism, that made a deep impression upon me and set me wondering whether my present conception of the Fatherland as a vast academy given up mainly to higher abstract thought and artistic endeavor was altogether accurate. There was little of that sort of thing in these young men, who, though educated and knowledgeable enough, were severely realistic and practical beyond the imagining of their opposite numbers at home. In the friendliest and most amiable fashion they would discuss with me the coming struggle between our two countries and never entertained the slightest doubt as to the result. Every empire has its day, they argued; the previous centuries had seen the rise and decline of Spain, Holland, and France, and England's turn must come. And who was there to fill its place but the wise, noble, and gifted nation whose development had been the outstanding event of the nineteenth century? Step by step it had climbed up the ladder of achievement, and now its strength was concentrated and poised for heroic enterprise. I inquired if there was not room enough on the earth for two equally great powers to co-exist side by side in friendly rivalry, but the answer invariably was that there never had been two cocks-of-the-walk of similar ambition who sooner or later could avoid coming to blows. They introduced me to the writings of modern German historians, notably those of Von Treitschke, who saw in the new Empire the fulfillment of the dream of the great Hohenstaufen emperors that it was the mission of Germany to rule over a Europe dominated by Teutonic arms and culture.

All this seemed a long way off from the Goethean conception of it as an international home where all branches of knowledge, art, and learning could flourish in peace, and I consoled myself with the reflection that my companions after all were extremely young and might undergo many spiritual and mental changes before the day of reckoning arrived. Their vision was bounded by an horizon purely European, and Western European at that: and not one of them looked to the rapidly growing community across the Atlantic as another potential competitor in the race for world supremacy, or to the possibility of a military resurgence in the East. About the intellectual superiority of their own country over mine they were equally convinced and, pointing to the much greater number of universities, state-supported theaters, opera houses and other institutions founded and maintained for the higher education of the people, contrasted all this wealth of cultural resource with the comparative poverty of it of England. Here they were on less assailable ground, for I had no answer to the challenge that while we possessed the greatest group of dramatists the world had even seen, the Empire could not show one theater given up to the regular representation of its incomparable contribution to art.

I had gone to bed early one evening, quite fatigued by a bout of political dialectics which had gone on most of the day, and waking also early the next morning went for a long tramp across the charming and rolling country that lay on every side of the Spa, during which I enjoyed two of the pleasantest coincidences that ever came my way, I had taken with me a small score of the

Beethoven *Fifth Symphony* and the *Fruit, Flowers and Thorn Pieces* of Jean Paul Richter and, reaching a pretty valley, sat down to read awhile. Suddenly I heard the call of a yellowhammer quite near me, repeated several times and with a short interval between each utterance. Presently it was answered by another from the opposite side of the valley, and this delightful duet went on for several minutes.*

Continuing my way a mile or two further I saw in the distance the outline of a small town, and on approaching discovered it to be a choice example of the walled city of medieval days, Wunsiedel, and none other than the birthplace of Jean Paul himself. Nothing on the face of it could be more strikingly at variance than the spirit of the little group I had left behind me in Alexandersbad and that of the sentimental humorist of ninety years earlier: but paradoxically there was a reconciliation between these seeming opposites. For clearly poets and musicians, as well as politicians and philosophers had all this time been bending their energies to the re-discovery of an independently national or racial entity in themselves, an aim that was a total reversal of their outlook in the eighteenth century. There is nothing distinctively German in Handel, indeed he is above all others the great internationalist of music; or in Gluck, Mozart, Haydn, or even Beethoven, although in the latter we have some premonitory hints of the great breakaway from the broad European tradition that was to be initiated by Weber and consummated by Schumann.

I have often thought that if we are seeking an insight into one whole side of the Teutonic nature, we can find it more fully revealed than anywhere else in the art of Robert Schumann. According to Nietzsche, he and his contemporaries, including Mendelssohn, were merely an episode or interruption in the orderly flowing tide of German musical history; but while this may be true or

* Everyone is aware that the habitual song of the yellowhammer is identical with the motto theme of the first movement of Beethoven's C Minor Symphony. But this is sometimes varied and on the occasion to which I am alluding, the second voice of the duet answered with the last of the four notes of the phrase a third above, instead of below the preceding three.

not of the others, it is an entire misreading of Schumann's place in it. Far more completely national and unmistakably representative than any other before or since is his the genuine voice in song of his countrymen, and all that is best in the German soul is enshrined here as a witness to the world of what has been and in days to come may be again. Poetry and romance have been acknowledged to be more fully present in this music than in any other, Chopin's excepted. But it is not these qualities in themselves that constitute its unique character, for all the really great men possess them in larger or lesser measure. It is the individual expression of them which sets Schumann so widely apart from his fellows and which takes the form of an intimate approach that salutes us, not so much as an audience to be conquered by rhetorical argument as a friend to be talked over by gentle persuasion. Queen Victoria used to complain that Mr. Gladstone would insist on addressing her as if she were a public meeting, and we are affected, though not disagreeably, in the same way when we listen to other composers. It is a ceremony, sometimes a very formal one, and during its performance we are seldom forgetful that the author of the discourse is addressing himself to a thousand or two others beside ourselves. There is none of this platform manner about Schumann, who has accomplished the miraculous feat of clothing exquisite and delicate fancies in subtle and secret phrases that each one of us feels to have been devised for his own especial understanding. To meet this ingratiating simplicity and confidential intimacy in an artistically sophisticated community is the rarest of phenomena. They are to be found almost exclusively in culture's earlier stages, and typical instances are the earlier Gothic sculpture and the ballad poetry of all nations (notably that of Scotland), of which a lingering echo can be heard in the more local verse of Robert Burns. The sentiment that inspired them was nourished by the fireside rather than in the market place, and was the most valued possession of that older Germany, land of toys and the Christmas Tree, for whose people perhaps more than any other, home was the center of the world. But it was already evident to me that to regard this facet of German inner life as illustrative of the whole people at the close of the century was just another youthful illusion, which I had better discard at once; and fortifying myself by a fresh glance into the soothing wisdom of Jean Paul, I returned to Alexandersbad for breakfast and another prolonged debate with my companions on the future of the young empire.

The austerity of purely masculine society was tempered by the presence of two charming American girls whose forebears had come originally from the vicinity, and as their conversational acquaintance with the language was hardly better than mine, we made a little group of our own, to which we joined a young naval lieutenant who spoke English admirably. We played games, took walks, dined together, and made music afterwards in one of the large sitting rooms of the hotel. One evening in the middle of a lively talk punctuated with a good deal of noisy laughter, a diminutive baron who had been sitting with his massive wife on a sofa at the opposite end of the room, got up suddenly, rushed forward and shaking his fist furiously in the face of one of the girls, treated us to a violent harangue of which I could hardly follow a word. The lieutenant, who seemed highly amused, informed us that we were being accused of having spoken slightingly of the lady during one of our hilarious moments, and I hastened to assure the irate husband that not only had we not mentioned her name, but up to that moment had been unaware of her existence. This, however, he appeared to take as a fresh insult, for he stormed away all the more vigorously, and I was at last obliged to request our friend to tell him that if he did not cease at once and return to his seat, I should be under the disagreeable necessity of conducting him to it against his will. This intimation of belligerent action, if necessary, produced the desired effect, for he drew himself up with immense dignity, turned right about face and strutted away in the direction of the door, his baroness well behind him in true German fashion. Naturally the girls were rather upset by this untoward event and also retired earlier than usual, while the lieutenant and I stayed up to consider what ought to be done next, it being finally decided that

he should seek out the enemy in the morning, explain to him the
enormity of his offense, and demand an apology. That night I was
haunted by dreams of a sanguinary encounter carried on in the best
Heidelbergian style and for the first time felt that there might be
something after all in the much discussed project of a universal
language, which should be made obligatory upon the whole civilized
world for the avoidance of needless misunderstandings. But evidently the baron had had time to think again over the matter, for
upon the visit of my emissary he professed willingness to be convinced that his wife might have been in error and had not been the
inspiration of some of our cachinnatory outbursts. This little un-
pleasantness removed, we all got together, celebrated our reconciliation, and remained on the best of terms during the remainder
of my stay.

The series of performances at the Festspielhaus coming
to an end, I started on my homeward journey, loitering for a few
days at Nuremburg to better my acquaintance with the churches
and other buildings I had so much admired when first passing
through. I had intended to spend a little time at Munich and Strasbourg and go on from there to Paris, but finding that my funds
had almost melted away through an indulgence in hospitality
at the Spa much larger than I had anticipated, this part of my tour
had to be abandoned, and I returned by the way I had come.

By one of those contrarieties or perversities of human
nature which may really be natural and normal if we only understood them better, I was less interested during my Bayreuth visit
in the music of Wagner with which I was tolerably familiar, than
in that of Brahms which was almost unknown to me. Whether this
was owing to a recoil from the unnatural atmosphere of a place
where idolatry, cant, and eccentricity were all so blatantly ubiqui-
tous, or nothing more than the simple attraction of a musical style
wholly unlike the one which had been filling my ears for weeks
past, I do not know. But on my returning to Alexandersbad I took
with me a large bundle of the Hamburg master's work, devoting

much of my spare time to the study of it. I formed then the opinion which I have since been unable to vary, that Brahms was essentially a romantic composer, as far removed as is conceivable from the true classical spirit and generally at his best in smaller forms.

8. LONDON IN 1900

My first feeling on arriving in London was one of relief at having escaped from a circle of living which was becoming each day less sympathetic to me. My duties in our smooth-running and highly organized business had been of the lightest, and the opportunities for serious work in other directions altogether limited. I was expected to fit in with and settle down to a routine through which the current of life flowed lazily and insignificantly, when I felt the growing need of getting to grips with something more arduous and absorbing. Thanks to an earlier knowledge of the larger world outside, I had reached a maturity beyond that of most of my generation, and what I wanted was some exacting and whole-time work to which I could devote a constantly increasing energy which had not yet found the right outlet for its full exercise.

Just as it is hard for those who have lived in comfortable circumstances to accept a lower standard of living when it is suddenly thrust upon them, so is it in most cases no easy problem for a young man who is without preparation for a specific career to decide what he can best do if thrown back largely on his own resources. But in mine no difficulty of choice was present, for I had one definite accomplishment at least, music, and that it had to be in one form or another. For many years I had worked in a general way, sometimes zealously and at others casually, at the piano, a few other instruments, and the various arts of composition. I had read dozens of text books, histories and biographies, and knew backwards *La Grande Traité* of Berlioz. It was time to gather up all these loose threads and bind them together in a solid bundle of efficiency.

In public accounts of my career has frequently appeared the assertion that I am almost entirely self-taught and, beginning as a rank amateur, have attained a professional status with some difficulty after a long and painful novitiate. Nothing could be more remote from the truth. It is possible that at the age of twenty I might have failed to answer some of the questions in an examination paper set for boys of sixteen in a musical academy; but probably I should fail with equal success today, and I venture to say that a fair number of my most gifted colleagues would do no better. On the other hand, owing to my travels abroad and wider association with musicians here and there, my miscellaneous fund of information was much more extensive than that of others of my age.

But even in childhood I had been taught those rudiments of the art which still go by the nonsensical name of theory, and at school I worked regularly with a master who was a man of excellent taste and scholarship. At Oxford I continued the same line of study with John Varley Roberts, the organist of Magdalen, who scanned and criticized all my earliest essays in composition. Varley Roberts, who was then getting on in years, was a bluff outspoken Yorkshireman of the old school, simple, thorough, and imbued with the belief that nothing of much consequence had happened to music since the death of Beethoven. A true son of his native county, he was a first-rate choral trainer, and his choir at Magdalen, the best in Oxford, equalled in reputation that of King's College Chapel at Cambridge. For all so-called voice producers and their contending views on how or how not to sing he had a healthy and old-fashioned contempt which he delighted to air on every suitable and unsuitable occasion. There coincided with the period of my residence there a mild wave of interest in a subject which in most quarters is as much of a fixed science as table rapping, and during one term we had a convocation of eminent authorities from all over the country for the exchange of ideas. At all the meetings where lectures were delivered and treatises read Varley Roberts was present, together with a large contingent of his choir boys; and when the proceedings were terminated and the participants had departed whence they came, he called his flock together and addressed them in this refreshing style, "Now, lads, you have heard a great deal about the voice in the last few days, but I've got just this to say to you and don't you forget it. All you've got to do is to stand up, throw your heads back and sing; all the rest's humbug."

During the year I spent in Lancashire I was introduced by Steudner Welsing, my piano master, to a young professor of composition at the Liverpool School of Music, Frederic Austin, who as time went on developed into one of the most versatile and accomplished musicians of the day. With him I further pursued the straight path of knowledge to my distinct advantage but more on the aesthetic than on the technical side. For this was my first encounter with an wholly modern and up-to-date type of musical mind, adventurous, impressionable, and yet coolly analytical and tolerant. The brief association I enjoyed with him had the beneficial result of sweeping out of my mind the lingering cobweb traces of the rigid scholasticism to which I had bowed grudgingly at Oxford, so that by the time I left for the South I was culturally emancipated enough to be able to accept or reject whatever came to me with infinitely greater self-confidence. At the same time, to make sure that there should be no gaps in my armor of instruction, I went to see Sir Charles Villiers Stanford and, laying my case before him, asked if he would take me as a private pupil. He explained that he had little time for such work outside the College of Music, and passed me on to his chief assistant, Charles Wood, with some of whose compositions I was already acquainted.

During the previous year, an enterprising and audacious scheme had been launched at New Brighton, a popular resort a few miles from Liverpool on the other side of the Mersey, where an orchestra of about sixty players, under Granville Bantock, gave weekly concerts with the program of each given up to the work of a single British composer. There it was that I heard the music of all those men who were then looked upon as the leaders of the English musical renaissance, Parry, MacKenzie, Stanford, Corder, Wood, Wallace, and Bantock himself. There was a good deal of genuine interest in and enthusiasm for this prolific native movement, and in certain circles and journals nearly everything produced by it was hailed as a masterpiece. Now and then I come across cantatas or oratorios on the back pages of which are press notices of some piece written during the last quarter of the century, and I have to rub my eyes twice before I can credit what I am reading. All our geese were swans, no longer need we suffer from any complex of inferiority, we had caught up with our neighbors of Italy and Germany, and the future of the art was in our hands. The names of Brahms and Parry were coupled together in a fashion that suggested an equality of achievement in the two men, and any adverse criticism from abroad was looked upon as prejudice or jealousy. In short, a cheerful wave of musical chauvinism was sweeping over the land, and all of us to a greater or lesser degree were borne along upon it.

With Charles Wood I worked steadily and industriously for over two years, submitting to him every imaginable kind of exercise, fugues, choral pieces accompanied and unaccompanied, orchestral fragments, one grand opera (of which I myself wrote the libretto), and another in a lighter vein. The manuscripts of these early efforts disappeared years ago, and I have offered up many a prayer that they remain eternally missing. The declining days of Grieg were saddened by the remembrance of a string quartet written in extreme youth which too had been lost, and the painful thought that it might be discovered and published after his death by some injudicious busybody was the one dark shadow in a happy and contented life.

I sometimes wonder if the present generation can possibly realize how different is the world it is inhabiting and accepting as a matter of course from that of fifty years ago. Gibbon in the *Decline and Fall* has reminded us that in his time, the latter half of the eighteenth century, the transport facilities from Rome to London had remained unchanged since the days of the Emperor Hadrian, and modern historians have had their say about the striking transformations wrought everywhere by the discovery of steam at the beginning of the nineteenth. But the inventions which crowded upon us at its close are perhaps too near to be appraised as justly, and we have yet to learn whether some of them may be regarded as blessings or curses. The society in which I was brought up knew nothing of the telephone, the motor car, the gramophone, the airplane, the submarine, the radio, or even modern journalism. In the London of 1900, horse-drawn buses and hansom cabs still provided the chief means of getting about, supplemented by a semi-underground railway that was a veritable portent of dirt and gloom. But apart from little inconveniences like these life for some of us was unquestionably more spacious and agreeable. The sense of security was universal, and no man in his senses doubted for a moment that the British Empire, which was then about one hundred and fifty years old, was destined to remain just where it stood for another thousand or two at least. The national debt was small, the income tax was negligible, a golden sovereign purchased twice as much as did its paper equivalent twenty years later, and most important of all, Parliament sat for only half the year, thus enabling the executive part of the Government to get on with its duties quickly and efficiently. The Diamond Jubilee of Queen Victoria in 1897 seemed to British people everywhere to be not only the close of one great imperialistic era but the beginning of another that was to be still more glorious; and even the disquieting revelations of Mr. Rowntree of the deplorable condition in which about one-third of our population actually existed failed to wound the national pride or disturb its tranquil complacency.

Only a few minds of a more inquiring turn scanned the future with a tinge of anxiety and recalled the prophecy of a great philosopher that we were drawing near to that era of war on a scale that future generations would look back upon with wonder and admiration. One of the most outspoken of such uncomfortable fellows (for so they were regarded) with whom I came in touch was Sidney Whitman, the historian of the House of Hapsburg,* who

* His best known work is Austria.

knowing his Europe through and through was under no illusion about the purpose to which the colossal military forces being trained in nearly every land would ultimately be devoted. I had met Whitman at a house where I was playing the piano, and as he had professed interest not only in my performance but my share of a brief conversation we had had on foreign affairs, I followed this up by calling on him with some articles I had been writing on various musical subjects and upon which I was anxious to have his opinion. As I was tolerably well pleased with them myself, I was rather chagrined to be told that they were on the whole windy rubbish, that my style was painfully ornate and high flown, that I must be suffering from a lengthy period of over-feeding at the tables of the nineteenth century romantic writers, that what I needed most was a complete change of diet and that many of the paragraphs which sought to deal with the mere technical problems of my art might have been interpolated without incongruity into a novel of Disraeli. But my literary excesses might be cured, or at any rate eased by a solid course of eighteenth century prose reading, and if at any time I still found myself hankering unwholesomely after the picturesque, there were the Jacobean dramatists to show me how it ought to be done. Of the great contemporaries and successors of Shakespeare I knew comparatively little, as neither in my home or school had they any licensed place in the libraries. But shortly afterwards I was enabled to remedy this state of deplorable ignorance through the lucky chance of an invitation to spend a few weeks in the Portuguese home of Sir Francis Cook.

Montserrat, a few miles from Cintra, once the home of Beckford, author of *Vathek*, and noted by Byron in the first canto of his "Childe Harold,"* is a splendid palace whose gardens are

* *Childe Harold*, Canto I, Stanza XXII:
  "There thou too Vathek! England's wealthiest son,
    Once formed thy Paradise. . . ."
The stanza No. XIX containing a description of the scenery around Montserrat is among the half-dozen best in the First Canto:
    "The horrid crags by toppling convent crowned,
    The cork trees hoar that clothe the shaggy steep,

world-renowned for containing almost every tree, shrub, and plant known to botany. But the chief attraction of the place to me was a large and first-rate library where I found everything of the periods that I had been advised to study and first made acquaintance with that noble company of dramatists whose work, according to Swinburne, makes every other period of English literature seem half alive. During my stay I must have read scores of volumes beginning with Marlowe and continuing to Shirley, and if I had a preference at the moment it was probably for Beaumont and Fletcher and those in the collection of their plays which through their unity of style are manifestly the work of the latter. There are few better antidotes for a stubborn mood of melancholy than an escape into the radiant world of this brilliant and neglected genius whom the second of our great poet-critics with intent to rebuke once styled the English Euripides. And whenever I renew my acquaintance with the easy flow of his nervously animated verse and the perfect music of his lyrical numbers, I recall the judgment of Dryden that it was in the twin "bards of passion and of mirth" that our language reached its summit of perfection.

Unaccountably brief in the history of every nation is the lastingness of any achievement of supreme merit in one especial domain of Art; and in none is this more strikingly exemplified than in that of poetic drama. Athens, England, Spain, France, and Germany have all conformed to some high and inscrutable decree that no human power can control or resist. A short sixty years saw the birth, growth, and decline of the English cycle of greatness, and hardly more that of the Greek; while the duration of each of the others is even less, although France might be said to have had the semblance of a silver age in the nineteenth century.

The mountain-moss by scorching skies imbrowned,
The sunken glen, whose sunless shrubs must weep,
The tender azure of the unruffled deep,
The orange tints that gild the greenest bough,
The torrents that from cliff to valley leap,
The vine on high, the willow branch below,
Mixed in one mighty scene, with varied beauty glow."

Like certain freak performances of nature, they appear seemingly from nowhere, breathe out their short dated lives, and vanish to return no more.

There are some who, having dwelt awhile on high mountain tops, like to make their descent by gradual stages so that the contrast may not be too sharp between the air which they are leaving behind and that on the plains below. In similar fashion I avoided a too rapid plunge from the poetic altitude of 1600 to the prosaic flatland of 1700 by stopping at the half-way house of the heroic drama of Davenant and Dryden, which like most transition phases is more singular than satisfactory. I had little regret therefore on reaching a solid earthy level where men no longer toiled vainly to bend the bow of Ulysses and were resignedly content to entrust their fancies to a prose as perfect as the verse of the great age. But it is less the change in the medium of communication between author and public which had been slowly taking place over fifty years that is so impressive as the transformation of outlook over the whole kingdom of letters. The masters of the Elizabethan and Jacobean era were still good Europeans, true heirs of the Renaissance, and each one of them (paraphrasing Ancient Pistol) might have said, "The world's mine oyster which I with my pen will open." They traversed with colossal strides the surface of all lands, drawing material as well as inspiration from every quarter to which their insatiable curiosity led them, and were in the fullest sense of the word—universal.

With the dawn of the eighteenth century we are made profoundly conscious that the literary mind of England has contracted to a bounded nationalism, that the Reformation has now fully accomplished its task, and that our small island is no longer a part of Europe, but an isolated territory which has withdrawn into itself with the determination to cultivate no other garden than its own. Henceforth the whole country is to become and remain for the best part of one hundred years a vast parish and, with small concern for what is going on outside its borders, is to find happiness in exploring no other delights but those of England, home, and beauty. It is owing to this splendid parochialism that the eighteenth century is the most truly English of all in our history and that its literature attains a genuinely classical perfection denied to that of more than one period of incontestably loftier aim.

Most of the other acquaintances I made during my first year in London happened to be of an ultra-radical, socialistic, and anti-imperialistic color, little Englanders to a man. This was in its way another fresh world to me, and for a while I was attracted by the writings of Blatchford, Kropotkin, Bland, and other leaders of the school. It was through my association with an elderly harp maker, George Morley, a man of considerable culture with whom I played chess and billiards, that I began to frequent the meetings of the Fabian Society, where lecturers would expound to us the full gospel of the new creed. One evening there was an address on Shelley, and the speaker, while professing great admiration for his genius, deplored that the poet, as the son of a Sussex squire, had been born to the evil enjoyment of unearned increment; for in the kingdom of heaven on earth that was at hand, there would be no room for men of such breed. That evening on my return home I reviewed in my mind the many distinguished names in letters (going back no further than Chaucer) who, had they been born after the establishment of this arid social system, would never have been allowed to write at all. Gathering together all the Society's books, pamphlets, and leaflets, I hurled them into the fire; and as I watched the pile burning away merrily, I remembered how Voltaire had once said that while a philosopher had the right to investigate everything once, there were some things that only a fool would wish to experience twice.

9. FIRST OPERA COMPANY

It was during my second year in London that one day I heard of a new opera company that was about to go on tour in the suburbs, with a cast of artists nearly all well known to me. I resolved to try my luck with the management, and with a full score under my arm marched down to its offices, where I found a score of other persons in waiting. Hours went by and I was beginning to think I should never obtain even a glimpse of the great man, when suddenly the attention of us all was drawn to signs of what was unmistakably some sort of a scene going on in the inner room, accompanied by a very ineffective improvization on a piano, conspicuously out of tune. Presently the door was flung open and a portly choleric individual appeared and called out, "Is there anyone here who can play the piano?" Several of those present at once answered in the affirmative. "But do any of you know *Faust* without the music?" continued the apparition and to this there was no reply. It dawned upon me that here might be an opportunity of penetrating the stronghold; so I meekly raised my voice and said, "I think I know the opera."

"What part of it?" sternly demanded my questioner.

"Any part of it." He gazed at me incredulously and then said, "Come in," and in I went.

It appeared that a singer who had been sent there with a recommendation for the part of Marguerite had neglected to bring a copy of the piece with her, and this oversight had kindled the official wrath. I played through those portions which were required for the trial and was about to take my leave when the now partly pacified impresario said: "Wait a bit. I want a word with you, besides there may be others out there who have forgotten their music"; and so it proved to be. After the singers had left he turned to me and said, "Why did you come here?"

"I have an opera with me which I hoped you might hear with a view to performance," said I.

"Good God, what an idea!" said he. His astonishment seemed so profound that I hardly knew how to continue the conversation and was thinking of a fresh opening when he went on. "How many of the pieces I am giving do you know?" handing me at the same time a prospectus of his season. I looked at it, informed him that I was familiar with all of them, and he asked me if I had ever conducted. I told him exactly what I had done, and he asked me whether I would like to try my hand at opera. Naturally I jumped at the idea, still nourishing the hope that it might lead to the production of one of my works. As it was now about lunch time, he invited me to come back in the afternoon and talk it over with him, and when I returned I found him quite alone. He explained that he had given orders that no one should be admitted as he wanted to have a little private singing, declaring himself to be the possessor of the finest tenor voice in England. I was made to sit at the piano and accompany him for the rest of the day in long extracts from operas that contained his favorite roles, and every time there was a brief pause, he asked for my opinion as to his performance. Naturally I allowed my enthusiasm to grow with each effort, and the result was that before I left I had been offered and had accepted the post of one of the two conductors of the new company, with instructions to start at once on the rehearsals which were taking place at the "Old Vic," and about two weeks later the company started on its tour.

It lasted about two months, visiting such outlying places as Clapham, Brixton, and Stratford, and I enjoyed myself hugely, conducting in addition to *Carmen* and *Pagliacci* that trilogy of popular Saturday-nighters dubbed facetiously "The English Ring"—*The Bohemian Girl, Maritana,* and *The Lily of Killarney.* But all the fun and excitement I extracted from the experience (that inveterate old joker, G. H. Snazelle, who was playing Devils-hoof succeeded in setting fire to the stage as a farewell gesture on the last night) could not blind my soberer perceptions to the truth that if there was one especial way in which opera should not be given, then here it was in all its rounded perfection. Some of the singers of course were excellent and I have never heard Marie Duma's rendering of Leonora in *Il Trovatore* bettered anywhere in the world for tone quality, phrasing, and insight into the true character of the role. The performances that I have heard during the last fifteen years either at La Scala or at Covent Garden have all been markedly inferior. But of attempt, even the slightest, at pro-duction there was none, and both scenery and dresses were atrocious. Some of the principals brought their own costumes along, but the isolated spectacle of one or two brilliantly clad figures only threw into more dismal relief the larger mass of squalor in the back-ground. The chorus, which was composed mainly of veterans of both the sexes, was accurate but toneless and the orchestra quite the most incompetent I have known anywhere. I could not help comparing the wretched conditions under which great works of art were being presented to the public with the care, preparation, and even luxury bestowed upon any of the half dozen musical comedies or farces then running in the West End. Sometimes I would feel a touch of astonishment that we had an audience at all for the motley kind of entertainment we were offering, and at others an uncomfortable twinge of conscience as if I were an accomplice in some rather discreditable racket, which among a community more critical and knowledgeable would have provoked an instant breach of the peace.

The inferiority of the orchestral performance would be an impossibility today in England, so incontestably higher is the general level of playing. But at that time, outside the few great orchestras such as the Covent Garden Opera, the Queens Hall or the Hallé of Manchester, where at least the technical ac-complishment was first-rate, the average player was hardly equipped to tackle any music except that of a simple and straightforward kind. The musical culture of the country had for generations been almost entirely choral, and the instrumental side had been relegated to an obscure background from which it was only just beginning to emerge. Sir Edward Elgar has told us how during the earlier days of his career he once conducted a country town orchestra and overheard an elderly fiddler, who was timidly attempting a rather high passage, murmur to his desk colleague, "You know, this is the first time I have been up here." But already there were signs of a new and different spirit abroad which during the next few years was to yield gratifying results, chiefly owing to the wisdom of the colleges of music in creating student orchestras where young instrumentalists could be familiarized at an early age with at least a portion of the classical repertoire. Gradually the old and slightly tatterdemalion world of orchestral playing was rejuvenated by the invasion of a new type of player, who was not only a better performer on his instrument but of superior all round attainment.

None the less, I have always considered that this rather uninviting initiation into professional life was of the greatest service to me. To be pitch-forked into such a chaotic welter and be forced to make something tangible and workable out of it is incomparably more useful to the young conductor than to take command of a highly trained body of experts, accustomed through long routine to fulfill their respective tasks with ease and celerity. Indeed the youthful or comparatively youthful musician should not be allowed, except on some rare occasion, to conduct an orchestra of the front rank at all, and if he does I am not sure which of the two parties to the transaction suffers the more from it. It is almost impossible that he can teach it anything, and it is more than likely that its accustomed discipline will speedily relax under a leadership that has neither experience nor authority. Further, the unhappy young man will have to decide between the alternatives of assuming an air of omniscience as comical as a child preaching in a cathedral pulpit, or an abnegation of any effort at real direction; either of which will be equally acceptable to that collection of humorists who make up the personnel of nearly every first-class orchestra of the world. For there is no other company of human beings engaged in a communal task that can match it for instant and accurate valuation of competence or incompetence, be it in a conductor, singer, pianist, or any other executant whose craft has been daily under its argus eye year in and year out. Be it in the opera house or the concert room, I would in nineteen cases out of twenty abide by the verdict or accept the opinion of a great orchestra far more confidently than I would that of either the press or the public.

It is only fair to an institution in which I have so many good friends to explain a little this passing allusion to the press. There are, in every country where music is seriously cultivated, a few really remarkable men of keen sensibility, wide learning, and brilliant intellect whose writings are a delight and stimulation to all those who read them. Any one of these is in himself as much of a force as a great virtuoso or combination of instrumentalists. But even the most highly gifted intelligence does not always remain unaffected by the long and continued prod of subtle and intangible influences that emanate from every point of contact in a large musical circle, and it is only too obvious that during the last twenty years criticism generally has concentrated more and more on the material values of music and less on the spiritual. In other words, it has been and still is concerning itself almost exclusively with that which it calls technique, with little regard for anything else. In so doing it has mistaken the means for the end, the essential for the quintessential; and the result is that we have a standardized technique in every branch of the art, before which all have agreed to bow, save one dissenting group, the really musical. For we have reached a stage where we are confronted with the paradoxical situation that, while never before have there been so many musicians who are credited with impeccable mechanical excellence, there have also never been so many dull and uninspiring interpreters.

What has been forgotten is that technique is not an independent entity separate from the music itself. If someone plays Mozart or Schubert to me in a way I dislike, it is meaningless and irrelevant if an apologetic friend assures me that he is quite competent in Liszt. And if I reply that his technique is not equal to the task of interpreting satisfactorily the two other masters, my criticism is regarded as something between a libel and an insult. I therefore have to explain that my idea of technique is something more than playing mere notes accurately or even brilliantly. There is, for example, the choice of tone for a particular piece and the creation of a definite mood or atmosphere through the calculated control of a fixed range of dynamics. Are these important branches of the art of the keyboard to be considered as coming under the head of technique? If not, then under what other? For without a mastery of them no execution has for me the slightest interest or value. And it is precisely the want of the capacity to do these things that makes in my estimation the mere sounds produced by so many public performers so superficially musical as to give the minimum of pleasure. Again, accuracy, although excellent in itself, is not the only thing which is essential: "Non porro unum est necessarium." The great Rubenstein was not always accurate, he made mistakes; yet no one in those days suggested that he had a faulty technique. But in our present year of grace he would certainly have been severely admonished for a simple little slip and perhaps told to go away and practice before he ventured on another public appearance.

Some years ago I took my own orchestra, which already knew the work tolerably well, through a series of sectional rehearsals of *The Ring*. Every department, even double basses, had to go over each phrase with care and attention. As all the players were of recognized accomplishment, the performance was of a clarity, sonority, and accuracy that I have never heard equaled anywhere, save for a single break on the trumpet in a passage that unfortunately is familiar to every amateur in the world. This little misadventure, which the same player would probably not repeat in fifty years, filled the bulk of the critical press with an unholy joy. Nothing else in the rest of the representation seemed to have the smallest interest for them, and there was hardly a word of appreciation for the remainder of a four-hour spell of flawless playing. No; they had discovered a spot on the sun which their noctalyptic vision had so magnified as to make them doubt whether the latter was really there at all. And so I venture the modest opinion that the worship of the so-called impeccable execution has been a little overdone and that it is time that some measure of attention be given to the spirit and character of the music itself. After all, there is nothing easier to achieve than dead accuracy if one really sets about it. For there does exist one branch of work where it is of more importance than anything else, the making of records for the gramophone. Here the purely intellectual and technical elements take precedence over the emotional, owing to the cardinal necessity of securing a perfect balance adjustable to the peculiarities and limitations of the microphone and the disc. Here no one, conductor, pianist, or violinist, can let himself go for a single moment. Every bar is the bondservant of a tyrant to whom the correct playing of each note, a flawless pitch, and a discreet scheme of dynamics are the supreme considerations. In a public performance there are moments when a conductor is impelled to make exceptional demands upon his players for the full realization of the grandeur and eloquence inherent in the work he is striving to interpret; and sometimes vaulting ambition overleaps itself and tests to straining point the limits of that unsleeping control which the true Apollonian spirit maintains should never be violated. It is without doubt a fault, but surely one more excusable than a persistent discretion which never takes a risk or soars above the middle height of adventure.

But returning to my first encounter with opera, the most valuable lesson I learned was that all the music which sounded right and effective in the theater had a character or quality possessed by none other; and, equally, when heard outside the theater it failed to make anything like the same appeal. To apply the term "dramatic" and to be content with such a definition would be inadequate and misleading. The symphonic work of Beethoven more than that of any other composer is essentially dramatic, and if anyone be doubtful on the point, he need only listen to it after a course of Mendelssohn, Schumann, or Dvořák, all of whom wrote quite good symphonies in their way. Yet Beethoven's theater music is not one-quarter as vital and telling as that of Mozart. The fifth and sixth symphonies (particularly the latter) of Tschaikowsky have a distinctly dramatic quality, but of all the Russian composers he is the least successful in opera. What is this intangible element in the music itself which must be half the battle already won for any piece that has to dominate the stage? And how many works do we not know which are admirably constructed, have capital stories and excellent music, but which fail to hold the public attention really interested and absorbed? It is not easy to answer this question; but it may be a highly developed inner visual sense in the consciousness of supremely gifted writers for the theater like Mozart, Verdi, Wagner, and Puccini, that sees as in an ever-present mirror the progress of the drama running through every phrase, word, and action, and simultaneously evolves the right sort of music to go along with it. But whatever is its nature, there is no doubt about its existence, and the realization of it was to me at the time important enough to send me back to study again the operatic efforts of my countrymen, who so far had failed to produce a single work that could hold its own with even the dozens of second-rate pieces turned out by the composers of France or Italy.

It could not be owing to any inherent incapacity for the theater in our people, who during a period of several hundred years had been giving to the world one of the few great schools of drama known to civilization; but it might conceivably be traced to the predilection among our musicians themselves for those foreign masters like Bach, Beethoven, Mendelssohn, and Brahms, who are a complete antithesis to all that has to do with the essential spirit of it. As I have already indicated, German influence was everywhere omnipotent, while at the same time it was overlooked that the Germans were not really a theatrically gifted people. Their dramatic literature could not compare with that of several other great European nations, and even in the field of opera their composers, outside Weber and Wagner, had produced very little of genuine originality. It therefore seemed to me that until our musicians realized all this more clearly, turned their backs on their Teutonic models, generated a more wholesome respect for the composers of other countries, and (more important than all else) began like the Russians to cultivate a style and idiom of their own, they had better return to the safer and easier task of writing oratorios and cantatas for the thousands of choral societies up and down the kingdom, just as their forefathers had been peacefully and harmlessly doing for the past two hundred years.

10. A FOREIGN INTERLUDE

My colleague in the conductor's chair of the opera company was an Italian, Emilio Pizzi, an excellent musician who for a few years back had obtained a fair success with a short opera produced by some courageous entrepreneur in the West End. He was a friend of the celebrated librettist, Luigi Illica, part author of the "books" of *La Bohème* and *La Tosca*, collaborator with nearly all the composers of modern Italy, and an old admirer of English literature. Pizzi suggested that if I were contemplating another opera, it might be a good idea to ask this past master of the craft for a suitable libretto. Possibly he had something already sketched out that might do, for being a man of fiery energy he never sat and waited until a fresh commission came along, but always had half a dozen subjects on the stocks, to be completed when the call was sounded. We communicated with Illica, who replied that he was sure he had the very thing I was looking for: a three-act tragedy on the life of Christopher Marlowe. Nothing could have happened more pat to my mood, for I had just finished rereading all the plays of the founder of the Elizabethan drama, of whom a contemporary wrote, "His raptures were all fire and air," and I was deeply under the spell of their rhetorical magnificence. At the same time I could discover nothing in the life of Marlowe himself of the slightest romantic interest, and I concluded that the Italian poet proposed to draw largely upon his own imagination in framing the plot of a fairly long lyric drama. And so it turned out to be: a very charming and creditable effort with about one-quarter fact and the rest pure fiction.

Although he was able to let me have at once an outline of its scenes and episodes, Illica could not settle down for a little while to work on the text itself, as all his available time had to be given up to Puccini and their new opera *Madama Butterfly*, which was to be produced the following year. Too much absorbed in the prospect of my coming task to take on any other effort of composition, and yet unwilling to remain musically idle during the period of waiting, I set out to find some fresh job of conducting, but without success. There seemed to be no opportunities anywhere, and I was soon forced to the conclusion that if I wanted to continue before the public in this capacity, the only thing to do was to hire an orchestra and give concerts on my own account, at the moment an enterprise quite beyond my means. I next considered the formation of a choral society for the performance mainly of Tudor music, of which I had been making a special study during the period I had been working with Charles Wood, and although this project did materialize eventually, it was through the initiative of another than myself. One evening at the house of my friend the harpmaker, I met a young man who had not been long back in London from the Continent, where he had been working under Vincent d'Indy at the Schola Cantorum. He too was full of the subject of ancient choral music and thought it might be fun to collect about a dozen persons together, sit around a table and sing it for our own amusement. This we did, but in a very casual fashion, and a few months later my new friend, Charles Kennedy Scott, proposed that our little group be increased to a size large enough for the purpose of public concert appearance. The re-constituted body was christened The Oriana Madrigal Society and under Scott's masterly direction acquired during the next few years a technical skill, an eloquence of expression, and an insight into the music it was called upon to interpret that placed it an easy first among the small choirs of the Kingdom.

Not long afterwards I came into possession of a moderate-sized estate, the gift of my grandfather, which enabled me to reconsider my plans for the future. But before committing myself to any definite line of action, I decided first to go for a lengthy stay on the Continent which might stimulate my ideas and broaden my outlook. I had been working pretty hard in London for over three years along a single track, and I should be all the better for a renewal of acquaintance with those great musical centers, in one of which during my Lancashire days I had wanted so much to make my second home. More particularly I felt the need of enlarging my knowledge of orchestration, a craft which Charles Wood had always told me could be taught only by a master hand. I made my way to Paris, and sought the advice of Messager, who sent me on to Moskowski. The latter was at the outset somewhat at a loss to know what to do with me and insisted that I already had as much proficiency as the average musician of my years. But that was not good enough for my ambition, and our argument ended by my inventing a system of study which proved to be of equal interest to both of us. I used to select, or myself write, a shortish piece of two or three hundred bars and orchestrate it in the different styles of, say, Haydn, Bizet, Tschaikowsky or himself, and very soon, I think, he extracted as much amusement from this pleasant game as I derived instruction. Anyway he always maintained that it was an excellent plan, and I know that, assisted by his wide experience and refinement of taste, I learned much from it that later on I was able to put to useful purposes.

One evening I went to hear Grétry's *Richard Coeur de Lion* at the Opéra Comique and, at once attracted by this delicate and delightful music, set out to acquire all I could of the composer's work as well as that of his contemporaries. To my surprise there was very little of it in print, a mere handful of piano copies in the big music shops, and, as for full scores, they were to be found only in curiosity shops. It took me several months to compile a complete set of the operas of Méhul, and I never succeeded in collecting more than half-a-dozen of Dalayrac, Monsigny, and Isouard together. This music is unlike any other in that it owes little or nothing to any ancestry but that of the popular song of old France, which in turn took its character from the idiom and accent of the language. In the case of Grétry there is a lightness, a grace, and a melodic invention surpassed only by Mozart, while in that of Méhul there is a vein of simple and chivalric romance to be found in no other composer of the day except Weber. But indeed the whole of this school has a charm and distinction that never fails to fall fragrantly on the ear, and offers to the musical amateur, who may feel at times that the evolution of his art is becoming a little too much for either his understanding or enjoyment, a soothing retreat where he may effectively rally his shattered forces. Having plenty of time on my hands I spent some of it in the Bibliothéque Nationale, transcribing those works which had gone entirely out of publication, and when I left Paris in the summer for Switzerland I had a small company of young men still working at the job.

It is perhaps unusual for a young man who has spent half a year in the most brilliant and celebrated of European cities to take his leave without saying a single word about it, and among my patient readers there may be some who will wonder why. Was I insensible to its attractions or out of temper with its atmosphere? Had something occurred to lower its credit in my eyes? Was I unhappy there or did I dislike the cooking? My reticence is due to none of these hypothetical causes, for as towns go Paris to me is as good as any other. But the fact is I do not like living in them at all. Far the greater part of my first thirty years was spent in the country, and when I came to settle finally in London, it took me several months to become habituated to the noise, the smells, and the air of the place. But what of the churches, the palaces, and those other objects of interest which some people talk about as if they were the whole place itself? All very admirable in their way, but in the case of huge overgrown communities like London or Paris, just ornaments of microscopic size on an immense and shapeless mass. In Oxford, Exeter, Winchester, or Chester the structures of beauty and shapeliness have another relationship to their surroundings and form an integral part of the main municipal plan. But if one looks down from the air upon

London, the general impression is one of endless streets of small interest, and that portion of it which has any claim to aesthetic value, or which can avoid the imputation of ugliness and vulgarity, is but a tiny fraction of the total sum. For myself, I can rarely be brought to associate most great architectural monuments ex-clusively with their locality, and this presumably is because their connection with our present-day life is entirely different from what it was with that of the past. For a while the inevitable centers of social activity were the cathedral and the royal palace or residence of the chief notability of the district; in the smaller towns it was the city hall and later on the municipal theater or opera house. With us it is the hotel de-luxe, a fitting symbol of the transient character of our day; and our inability to conceive and plan large urban areas in which the average citizen can take a personal interest or pride is due to the gradually evaporating esteem for those in-stitutions, secular as well as ecclesiastical, which offer better oppor-tunities for self-praise in terms of architecture than the ephemeral temples of a transitional age. And yet there is nothing so important to the mental, moral, and physical content of any aggregation of human beings as the laying out of the area in which it lives and works, with an eye not merely to the facilities of communication but to the regular gratification of those instincts in the universal consciousness which cry out for order and symmetry. Of this the ancient world had the fullest understanding, to the extent of treat-ing it as a matter of course; and beauty was not looked upon as an isolated curiosity to be acknowledged on stated occasions only, after the style of our modern religion. It was an element which ran through the whole life of the city and affected the daily thoughts and actions of each dweller in it.

I established myself for the months of July and August in Lucerne, where I hoped to put in a good deal of work on *Christopher Marlowe*, of which by this time I had received the full script from Illica; and to vary the routine of composition I took up the study of another instrument. I had already some practical knowledge of half a dozen others, all of the orchestral family, and although I had no ambition to achieve a mastery of any one of them, I had already found that some working knowledge of the mysteries of an oboe or trumpet was of practical use if confronted with a performer apt to allege as excuse for his own shortcomings that this or that passage could not be played in a certain way. On one occasion at least I found myself in the fortunate position to demonstrate that he was mistaken. It was the trombone which I decided to add to my collection and, purchasing one, started work on it with vigor. After a few days there was a general protest from the other occupants of the pension where I was residing, and I took a studio in the principal music shop of the town, where other instrumentalists, mostly pianists and violinists, went for their practices. Here too I was such a disturbing factor in the house of harmony, and my presence so markedly undesired, that I retired to a remote corner of the cathedral graveyard, the quietest and most secluded spot in the place. Once again I was requested to take myself elsewhere because of complaints that I interfered with the choir meetings, and I was finally reduced to the extremity of hiring a small boat and rowing to the middle of the lake, where at last I could let myself go on what by that time I had discovered to be without question the most unpopular medium of musical sound in the world. Many a time since I have wondered, but have always forgotten to ask how other persons learn these instruments, whether they are provided with padded and sound-proof cells in isolated premises, or whether under the guidance of skillful experts they are enabled from the beginning to extract from them effects that are less of a public nuisance than my self-taught efforts would appear to have been.

In September I went down to Milan. There I met Illica and a few days later went off with him to his house at Castellarquato, a tiny town about halfway between Piacenza and Parma on a spur of the Appenines. Here I stayed about a week discussing not only Marlowe but every other subject that touched upon the writing and production of opera. The opinions and experiences of the man who had written libretti for opera composers such as Puccini, Mascagni, Giordano, and Franchetti, the most successful of the day, were naturally of extreme value to me; and I was interested to learn, among other things, that even the most cunning hand may sometimes miscalculate its intended effect. *Madama Butterfly* had been given its first performance the previous spring, but not with the unqualified success which had been anticipated. The authors had withdrawn it from performance, remodeled portions of it, and were now waiting to submit the revised version to the public for a fresh verdict. This took place a little later on at Genoa, and from entering the field as a doubtful starter *Madama Butterfly* became not only a certain winner but perhaps the most reliable gate-money draw of the last fifty years.

Hearing of my interest in old music, Illica reported the presence of many manuscripts in the village church, some of them attributed to Palestrina, and in the great convent of Borgo San Donnino, situated about six or seven miles away on the plain, literally hundreds of the sixteenth, seventeenth, and eighteenth centuries. The wealth of such material in Italy must be immense, and it may be that some day when the people of that country have time to think of something besides the revival of the Roman Empire at the expense of half a dozen other nations, they may devote a tiny portion of it to the unearthing of some of these treasures for the benefit of the rest of the world. Even in those days I found, as I had done in Germany, though not to such a rampant degree, the same itch for imperialistic expansion, noticeably among those of my own generation. During a conversation with some of them at the University of Bologna one fiery spark said to me with fierce conviction, "Malta is ours and we are going to have it!" If there are any who think that the latter-day policy of Italy is the exclusive creation of the Fascist Party, they are mistaken; and that it was twenty years earlier in the heart and brain of young Italy is something to which I can bear witness.

From Castellarquato I went by slow stages through Parma, Modena, and Bologna to Florence, where I spent the whole autumn. I expect that if a plebiscite were taken among the people of every civilized nation as to which is the most attractive town in Europe, there would be a decided majority in favor of Florence. While it is large enough to support a social life of vitality and interest, it has escaped the peril of uncontrolled growth that has irretrievably ruined so many other haunts of old time beauty; and while its artistic interest is inexhaustible and its rural surroundings elegantly cultivated, it has at the same time a touch of homeliness and intimacy wholly absent from its exotic rival Venice or the present capital of the kingdom.

There I worked away steadily and fruitfully, with time to spare for the consideration of what I should do on my return to England. Everything I had undertaken up to that moment seemed to be little more than the tentative labor of a journeyman at his trade; but I was now beginning to have a clearer idea of what I could and could not do, and the time had come to put it to the test. So about the close of the year I packed up and started homeward, stopping only at Bologna for a few days to buy a quantity of its furniture of the seventeenth century which I had seen and admired a few months before on my way south.

11. A REAL BEGINNING

During my travels abroad my mind had been turning more recurrently than before to thoughts of conducting, for I had begun to wonder if it might not be easier to bring myself to the notice of the London public in this way than to wait for the uncertain chance of having my compositions played by someone else. With the exception of the two months' opera season of which I have written, I had done nothing in this line since I left the North of England five years ago, and I often recalled the keen delight it had given me in those far-off days to handle the giant instrument of the orchestra, how fully I had felt at home with it, and how I had seemed to find little difficulty in expressing through it my own personality. After all, nothing very disastrous could come of it, for in those days conductors were much less common than now, concerts were fewer, and a new departure, even a modest one, might not be unwelcome.

My opening essay was given at the Bechstein (now Wigmore) Hall with a body of forty players drawn from the Queen's Hall Orchestra, and the program included several of the eighteenth century French and Italian works which I had collected on the Continent. A leavening note of modernity was Cyril Scott's pretty ballad for voice and orchestra, "Helen of Kirkçonnel," sung by Frederic Austin, who not long before this had thrown up his old job in Liverpool to devote himself wholly to the profession of a singer. My chief sensation both during and after the performance was one of definite disappointment with myself: for at hardly any moment during it had I the conviction that I was obtaining from my executants the tone, style, and general effect

I wanted. Somehow or other the sound of much of the music was strangely different from the conception of it in my brain, and, though my friends did their best to make me think I was mistaken and the newspapers were sympathetic, I felt I knew better, and I knew I could do better. But first I must find out what was the matter. I returned to the study of a large number of well-known scores, attended during the next few months nearly every concert given at Queen's Hall, and found that in many instances I experienced the same sense of dissatisfaction on listening to performances under other conductors. Years before I had not been troubled in this way; everything had sounded grand and perfect. I began to be alarmed; was my ear beginning to be affected or—more awful reflection—had the actual sound of the modern orchestra begun to distress me as it did increasingly an ultra-fastidious friend of mine in Paris? But one evening I listened to a highly unsatisfactory rendering of some famous piece, of which I knew every note, and here there could be no doubt where the fault lay. At one moment the brass instruments were excessive, at another inadequate; the wind and horns strident or feeble, and the strings feverish or flaccid. Briefly, there was no true balance or adjustment of the component parts of the machine, and it began to filter through my consciousness that if this were the source of trouble in a flagrant instance like this, it might turn out to be the same in fifty others less obvious. My curiosity well aroused, I followed with a keener ear everything I heard, and formed a conviction which the passage of time has only strengthened. The supremely important factor in any choral or instrumental ensemble is the relationship between the different sections of the forces of play.

During the years I had been poring over hundreds of scores, there must have crystallized in my mind definite impressions, less of interpretation than of the coordinated sound of the various combinations for which they had been written. These I determined to submit to the test of performance without delay, in a series of concerts devoted to a period of music where accuracy of execution, purity of style, and the harmonious balance of parts were all essential to its correct and effective presentation. I then considered the practical side of my enterprise: what players I should engage, whether I should be able to have enough rehearsals for my needs, and if there would be the slightest public interest in it. Among the principal members of the two leading London orchestras there had been more than a suspicion of skepticism and condescension when I had broached my plan; and as for the chances of an audience, the manager whom I had placed in charge of its business end quite cheerfully expressed the view that as no one knew even the names of most of the composers I intended to play, not a soul would dream of buying a ticket. For a short while I vacillated in a state of uneasy indecision from which I was rescued by two fortuitous circumstances.

One day I had a visitor, Charles Draper, the foremost clarinetist in the country, who had come to let me know that he and a few other first-class players in their respective lines had founded a chamber orchestra, that he had heard something of my projected concerts, knew that I had not yet engaged my players, and offered me the services of his own group. I went to one of its rehearsals and, immediately impressed by a superior refinement of tone which I had not found elsewhere, decided that here might be an instrument capable of answering the demands I should make upon it. But what of the daunting prospect of playing to what would look like an unending vista of empty seats? This was enough to damp the ardor of an even more sanguine spirit than mine, and I invited my pessimistic manager to spend a day with me in the country to talk the matter well over. After lunch we went for a long walk across the fields, discussing the problem from every critical angle, and on the way back came across no less than three horseshoes. This extraordinary occurrence made such an impression on both of us that, flinging prudence to the winds, we drew up our prospectus, sent it off to the printer, and two days later advertised the series. Contrary to nearly everyone's expectation there was considerable interest in the concerts; the singularity of the programs, the appearance of a new body of players containing some of the best known names in the profession, and a conductor virtually unknown to central London, all exciting a fair amount of attention. The orchestra played excellently throughout, and I had the satisfaction of sensing that, through its ability to grasp my intentions, it was well within my power to realize in the concert hall that which I had conceived in the study.

Draper and his companions were as gratified by the success as I myself and professed anxiety to continue the association with me. This was pleasant enough, but to turn a casual connection into a regular partnership would require a more solid interest in common than the limited number of public performances on which I could afford to speculate. We should have to go out together to secure engagements; no easy matter, for very few individuals have use for an orchestra of even moderate size. It could be split up into small groups of anything from three or four to ten and rented out to musical societies here and there, and this is how most of the profession at that time made or augmented their incomes. The really good instrumentalist had as little lack of work then as now, and on the whole extracted more amusement from it. His routine was less mechanized, we were still in the pre-radio-cum-recording age, and there was an incomparably greater amount of living music given in private houses. If any one wanted to hear Caruso or Paderewski he had either to go to the opera house and concert room, or procure an invitation to a big party for which they had been engaged. Naturally, the second alternative was available only to a limited number of amateurs, and the rest had to be satisfied with a less lavish class of entertainment or the making of music for themselves, mostly in the way of chamber work.

But the employment of an orchestra "en bloc" for any purpose but appearance in a public building was a novel idea, and a hostess who thought nothing of spending a thousand or two on a handful of famous artists for the entertainment of her guests, was not yet awake to the possibility that there might be some other attraction which they would endure for five consecutive minutes, with moderate curiosity and (possibly) in comparative silence. Something therefore had to be done about it, and I took it upon myself to disseminate the doctrine by and large that the orchestra was the thing of the future, that all the best music was written for it, and the sooner people made up their minds to come and hear it, the better for their aesthetic salvation.

Many delicately-minded persons have been known to express disapproval and even abhorrence of what they term my proselytizing or publicity methods, on the score that they are undignified and incompatible with the spiritual delicacy of the true artist. This sort of thing, they protest, should be left to the vulgar hand of that odd product of our latter day culture, the press agent, or that still more fantastic phenomenon, the gossip writer. With delicious hypocrisy they contrive to discern an inseparable gulf between performing the dirty work of life for oneself and paying someone else to do the job. But the main reason why I have never employed a press agent or any member of a kindred clan is that on no single occasion have I gone out to seek advertisement or notoriety for myself as an individual, but only to promote some enterprise or advance some cause in which the welfare of hundreds of other persons was as much involved as my own.

I soon discovered that with the degenerating methods of modern journalism it was almost useless to give interviews save to one or two responsible papers. Sometimes the reporter was incapable of taking down or reproducing with even partial accuracy what I had said, and at others the script would be so mangled as to deprive it of the least sense and logic. The only fairly safe method of communicating one's ideas to the public was by writing articles, giving addresses, and creating controversies during which a few well calculated indiscretions of opinion would have the effect of ruffling the sensibilities of an appreciable section of my compatriots. I think it was Disraeli who said somewhere that the best introduction into society for any young man was to fight a duel: and certainly almost the only telling means of launching an innovation is to arouse a heated argument about the desirability or propriety of it. Without the creation of some such sharply defined issue, it has become nowadays impossible to set anything decisively on foot, owing to the colossal complacency fostered in the man in the street by the unceasing stream flowing daily from the world's press in praise of his intellectual and moral perfections.

It is for this reason that the scheme for a National Theater languished among us for so many years. It was about the time of which I am writing that a German-Jewish banker in London made the intriguing discovery that while we possessed the finest group of dramatic authors the world had yet known, the opportunities of seeing their work existed nowhere. He communicated his views to a public even more astonished (but for the different reason that it was a stranger even to the names of some of its most illustrious countrymen) and contributed the handsome sum of £75,000 toward the building and endowment of a theater where the best plays old and new could be given year in and year out for the pleasure of those who had any desire to see them. The proposition was hailed as a noble one, received the blessing of cabinet ministers, leaders of the Church, universities, schools, and every other cultural body in the Kingdom, and for the next three decades did not advance a single step further. Only during the last few years has a definite effort been made to fulfill the design of the benevolent alien but, it should be hardly necessary to add, entirely in the wrong direction. A site of inadequate dimensions was acquired in a location sufficiently removed from London's hub to make it inconvenient for the bulk of its inhabitants; and, should any structure ever be raised on it, it will prove to be just one more of those quaint "follies" which the eccentricity of Englishmen with more money than discretion have dotted our helpless countryside.

The necessity to be up and doing for a set purpose marked for me the boundary line separating forever a life of contemplation from one of activity. Up to this time I had lived quietly, seeing few friends, reading, ruminating, and applying myself almost as much to the study of other arts as of music. But these tranquil days were over; I was to be no longer a musing spectator of the life around me but a busy actor on its scene, armed with a miscellaneous fund of information that might rival Sam Weller's peculiar knowledge of London, a reservoir of stored-up energy, and a belligerency of utterance of which I had not hitherto suspected the possession.

12. AN OLD-TIME PERSONAGE

Some of the immediate results of the change in my way of life were the making of many new acquaintances and the reappearance of others not seen for years. Among the latter was Victor Maurel, whom I have always regarded as one of the half-dozen supreme artistic personalities of my time. He had recently settled in London and was endeavoring to found a private academy for advanced operatic students, the sort of enterprise likely to meet with success nowhere. Singers may be divided into two classes, those who are born and those who are made. The former, who are to be numbered on the fingers of two hands, are only too well aware of their unique place in the universe, while the latter, who are legion, are equally unaware of their limitations. Geniuses like Patti or Chaliapin make their appearance no more than once in fifty years and seem from the outset to be endowed with a natural instinct for singing, acting, and all else that has to do with their craft, to which the technical lore of the school has little to add. But the vast majority must work laboriously to attain even a condition of competence, whether it be in subduing the intractability of the voice itself, removing in Bacon's phrase "a stond or impediment in the wit" or mitigating the disability of corporeal mediocrity. Formerly the aspiring neophyte had only two fields of activity open to him, the opera house and the concert room, in both of which he really had to know how to sing, and no nonsense about it. In the days of Rossini at the academy of Bologna the minimum course for male students was seven years and for female five.

During the past thirty years the economic position of

the young person with a voice has undergone a radical change, and thanks to radio, revue, and other sources of employment it is now possible to earn a substantial livelihood with the barest amount of preliminary training. It is no uncommon experience to see some raw student starting a career on the strength of what someone has told him is the finest voice of the day and a few months of casual study. And although like the rest he may have some vague intention of settling down sooner or later to a more serious course of work, hardly anything ever does come of it, with the result that before long he is surprised to find that his voice shows signs of wear and tear from the want of an adequately prepared physical foundation. As for the elaborate apprenticeship necessary for a solid and enduring stage success, of which the pervading element is an intimate acquaintance with the roles from the various angles of music, text, period, deportment, and gesture, I have met all too few willing to submit themselves to it. A certain British singer about whose capacity to interpret a part he was coveting I betrayed some hesitation, endeavored to win me over by the engaging assurance that he was a natural actor and equally at home in everything that he played. While natural acting in the case of a superbly endowed artist would mean the sharpest differentiation between the rendering of such widely differing characters as Lohengrin, Romeo, and Don José, to my genial and complacent friend it was simply the duplication of himself as known in ordinary life throughout the whole of his repertoire. In other words he was never for a single moment any of the above mentioned heroes of romance but always and recognizably John Smith.

But even if there could have been found half-a-dozen youngsters of vision and industry, I doubt if Maurel ever had the capacity to teach anything that might have been of use to them. Like every other great artist, his method, if he ever had one, was wholly personal and incommunicable to others. I attended many of the lessons he gave, often played the piano for him at them and could not fail to be amused by the obvious bewilderment of the average pupil when listening to the queer medley which the master innocently conceived to be practical instruction. He would ramble on for hours about this or that knotty problem of art and how it might best be solved, some of which might have been of interest to a writer on aesthetics; and he would declaim eloquently about the potentialities of "la voix" in terms that might have been understood by a voice producer of experience or singer of mature accomplishment. Even the vocal fragments he would throw in to illustrate his text were of negligible help, as here too the technique of his craft was too individual to admit of much analysis. For instance, he occasionally startled us by an effect of sustained tone which increasing gradually to a fortissimo on an ascending passage was executed in a single breath and with an apparently natural ease that I have heard equalled only by Caruso and Battistini. But as this is the kind of trick that usually owes more to some physical singularity than to vocal cultivation, it is outside the province of imitation.

I use the word occasionally in connection with the state of his voice at that time, which was one of serious decline, with only here and there traces of the splendid and flexible organ I had heard ten years before on the Continent. Like that of Chaliapin, Plançon, or Gilibert (he who accomplished the fabulous feat of bringing tears to the eyes of the world-weary Edward VII), it was of an unforgettable timbre, differing as much from the ordinary baritone as a Chinaman from a Hottentot, and as with nearly all the truly great singers I have known, remarkable less for volume than quality. Both he and Chaliapin achieved celebrity and prominence in their profession at an early age (Maurel was, I believe, one of the leading baritones of the Paris Grand Opera when only twenty-two) and perhaps for that reason sang themselves out sooner than others like Journet and Santley, whose voices at sixty-five and seventy respectively still retained much of the vigor and brilliance of their best days. Even more than Jean de Reszke was Maurel a magnificent type of the human animal. Tall of stature, with a striking physiognomy and an almost feline grace of movement, he was in *Don Giovanni*, in *Figaro* as Il Conte, or in *Ernani*

as Don Carlos, the incarnation of the grand seigneur of the romantic novelist's dream, and in roles where nobility of bearing was
essential, he has never been approached by any of his successors.
Added to these external attributes was a keen and inquiring intelligence which he brought to bear on anything he studied for performance combined with an inexhaustible industry. During one
particular week spent in his studio we did nothing each day but
repeat over and over again two little songs, of which every phrase
and syllable was sung fifty times in attempts to achieve variations
of accent, inflection, and verbal point. He would appear quite
early in the morning clad in multicolored pajamas, a resplendent
dressing gown, and a silk top hat, which he rarely removed even in
the more animated moments of our work. He too loved the old
French operas of the eighteenth century, and this, the chief "trait
d'union" between us, brought about a delightful event which has
never been repeated in my experience. Among his pupils was Mrs.
Emile Mond, a woman of taste and scholarship, in whose house
we gave a performance of Grétry's one-act opera, Le Tableau
Parlant', with a cast which included Maurel in the principal role,
a few singers imported from the Paris Opéra Comique, and Mrs.
Mond herself. Shortly after this he left England for America,
where he remained for the rest of his life, and I did not see him
again for some years, by which time every remaining vestige of his
voice had vanished.

But apart from his historical importance as the central
operatic figure of his generation, Maurel was of some further interest to us as about the last genuine specimen of that theatrical
tribe which has suffered such a melancholy change during the last
fifty years. Formerly an actor or singer was recognizable as such a
quarter of a mile away; and though certain other professions such
as parsons or prize-fighters might have claimed the same distinction none of them vaunted it in such conspicuous fashion. Today
he is indistinguishable from men of common make in appearance, speech, and manners and, in true accordance with the spirit
of the time, aspires to own as little individuality and to be as much

like his neighbor as he can be. But the ancient type of player was a creature apart from the rest of his kind, proud of an originality manifested not only in outward ways but in a mentality which had remained unchanged for centuries. The prime function of anyone who seeks to divert the public of a theater is to create illusion, and the greater the performance the greater the illusion. As time goes on the life of the player becomes more and more itself an illusion, through an ever intenser absorption into the realm of fantasy in which its working days are passed. For this reason everything that the mummer of old did or said, his massive movements and picturesque postures, his orotund periods and sententious phrases, were all reflections and echoes of the dream world peopled by the creations of the great dramatists. This dramatic tradition which had held the stage since the production of Marlowe's *Tamburlaine*, had been rooted in the mixed soil of tragedy and romance and had followed pretty generally the Aristotelian precept that the actions of great men (in the material sense of power and position) are of more interest than those of their lesser brethren.

For over three centuries the European theater as represented by Shakespeare, Fletcher, Calderon, Racine, Molière, Goethe, and the rest was mainly an upper-class affair in which the principal personages were seen strutting authoritatively on the larger stage of life, and the men whose daily occupation was to deliver the speech and portray the actions of princes, cardinals, and great ladies came to look down on the middle and lower classes of society as something belonging to an inferior stratum of civilization. But with the triumph of the bourgeois drama of which Ibsen was the progenitor and Shaw the heir, this grandiose and spacious art gradually yielded to one of modest gesture and prosaic speech, much as the easy and familiar style of Hazlitt and Hunt superseded the ornate and weighty periods of Johnson and Gibbon. Forced to reproduce the actions and utterances of the suburban villa in place of those of the royal palace, the actor step by step declined from the exalted height where his spirit bathed daily in the sunshine of reflected greatness, to that flat-land of commonplace existence which most of us endure and do not despise. The process of descent is now accomplished, and an artistic community formerly as isolated from the common herd as the Quakers or the Mormons has achieved a colorless and unimpressive uniformity. Of all the personalities of this ilk who vanished one by one from the scene of their glory forty and fifty years ago, the most characteristic and complete was Maurel. Poetry and fustian, inspiration and bathos, intellectual maturity united with childlike naiveté, all were present in him, and such were the merits and demerits of the player of a day that is dead. The mold is shattered and will not be repaired in our time.

It soon became clear that if the New Symphony Orchestra was to compete successfully for public favor with its elder rivals, the Queen's Hall and London Symphony, it must evolve from a small into a large body of players. This was accomplished satisfactorily during the summer of 1907, and I was enabled to start the autumn season with a series of concerts in the ampler accommodation of Queen's Hall with programs this time devoted almost wholly to unfamiliar modern works. The public likes to label a musician just as it does an actor and to isolate him in a special corner of its own choosing. I am sure that it must be a painful shock to thousands of the other sex when some adored idol of the stage, who has been playing for long years romantic parts like Monsieur Beaucaire or Sydney Carton, suddenly betrays their trust by leaving the dear, familiar path for some deplorable aberration such as Dr. Jekyll and Mr. Hyde. Similarly I fear that my rapid transition from a delicate and fastidious classicism to a robust and unbridled modernism, may have wounded the feelings of those who had begun to look upon me as the champion of the neglected music of a half-forgotten age. But my orchestra, now enlarged to ninety musicians, was calling out for stronger fare than Paisiello or Zingarelli could provide, however charming these were in their own way: and my own inclination was at one with its need.

At the conclusion of our first concert a stranger of striking appearance was brought into the artist's room and introduced to me. It was Frederick Delius, who, arriving from France a few days before, had been struck by the novel look of our program and had come along to see what was going on. With fine and ascetic features that might have been taken for those of a distinguished ecclesiastic had it not been for the curiously eager and restless expression both in the eyes and mouth, he spoke with decision and emphasis and a slight North of England accent. Praising the performance he told us that he had come over to look into the orchestral situation, as a German friend of his, Fritz Cassirer, who earlier in the year had produced his opera A Village Romeo and Juliet at the Komischer Oper in Berlin, wanted to give some concerts in London. An eminent authority whom they consulted had advised them that there were only two orchestras available, and here to his surprise was a third, playing the music of his own day and, from what he could observe, really liking it. On this he commented in characteristic fashion, "London is the only town in the world where a first-class band like this can give such a set of concerts without one of its leading musicians being aware of its existence."

A few days later he came to see me again, this time with Cassirer, and engaged the orchestra for a trial concert in which the principal pieces to be played were his "Appalachia" and "Ein Heldenleben" of Strauss. With the exception of the piano concerto, an early work given a few weeks before this at a Promenade Concert, nothing of Delius had been heard in London for seven or eight years, and musical circles were keenly interested in this almost legendary figure who, although born an Englishman, had been living abroad for over twenty years. He had reached the age of forty-five, had written a long string of works of which hardly any of us had yet heard a note, and had now turned up again like a traveller from distant parts with a trunk full of rare curiosities. I had dipped only casually into a few of them, but enough to compel the instant recognition of a musical intelligence not only different from but in actual opposition to any with which I was familiar. Then came the performance of "Appalachia," throughout which my dominant emotion was wonderment that music like this could have remained unknown for years, when any number of inferior compositions were being given daily with the printer's ink scarcely dry upon their scores. The piece made a deep impression on everyone, but in all that was written or said about it, its two outstanding qualities were hardly noticed. Whether it was or was not an authentic set of variations, whether it was too short or too long, or whether Delius had been well or ill-advised in writing the choral finale just in the way he had done, were all points of secondary interest. What should have been evident at first hearing was the remotely alien sound of it, a note in English music stranger than any heard for over two hundred years, and the masterly and personal use of the orchestra. The instrumental combinations, notably those in the variations that depict nature life in the woods and swamps, were a revelation of what the orchestra could be made to utter, and although forty years have passed since it was first put down on paper, the whole work still astonishes by its variety of atmosphere, loveliness of tone and the unorthodox exploitation of those "tutti" moments which are handled by most composers old and new in such depressingly stereotyped fashion.

It seemed that if there was one thing above all else for the orchestra and myself to do at once, it was to acquire all of this music that we could lay our hands on, make it as much our own as that of the lesser eighteenth-century masters, and play it often and everywhere. It was too late to make any change in our pre-Christmas programs but I found a place in the first of the New Year for "Paris," the "Song of a Great City," which though written as far back as 1899 had not yet been given in London. This extraordinary work, wrought in the form of a colossal nocturne and the greatest experiment in musical impressionism yet made, won more immediate and general acceptance than any other of the composer's works played during this period, and thirty-three years later in the spring of 1941, when I gave it at Carnegie Hall, the boldest and acutest of American critics declared that Delius wrote better for the orchestra than anyone else.

13. ENGLISH CHORAL MUSIC

The question has often been asked why the English more than any other people are given up so earnestly to the practice of choral singing. I have read many answers to it, of which the least plausible is that of a distinguished British historian who declares that solo singing is favored in an aristocratic society and communal or choral in a democratic. This certainly will not do, for at the time this opinion was uttered the country where, after England, choral music flourished most widely was Imperial Germany, and those in which it was and still remains the most backward are the two great republics, France and the United States of America. There may be something, but I do not venture to say how much, in the rather extreme view of another writer that as we have produced fewer solo singers of rank than any other country of importance the public takes such little pleasure in listening to them that it prefers to make music for itself. Lastly, there is the sadly cynical observation of one to whom any rejoicing of the heart in tuneful numbers is a painful ordeal, that concerted singing does have one clear advantage over other kinds, as it enables a man to let off all the emotional steam with which he may be seething, without hearing in the glorious welter of noise around him either the sound of his neighbor's voice or that of his own.

With all respect to the views of those eminent persons I fancy that the true origins of this indulgence of ours are of an antiquity and respectability that make them worthy of our esteem and sympathy. As most people know who have any acquaintance with the history of art the inhabitants of my country during the fifteenth and sixteenth centuries were more given up to music making than those of any other in Europe; and in castles, cottages, theaters and outdoor shows it was cultivated to the full. But with the triumph of the Long Parliament, dominated by Puritans, plays were forbidden, masques abandoned, the Maypole and the Hobby-horse disappeared from country fairs, all music except psalm singing was discouraged, and in less than fifty years from the passing of the great and pleasure-loving Elizabeth the gayest and most melodious community in the world had become the saddest and most silent. The Merrie England of the Middle Ages was no more, the spiritual and cultural unity of the people was disintegrated and has never been refashioned. For the rest of the seventeenth century its contribution to the development of the art was as nothing if compared with that of its continental neighbors, and abdicating its old-time leadership it seemed content to take no part in the two revolutionary movements of the time, the rise of Opera and the growth of the Orchestra. One attempt after another was made to introduce and establish Opera but without success, and while in France, Italy, and Germany it became and remains the most popular branch of music, in England it has always been the occasional entertainment of a small minority. Although the love and practice of choral singing departed from high places, the memory of its great days lingered in the heart of the populace: but alas, it had nothing to sing. The happy pagan strains of its forefathers no longer appealed to a breed whose main intellectual nourishment was the stern sublimity of the Authorized Version, and who pined for a new vocal strain that would satisfy the religious as well as the artistic longings of a regenerated spirit. Their prayers were answered by the coming of the mighty Handel, who, seizing upon the dramatic stories of the Bible and making the chorus their real protagonist, blazed the trail for the whole of that revival of mass singing which has played a far greater part than anything else in our musical history. For a century and a half the words, song and Handel, were almost synonymous, and with just reason; for since his time mankind has heard no music written for voices which can even feebly rival his for grandeur of build and tone, nobility and tenderness of melody, scholastic skill and ingenuity, and inexhaustible variety of effect.

But the tide of the movement did not rise to full height until the rapid transformation of the North from a drowsy Arcadia to the busiest industrial area of the universe. The bulk of its new population was Nonconformist, shunned the theater and all other garish pleasures, but swore by the Bible and loved to sing. Life was grim and tedious in its hideous towns, and as there was little that their consciences permitted them to do in the way of amusement, the choral societies grew in size and numbers until they became social gatherings as much as artistic institutions. By the close of the century there were nearly five thousand of them up and down the land, a large number of high excellence, and tidings of their exploits spread over the earth.

Although England is a smallish country with an apparently homogeneous people, there are striking physical contrasts between the voices of one part and another in a dozen recognizable instances; and of some interest to the biologist should be the manifest dissimilarities between two choirs living only a few miles from one another, traceable without doubt to ancient racial differentiations that time in most other directions has ironed away. It is no insult to the musical intelligence of the South to say that in simple vocal endowment it does not enter into serious competition with the North, although the capital possesses one or two notable exceptions to this rule such as the London Philharmonic Choir, which the genius of Kennedy Scott has lifted to a higher cultural level than any other in the Kingdom. It is the region beyond the Trent where the traditions of the craft are best maintained and its practice most widely diffused, especially in Yorkshire, whose singing is as serious and dour a business as its cricket. I speak of the attitude toward it and not of the performance, for nothing can exceed the solid brilliance of the sopranos or the rich sonority of the basses, particularly those of the Huddersfield district, who in range and power out rival all others, the Russians not excepted.

As for the chorus-masters, those who made of these raw masses of vocal material (entirely amateur) instruments for the interpretation of great music as flexible and subtle as a fine orchestra, they were a race apart and totally unlike any other class of musician on earth. A small percentage only of them had received an orthodox musical training, and the vast majority were almost wholly without knowledge of any branch of the art except their own. Their acquaintance with the orchestra was negligible, as may be gathered from an occasion when a celebrated member of the craft, apologizing for his maladroit handling of some instrumental passage in an oratorio, said with mixed pride and humility, "I knaw nowt about band, but I can mak choir sing:" and "mak choir sing" he certainly could. What most of them did have were a perfect ear, a refined sense of vocal tone, an appreciation of the meaning of words, and the potentialities of them as carriers of sound, an accomplishment handed down from Tudor days. Often too they were men of character with a distinct capacity for saving an awkward situation of the sort that occurred at a northern festival during my boyhood. The choir had learned under its trainer some stirring piece of the martial sort by a popular composer of advanced age who for some years had not been seen in public. The committee out of courtesy asked the veteran to conduct his own work, and to their considerable surprise as well as embarrassment he accepted the invitation. But owing to some mistake at the last moment in his traveling arrangements, he arrived only an hour or two before the performance, had a hurried rehearsal with the orchestra, and came face to face with the choir for the first time on the platform. It may have been temporary fatigue or permanent loss of vigor, but to the general consternation the old gentleman began his piece at about half the pace the choir had practiced it, and for the first quarter of a minute the chaos was complete, some of the choir going on, others hanging back, half the orchestra following the conductor, and the rest racing after those singers who were in advance. All at once the audience, which was beginning to palpitate with anxiety, was electrified by the sight of their beloved chorus master rushing wildly from the wings onto the stage and roaring out at the top of his voice, "Tak naw nawtice of him, tak naw nawtice of him, sing it as you've larnt it." And in some miraculous fashion the choir after a few bars of lightning re-adjustment, struck a common tempo and sang on brilliantly to the end, dragging in their wake both conductor and orchestra like captives bound to a triumphal chariot.

The reputation of the Birmingham singers was hardly, if any, less than those of the North, so that in accepting an offer to conduct the concerts of the City Choral Society for the season of 1907-8 I looked forward both to a pleasant time and an instructive experience. But I had not been in active charge more than a few weeks before I began heartily to regret my appointment, for I found myself in the very center of a fierce internecine struggle in which all the musical institutions of the town seemed to be taking an animated part. The most belligerent if not the most influential of the opposing groups had constituted itself the champion of an out and out modernity, to the extent of treating the performance of any work not written within the twenty previous years as a serious misdemeanor. The classics of the nineteenth century were proclaimed to be obsolete, and, as for the older masters like Handel and Haydn, the mere mention of their names provoked outbursts of anger and resentment. I have to admit that there was partial justification for this intransigency of attitude and that some of the grievances were not outside reason. For one cause or another, the most likely perhaps being the proximity of London, the development of the instrumental resources of the city had lagged behind that of Manchester, Liverpool, and the Scottish centers, and it was only at the Triennial Festival or some concert of a visiting orchestra that the public had the chance of hearing works with which other audiences had long been familiar. But unfortunately the level of performance at the first named event, into which was crowded during three or four days as much new music as the normal ear could absorb in ten, was rarely higher than adequate, as the time and facilities for rehearsal were never anything like sufficient. Over everything hung what Berlioz once described as the fatal disability of all English musical institutions, the curse of the "à peu près," and often the proceedings resembled a race meeting more than an artistic celebration.

It might have helped a little if for the Festival there had been a conductor who combined enterprise with a liking for novelty; but the master of the show was the conservative Hans Richter, for whom the world of creative effort had stopped about 1895 and who on one occasion had advertised the limitations of his taste and knowledge by declaring that there was no such thing as French music. Hence it sometimes happened that a composer was asked or preferred to conduct his own work, usually with disastrous consequences; for the poor wretch who seldom had the slightest aptitude for the use of the baton, succeeded only in giving the public the least favorable impression of it. It was also through this failure to find the necessary time for rehearsal that the classical portion of the program had become stereotyped and narrowed to half-a-dozen popular favorites, which appeared and reappeared with a regularity that drove the progressives to a pitch of ungovernable fury. But here their zeal overshot the mark and hindered them from realizing that the real trouble with the classics was not that they were overplayed, but virtually unknown.

The powerful reaction at the beginning of the present century against Handel was aroused less by the man and all his works than the tiresome iteration of a few of them, as well as the unsatisfactory conditions under which they were given. While in the composer's time the number of voices and instruments was each about the same, the growth of choirs from thirty-five or forty to anything between three hundred and two thousand singers destroyed this harmonious balance, and our sight as well as hearing was offended by the incongruity of vast masses of choral tone insufficiently supported by orchestral accompaniment. To redress this obvious inequality recourse was had to the organ, without reflecting that it too had changed out of recognition during two hundred years in character and size. The inevitable result was that the two elder members of the triple alliance worked nervously in dread of their new partner, who in the quieter movements rarely furnished a tonal contribution that blended with their own, and in the louder generally overwhelmed them with a deafening clatter of reverberatory thunder. The general effect was one of a monotony with which the public grew the more impatient as its enjoyment and appreciation of the richly varied color scheme of the modern orchestra increased; and an ill-directed attempt to restore Handel's own instrumentation, shorn of those additions which men like Mozart and Mendelssohn had made by way of concession to the taste of their day, augmented rather than diminished the tedium of the performance. It is unsafe to dogmatize about composers who worked and lived in an age so distant from our own, but of one thing I am fairly sure. If Handel, who was the greatest impresario as well as artist of his day, were confronted with the gigantic crowds of singers that now strive to interpret his music, he would at once cut them down to a quarter of their bloated dimensions or rewrite the orchestral portion of his scores for the largest combination of instruments he could lay his hand upon. There is an heretical belief in many quarters that eighteenth-century composers were delicate and tender creatures who liked tenuity of sound and should be treated today with frail fastidiousness. This is against all historical evidence, particularly in the cases of Handel and Mozart, both of whom reveled in grandiose splendor of tone, as we know well from the complaints of the former and the correspondence of the latter. The bubbling delight of Wolfgang Amadeus on discovering no less than forty violins in the Mannheim orchestra, a larger quantity than can be found in any like combination today, is but one piece of proof out of a hundred that these great men were not anemic epicenes but creatures of overflowing vigor and passion.

Before accepting the engagement with the Society I had no knowledge of those local conditions, and at the time of discussing programs with some of the committee I had been innocently impressed with their enthusiasm over my suggestions of old and little known choral pieces. There was no one I knew to

warn me that this particular organization was regarded as the very
stronghold of reaction by the insurrectionists, and that I as its
conductor would be attacked as the master-criminal of the con-
spiracy to put the musical clock back a hundred years or more. It
was bad enough to inflict on them works like "The Seasons" of
Haydn or the "Dettingen Te Deum" of Handel, but when it came
to a Mass of Cherubini and a selection or two from my minor
French and Italian masters of the seventeenth and eighteenth
centuries, I was made to feel that I ought to be banished forever
from the society of all decent people. But for these little troubles
I found compensation in some new acquaintances, notably Granville Bantock and Ernest Newman, two of the outstanding figures
in English musical life.

Had he been born and lived in any other country, Bantock by this time would be one of the most popular composers of
the day. His genius, which is lyrical and dramatic, has been to a
large extent thwarted by the nonexistence among us of those institutions which alone could have given it the scope and opportunity to flower easily and organically into ripe maturity, as well
as the restriction for performance to the concert hall and cathedral, two settings which in time invariably diminish the native
warmth and vigor of the born man of the theater. For none who
has heard his "Omar Khayyam" can fail to perceive where is the
rightful home of music such as this. The flow of genial melody,
unmistakably of the "stagey" sort, a solid but lively handling of
the orchestra and a by no means too common capacity for passing
swiftly and easily from one contrasting mood to another, all indicate a gift that could have presented the opera house with half-
a-dozen pieces of the quasi-romantic type, a welcome addition to
a repertoire that is gradually thinning away to nothing. With an
artistic nature of the mediumistic order, he contrived to absorb
most of the influences of his day with surpassing rapidity by making such use as he thought needful of any one of them and purg-
ing himself with equal facility to pass on to others. The sumptuous
Orient, the radiance of Antiquity and the mists of the Celtic twi-

light, each of these has taken possession of and controlled him for an appointed season; and his achievement is a palace of art in which the many chambers have been designed at various intervals and occupied by their builder one at a time. Having the quick penetration of the true lyrical writer for reaching the heart of a poem and re-creating it in fitting and telling turns of melody, his songs are among the best we have had from a British composer for over a century, and when I recall the literary texts of "Ferishtah's Fancies" and the Sappho Songs I cannot help believing that Bantock's settings of them will remain unchallenged for some time to come.

To the Anglo-Saxon public certainly and to many others probably, the name of Ernest Newman is familiar as the keenest and wittiest writer on music of the past fifty years. Critics, like politicians, are frequently accused of inconsistency when they change their opinions, but why they must be denied a privilege enjoyed by everyone else I have never understood. Ernest Newman has changed his about as much as any other man, for which approbation and not disapproval should be accorded him. It is too much to ask of anyone that he should admire or understand every school or composer at one given time, or to expect that a profound study of or affection for one of them should not beget a temporary disdain of or impatience with another. Only advancing years bring the calm spirit of reconciliation and cool mental insight which can discern signs of association or likeness where formerly appeared nothing but opposition or dissimilarity. But none has comprehended more profoundly or interpreted more sympathetically in his critical writings the music of the particular composer or period with which he was for the moment concerned than Ernest Newman. And when we add to this enviable faculty that lucidity of style, indefeasible logic, and pretty knack of phrase-turning that have placed him among the best writers of modern English prose, it is not surprising that he has attained the unique position which he occupies today. Of late years he has been pursuing an inquiry into the anatomy of musical works analagous to the fingerprint system of police departments like Scotland Yard or the Surêté in Paris, which I fancy he has inherited from that band of commentators who half a century ago caused such wrath and dismay among orthodox scholars of the Elizabethan and Jacobean drama by placing a note of interrogation against the authenticity of half the plays in the accepted canon. One of the disadvantages of this method is that it is easier to deny than affirm, for while there is a fair unanimity as to who did not write this or that doubtful work, there is equal disagreement as to who actually did. If the fingerprint process yields such negative results in the case of literature it is even more subject to fallibility in that of music. The great composers in their masterpieces are inimitable, but few things are easier to turn out than plausible copies of their second-rate manner.

14. FREDERICK DELIUS

The unexpected advent of a new conductor and a full and first-class orchestra devoting themselves largely, nay almost aggressively, to the introduction of unfamiliar compositions naturally excited the curiosity as well as the hopes of many of the rising young English composers, who were clamoring for a wider recognition as well as a more studied performance of their work. Until this moment almost the only chance of a hearing was to be found in the Promenade Concerts, which ran nightly during August and September and included in its programs not only all the standard repertoire of the great masters, but a large mass of modern novelty. But the immense amount of music played, and the necessarily limited time for rehearsal, did not make this otherwise admirable series always the best vehicle for presenting new and frequently intricate pieces to the public under the most favorable conditions. Also at this time of year most of our knowledgeable amateurs were out of London, so that the bulk of the native effort was to be heard in the off-season only.

As nearly all the men who sought my company or cooperation were about my own age, none of them had reached that maturity where it was possible to take stock of their achievement; but their ability and promise was never in question at any time. Arnold Bax from the beginning revealed an all-round technical accomplishment of the highest order; Vaughan Williams was already striking out that individualistic line which was eventually to mark him as the most essentially English composer of his time; the rare and charming personality of Cyril Scott was fully present in his smaller pieces; and there were half a dozen others of almost equal

113

capacity, if of less originality, such as W. H. Bell, J. B. McEwen, and Frank Bridge.

But the most picturesque and singular figure of the hour was undoubtedly Joseph Holbrooke. His talent was eclectic and absorptive. Liszt and Richard Strauss were his models, and he gravitated by instinct and with ease to the fantastic and the macabre in his choice of subject. Under the conviction that my mission in life was to serve the contemporary muse, particularly his own, he lost no time in getting in touch with me. At our first meeting he inveighed loudly and bitterly against the neglect of his work and the apathy of the public, and then produced from his pocket an immense string of press notices and a list of performances which flatly contradicted all that he had been saying. Having satisfied himself that I was the sort of collaborator he was looking for, he confided in me that he was working on a musical experiment that would prove to be the event of the year. He had been approached by a stranger who had written a long narrative poem of metaphysical character, entitled "Apollo and the Seaman," which he wanted to bring to the public attention in the most telling fashion. This was to be effected by taking Queen's Hall, rigging up an immense screen to separate the platform from the auditorium, and throwing on it by means of magic lantern slides the poem, stanza by stanza; all the while an orchestra, concealed behind the screen, played music illustrating the succeeding moods and episodes of the story. Upon my asking what sort of orchestra he proposed to use, he replied that the poet had suggested a few strings and pipes, something soothing, pastoral and economical. But as the piece was in places really stirring and dramatic, he (Holbrooke) did not see how he could limit himself to such a primitive scheme of color.

It was agreed that when he had finished a good part of his score he would bring it to me to see if I would cooperate on the executive side of this odd enterprise, and a few weeks later he turned up with an enormous manuscript which contained, in addition to a choral section requiring about two hundred and fifty voices, nearly all the orchestral instruments I had ever heard of and a few that I had not. Among the latter was the Sarrusophone, used mainly in French military bands, a species of bass bassoon, and capable, according to my friend, of yielding lower notes of extraordinary sonority. One of these at least he urged we must have at any cost, but since he could not find it in England he had determined to go over to Paris to look for it there; and, as about this time I had received an invitation from Delius to spend a few days at his house near Fontainebleau, I proposed that we set out on the voyage of discovery together.

It was a raw December morning when we met at Victoria Station for our outward journey and I was impressed not only by my companion's choice of apparel, which was of the sort most people wear only at the height of summer, but by his supply of luggage which consisted of one small bag, hardly bigger than a modern woman's vanity case. On the way to the coast he chatted gaily about the inherent affinity of all Englishmen for the sea, but was so ill during our crossing that he needed two days complete rest in Paris before we could start on the hunt for our Sarrusophonist. This did not prove so easy as anticipated; there seemed to be very few of the species about, and these either could not leave their jobs or shrank from facing the rigors of a winter trip. But we finally heard of a likely quarry in an outer suburb of the city and, after a tiresome search up and down the district, for no one knew the exact address, we ran it to earth on the top floor of a tenement building of which the stairway ascent was as long and painful as that of Martial's lodging in ancient Rome.

Enshrined in a tiny apartment and surrounded by, indeed almost buried beneath, dozens of weird-looking instruments was an equally diminutive old man of gentle and venerable appearance to whom we made known the reason of our visit. To our intense relief he accepted our offer of an engagement with alacrity, declaring that such an event would be a worthy climax to a long career spent in the service of the Republic, and going so far in his enthusiasm as to toy with the idea that Providence had chosen him out as an apostle to convey a special branch of Gallic culture to the less enlightened shores of Great Britain. Our mission accomplished, I went on to Grez-sur-Loing, a small village lying about five miles south of the forest of Fontainebleau, the home of Delius and a spot of some antiquity. A church of the thirteenth century, together with a ruined castle of the twelfth, adjoined the house of the composer, of which the front entrance opened onto the little main street. Once inside, however, nothing met the eye except a long garden sloping down to the river and a country landscape beyond it fading away in the distance.

Of all the men in any walk of life that I have known during a career spent almost as much in other countries as in my own, Frederick Delius is the most remarkable. His biographers have styled him an Englishman, born of German parents, settled in Yorkshire in the early part of the nineteenth century, and this is correct so far as it goes. But it does not take us nearly far enough in probing the problem of a highly complex personality, and the truth is that Delius was of no decided nationality but a citizen of all Europe, with a marked intellectual bias toward the northern part of it. His family was almost definitely of Dutch origin and some time in the sixteenth century had changed its patronymic from Delij or Deligh to a latinized form of it, a common enough practice at the time. A member of it was numbered among the chaplains of Edward VI of England and others are traceable to Spain, France, and Germany. But whatever were the diverse elements that united to make up the interesting amalgam of Frederick, anything less Teutonic would be hard to imagine. His earthy solidity and delicate romanticism were English, his uncompromising logic and analytical insight French, and his spiritual roots went down deep to that layer of far northern culture which, half Icelandic, half Celtic, gave birth centuries ago to the beautiful folk-music of Scotland and Ireland and in the nineteenth century to the vast imaginative genius of Ibsen.

A portion of his unsettled youth he spent on an orange plantation in Florida, to which he had been sent by anxious parents striving to head him away from the dangerous lure of the Continent, and where, anticipating Dvorák by some fifteen years, he discovered the potentialities of Negro music. After his return to England and a period of study in Leipzig, which it is hard to believe was the slightest benefit to him, he made his way to Paris, where he lived for about twelve years, and upon his marriage moved out to the house at Grez which he occupied until his death in 1934. By his own account, France was the only country in which he found it possible to work and live at ease, for it was there alone that he could enjoy that constant and prolific intercourse with intellectual equals which has always been one of the more attractive features of life in the French capital, as well as a social independence and immunity from unwanted intrusion hard to find on the other side of the channel.

It was inevitable that in a musician of such highly and narrowly original type that he should seek associates outside his own profession, and it was mostly men of letters and painters who formed his intimate circle during those earlier years, of whom the more notable were Strindberg, Sisley, and Gauguin. Of the work of the last named, he possessed a splendid example which hung on the walls of his studio at Grez for over twenty years. But in the financial chaos in which so many found themselves nearly lost just after the war he disposed of it to Sir Michael Sadler, at that time Principal of the Sheffield University and an ardent Gauguin collector, for a price some fifty times more than he had paid for it. For there was nothing in Delius of that vague indetermination associated traditionally with musical genius; in practical affairs he was as hardheaded as any to be found in his native county, and his knowledge of the world, both men and women, was searching and profound. He was skeptical and cynical where the majority of people were concerned, and he never wasted a word of sympathy or encouragement on those who in his opinion were not deadly in earnest over their job. But he was frank and cordial with the few he really cared for, and in general company he loved passionately to engage in highly controversial discussions on every subject imaginable. In these he was seen at his social best, for his uncanny gift of penetrating the heart of the matter and hitting the nail on the very center of its head often gained him the advantage over men who had the reputation of being experts in their particular callings.

After a while I discovered that his entire philosophy of life was based upon an ultra-Nietzschean conception of the individual. The individual was all in all, a sovereign creature who perhaps owed certain perfunctory duties to the State in return for mere protection and security, but certainly nothing more to anyone but himself and the vital needs of his task. This in other words means that Frederick from the Anglo-Saxon point of view must be reckoned a supreme and complete egoist, and such he was unquestionably. He chose to give little to others, but then he asked for virtually nothing in return. "My mind to me a kingdom is," sang old William Byrd, and so it was with Delius, who knew as well, if not better than any man I have known, exactly what he wanted and went after it with a simplicity and celerity that were models of direct action. But this self-centered, self-sufficient, and self-protected spirit had its noble and idealistic side, for it lived on earth but to look steadily into its own remoter depths, bring to the light the best discoverable there, and to translate it into terms of music with hardly a care that it should be acclaimed by others or even noticed at all. Never did I observe any occasion when he lifted a finger to advance the cause of his own work; and not once in our subsequently long association did he ever actually ask me to play anything of his, although he knew well enough that I was ready to do so at any moment.

This unique character made a deep impression upon me and actively influenced my life for several years. It was not that I shared either his views or sentiments, indeed more often than not I heartily disagreed with both, but that for the first time in my career I had encountered a personality of unmistakable stamp, full, mellow, and unchanging, to whom nothing in the world was ambiguous, equivocal or indefinite. It is related of Goethe that he preferred the conversation of Englishmen to that of his own countrymen, for the reason that the former although often complete asses were at the same time almost always complete men. Delius in his own way was a complete man, carved by nature in a single and recognizable piece out of the rough and shapeless store of her raw material; a signpost to others on the way of life; a light to those in darkness; and an unfailing reassurance to all who strove to uphold the ideal of human dignity and independence.

At the time of our meeting I was just beginning to emerge from a psychological condition which for many years I had dimly sensed was alien to my real self, and from which I did not quite know how to escape. Keats has told us that the imagination of the boy is healthy as much as that of the grown man; but that there is an intermediate state when it is likely to go astray in any errant direction. This period began for me about the time I went to Oxford, lasted for quite seven or eight years, and was essentially one of unrest, indecision, and self-questioning. Life led me tentatively to more than one point of attraction but held me to none; and, devoted as I was to music, I was at any time capable of turning to some other career. I was distrustful not only of my ability but of my good fortune where anything that had to do with music was concerned, for during the few years previous to these events I had suffered two set-backs in my work. From the time I arrived in London I had industriously continued my piano studies with the settled intention of appearing sooner or later as a fully fledged professional. But this, the lesser of my two ambitions, was wrecked forever by a mysterious mishap to one of my wrists of which I never ascertained the actual cause. Whether it came from overstrain in practice, from the blow of a cricket ball or some other accident unnoticed at the moment, I do not know, but from a certain day I became incapable of playing longer than fifteen or twenty minutes without a species of cramp or partial paralysis numbing and rendering impotent the lower half of my arm. Every effort of medical science to remedy my misfortune was unavailing and this disability has remained with me to the present time. I was hardly more fortunate with my creative endeavors which I had begun with the highest hopes of success; but here again nothing went according to plan. My dream was to become an operatic composer on a grand scale, and I had made two or three full sized experiments in that direction. But the longer I labored, the more dissatisfied I became with the inadequacy of my effort, and I gradually came to realize that the task was beyond me, at any rate for the time being. Had I been wiser and more experienced I should soon have recognized that my small inventive capacity could without difficulty have found its natural medium of expression in forms other than the mighty machine of opera, and that if my ambition had been under better control I might have developed eventually into quite a respectable composer of songs and small pieces. But at that time I was unmindful of the sound Daedalian maxim that middle flights are safest for tyros, and as it seemed a case of "Aut Caesar aut nihil" I chose the latter alternative.

After these disappointments it was an agreeable surprise to find strangers from so many different sides hailing me as an orchestral conductor of talent for whom there was a definite future. The encouragement I received was enough to satisfy almost anyone else than myself, but I was still a little reluctant to devote the whole of my energies irrevocably to a single occupation until I brought myself to believe that I could achieve a success in it that would compensate for my failures elsewhere. That I did take the final plunge was due mainly to the convincing counsel and constant conviction of Frederick Delius.

15. "APOLLO AND THE SEAMAN"

On returning to England, I began with ardor the task of realizing in rehearsal and performance the artistic problem of "Apollo and the Seaman," and it soon became evident that the most important personage in the whole scheme was the manipulator of the magic lantern. As both orchestra and conductor were behind the screen it was clearly impossible for them to follow the text of the poem, and the only alternative was for the poem to follow the music. This involved the cooperation of someone who possessed a knowledge of it as well as a turn for mechanics, and I sought the assistance of William Wallace,* whose easy familiarity with nearly every known art and craft had long marked him out as one of the most versatile characters of the day. He responded to the invitation with such alacrity and enthusiasm that I could not resist the suspicion that his interest had been aroused as much by the singularity of the enterprise and the prospect of an hour or two's light entertainment, as by any curiosity of an aesthetic kind. The author of the poem, Herbert Trench, an agreeable personality with a mind almost childlike in its placid imperturbability, devoted himself to the labor of forming a gigantic social committee; and although I never learned just how many of the peerage he managed to lure on to it, the number must have been uncommonly

* This richly endowed personality was a doctor of medicine by profession, although he refrained from actual practice. Joseph Holbrooke in his entertaining work *Contemporary British Composers* tells us that Wallace was the composer of the first English symphonic poem, and adds, "he is very Scotch, with all that race's faults and virtues, but I am glad to chronicle his name, as there are so few Scotch composers one can point to with any pride; and not one of them lives in his own country, lovely as it is."

high, for at almost every rehearsal he would break in upon us to announce with triumphant satisfaction that he had "bagged another Duchess."

This was not the only diversion to hinder the speedy mastery of a vast and intricate score. The band parts, which had been copied with reckless celerity, teemed with errors of every sort; between the first reading and the performance I corrected over a hundred in those of the wind and brass sections alone, and as much of the instrumentation was heavy and strenuous, our first impressions were not those that one passes on lightly to any composer seeking sympathy and approval from his interpreters. In the midst of it all arrived the venerable Sarrusophonist, who at once became an especial object of interest to the rest of the players and the recipient of an excess of hospitality which for a few days deprived us of his company. Meanwhile it had been discovered that he had brought over the wrong set of instruments (there seemed to be as many in the family as there are names in a Biblical genealogy) which further delayed his participation in the proceedings: and even when the right ones did arrive they were to my ears almost inaudible in the sea of sound that surged about my ears. But as the composer professed to hear every note, although I never believed him, I could say no more and only hoped that on the night itself we should have a better return than this for all the trouble we had taken in enticing the stranger to our shores.

The eventful day of the first performance arrived, the final rehearsal held in the morning went smoothly enough, and even the magic lantern, which had had its little troubles, played up well. At that time I lived in the country a few miles out of London, and it was my habit on concert days to spend the afternoon there getting as much fresh air as I could before the evening. But the cab which had been ordered to take me from my house to the station failed to arrive, so that I missed the train by which I was to travel. The next one did not arrive in London until a few minutes before the concert, there was a dense fog on the line, all efforts to obtain a motor car were unavailing, and I saw the elaborate schedule of preparation which we had worked out to the last detail going for nothing. In order that the performance should begin in an atmosphere of impressive mystery, a time-table had been drawn up under which at eight o'clock the doors of the hall were to be closed to further admittance. At one minute past the lights were to be half lowered, at three minutes past further lowered, and a minute later the lowest pedal note on the organ was to begin sounding as softly as possible. On the fifth minute the hall would be plunged into complete darkness, the organ would cease, and a soft blow on the cymbals would give the signal for the appearance on the screen of the first lantern slide, Apollo himself. With all these delicate operations in danger of being reduced to chaos, it may be imagined with what anxiety I awaited the coming of the next train. To my joy and relief it steamed into the station hardly a moment late, and as if conscious of the importance of the occasion went on to London without any loss of time.

It was just six minutes past eight when I arrived at the hall and found everyone in a high state of worry and excitement. All had gone according to plan with the exception of the final tap on the cymbals, the cue for which I myself had to give, and the result was that the audience who had been sitting in complete darkness for what seemed to them an age, seeing nothing and hearing only the weird rumbling of the thirty-two foot pedal note, had begun to feel decidedly uneasy. There was a feeling that something had gone wrong, and a slight apprehension of danger was brewing; very soon there might have been a panic. I dashed to the platform, and on seeing me the cymbal player, who had worked himself up into a fine condition of nerves, smote his instrument, not discreetly as arranged, but with terrific force. Simultaneously an immense head of the god flashed on the screen and everyone in the audience jumped half a foot in the air. The inevitable reaction followed almost immediately, and with one of the heartiest bursts of laughter I have ever heard in a public building, the crowd resumed its normal equilibrium. If anyone at this moment could have taken a peep behind the curtain he would have been edified by the unusual spectacle of over four hundred performers, also in darkness save for their carefully shaded desk lamps, directed by myself in shirt sleeves and encouraged from time to time by the appearance of the composer, bearing in hand a huge can filled with beer from which he drew frequent and copious draughts.

On the whole this remarkable experiment went off satisfactorily on both sides of the dividing line, and the only accident of any consequence I noticed on ours was that which befell our aged friend from across the Channel. Excited and bewildered by his novel surroundings, he missed his first important lead and after several wild efforts to come in at the wrong place, which were promptly suppressed by his adjoining colleagues, gave up despairingly and remained tacit for the rest of the evening. On the other, not all the skill and coolness of my friend William Wallace were equal to preventing his slaves of the lamp from resisting the temptation to vary now and then the settled sequence of the lantern slides. When the ethereal flight of Apollo across the daffodil fields was being read by the audience, the orchestra was illustrating it with thunderous explosions from trumpets, trombones, and drums, and the lurid description of the dead uprising from below lost something of its grandeur and terror through synchronizing with a handful of instruments which bore some resemblance to those pipes which the poet had once conceived should be the continuous musical background to his text.

But in spite of these minor mishaps everyone seemed happy about it all, the authors at having in their opinion produced a new art form, the audience at having been present at an exhilarating experience, and the newspapers and wits of the town at having something to write and make merry about. The following day I received a letter from Herbert Trench, containing many pleasant things about the performance and one note only of personal criticism. Everything had gone better than he had anticipated with the exception of the orchestral rendering of what he called the "Hell Section" of the work, which he craved leave to think had never sounded so eerie and stupendous since the opening days of the rehearsals. I replied that I was entirely of the same opinion, but refrained from suggesting that it may have been my ill-advised correction of the hundred odd mistakes in the wind and brass parts that was largely responsible for the decrescendo in his enjoyment.

As for our foreign guest, he returned to his native land covered with glory. The fame of his Odyssey had penetrated not only the quarter where he resided but the whole of artistic Paris; honors were showered upon him, and a famous artist was commissioned to paint his portrait, which was exhibited in the Salon during the forthcoming season. Somewhere among my keepsakes is a picture postcard on which is depicted the old gentleman sitting with a look of radiant happiness on his face, and holding in a close embrace his beloved Sarrusophone, the instrument which had played such a picturesque if silent part in the episode.

16. A HAPPY YEAR

The twelve months that linked the summer of 1908 with that of 1909 are among the pleasantest in my recollection. I was now fairly launched on a flood tide of activity wholly congenial to me, I felt completely at one with my musical kind and was accepted as one of the prime spirits in a vigorous and progressive movement. It was in fact a short transition period separating the stage of youthful experiment from the larger and more spacious days of big enterprises that lay closely ahead of me, but of which I had as yet no inkling. Surrounded by a delightfully enthusiastic set of companions who looked upon me as the principal mouthpiece of their message to the world, life for the time being seemed altogether worthy of praise and enjoyment.

In July I went over to Norway to meet Delius with whom I had planned a long walking tour in parts little frequented by the average tourist, and reaching Oslo (then Christiania) about a week in advance of him was lucky to find a dramatic festival going on at the State Theater. Until six months or so prior to this, my knowledge of Scandinavian authors had been of the scantiest, being limited to a few Ibsen plays which I had seen in London and a novel or two of Björnson. But influenced by Delius, who spoke each of the languages of the three kingdoms like a native and seemed to know their literature better than that of his own country, I had prepared myself for the trip by reading everything I could lay my hands on that had been translated, from the classical comedy of Holberg to the contemporary novels of Jonas Lie and E. P. Jacobsen.

It was lucky for me that I was in pretty good physical

condition at that time, thanks mainly to tennis and long country rambles, for Delius proved to be a first-class mountaineer and a pedestrian of untiring energy. One morning we got up at half past five after a somewhat troubled night spent in a cattle hut, climbed on to the Josteldalsbrae, the largest glacier in Europe, walked across a long arm of it, and, stopping for hardly five minutes on the way, reached our destination about half past eight in the evening. This was one of the highlights of our tour, and the only thing that marred the total enjoyment of one of the grandest sights in the world was the frequent thought of bears, which, according to my companion, had an unpleasant habit of appearing suddenly on the glacier to the discomfiture of the unarmed traveler. But as he passed on this unwelcome information to me quite casually and admitted that he had never caught sight of one on any previous occasion, I forgot my uneasiness in the contemplation of this marvelous sea of ice stretching for a hundred and twenty miles and taking on gradually a richer hue of gold as the sun sank lower and its rays grew longer. So when we got down to the tiny hamlet where we were to lodge that night, he was almost as startled as I to see lying in front of the inn a huge specimen of the tribe, which had wandered down only an hour or two earlier from the glacier in search of food, and had been shot by one of the farmers who had been on the lookout for it.

Almost as unforgettable was the ascent of Galdhöpiggen, the highest mountain in the country, on the top of which we spent two or three days and where we encountered in the dining room of the little hostelry one of our countrymen. He was absorbed in the task of assimilating a vast plateful of some unappetizing sort of meat which he dosed with frequent extracts from a bottle of Worcester sauce, and the appearance of our national condiment in this remote spot filled us both with such astonishment that we were moved to inquire how he had got hold of it. He told us that he had been climbing this mountain for the past four successive years and on each occasion had called for the piquant accessory without which the enjoyment of any kind of fleshy viand was out of the question. But no sympathetic response had been made to his repeated inquiries until the present season, when the landlord welcomed him with a complacent grin on his face and a bottle of the precious stuff in either hand. Now at last he could feast his eyes upon one of the finest panoramas of the Northland, untroubled by the recurring sensation that there was something wanting to complete his happiness, and deeply impressed we hastened to express our appreciation of a remarkable example of British persistency.

In the lower land of the dales wherever there was a likely stream, Delius would procure a rod and sit peacefully fishing for hours, and it was during these periods of relaxation that I would lead him to talk about his music and the correct interpretation of it. So far he had never been present at either rehearsals or performances where I had given his works, and I was not yet sure that I had been doing the right thing by them. The scores, especially the printed ones, were vilely edited and annotated, and if executed in exact accordance with their directions of tempo, phrasing, and dynamics could not help being comparatively ineffective and unconvincing. Accustomed to the scrupulous care which the modern composer lavishes on this side of his task, and without which no adequate presentation of any piece of an intricate character is possible, I was amazed at this revelation of indifference or ineptitude on Delius' part, for it seemed that having once got down on paper the mere notes of his creations, he concerned himself hardly at all with how they could be made clear of ambiguity to his interpreters. I gathered from what he said that, as he seldom left his retreat at Grez to venture into the active world of music making, he had been content to rely upon the advice of some fellow composers, who might have been in closer touch with the executive side of it, but who obviously possessed more zeal than insight. I knew that he was almost wholly wanting in talent as a public performer, for some months ago I had with agonized anxiety watched him endeavoring to conduct his "Appalachia." In one of the slow variations which was in four-four time he contrived, I never knew how, to beat five to the bar throughout; and to compass this unique achievement he had practiced the motions of conducting in front of a looking glass for six weeks beforehand. The only other time he dared venture to appear in this role was at a Three Choirs Festival concert at which I was unable to be present, much to my relief. But I was afterwards told by several who were there that the performance (the first anywhere) of his "Dance Rhapsody," sent shivers of excitement running down the backs of everyone sitting in the massive nave of the Norman cathedral.

There is an odd opinion current in many foreign places that the Englishman is a dull and humorless sort of fellow, although how it has obtained circulation, in face of the admitted fact that his nation has produced the most famous company of comic playwrights, novelists, essayists, and even philosophers that civilization has yet seen, is beyond the understanding of anyone who has thought twice about the matter. Like every other popular notion it is the reverse of true; and I venture to assume the pleasing privilege of informing a deluded world that whatever else there may or may not be in my country, there is more fun and laughter there to the square acre (save of course in the Celtic principality of Wales) than there is to the square mile of any other known quarter. Even if a man does achieve a gravity alien to the common spirit around him, he is not able to keep it up for long. The opposing pressure from outside is too powerful and sooner or later forces him to renounce the worship of the goddess of gloom. The most serious creatures find themselves victims of the most ludicrous situations unless they exercise the greatest care to avoid them, and this is what Delius, who despite much wit and some humor was fundamentally a serious soul, could never succeed in doing. Everyone of strong personality has within him a centripetal ruling force, magnetlike, which draws from without into its orbit another like unto itself, whether it be rest or unrest, hate or love. There must have been in Frederick an element which invited visitations of the twin spirits of high and low comedy, for the moment he exchanged the safe sanctuary of Fontainebleau for the busy haunts of men was the instant sign for their appearance, and the performance of the "Dance Rhapsody" was quite one of their typical quips.

How the piece ever came to be played at all in a sacred edifice remains a mystery to this day; nothing except possibly the anarchic operations of a swing band would have been less appropriate. Then the composer chose to incorporate into his score an important solo part for an instrument, which like Lucy there were few to know and very few to love, the bass oboe. As if these two errors of judgment were not enough, he must needs be persuaded into accepting the services of a young lady of semi-amateur status who had volunteered at short notice to see what she could do with it. Now the bass oboe like certain other members of the single and double reed families is to be endured only if manipulated with supreme cunning and control, otherwise its presence in the orchestra is a strain upon the nervous system of conductor and players alike, a danger to the seemly rendering of the piece in hand, and a cause of astonishment and risibility in the audience. A perfect breath control is the essential requisite for keeping it well in order, and this alone can obviate the eruption of sounds that would arouse attention even in a circus. As none of these safety-first precautions had been taken, the public which had assembled in the somber interior of an eleventh century basilica, in anticipation of some pensive and poetical effort from the most discussed musician of the day, was confounded by the frequent audition of noises that resembled nothing so much as the painful endeavor of an anguished mother-duck to effect the speedy evacuation of an abnormally large-sized egg. Had the composer-conductor not been a figure of renown, of middle age, and of outward sobriety, I have often shuddered to think what might have happened. As it was, so successful proved the enterprise of the ministers of Momus that the wife of one of the leading ecclesiastical dignitaries precipitately fleeing the church, decided it were better to absent herself from any of the subsequent performances, rather than run the risk of losing a hardly-won reputation for dignity and decorum.

When the autumn arrived we resumed our concerts, continuing the policy of previous seasons; and, stimulated by the optimism of the progressive sections in several provincial cities, ventured there on a proselytizing mission, sometimes with happy but at others with dismal results. I had been led to believe that Manchester, which during the prolonged reign of Hans Richter had hardened into a veritable citadel of extreme musical Die-hardism, was hungering for some variation from the unchanging round of Beethoven, Brahms, and Wagner. Profiting by the engagement of my orchestra for a concert given by the North Staffordshire Choral Society at Hanley where Delius' "Sea Drift" was in the program, I decided to take it on to Manchester, together with the full chorus, and to gladden the hearts of its new believers. There were nearly four hundred of us on the platform of the Free Trade Hall, which when full held some two thousand six hundred, and there were actually present in the auditorium less than three hundred. In the vast single gallery which contained about half of the total capacity there was one solitary patron, and even he for some time escaped our notice. Having brought along with him all the full scores of the pieces we were playing, he had propped them up in front of and around him, and in this way made himself wholly invisible to those below.

Toward the close of this year differences arose between the orchestra and myself, mainly over the perpetual bogies of the public musical life of that time, rehearsals and the deputy system, which led to the termination of my connection with it. As I was midway in the passage of a long season and any early adjustment of the breech seemed unlikely, I set about forming an entirely new body of players, there being no other established organization. In nearly every orchestra that I have met in any part of the world, there is to be found at least one person who combines an executive business talent with an encyclopedic knowledge of his own section of the musical community, and there was an admirable specimen of the kind in this one. He had been of the greatest use to me from the beginning of my regular concert career as he knew the name, character, and degree of ability of every player in the town and seemed able to lay his hand upon any one of them at an hour's notice. This excellent fellow, Verdi Fawcett, belonged to a numerous family scattered here and there over the country, all orchestral musicians and each with a Christian name borrowed like his own from one of the great composers, ancient or modern. He placed himself immediately at my service as a factotum, proving to be as indispensable and invaluable to me in this capacity as ever Figaro was to Almaviva, and within three weeks I had a completely new group of eighty, mainly young men not long out of the colleges, whose average age must have been well under twenty-five. Hearing that there was a violinist of uncommon dexterity in the restaurant band of the Waldorf Hotel, I went to dine there one night, and, following my request for a solo, he complied with the finale of the Mendelssohn Violin Concerto taken at a speed that made me hold my breath. I scribbled on a card, "Splendid, but the right tempo is so and so," indicating by a metronome mark what I thought it should be, and at once came back the answer, "Many thanks, I'll play it again for you a little later on." At the close of dinner we were introduced and I learned not only that he was barely twenty-three but that the instrument he was using had been made by himself. I offered and he accepted a prominent place in my new orchestra, and a few months later became its principal violin, a position he occupied for five years. This gifted and resourceful youth developed into the best all-round concert-master I have met anywhere, combining in himself a technical faculty equal to any demand made upon it, a full warm tone, a faultless rhythmic sense, and a brain that remained cool in the face of any untoward happening. Such was the beginning of the career of Albert Sammons, whom many consider the best English fiddler of this generation.

Soon after this I gained another valuable recruit to the string section, in this case a mature artist of experience and celebrity. That there is a plentiful crop of competent players in England on that instrument of mixed sex, the viola, is due wholly to the example of Lionel Tertis, who, with a natural facility that might have made him the rival of a Heifetz or a Menuhin, elected to devote his life to the exploitation of the resources of this hermaphrodite of the orchestra, and the instruction of a band of youth to replace the older type of player, who rarely atoned by making an adequate study of it for his customary failure on the violin. Tertis remained with us for about eighteen months, after which, unable to endure longer the strenuous routine, the long hours, and the close atmosphere of the Opera House, he resigned his position, and I do not think has ever been seen in an orchestra again.

17. A NEW ORCHESTRA AND SOME MUSICIANS

As I have indicated, the new orchestra, outside a veteran or two, was an essentially youthful body, and its members differed conspicuously from the older type of orchestra player. Their executive standard was higher, their musicianship broader and sounder, and their general culture of an wholly superior order, much of it traceable to their all-round training and early contact with men and women of refinement in the great colleges of music. Filled with an enthusiasm and untiring appetite for work that would horrify the soul of a modern trades union official, they regarded music as primarily an artistic pursuit, a joyous pastime which had not yet degenerated into an industry distinguishable from others of a mechanical nature only by conditions of higher pay for less labor. Not yet was a conductor confronted with the spectacle of a hundred men calling themselves artists and demanding the respect due to such, downing tools in the middle of a phrase and executing a precipitate stampede from the platform on the first stroke of a clock striking the hour which announced the end of the rehearsal. Some years ago I was conducting a series of concerts in a certain foreign capital, and half an hour before the conclusion of the first rehearsal an official with a stop-watch took up his position behind me and at regular intervals called out loudly, "Fifteen minutes more, ten minutes more, only five minutes left." I was obliged to inform the venerable society for which I was working that if this extraordinary practice, so admirably calculated to assist concentration on their job among the players as well as the conductor, was repeated on any subsequent occasion, it would be I who would indulge in the process of downing tools without a second's hesitation and leave the place forever.

These rigid and unnatural regulations do not originate with the players themselves, at all events not those of the highest class, but with a type of mind that regards all musicians as children who must be protected against any of those stirring and spontaneous impulses to work when they are so inclined, impulses which are inseparable from a genuine artistic nature. It is unfortunately true that in earlier days there was, as in many other occupations, a certain exploitation of the humbler sort of musician on the part of employers of small sensibility or conscience. But the talented player never stood in need of coddling or protecting, being quite capable of looking competently after his own interests, nor does he today; and what he wants more than anything else is to be allowed to give vent to the unfettered expression of his best self, which if thwarted or over-regulated will in time inevitably run to seed. Of course every thinking person knows exactly where all this regimentation is going to end. For generations in all Anglo-Saxon communities music has been maintained by the public spirit and liberality of private persons. It is a fine art, a luxury, and not an absolute necessity like food, drink, clothing, or transportation; and today this class is feeling keenly that it is not being given a square deal and that its sacrifices are being taken too much for granted and its goodwill abused. The next step in the game will be their retirement from the scene, leaving either to the State or to the professional musician himself the responsibility of shouldering the burden. As music is unlike most other businesses in that it is almost always run at a large financial loss, the task of meeting it will have to be sustained by musicians themselves in one form or another, for it is safe to prophesy that the State will not support that which is at the moment an wholly parasite industry. In other words, music is something that people can get on without, and if it costs too much, they will. I have for many years now been sounding warnings about the precarious condition of the entire fabric of music, how easily even the major orchestral organizations which are the greater glory of our modern artistic life could decline and disappear. They did not exist on any important scale fifty years ago, they are subject like all else to the various laws of development (down as well as up), economy, and public taste, and quite conceivably might return to that void from which they came.

The years stretching from 1900 to 1914 constituted the second phase of that national artistic evolution of which the first had been the period 1885 to 1890. The public was awakening to the realization that there might be Englishmen who had what the French call 'the matter of music' in them, not only in composers, but singers and instrumentalists. But a large number of amateurs still cherished the belief that to hear adequate orchestral or operatic performances one must go abroad, to Vienna, Berlin, Munich, or Bayreuth, and one nervous Wagnerite, almost panic-stricken on seeing the inclusion of *Die Meistersinger* in the repertoire of one of my opera seasons asked anxiously, "Do you think the orchestra can really play it?" A similar skepticism prevailed about solo artists, singers especially, who almost invariably renounced the lowly patronymics so wanting in romance and mystery for grand sounding foreign names which were contentedly accepted by the public as evidences of the real thing. For this reason we had such adoptions as Melba, Nordica, Nevada, Donalda, or Stralia, and many others, all striving to conceal from a world which really knew all about them the inferiority of their nationality, and sometimes the ignorance of the true origin of an artist led to incidents in which it was impossible for even the kindliest person not to take a little malicious delight. One day an agent brought to me a new tenor who styled himself (let us say) Signor Amboni. He was young, presentable, and had a voice of excellent quality and considerable volume. Although I hardly ever made use of singers at my concerts I was impressed by the newcomer and interpolated him into one of them to sing arias from *Rigoletto, Manon,* and *Die Walküre.* Everyone thought that my find sang well enough but some of the Press fell foul of his pronunciation, averring that if only he would stick to his native Italian all would be well. His French might at a pinch be forgiven, but his German simply would not do at all. The following evening I gave a supper party at which Amboni was present and I observed some private hilarity between him and one or two others when the subject of this criticism was mentioned, the cause of which the rest of us remained in ignorance until the arrival later on of Fritz Casirer, who had come on from another gathering. On being presented to Amboni, he gazed at him in astonishment for quite ten seconds as if he could not believe his very short-sighted eyes, and finally gasped out, "Good Lord, it's old Hasselbaum." The Italian whose German pronunciation had been condemned as deplorable turned out to be a genuine son of the Fatherland from Mannheim!

The summer of 1909 was marked by three events all of capital importance to me. The first was a performance of Delius' "A Mass of Life," his magnum opus, which, though of quite ordinary length, had been heard nowhere in its entirety. My old friends, the North Staffordshire Choir, had prepared it with great care and sang with splendid tone and flawless intonation many passages then regarded as harsh and unvocal, and which were assailed vigorously by upholders of the elder school of choral writing modeled on Handel and Mendelssohn. After the quartet of solo singers had come forward several times at the end to acknowledge the applause, I brought out the chorus master, a slight elderly figure unfamiliar to the London public and I heard a young girl in the front row of the stalls ask her male companion who it was. "That, my dear," he replied without an instant's hesitation, "is the librettist." Poor Nietzsche, whose "Also Sprach Zarathustra" had supplied the text for the Mass, had then been in his grave about ten years.

The next was the entrance into my life of Ethel Smyth and her opera *The Wreckers*. Ethel Smyth is without question the most remarkable of her sex that I have been privileged to know. I have been told that here and there in the world there have been observed a few specimens of that same fiery energy and unrelenting concentration of purpose, and that almost unscrupulous capacity to accomplish the purpose in hand. It may be, but they have never come my way, and I like to indulge in the belief that such a portent could have been hatched only by the England of the great Victorian age. Unlike most artists she was a born fighter and rebel, roused to controversy and reprisal on the slightest provocation, and hardly ever bore in mind the advice of the Boyg in *Peer Gynt* to "go round" rather than forward, preferring frontal attacks to flank movements whenever she could make them.* This did not make her the easiest of colleagues, and her frequent efforts at direct action either in the theater or concert hall hindered rather than forwarded the aim which everyone else wanted just as much to attain. A model of efficiency in her own daily private life, she demanded an equal competence on any of those occasions when her works were played, but lacked the faculty possessed by many less gifted of extracting from her co-workers the most or best which they had to give.

In after years a good deal of her unremitting militancy evaporated, but at the time of which I am writing it was gloriously rampant, receiving constant stimulus from her close association with the aggressive suffragette movement headed by Mrs. Pankhurst. Into this Ethel threw herself with almost ferocious zeal, was seen in processions, wrote a marching song which sounded like a call to combat à *l'outrance* and finally distinguished herself by heaving a large-sized brick through the front window of the house of the Home Secretary. For this exploit and sundry others of a rowdy character, she spent a few weeks in Holloway Gaol together with a chosen band of peace-disturbing accomplices, and there I went to see her one day. I· arrived in the main courtyard of the prison to find the noble company of martyrs marching round

---

* *Peer Gynt*, Act 2, Scene 7:
      Peer What are you?
      The Voice The great Boyg.
      Peer Make the way clear, Boyg!
      The Voice Go roundabout, Peer!
      Peer No, through!

it and singing lustily their war chant while the composer, beaming approbation from an overlooking upper window, beat time in almost Bacchic frenzy with a toothbrush.

The easy capacity to be led away to bypaths and side shows which have no direct connection with her art has had the unsatisfactory effect of limiting this amazing woman's musical output. But what there is of it has a distinctive quality that separates it from the rest of English music. The vigor and rhythmic force of portions of *The Wreckers* and *Hey Nonny No* equal anything of the kind written in my time, and hand in hand with these characteristics go a high emotion and delicate sentiment wholly free from rhetoric or bathos.* Tempted at times by an unfelicitous choice of subject, she has forsaken her own broad highway of simplicity and downrightness for some tortuous track, where she finds it fitting to make use of a scholasticism that weighs upon her natural style as irons do upon a prisoner; and in larger forms her aesthetic judgment was not always to be trusted. In that charming little opera, *The Boatswain's Mate*, the first act with its mixture of lyrical numbers and dialogue is perfect in style and structure. But in the second this happy scheme is thrown overboard for an uninterrupted stream of music and the setting of portions of the text that one feels would have been more effective and congruous had they been kept in dialogue as in the earlier section of the work. Many a time during the past twenty-five years have I thought of suggesting that here was one of those cases where, as other eminent composers have discovered, some effort of revision might be beneficial, but have always drawn back in apprehension lest I set in motion a volume of correspondence from her of self-justification, all expressed with a subtlety, ingenuity, and illusive logic that would have done credit to the dialectical brain of St. Thomas Aquinas. Undoubtedly her masterpiece is *The Wreckers*, which remains one of the three or four English operas of real musical merit and vitality written during the past forty years. This fine piece has never had a worthy representation owing to the apparent

* As for instance in her songs such as *La Danse* and *Chrysilla*.

impossibility of finding an Anglo-Saxon soprano who can interpret adequately that splendid and original figure, the tragic heroine Thirza. Neither in this part nor that of Mark, the tenor, have I heard or seen more than a tithe of that intensity and spiritual exaltation without which these two characters must fail to make their mark. But the ability to play tragedy with great and moving force has departed for awhile from the English stage and we must wait for a sign of its return before there can be the slightest hope of *The Wreckers* coming into its own.

Lastly, after nearly a decade, my father and I became reconciled and until the end of his life remained on the closest terms of friendship. During the last few years, I discovered he had been keenly interested in my doings and would slip unnoticed into a remote seat at my concerts and steal away before the end, lest someone should observe his presence and report it to me. He had been spending much more of his time in London than in the old days and had bought a house in Hampstead to which, as was to be expected, he had added a large wing containing a picture gallery with a fine collection of Turners, Constables, Coxes, and DeWints. My recent experiences over the production of *The Wreckers* had strongly revived in me an interest that had lain dormant for seven years, although during that time I had been reflecting continuously upon the many-sided problem of operatic representation, not solely from the musical angle. My association with masters of their craft like Maurel had yielded me an insight into the technique of the stage and had begotten a desire to try my hand at a venture given under conditions where the various ideas and theories I had been forming could take living shape. But this sort of thing was unrealizable without powerful backing, which up to the moment had not been forthcoming. I approached my father, found his old interest in opera unabated, and obtained a mandate to draw up a plan of campaign. Nothing definite however could be determined for some weeks, as he was about to leave for the United States and I was setting out on a long tour with my orchestra in the provinces.

This took place during a September that lived handsomely up to its reputation of being the finest month of the year. Avoiding the large industrialized cities and visiting mainly pleasant and picturesque country towns like Cambridge, Norwich, and Chester, this event, in which the spirit of holiday was more present than that of work, was the most agreeable I have ever known. Whether it was equally gratifying to the gallant impresario who had taken us out I doubt, for the concert halls were mostly smallish and, even when full, could hardly have met the evenings' expenses. But for us it was entirely delightful to roam around the kingdom, play football or see sights by day and make music at night. In the north we touched Lancaster, where we played in a hall whose walls were almost covered with inscriptions and directions, one of which "It is strictly forbidden to use in this building the words Hell, Damn, and other Biblical Expressions," took the fancy of my players exceedingly, without compelling the accustomed observance of it.

On the way to our southernmost point, Torquay, we stopped at Cheltenham, where during the afternoon of the concert day I and some of the orchestra were invited by the Principal of one of the leading girls' colleges to inspect the buildings. As we arrived in a quadrangle to find a large number of young women drawn up in military formation, the Principal came forward to meet us, and simultaneously a cheery looking girl stepping briskly out of the ranks embraced me heartily while the whole body of her companions cheered enthusiastically. I was a little taken back, but recovering my presence of mind, said to the Principal, who was beaming with satisfaction, "What delightful customs you have in your college, Madam, but may I ask who this charming young lady is?" The chief drawing herself up with dignity replied a little coldly—"That is your youngest sister." At the time of my quitting the family roof some ten years earlier, she was only six or seven and I had not seen here since.

18. *FIRST COVENT GARDEN SEASON*

To anyone unacquainted with the character of the British public it would have seemed beyond question that what it was craving more than anything else in the world at this time was opera. Over a period of ten years there had been carried on in and out of the press an unceasing campaign for the establishment of an English opera, or perhaps more accurately an opera in English; and according to dozens of writers on the subject, both professional and amateur, we should never be a really civilized nation until we had one. The only existing institution of importance, the Grand Opera Syndicate, which gave us regular seasons usually in the summer at Covent Garden in French, Italian, and German, was constantly assailed as being inimical to the interests of native music, and condemned on two further counts, insufficiency of repertoire and adherence to the star system.

For my part I never saw reason or justice in either of these indictments. The program given was fairly large and representative, more so indeed than in some of the famous theaters on the Continent, and the so-called star system was nothing worse than the practice of engaging for each role that particular singer whom the Directorate thought best fitted for it, hardly a serious offense against music. Six opera houses running the whole year round could not have played all the works which newspaper writers were convinced the public wanted to hear; and if this demand was genuine, then clearly what was wanted was less the reformation or abolition of an institution that was doing excellent work in its own way than the creation of others to meet the demand. But as it is always more fun and less trouble to criticize

142

than construct, nothing tangible ever came of this busy activity of tongue and pen.

In determining then the character of my own effort, I had to take into consideration these two public aspirations, a more varied choice of fare, and the performance of English works, together with the engagement of a large number of English singers. The first was much easier to gratify than the second, for there were dozens, even hundreds of pieces unknown then as now. That was purely a matter of selection, and should be simple enough as the public appeared to want anything. But the production of operas by native composers on any scale was quite another matter, for there were very few that could be given with any reasonable chance of success, and as for the singers, most of them had been trained for oratorio and other concert work and had little or no knowledge of the stage and all that varied accomplishment which is essential to a successful career on it. Furthermore, English voices are unlike those of most other nations; really robust tenors and true dramatic sopranos hardly exist among us, and high baritones are as rare as a perfect summer. The best among them are of comparatively moderate volume, pure and excellent in tone but lacking in power and brilliance in comparison with those of Italy, Germany, and France. Some care and discretion would be necessary in the planning of a scheme of work that would display them to advantage by the side of their rivals, and perhaps my ultimate goal would prove to be a theater of smaller dimensions than Covent Garden or La Scala, something after the model of that admirable French organization the Opéra Comique. But as my advisers were strongly of the opinion that this my first important season should be given at Covent Garden, a theater that had been associated in the public mind with opera for over two hundred years, there I went.

The program was made up of *Elektra, A Village Romeo and Juliet, Ivanhoe, Tristan and Isolde, The Wreckers, Carmen, Hänsel and Gretel,* and *L'Enfant Prodigue.* This last named piece was originally a short cantata which I transferred to the stage, and proved to be a capital curtain raiser. I myself conducted the Strauss and Delius operas, while Bruno Walter, whose first appearance this was at Covent Garden, and Percy Pitt divided the others between them. With the exception of *Elektra* none of the other novelties and unfamiliar pieces met with popular success, although the general attendance was fairly good. *A Village Romeo and Juliet* was pronounced to be undramatic by the press although I myself have never been able to discover this deficiency in it. All the same, Delius has certainly a method of writing opera shared by no one else. So long as the singers are off the stage the orchestra plays delicately and enchantingly, but the moment they reappear it strikes up fiercely and complainingly as if it resented not being allowed to relate the whole story by itself. During the last act the curtain is down for about eight minutes, and the orchestra plays a strain of haunting beauty; an intermezzo now known to every concert-goer as "The Walk to the Paradise Garden." But in the theater it went for next to nothing, being almost completely drowned by the conflicting sounds of British workmen battering on the stage and the loud conversation of the audience.

When I revived this work some years later, I introduced here a new stage picture so that this lovely piece was played with the curtain up, the only way in an English theater to secure comparative silence. What the public does not see it takes no interest in, and I would advise all young composers, if they wish their music to be heard, never to lower the curtain for one second during the course of an act. Better let it remain up with the operations of scene shifting and workmen in shirt sleeves in full view, for possibly a fair proportion of the spectators would leave the building under the impression that these were actually a part of the entertainment.

Just as this work and *The Wreckers* represented the living English school, so the revival of *Ivanhoe* was an act of respect to a dead English master, Sullivan. It was essentially an affair of action and spectacle, and the designers and machinists saw their opportunity and went out boldly to grasp it. I was promised effects of grandeur and excitement that would outrival the most startling Drury Lane melodrama, and tons of timber were ordered for the scenes of the tournament and the burning of the Castle of Torquilstone. In those days we had not yet escaped from the cycle of ultra-realism in stage representation and everything had to be as life-like as possible. If there was a house on the stage it must be a real house, trees and waterfalls must be the things themselves; and artists as well as the public took a childish delight in going farther than merely holding the mirror up to nature. This phase came to an end shortly afterwards when a celebrated actor manager, nervously uncertain of the effect likely to be made on his cultivated audience by the unassisted recital of Shakespeare's verse, distinguished himself by letting loose on the stage a brood of tame rabbits during Oberon's magnificent speech in *A Midsummer Night's Dream*. Naturally against this rival attraction on the boards the unfortunate Bard had very little chance.

I soon observed that the soaring ambitions of the scenic department were reacting none too favorably upon the musical side of the work. There were so many buildings, fences, trees, rivers and animals encumbering the stage that there was hardly any room upon it for the unlucky singers; and as for the chorus and supers numbering nearly three hundred, it was evident that if something were not done to accommodate them better they would have to sing in the adjoining market. But it is as difficult to alter traditional methods in a theater as to impose economy on a government department, and I waited and vacillated until the final rehearsal when all the grand effects were to be seen in their full glory. The burning of the castle was certainly an astonishing triumph as viewed from the auditorium, but it was appreciated less by the occupants of the crowded stage. For regardless of the value of human life, huge chunks of masonry flew in every direction spreading terror among the attackers and defenders alike. There was almost a riot and undoubtedly there would have been no performance if I had not given my word to control the enthusiasm of the realists. All that day there was a depressed exodus from the theater of about as much wood and other solid material as would have built a fair sized sailing yacht.

With the production of *Elektra* in London, the reputation of its composer reached its zenith. Excepting the death of King Edward, which occurred in the following spring, it was the most discussed event of the year. Some time had gone by since a new work of Strauss had been heard, the last being the "Symphonia Domestica" in 1905, which had been little more than a faint success. About ten years had passed since "Ein Heldenleben" and the earlier Symphonic Poems had been overplayed. None of the composer's operas had yet been given in London, the town was in just the right mood for a new musical sensation, it expected it and most decidedly it got it. Weeks before the first performance one newspaper vied with another in presenting its readers with the most lurid accounts of the new work, musicians took sides, and a small warfare raged with refreshing animation before a note of the score had been heard. Scholars fell foul of the libretto on the ground that Hoffmannsthal had bedeviled the grand old Greek story, although for my part I never saw much to choose between the Greek and the German in the way of horrors. The story, even as told by the silver tongue of Sophocles, is one of the gruesomest in literature.

Some of this journalistic fever, which my advertising manager assured me was of untold value, occasioned some embarrassment now and then to the theater staff. As all know who are acquainted with the work, there is a modest procession of sacrificial victims, a few sheep generally, to prelude the first entrance of Clytemnestra. But from the accounts of some papers one would have thought half the inhabitants of the Zoo were being rehearsed to take their part in the show. One day I received a letter from a farmer living about one hundred miles from London whose imagination had been fired by reading of these wonders, and under the impression that I was seeking voluntary contributions to my production in the way of livestock, he had arranged for the transportation to London of a fine large bull, which he claimed to be mild in disposition and seemly in behavior. As the animal had already started on his journey there was nothing to be done but wait for his arrival, have him photographed for the satisfaction of his former owner, and as we could not employ him in the service of art, put him to the next best purpose.

"Strauss's share of the work (Elektra), taken as a whole, is his most characteristic achievement. Here he has the fullest opportunity of working that vein of grotesque and weird fantasy of which he remains the greatest master in music. On the side of pathos and tenderness he rises to a fairly satisfactory height, and in spite of inequalities of style realizes a unity which is lacking in his other stage works. The almost entire absence of charm and romance makes it unique, and if it is reported truly that Gluck in his austerity thought more of the Muses than the Graces, then Strauss might here be fairly said to have shown a preference for the Furies." The public was undoubtedly impressed and startled, and to satisfy the demand for further performances, I was obliged to extend my season. For the last night, I invited Strauss to conduct and he agreed to come provided I gave him two rehearsals with the orchestra. But in the middle of the first of them—that is after about three quarters of an hour—he quitted the desk, expressing the highest satisfaction with the work of the players. So far as I could ascertain, musicians did not like the piece at all. One eminent British composer on leaving the theater was asked what he thought of it. "Words fail me," he replied, "and I'm going home at once to play the chord of C major twenty times over to satisfy myself that it still exists." The curious thing about this little piece of criticism is that Elektra actually finishes with the chord in question, thundered out several times in repetition on the full ensemble.

There is in every large town of every country at least one individual who is the living terror of managers, conductors, pianists, and every other kind of artist. This is the single composer enthusiast. For this type of fanatic no other music except that of the object of his idolatry exists at all. If he thinks that it is being insufficiently played he writes long and frequent letters to the Press. He attends all concerts where any composition of the master is given, and if there is something in the performance that he does not like, he fires off a volley of oral or epistolary abuse at the misguided and incompetent interpreter. He is always "plus royaliste que le roi" and there is no escape from him; in other words, he is the world's greatest bore and its nuisance number one. As I had already suffered from the attentions of the leading Strauss devotee and watch dog in London, I was hardly surprised when he got in touch with me over *Elektra* in the following typical fashion.

> Sir:
>
> Do you intend to imitate the cheeseparing habits of the Grand Opera Syndicate? What is coming over you? Last night from my coign of vantage in the gallery I counted your orchestra and could discover no more than ninety-eight players. As you well know, Strauss has stipulated for no less than one hundred and eleven. What have you done with the rest? Please reply at once.
>
> Yours anxiously,
Sylvester Sparrow.

For the moment I felt like the unhappy Varus when the Emperor Augustus confronted him with the terrifying demand, "Where are my Legions?" I thought that I might quite easily have lost a few of my men without noticing it, and a favorite criticism of the malicious was that I could have dispensed with a great many without the ordinary ear being able to discern the difference. Surely it was impossible for a company of them to have trooped out while I was conducting, without my observing it. To satisfy myself, I ascended to the exalted spot which Mr. Sparrow termed his "coign of vantage" and discovered the explanation of the mystery. From there it was impossible to see the full orchestra, some having been concealed in and under certain boxes, and greatly relieved I was able to send a reply that all was well and the temple had not been profaned.

Nothing matures or grows old more rapidly than music. The brilliant audacity of one generation declines into the placid commonplace of another, and an audience of today would not find it easy to realize how strange and bewildering the score of *Elektra* sounded to the public of 1910. About the middle of the work there is a short scene where two men—messengers—rush excitedly on the stage and after singing a few phrases rush off again. At one of our later performances this episode occurred in the usual way and the opera went on. About five minutes later, the same performers appeared again and without regard to what was happening at the moment in a scene of total different character, sang their passage exactly as before and disappeared. I pinched myself to make sure I was not dreaming and, bending down to Albert Sammons, who was leading, asked, "Have those two fellows been on before?"

"Yes," he replied.

"Are you certain?"

"There is no doubt about it."

I put the same question to the leader of the second violins, and he was equally convinced that we had been treated to an unsolicited and highly original form of encore. At the close of the performance I went on the stage to discover the cause of this novel addition to the normal attractions of an operatic evening, and found the culprits in the company of the chorus master, all three of them looking very embarrassed.

"Am I right in assuming that you took upon yourselves to repeat your scene this evening?" I asked frigidly.

"I am afraid you are," replied one of them.

"What is the explanation of this twice nightly experiment?"

This question was answered by the chorus master, who explained that a part of his duty was to take the cue for the sending on of the two singers from a passage in the orchestra. On this occasion his attention had been distracted by the necessary task of forcibly expelling a rude and refractory chorister through the stage door into the street. This being successfully accomplished he returned to the stage aglow with victory, and presently there came along something that to his flushed ear resembled the familiar phrase which was his lighthouse in the polyphonic sea of whirling sound.

"Now you go on," he called out to the singers.

"But we have been on," they answered.

"Then it was at the wrong place, you must go on again," and as they seemed rather hesitant he literally pushed them on to the scene.

I was relieved to find that a more agreeable manifestation of human weakness than artistic vanity was at the bottom of the mystery, and I discharged the offenders with a caution and the reminder that there was quite enough rough and tumble going on in the band without the actors joining in. As I never heard a comment or received a protest from any member of the audience, I concluded that this curious variation from the orderly course of performance had either passed unnoticed or had proved to their liking. But I do not think that even an audience of savages in Central Africa would fail to notice in works like *Faust* or *Carmen* a repetition of the songs of Siebel or the Toreador during scenes with which they obviously had not the slightest connection. I awaited anxiously the arrival of next day's post which I felt sure would bring me an explosive communication from my friend Sylvester Sparrow. To my relief nothing appeared, from which I gathered that the "coign of vantage" had not harbored its usual tenant that night.

19. OPERA COMIQUE AND
HIS MAJESTY'S THEATER

In the season just concluded, my contingent of native singers had acquitted itself with fair credit, and the report that a new spirit was stirring in the town attracted back to England a certain number of others who, unable to find anything interesting to do at home, had been building up careers in a dozen different opera houses abroad. The offer of His Majesty's Theater for the summer months coincided happily with my plan to give an all-English season in a moderate-sized house, and I drew up what I considered to be a widely varied repertoire of about a dozen operas. This involved an unusual amount of labor, as most of them not only required careful translation but were wholly unfamiliar to my artists in the original tongue.

I opened with *The Tales of Hoffman* for the main reason that it suited the particular talents of the more gifted members of my company, chief among them being John Coates, who took the leading part. Coates was among the half-dozen most interesting artistic personalities of the time in England, scrupulous, fastidious, and conscientious in all that he attempted. His appearance on the stage was noble and animated, and his voice, although of moderate power, was flexible and expressive. His diction was admirable and his singing of English an unalloyed pleasure to the ear. Nine-tenths of the English-speaking vocalists whom I hear seem to have the smallest idea of the potentialities of their own language. Their ordinary speech may be articulate enough, but the moment they begin to vocalize they transform it into a strange medley which sounds German and Italian all mixed to-

151

gether in one jumble of complete unintelligibility. I went one evening with Delius to a concert in a smallish hall, where a well-known
baritone was giving a group of his songs. At the conclusion, the
composer on being asked for his opinion of the performance said
blandly but annihilatingly: "Admirable, but what language was
he singing in?" And yet, we could not have been more than five
yards at the most from the platform. Coates shared the capacity
with a few others, such as Charles Santley and Gervase Elwes, of
making English sound not only perfectly clear but beautiful as
well, just as did at a later date his younger rival, Frank Mullings, in
some ways the most remarkably talented of them all, and of whom
I shall have something to say later on.

Hoffman was a definite hit, the lyrical character of the
music and the fantastic if slightly incomprehensible story appealing to everybody; and quite a fair portion of my daily post consisted
of requests that I should furnish a detailed explanation of what
it was all about. One of the oddest that I received was from a
clergyman who lived in the country and was unable to spend the
night in London. He could however come up during the day and
suggested that it would be very nice if the singers and orchestra
would assemble for a quiet hour one afternoon so that he might
hear, like Ludwig of Bavaria, the best parts of the work sung and
played for his exclusive benefit.

The second piece in my program, Massenet's *Werther*,
was as much of a failure as *Hoffman* was a success. In fact, it was a
downright catastrophe, enjoying a run of one performance. It is
always easier to comprehend the causes of a fiasco such as this
after the event than to foresee them before. The representation
vocally and instrumentally was far from bad, every note being sung
and played quite accurately; the scenery was attractive, and a good
deal of trouble had been taken over the whole production. The
plain truth of the matter was that the artists taking part in it
were temperamentally incapable of interpreting the style and sentiment both of the music and the story. Indeed the two roles of
Werther and Charlotte are outside the accomplishment of almost

any Anglo-Saxon singer, who probably can never quite succeed during the performance in banishing from his or her recollection Thackeray's satirical lines about the well-conducted German maiden, who (after her lover's tragic death) went on tranquilly cutting bread and butter. But it was a favorite work of mine and in those early days I lacked the experience to gauge the capacities or incapacities of my artists, and I frequently mounted operas more for the purpose of hearing the music myself than for giving pleasure to the public. The latter had moments of illumination when it appreciated this attitude of mine and generally rewarded it by absenting itself from the theater altogether!

The third French work of my choice was the *Muguette* of Edmond de Missa, who had died a few months earlier. It belonged to that genre of piece which is popular only in France; a kind of halfway stage between grand opera and the Viennese operetta or our English musical comedy, and the most characteristic contribution of that country to the larger forms of music. Starting in a humble way as a vagrant entertainment at fairs and in market places, it was molded into an art form by the powerful intelligence of Philidor and the inventive genius of Grétry, and is something eminently suitable to the aesthetic needs of the French people. The stories are usually well put together and frequently have genuine literary merit, while the music is scholarly, refined, and rarely too musical for popular taste. During the nineteenth century, it passed through the developing hands of Böieldieu, Auber, and Gounod, and flowered into maturity with *Carmen*, *Manon*, and *Louise*. Without achieving anything like the musical distinction of these masterpieces *Muguette* was not an unworthy poor relation of the family. The story, founded on an English novel *The Two Little Wooden Shoes* of Ouida, is simple and sympathetic, while the music is a pleasing trickle of pretty songs, duets and choruses. I had hoped that our public would take to the little work and that its success would enable me to introduce others of the same type; but it was not to be. It failed to make an appeal, chiefly for the reason, so I was told, that no place in it had been found for that cherished institution of the lighter stage in England, the blue-nosed comedian, and after a few performances it was also withdrawn.

I then took in hand a short Mozart Cycle which included *Il Seraglio*, *Le Nozze Di Figaro*, *Così Fan Tutte*, and *Il Impresario*. Of the four works *Così Fan Tutte* proved easily the most interesting; few had ever heard of it, and fewer still seemed acquainted with the music, although it is equal in beauty to anything the composer ever wrote. As one lovely melody followed another until it seemed as if the invention of Mozart was inexhaustible, the whole culminating in the wonderful canon-quartet of the last scene, it was hard to believe that in our age of vaunted culture and education a work like this, then one hundred and twenty years old, was being heard almost for the first time in a great city like London. Admittedly it lacks the grandeur and dramatic poignancy of *Don Giovanni*, the brilliant and acute vigor of *Figaro* or the bright dewy freshness of *Il Seraglio*: nor do we find there any of those solemn intimations which are heard now and then in *The Magic Flute*. *Così Fan Tutte* is a long summer day spent in a cloudless land by a southern sea, and its motto might be that of Hazlitt's sundial:

"Horas non numero nisi serenas." *

In the next generation the German theater was to be subdued by another spell, that of Weber, and the enchantment of wild places and old tales: and henceforth it was upon this road that music was to travel through Spohr, Marschner, and Meyerbeer to Wagner and the weighty magnificence of his later music.

* "Horas non numero nisi serenas—is the motto of a sundial near Venice. There is a softness and a harmony in the words and in the thought unparalleled. Of all conceits it is surely the most classical. 'I count only the hours that are serene.' What a bland and care-dispelling feeling! How the shadows seem to fade on the dial plate as the sky hours, and time presents only a blank unless as its progress is marked by what is joyous, and all that is not happy sinks into oblivion! What a fine lesson is conveyed to the mind—to take no note of time but by its benefits, to watch only for the smiles and neglect the frowns of fate, to compose our lives of bright and gentle moments, turning always to the sunny side of things, and letting the rest slip from our imaginations, unheeded or forgotten!"—*The New Monthly Magazine*, October, 1827.

"History cannot be unwritten, and it is therefore idle to lament that the music of the nineteenth century has followed a course, especially toward the end of it, which has sometimes appeared to despair of human happiness. But when we listen to perfect beauty such as that of Mozart, it is impossible not to regret that with him there passed out of music a mood of golden serenity which has never returned. In *Così Fan Tutte* the dying eighteenth century casts a backward glance over a period outstanding in European life for grace and charm and, averting its eyes from the view of a new age suckled in a creed of iconoclasm, sings its swan song in praise of a civilization that has passed away forever."

The unfamiliarity of some of my recruits with the character and style of serious opera sometimes led to incidents that helped appreciably to relieve the strain of our incessant labor during this season. In one of the Mozart pieces I was anxious that all the female parts should be undertaken by singers who had something of appearance as well as voice; and I allotted one of them which had always been a favorite with the greatest artists of the world to a lady who had achieved some celebrity in the lighter forms of musical entertainment. The rehearsals went along merrily until one day I had a call from a male relative who announced that she wished to relinquish her part.

"Doesn't she like it?" I asked.

"Oh, she likes it well enough," he replied, "but we both feel you have not been quite frank with us about it."

"What do you mean?" I said in astonishment.

"Well, you told us that it was the principal role in the opera."

"Isn't it?"

"How can it be when it is written only on the second line?"

I pointed out that it was not always the principal part which occupied the top line, reminding him of *Carmen* where the heroine's part was to be found on the third.

"That's all very well for people who understand these

things," he commented, "but you see Miss X has had a distinguished career in her own way and it might do her no end of harm in that world if it became known that she had ever sung anything else but the top line."

Against such reasoning I was powerless and I promptly released my leading lady from the awkward predicament in which I had innocently placed her.

The two native works included in my program were the *Shamus O'Brien* of Stanford, a charming, racy piece which had been produced some fifteen years earlier with much success, and *A Summer Night* by G. H. Clutsam, an able musician and the critic of *The Observer*. This little one-act opera, which was a novelty, proved to be bright and tuneful on its musical side, ingenious and effective in stage device and pleased at all events the more sophisticated portion of my public. I do not think that it has been revived anywhere since that time, and I doubt if it ever achieved publication. Meanwhile we had been rehearsing the most important production of the season, the *Feuersnot* of Richard Strauss. The chief features of this gay and audacious work are the number and difficulty of choruses and the indelicacy of the story. The music is best in its lighter moments and runs through the comedy scenes with a delightful swing and impulse. The hero, who has most of the serious stuff to sing, is a bore of the first quality, but the other characters are attractively and amusingly drawn, and the whole opera is suffused with a spirit of youthful romance which provided a happy contrast to the gloom of the tragic masterpiece heard earlier in the year. The translation of *Der Feuersnot* bristled with problems, and I sought once more the assistance of my scholarly and resourceful friend, William Wallace. He produced a really brilliant version of the original, but for a short time balked at the awkward passage where the chorus outside the heroine's window strives to convert her to a richer conception of civic duty, so that the illumination of which it had been deprived by the magical arts of her disappointed suitor may be restored to the stricken town. An appropriate and at the same time decorous rendering of

Da hilft nun kein Psalieren
Noch auch die Klerisei
Das *Mädlein* muss verlieren
Sein, Lirum larum lei

seemed beyond the power of any translator, but one day he burst triumphantly into the theater with this hilarious quatrain:

Now don't you shilly shally
You know the only way
So honi soit qui mal y
Pense, tol-fol-de-ray.

Those who saw the piece fully shared my partiality for it, but the larger public could not be induced to patronize it, possibly because it provided none of those blood curdling sensations which had abounded in *Elektra*.

The only remaining actual novelty of the season was *Die Fledermaus* of Johann Štrauss, and this lively piece, with the exception of *Tales of Hoffman*, was our greatest triumph. This was not unexpected as it contained most of the elements dear to the heart of the average English playgoer, including a large spice of that rowdy humor on the stage which he feels is out of place nowhere. As my regular company did not include a low comedian, I engaged Mr. Walter Passmore, the celebrated Savoyard, for the leading comic part, and the audience, which had yawned over the anguished frenzies of *Werther* and the frail sentimentalities of *Muguette*, or had politely endured the sublime raptures of Mozart, fairly bubbled with joy at seeing this popular favorite trotting out all the time-honored devices for securing a laugh, such as falling over sofas, squirting soda water syphons in somebody's face or being carried off to bed in a complete state of intoxication. By general consent it was agreed that here were the goods, and that long sought response which charm, beauty, and delicacy had failed to evoke, had been roused and sustained by slapstick horse play.

On the whole this season in the opinion of most people

was an artistic success. Under the most favorable conditions it could not have been anything more. In addition to the large number of new productions that had to be made, the unexpected death of King Edward, which took place a few days before it began, threw a gloom over the whole of society and considerably reduced the chances of material prosperity. The musical public for opera in London is hardly one half per cent of the population, and when national misfortune touches that part of it which is most constant in its support, the prospects of any important enterprise are at once dimmed.

Yet I look back upon the few months I spent at His Majesty's with unusual pleasure, for apart from the fact that it is perhaps the most delightful theater in the world, I was brought a good deal into touch with the late Sir Herbert Tree. From the moment I entered the building his staff was ordered to work for me as for himself. I never made a request that was not instantaneously granted, and the strenuous work during those three months would never have been half accomplished had it not been for the courtesy, ability, and fine artistic sense of the subordinates whom he left behind him. There was never between the managerial office and myself any of that tiresome discussion or haggling over petty details which is the sordid side of so many theatrical transactions. The moment the main lines of our agreement were settled I heard no more about business, and on subsequent occasions my experiences there were invariably the same.

20. COVENT GARDEN AGAIN

While the season of which I have just written was still running, I had begun to make preparations for another in the autumn at Covent Garden of similar duration. This, like my initial venture of the previous winter, was to be of international character, although I intended to make use in it of most of the British singers who had appeared at His Majesty's. The repertoire was to follow the lines laid down in my declared policy; famous works that were little or entirely unknown in England, unproduced pieces of merit from any source, and a healthy leaven of popular favorites to reassure that section of the public which is always disheartened by an over-manifestation of novelty.

After the startling success of *Elektra*, it was inevitable that my quest for an equal sensation should lead me at once to *Salome*, and I engaged a cast which was headed by Aino Akte, a slim and beautiful creature with an adequate voice and a remarkable understanding of her part. But one day I was unpleasantly surprised to learn that as the censor considered the work to be unfit for the British stage, we had been refused a license for performance. As the fiat had come from the Lord Chamberlain's office, I was advised that I should be wasting my time if I did not appeal to some one of higher authority; and as there was only one such person in the State known personally to me, the Prime Minister, I decided to seek his intervention. As he had just left for Gloucestershire to spend a few weeks in the house of a relative, Mrs. Asquith, who always interested herself in matters of this sort, invited me to join the party.

It has often been said that if any one wants to see the

159

English to advantage, he had best turn his back on the town and hasten to the country. The average Briton is not genuinely urban in soul, although the evolution of industrial life has driven him from the countryside into cities; and the best evidence of this is the really shocking muddle he makes of the job when called upon to plan and lay out a new town. It is sometimes hard to believe that the men who built the churches or castles and designed the country towns and villages of Plantagenet days are the same breed as those who created and tolerated the slum atrocities of the nineteenth century. With the wealthier class, it was never the house in London that was looked upon as the real home, but some fair haunt, Jacobean or Palladian, sufficiently remote from the capital, set off by gardens that would have satisfied the requirements of Bacon himself and half hidden in the trees of its girdling park. For my part I had already observed that the man one has been seeing for months at a time in town takes on a different aspect and undergoes an almost biological transformation when met a few weeks later in the country among horses, dogs, and dairy maids.

On first meeting Mr. Asquith at Downing Street, I had been a little abashed by his magisterial demeanor, which was rather too obviously that of the man accustomed to issue commands and wield authority. He treated us either to long flowing periods reminiscent of a college lecture room, or to a rapid series of staccato utterances not unlike those of the old Sergeant Major of the Engineer Corps in Lancashire, in which for a brief time I had held a commission. And although his wife had an easier and lighter hand in dealing with visitors or strangers, most of us remained rather more conscious than was quite necessary that here was the most influential lady of the land, with immense power in her grasp for good or ill. But in the freer air and more spacious accommodation of that charming house in the lovely Stroud Valley, both of these essentially simple and warmhearted people became different beings. The giant's robes fell away from the shoulders of the Prime Minister, who made one forget in five minutes that he was what he was, save for his massively striking appearance and the intellectual quality of his conversation. He was learned, but deeply rather than widely. His acquaintance with Greek, Roman, and English literature was as comprehensive as any I have known, and he retained a clear memory of everything that he had read. But with that of foreign modern nations it was fragmentary, and for the other arts, architecture excepted, he did not seem to have much predilection. Of music he knew next to nothing; but unlike most people who, unaffected by the classics, takes pleasure in popular jingles, he had no taste for anything that was vulgar or meretricious. In the presence of his wife, who had a wider general culture, he would display a statesmanlike caution in taking part in any discussion that touched on aesthetic subjects. But one evening when I found myself alone with him for a short while in a room where there was a piano, he asked me, with something of the expression in his eye with which a schoolboy makes a request that he is not quite sure should be granted, if I would play him the March from *Tannhäuser*. I did so twice, and having gathered from me that musicians did not think too disdainfully of this famous fragment, he repeated the demand for it the night before my departure, but this time boldly in the presence of the rest of his family. Of all the British statesmen and politicians whom I have known from that time to this, Mr. Asquith, or the Earl of Oxford, as he afterwards became, has always seemed to me the most satisfactorily representative. More human and less abstract than those two brilliant bachelors, Lords Balfour and Haldane, and of a solidity, reliability, and poise less conspicuous in the younger stars of the political firmament, his resignation of the Premiership in 1916 was not the unqualified advantage to the country as has been so often alleged. I have often conjectured whether the once great Liberal party could have declined upon such evil days had it remained for a few years longer under his leadership.

I explained to him my little difficulty over *Salome*; how Strauss was the most famous and in common opinion the greatest of living composers; how this was his most popular work, how it was to be played for the first time to a few thousand enthusiasts who wanted to hear it, how it did not concern so far as I could see those that did not want to hear it, how being given in German it would be comprehended by few, and lastly, how I could not envisage the moral foundation of the Empire endangered by a handful of operatic performances. Would it not be more judicious to give the piece a chance, especially as we might run the risk of making ourselves slightly ridiculous in the eyes of the rest of the world by taking an exceptional attitude toward a celebrated work of art, as we had done so often in the past before the advent to power of the present enlightened government? The Prime Minister, more impressed, I think, by this last argument than the others, promised to speak to the Lord Chamberlain, and encouraged by this assurance I returned to town to complete my plans for the autumn.

There was not too much time as the new season was to start at the very beginning of October, but the organization which I had formed nine months before and which had been functioning without a day's break since then, had reached a fair state of efficiency, each part of the theater's machine working easily and harmoniously with the other. Yet our first month turned out to be full of little else than one anxiety and disappointment after another. I started with a piece which I thought had a fair prospect of success, the *Tiefland* of D'Albert, which had won considerable favor abroad. Also D'Albert, in spite of his name, had been born an Englishman and had received his early musical training in London before leaving for the Continent, where he ultimately settled down permanently. But rarely have I had so much trouble with any work. The principal lady, who at the request of the composer had been engaged for the part of Marta, found that she could not come, and we had to discover some one else who would competently fill her place. After some difficulty we discovered a likely substitute, only to be embarrassed by her disinclination to attend rehearsals and a mysterious indisposition which afflicted her about three days before the first performance, and prevented her taking part in it. I did not learn until some little time after that the lady was or had been the wife of one of my leading baritones, that the couple were in the throes of a vast and intricate matrimonial disagreement, that she had not known when accepting my engagement that the offending spouse was to be a member of the company, and that the mere possibility of meeting him under the same roof, although it was a pretty large one, had a devastating effect upon her emotional apparatus. The première had to be given with an understudy who had every qualification for the part except voice and appearance. If intelligence, industry, and musicianship alone could have been sufficient for the purpose, the fate of *Tiefland* in London might have been happier. As it was, the want of the right female counterpart for the romantic and poetical interpretation of John Coates as Pedro deprived the piece of that essential measure of charm without which it suffered a severe handicap.

Then followed two French works, the *Hamlet* of Ambroise Thomas and *Le Chemineau* of Leroux. Of the former it is enough to say that it pleased no one, and of the latter that every one who did come liked it and returned. But their failure, after that of *Werther* and *Muguette* during the summer, seemed to point to the inescapable fact that our public, outside a few familiar exceptions such as *Carmen* and *Louise*, did not want French opera. This was unfortunate for my plans, as the French repertoire is perhaps more extensive than any other, and if it contains only a limited number of absolute masterpieces, a deficiency it shares with its rivals of Germany and Italy, it can point to an exceptionally large mass of excellent achievement of the second rank. These novelties were not thrust upon the public without the softening relief of various old favorites like *Tannhäuser*, *Rigoletto*, *The Tales of Hoffman*, *Figaro* and *Il Barbiere*. But the continued indifference to almost any offer of novelty was beginning to worry me, for I could not see how a permanent institution could ever be established while our potential audience, which had only a limited acquaintance with the world's operatic stock, steadily refrained from any effort to increase it. It also began to look as if the incessant clamor that had been filling the press during recent years for longer and more varied seasons of opera had very little substance in it. Of the actual representations, which on the whole were in every way competent, there was a minimum of criticism or complaint. Most of the leading British singers of the day were in the casts: Agnes Nicholls, Zélie de Lussan, Mignon Nevada, Ruth Vincent, Maggie Teyte, John Coates, Walter Hyde, Frederick Austin, Robert Radford, and the foreign contingent included Akte, Litvinne, Urlus, Whitehill, and DeLuca. DeLuca, then in his prime and a brilliant success in all he undertook, except *Don Giovanni*, was comparatively unknown to Londoners, as were Litvinne and Urlus, who between them gave the most vocal rendering of *Tristan and Isolde* that I had heard since the famous performance some dozen years earlier of Jean de Reszke. Of the others, the most noteworthy perhaps were Whitehill among the foreigners and Ruth Vincent among the natives who, with her beautiful voice and charming stage presence, was delightful as Antonia, Zerlina, and Gretel.

The immemorial privilege of the opposite sex to place the indulgence of its idiosyncrasies above the claims of art continued to pursue and jeopardize some of my later ventures. I had intended to give *La Dame de Pique* of Tschaikowsky and as far back as the early summer had been introduced at one of the Embassies of a great East European country to a highly attractive personage, whose ambition I was assured was to sing the part of Lisa. As she had a capital voice, well trained, a distinguished appearance, and a thorough knowledge of the piece, I considered myself in luck and engaged her then and there. The only extra labor devolving upon her was to learn the French version, as I had no others of her nationality in my company and it was quite beyond the capacity of my chorus to sing an entire opera in a language of which they did not know a single word. Owing to the proficiency of my primadonna and the other artists taking part in it, the work was nearly ready about three weeks before the date set down for its production; and it was shortly after this that the lady asked my permission to go to Paris for a week or ten days, promising to be back well in time for the final rehearsals. I could offer no objection to this and off she went. But the days went by and there was no word of my soprano. The date of the first performance loomed nearer and nearer; still she did not turn up and I began to be definitely troubled. Although, as in the instance of *Tiefland*, I had a capable understudy in case of emergencies, I knew that it would be hopeless to risk the introduction of another unknown work without the right sort of singer for this particular part. I waited until the eleventh hour, sent out messages and inquiries in a hundred different directions, but the missing stranger not only did not return but was never heard of again.

Naturally I applied to the Embassy of her country, but although the officials there were full of regret and apology, none of them seemed very disturbed about this extraordinary vanishing trick. Indeed it was the obvious disinclination on their part to trace the erratic movements of the lady that deterred me from going to the Police about the matter, and as I had not the courage to bring forward the work without the complete cast I had chosen, I withdrew it from the season's program, and *La Dame de Pique* was not heard in London until five years later.* As this mysterious figure had made neither friends nor acquaintances in the theater, visiting it only for her rehearsals and leaving immediately they were over, there was not so much curiosity and excitement over her flight as might have been expected; but of course there were several rumors and conjectures floating around, all of them probably inaccurate. The one that obtained the most credence was that she was a person of exalted rank who some time before had quarreled with her husband, and having a first-class musical education had decided to try her luck on the opera stage. While in Paris, the husband had reappeared upon the scene, solicitous friends had brought the couple together again, they became reconciled,

* First given in London by Mr. Vladimir Rosing at the London Opera House during the summer of 1915.

and possibly lived happily ever afterwards. But the little flutter in theater life was something that had to be hushed up, and the only effective way of insuring this was that a veil of oblivion should descend and hide it from the memory of the outer world. This at least had the merit of plausibility in view of the caution and reticence so unmistakably displayed by my diplomatic friends; but it was of small comfort to a young impresario who saw his carefully planned season staggering from one blow of fate after another.

However, as the repertoire was by now fairly large, I could partially replace our failures and semi-failures with successes or semi-successes, the latter including two fairly adequate productions of *Fidelio* and *The Flying Dutchman.* No splendor of cast or scenery has yet persuaded our public to look upon these works with more than moderate approval, although I have little doubt that the appearance of a really great baritone such as Maurel or Van Rooy in the latter might induce it to change its mind. I had exhausted all my cards except one alone. This I had kept up my sleeve until the last few weeks, and the time had now come for me to play it in the hope that it would turn out to be a winning ace.

21. *THE EPISODE OF SALOME*

To the foreigner the principal charm of England is its odd mixture of sprightly modern resource and stately mediaeval lumber. In most countries when a custom outwears its use it is abolished; with us hardly ever, even though it be quite obsolete or has long been crying out for reform. But no one can do anything about it, for a mysterious force, almost an occult influence creeps insidiously through the body politic and social to head us away from the folly and danger of change. We become ashamed of our seriousness and falter in our determination to make wrong things right, nor does it matter in the least that our conservatism is not only an inconvenience to ourselves but the object of ridicule to others. We have a sneaking affection for the one and an open contempt for the other, and abuses or absurdities that would make some nations blush for shame and others rush to the barricades we endure cheerfully for the sole reason they are our own, just as some parents delight to protect and indulge the weakly among their offspring.

A few years before the war a certain German envoy to our shores, whose particular bee in the bonnet was Communism, fired off one evening at a dinner table a harangue in the best style of Third Reich oratory about the activities of some of its British followers, who incidentally are a mere fraction of our population. A well-known politician who was present listened for a while in polite silence and then interrupted the stream of eloquence by observing dryly, "I think, Herr X, you might remember that they are after all our Communists."

One of our most characteristic institutions is the Censorship, which functions as the watch dog of decency over all that touches the drama, literature, painting, or any other art, easily the most difficult and delicate duty to fulfill in the world. I am no advocate either for or against it, and I shrink from expressing an opinion on the theory of some of our thinkers past and present that to the average Englishman there clings a vestige of the old Adamic taint that stands in need of constant repression. But that his rulers have a concern for his spiritual health as well as a rigid belief in the perpetual adolescence of his mentality, is sufficiently evidenced by their assumption of a paternal authority which none elsewhere care or dare to exercise over their own citizens.

The history of the stage is full of episodes which illustrate the manifold workings of the censorial mind but few, I think, have been more closely linked with the true spirit of comedy than that of *Salome,* and some weeks after my conversation with the Prime Minister, in which he promised to look into the matter of the ban upon it, I received an invitation to present myself at St. James's Palace, where I was received by the Lord Chamberlain and his second in command, Sir Douglas Dawson. These gentlemen informed me that their refusal to grant a license was due in no way to personal prejudice, but to the huge volume of letters they had received from every corner of the country protesting against the appearance on the stage of a sacred character, Saint John the Baptist. I at once pointed out that *Samson and Dalilah* had been given now for many years in London although it labored under a similar disadvantage; but the Lord Chamberlain, who had undoubtedly been waiting for this obvious rejoinder, caught me up quickly with "There is a difference, a very great difference; in one case it is the Old Testament and in the other, the New."

Here followed a lengthy dissertation on this important distinction, punctuated by a wealth of doctrinal example of which I, although severely brought up in the bosom of the Church of England, had hitherto been ignorant, and the conversation, which had gradually taken on the tone of an elaborate theological debate, had to be diverted once more into the terrestrial channel of the theater by the third member of the party.

"But we think we have found a way out," he interpolated. "There is no doubt that there are many people who want to see this work, and it is the view of the Prime Minister that subject to the proper safeguards we should do everything we can to enable you to give it. Now if you will consent to certain modifications of the text likely to disarm the scruples of the devout, it would help us to reconsider our decision."

I could offer no objection to what seemed at first hearing a quite reasonable suggestion, and inquired how he proposed to get to work on the task: to which he replied that both he and the Lord Chamberlain were prepared to give their personal attention to it if I would do the same. I agreed without hesitation, and we arranged for an early conference at which *Salome* would be trimmed so as to make it palatable to the taste of that large army of objectors who would never see it.

The first thing we did was to eliminate the name of John, who was to be called simply The Prophet; and having invested him with this desirable anonymity, we went on to deprive every passage between him and Salome of the slightest force or meaning. The mundane and commonplace passion of the precocious princess was refined into a desire on her part for spiritual guidance, and the celebrated line at the end of the drama "If you had looked upon me you would have loved me" was transformed into "If you had looked upon me you would have blessed me." It is only fair to say that my collaborators in this joyous piece of nonsense were, in spite of their outward gravity, as exhilarated as myself; for we all of us alike felt that we were making a solemn sacrifice on the altar of an unknown but truly national god.

The day arriving when our aim was accomplished and we had successfully metamorphosed a lurid tale of love and revenge into a comforting sermon that could have been safely preached from any country pulpit, I handed over the strange document to my friend Alfred Kalisch, who was to make an equivalently innocuous German version and send it along to the singers for study. I was neither surprised nor disappointed when there poured in one by one the liveliest communications from the unhappy creatures who were asked to sing to some of the most vivid and dramatic music ever written words which not only had no discoverable association with it, but were utterly devoid of any dramatic significance, the chief complainant being the leading lady, who did not see how it could be done at all. But I fixed an adamantine front, and resolutely declining to discuss the matter with them for one moment, declared that everything must go through exactly as prescribed. England was not Germany, they should understand, but a country that took a pride in doing things in its own particular way, especially where the arts were involved; and here was an edifying example of it. Before this unbending attitude the flood of remonstrance subsided, and with groans of resignation the artists submitted to the foreign yoke. But it was hardly to be expected that they would observe a discreet reticence over the transaction, and for weeks those journals which were read mainly for their contribution to the lighter side of life enjoyed a large increase of circulation over the whole Continent.

In course of time the singers arrived, but rehearsals had hardly begun when a mild bomb-shell was exploded among us by St. James's Palace, which had just remembered that the decapitated head of John had to be handed to Salome on the stage, and that she was to sing to it in full view of the audience for about twenty minutes. This would never do. If it had been his arm or even leg it might have been different, but his head certainly not, and some substitute must be found for the offending member. We all went into close conclave, and it was settled that Salome be given a blood-stained sword. But this time it was the primadonna who put her foot down, objecting that the gruesome weapon would ruin her beautiful gown and flatly refusing to handle it at all. Despairingly I again made representations to headquarters and once more the official mind travailed and brought forth. The best and final concession we could obtain was that Salome should have a large platter completely covered with a cloth, but that under no circumstances could any object, even the minutest, be placed beneath it, that might suggest by its bulging protuberance the presence of the precious head.

The troubled voyage of rehearsals coming at last to an end, we reached the night of the first performance in which there was taken a much more than ordinary interest. Not only had the story of our little difficulties got abroad, but as always happens anywhere when there is the slightest hint of naughtiness in a piece the whole town yearns to see it. This in fact is the royal road to success, and if a young dramatist can only induce the bishops and clergy to denounce him with enough objurgation as a monster of impropriety his fortune is made. At the last moment people appeared offering any price for a seat, and the performance began in a spirit of high tension on both sides of the proscenium. For about half an hour all went perfectly according to plan, everyone singing his or her innocent phrases accurately, if somewhat frigidly. But gradually I sensed by that telepathy which exists between the conductor of the orchestra and the artists on the stage, a growing restlessness and excitement of which the first manifestation was a slip on the part of Salome, who forgot two or three sentences of the bowdlerised version and lapsed into the viciousness of the lawful text. The infection spread among the other performers, and by the time the second half of the work was well under way, they were all living in and shamelessly restoring it to its integrity, as if no such things existed as British respectability and its legal custodians.

I was powerless to intervene. Overcome with terror and agitation, visions of disaster flashed across my mind. I saw Covent Garden, a theater under the direct control of the Lord Chamberlain's office, losing its cherished Royal Charter; it was I who would be held responsible for this flagrant breach of good faith; I should never be able again to look my friends in the face, and I perspired in torrents. I recalled an experience of Strauss himself at a rehearsal of the same opera, when out of humor with vocal struggles on the stage, he had exhorted the orchestra to more strenuous efforts by calling out that he could still hear his singers; and I strove valiantly by the same methods to render my own even more inaudible. But I knew that in the end I should have to admit defeat, for looming like a specter before me was that dreadful final scene where the orchestral accompaniment sinks to a dynamic level that the brutalest manipulation cannot lift above a gentle *piano,* and that every word of Salome would be heard in the last row in the gallery as she crooned away ecstatically to her empty platter.

After what seemed an age of purgatory to me, the performance came to an end, the public was enthusiastic, and the artists overflowed with delight at their success. I had not the heart to reproach them; I felt it was neither the time nor place. While I remained on the stage with them after the curtain had gone down, I was horrified to see advancing toward me the party from the Lord Chamberlain's box. My first impulse was to fly, but as this would be a personal acknowledgment of the crime I decided to stay and fight it out. To my astonishment the magnate addressed me with beaming countenance: "It has been wonderful, we are all delighted, and I felt I could not leave the theater without thanking you and your colleagues for the complete way in which you have met and fulfilled all our wishes." I think I must have effectively concealed my bewilderment at these unexpected felicitations, for the official group passed on radiating a benevolent satisfaction which I interpreted joyfully to my foreign contingent, who left the building in a greater state of stupefaction than ever at the unaccountable workings of the British mind. To this day I do not know whether we owed this happy finishing touch to the imperfect diction of the singers, an ignorance of the language on the part of my co-editors of the text, or their diplomatic decision to put the best possible face on a dénouement that was beyond either their or my power to foresee and control.

Although *Salome* served the useful purpose of filling the house every time it was played, it did not make the same overwhelming impression upon the public as *Elektra*. On the other hand, it provoked less controversy in aesthetic circles and adverse criticism was almost wholly absent; the only noteworthy instance being the not unexpected gibe of another celebrated musician that, while he reserved final judgment until further hearing, the overture appealed to him at once as a fine bit of writing as well as a perfect epitome of the whole work.*

* The point of this critical shaft will be appreciated only if an exhaustive study be made of the Prelude referred to!

22. THE COMING OF THE
RUSSIAN BALLET

I ended the year 1910 in a very different mood from that in which I had begun it. I had plunged head foremost into the operatic arena under the cheerful conviction that I had only to present any work of fair renown in a tolerably adequate way for the public to crowd my theater in gratitude and appreciation. The principal reason for the failure of other men's ventures, so I had been told, was that they had been too sporadic or limited in scope. But this could hardly be urged against me, for during a period of twelve months I had given an almost uninterrupted sequence of nearly two hundred performances, had produced over a score of operas not heard before in London, revived many others that were hardly better known and had made use of virtually all the British singers qualified to appear on the stage, as well as a large contingent of front rankers from France, Germany, and Italy. In spite of all this, it was evident that for the support of opera run on a scale like this, there was not nearly enough living interest in the existing state of London's musical culture. Out of something like fifty works there had been unqualified approval of four only, the short and sensational bloodcurdlers, *Salome* and *Elektra*, and the tuneful lightweights *The Tales of Hoffman* and *Die Fledermaus*. Something was wrong somewhere and I was not at all sure where the fault lay, with the public or myself. One thing though was clear enough: it would be courting disaster to continue along the same lines until my varied and comprehensive experiment had been submitted to a critical inquiry from which might be forthcoming some useful hints for the future.

Some months earlier I had been approached by the directorate of the Grand Opera Syndicate of Covent Garden, whose main enterprise was the summer season of three months, with a proposition to unite our rival forces and eliminate competition between us during this period. I had already made provisional plans for a season at Drury Lane Theater during the summer of 1911, in which the Russian Ballet would make its first appearance in London, and the Syndicate had viewed with concern this intended encroachment on what had hitherto been its inviolate domain. The offer was not disadvantageous to my own organization, and I decided to accept it provided my contract with the Ballet was adopted by the new partnership. This was agreed, upon the condition that for the ballet performances I would make a present of the services of my own orchestra, as the addition of a dozen or more unfamiliar pieces to the normal program of work would be too much of a strain upon the regular body of players engaged for the opera itself.

During the spring, I went over to Paris at the invitation of my friend André Messager to prepare a series of performances of *Elektra* at the Grand Opera, for which I was to furnish the cast of singers who had made the success of the work in London, my orchestra and the whole production. As there was much talk in circulation about the beauty and fitness of the Anglo-French Entente, it seemed to both Messager and myself that this pleasant little manifestation should be welcomed in the city of light. But we were mistaken. The musicians of the town, who were just then indulging in a particularly violent orgy of chauvinism, protested vigorously against this invasion of the sacred precincts of the Académie Nationale de Musique et de Danse by an alien mob under what one imaginative journalist dubbed "a Saxon chef." In the interests of public peace the Minister of Fine Arts felt bound to intervene, and I terminated a delicate situation by withdrawing from the scene before things became worse. I was less concerned over this fiasco than Messager, who was genuinely chagrined and rather ashamed of his countrymen. Several years pre-

viously he had been musical director of Covent Garden, his
operettas were popular in London, and an exhibition of national-
istic prejudice such as this was as much against his interests as his
taste and good sense.

During my stay there I took every opportunity that
offered itself of inspecting the private musical life of Paris, particularly in the drawing rooms of the great, as I was curious to see
how they compared in this respect with those of London. There
was very little difference between them so far as I could discover,
Paris having a certain advantage over us in the perceptibly larger
number of those well-intentioned persons who, professing to take
an interest in art, sometimes carry it to a point where it bears more
resemblance to interference than assistance. Most of these naturally were ladies who required very little encouragement to constitute themselves protectors of the whole family of Muses, and
shortly after my arrival there was a vigorous movement to revive
the glory of the ancient salon. Few of the enthusiasts had knowledge of the social conditions which gave birth to that institution
in the seventeenth century and prolonged its existence until the
close of the eighteenth, and small account was taken of the vast
changes since that time which made any actual revival of it next
to impossible. One and all were convinced that there was something hopelessly corrupt in all modern culture, which could be re-
deemed and regenerated only through the benignant wisdom of
half a dozen new Egerias.

One noble dame had long been troubled by the obsession that what was lacking in all latter day art was the impon-
derable element of style. She reflected often and seriously on the
best way of recapturing this unsubstantial sprite, which had somehow lost its way in the turmoil of our crowded life, and was at
last seized with a remarkable inspiration. Summoning a choice company of her intimates she addressed them as follows: "Each one
of you knows at least one man of genius; a poet, a musician or
anything else of the sort. Let us assemble them under this roof
and set them in company to the task of creating a new style in

each of their respective arts." This original proposition was received with joyful acclamation and the listeners departed to search the highways and byways of the capital for all the available genius that could be lured within the new sanctuary of Apollo. By one means and another a fairly large troop was brought together, and all intellectual Paris awaited with high expectation the results of the great experiment, regretting only that there was no Molière at hand to do it full justice.

Set in a large hall were thirty or forty little tables on which had been deposited pen, ink, paper and all other necessary materials. At each table a genius was invited to seat himself and remain for a couple of hours in complete silence, while he concentrated his faculties on the discovery of a new style. Whether it was imagined that the presence of so many first-class brains in close proximity would stimulate each one of them to heights of accomplishment hitherto unimagined, or that some large stream of mingled inspiration might be presently released and put into circulation, as is alleged to occur at other similar gatherings of the mystical sort, was never made clear to us. But the results were certainly not those which had been anticipated. For none among the painters or designers succeeded in turning out anything better than a recollection of the latest objects they had seen in some shop window which caught their eye while on the way to the assembly, and the poets and musicians appeared to be hypnotized by the haunting jingle of verses and tunes heard in the latest revues and cabaret shows. In spite of this setback the idea was considered too good to be abandoned without a further trial which was duly held a little later. But the sacred flame of inspiration remained as dormant as before, and it had to be acknowledged with reluctance that the formula for creating a new style would have to be discovered by some other method.

The London season which was now in full swing was running its normally placid course when, like a visitation from another plane, there burst upon it the Russian Ballet. As rapidly as Byron won fame was the artistic section of the town taken by storm, people thought and talked of nothing but ballet, and extremists went so far as to assert that the downfall of opera was well in sight. All other branches of entertainment were thrown completely into the shade and with some justice, for at long last London had the opportunity of witnessing a theatrical representation in which every element involved was of the highest beauty and splendor.

If I were asked who in my opinion was the greatest musician, painter, writer, or scientist I have known, I should have to think a long time before giving a decisive answer. But if the question were to include impresarios, I should not hesitate a moment, for Serge de Diaghileff was not only the greatest but the only one among them to realize my full conception of what this most ambiguous of all figures in public life ought to be. A Russian of the educated class, there was nothing that he did not know about dancing; he had a sympathetic understanding of modern painting, having organized several exhibitions of it in Paris, and he was a musician of estimable parts. This combination of abilities had enabled him to form a troupe of dancers second to none anywhere and to enroll under his banner a group of the most gifted composers and scenic artists of the day. Men like Bakst, Benois, Roerich, and Sert succeeded in lifting the whole craft of stage decoration out of the condition of dull decline into which it had fallen over a long period of years in England, France, Italy and Germany alike. There was a time when scenery for the theater was the preoccupation of men of genius, and a London Museum contains the beautiful collection of drawings which Inigo Jones executed for the Jacobean theater, while the France of the eighteenth century saw the labor of the exquisite Watteau and the elegant Boucher enlisted in the same cause. But in the nineteenth century all this somehow or other slipped from the hands of artists into those of artisans and sank gradually to the lowest level of an unimaginative mediocrity. Through those who had been praying long and fervently either for a return to an earlier tradition or a new vision of taste and charm, the gorgeous spectacles of the Ballet sent a thrill of delight, stirred the slumbering consciences of all

associated with the stage and sounded the death knell of the existing system of organized incapacity.

Diaghileff was also the first to decree that no music
but the best should be used by the Ballet, and that it must be
executed with the same technical competence which the public
until that time could count upon with certainty only in the concert
room. There had been a venerable tradition that ballet music was
smaller beer than operatic or symphonic, and entitled on that
account to less consideration. But the presence of a large and first-
rate orchestra, replacing the old moderate-sized and none too skillful body of players, raised and brought the instrumental side of
the performance well into line with the rest of it. Abandoning
the employment of hack musicians to make orchestral versions
of piano pieces such as the *Carnaval* of Schumann or the waltzes
and mazurkas of Chopin, he handed over this sort of task to masters of the craft such as Stravinsky, Reynaldo Hahn, and Tscherp-
nine, and commissioned new ballets from every composer who, according to his own idea of it, revealed a feeling for the true spirit
of the dance. Under his control the Ballet became and remained
for over twenty years possibly the finest artistic institution of the
day, and there was hardly a musician, a painter or dancer of note
who did not at one time or another have some connection with it.
To the dancers he was like a parent, but never an indulgent one;
and a martinet of the first order, his discipline was rigid and his
rule absolute. After the first performance of a ballet which I had
arranged for him, I invited all those who had taken part in it
together with a few friends to supper at the Savoy, and Diaghileff
rather to my surprise took upon himself to make the seating arrangements. To the disappointment of some of my party, one of
the principal dancers, an artist of international name, was not
asked to join our table, and his explanation was that such an invitation would indicate a partiality likely to wound the susceptibili-
ties of her colleagues and to diminish his own authority with them.

His musical predilections were individual and changing,
and the cast of his mind cerebral rather than emotional. Nearly all

romantic music of Teutonic origin was a bugbear to him, and most love scenes in opera he eyed with a cynical disapproval. When there was a question of making cuts in a piece that he fancied was over-lengthy in performance, it was generally those sections that dared to dally with the unsympathetic operations of the tender passion that produced groans from his heart and the immediate appearance of the blue pencil of excision from his pocket.

I think that during his later years his artistic judgment was largely under the influence of Stravinsky, for one day he broke into a long and extravagant eulogy of Gounod's *Faust*, which in view of something quite different I had heard him say not so long before about the same work, continued to surprise me until I learned that this was an opera for which the distinguished Russian composer had expressed a high regard. But I never entered into argument with him, for while he entertained a set of opinions, he clung to them with a fanatical tenacity which nothing could shake, and all one could do was to wait for time to replace them with another bunch, which in turn would be proclaimed with equal conviction.

Any scheme I might have hatched for continuing opera in the autumn and winter was halted by the unexpected appearance of another Richmond in the field. What it was that inspired Oscar Hammerstein to attempt the operatic conquest of London no one ever discovered. Perhaps he had been persuaded, like myself, into believing that the metropolis had a vast public thirsting for the sort of fare he had to offer. But whatever the reason, this gallant American was resolved to do the thing handsomely. In spite of the fact that London already possessed several theaters of grand opera dimensions, one of which I am sure he could have secured, he felt it necessary to build a brand new one in the Kingsway. I therefore deemed it more prudent to leave the newcomer in unopposed control of the situation, quit the stage for a while, and return to the calmer life of the concert room.

23. A VISIT TO BERLIN

One advantage of my alliance with the Grand Opera Syndicate was that I became largely free from management responsibilities, as I could leave to their own competent staff the supervision of my business part in the joint undertaking. This left me more time not only for concert work with my own orchestra but for the acceptance of outside engagements with societies at Manchester, Liverpool and Birmingham, as well as the Royal Philharmonic of London. In Birmingham I conducted the whole of the concert series during 1911-12 and 1913 and a gallant effort was made there to place the concerts on a more permanent basis, but without success. The old ghost of discord was still stalking the place and it was not until some years afterwards that the various dissident parties could be brought together to agree upon a scheme for a permanent orchestra, in which I was privileged to take a part.

In my own concerts I continued the policy adopted four or five years earlier, but with a little easing off in the practice of hurling at the public such huge masses of modernity unrelieved by even a little of something they had heard before. These shock tactics are often useful and even necessary as much to strike the eye as the ear with an appearance of strangeness or singularity. Wilde has said that nothing succeeds like excess; but, though this is often correct in the opening moves of a campaign, it is not always so effective in its later stages. For instance, in one concert devoted to the work of a celebrated living composer I opened with about two thousand persons in Queens Hall and finished with less than two hundred. Having made sure that the Press, as well as the public, was no longer in any danger of forgetting either the name or some of the music of the composers I was endeavoring to advertise, I diluted my programs with a relieving dash of the familiar, and soon found that my listeners who had overtly or covertly resented being asked to swallow large doses of Delius, Sibelius, Mahler, and others, became quite placable on smaller allowances of the same fare. Of course I am speaking of ordinary everyday symphony concerts and not of festivals given up to the work of a particular school or of one composer: of the latter kind there is never likely to be a dangerous superfluity.

The reputation of Delius continued to grow, although it was not yet rivaling that of Elgar whom the British public had placed on a pedestal higher than that occupied by any native composer since Purcell. I did not find this valuation shared by either our own or foreign musicians, and on those occasions when in later years I played this composer's works in continental countries, as well as in the United States, I found that time had failed to maintain it. All the same there is not the least doubt that most of what Elgar wrote between 1895 and 1914 showed an undeniable advance over anything produced by his English predecessors or contemporaries in the more orthodox forms such as the symphony and the oratorio. The writing itself is clearer and more varied in style, the grasp of the subject closer and keener, and the use of the orchestra is often, but not always, admirable. The better side of him is to be found in miniature movements, where he is often fanciful, charming and, in one or two instances, exquisite. His big periods and 'tuttis' are less happy; bombast and rhetoric supplant too frequently real weight and poetical depth, and he strays with a dangerous ease to the borderline of a military rhodomontade that is hardly distinguishable from the commonplace and the vulgar. Here and there are cadences of a charm that are quite his own, unlike anything else in music, evoking memories without being in themselves reminiscent, and breathing a sentiment to be found in much English literature written between 1830 and 1880, notably Tennyson. But whatever the quality or merit of the invention, his is the work of a truly serious and honest craftsman.

According to Max Chop,* Delius belongs to the small group of wholly underivative composers. This is not to say that he is without musical ancestry of any sort, or that his is a greater genius than that of many who are less original in their aesthetic make-up. For instance the actual musical accomplishment of Mozart is greater than that of Berlioz. But while nearly all that the former master wrote had a definitely pious kinship with the foreshadowing effort of the foregoing generation, such extraordinary portents as the "Symphonie Fantastique" or "La Damnation de Faust" broke upon the world like some unaccountable effort of spontaneous generation which had dispensed with the machinery of normal parentage. Such human phenomena are invariably more complicated in their mental processes than their more simply constructed brethren of orthodox breed, and they can rarely bring themselves to make use of the inheritance bequeathed to them by their predecessors. Theirs is no simple and primitive musical faculty like that of Schubert or Dvorák, each of whom was capable of pouring melody into any form of the art, the symphony, the quartet or the sonata, without any desire to vary or develop it in any way; and they are either incapable of expressing themselves in such forms, or they deliberately ignore them in favor of new vehicles for the communication of their ideas. Wagner, as we know, clearly saw that Beethoven had said the last word in symphonic structure and had stretched it to the furthest possible limits of expansion. But conventional minds thought otherwise and continued to hope for the coming of someone who would open a new chapter in the evolution of the form. It is now realized that nothing of the slightest consequence has been added to the architectural finality of the Third or Sixth, and that all those who have written symphonies during the past hundred years may have charmed but have not succeeded in surprising us.

"Chopin, Wagner, Moussorgsky, and Debussy struck out

* An eminent German musicologist born in 1862—died in 1929. His best known works are: Liszt's Symphonic Poems; Wagner's Music Dramas; and Modern Musicians.

on fresh lines, creating forms for themselves, and Delius is essentially of their kind and company. Although, like some of them he had little or no aptitude for traffic with the sonata form, his efforts in this line being his weakest, his capacity to create movements on a big scale which are shapely and logical, and which match the needs of his inspiration is evident in such experiments as 'Sea Drift,' 'Paris,' and 'Brigg Fair.' But the most underivative side of his genius and that which separates him most sharply from all other modern composers is undoubtedly his harmonic endowment. This is unique and peculiar in that it is present and audible in nearly every bar of any piece which he has written. I have often asked quite first-class musicians to play from memory some apparently easy-sounding passage of his that they have just been listening to, and while they have had no difficulty in getting the melody right, I cannot recall one occasion when they have been able to render the harmony correctly. And yet in performance all sounds simple and natural. Modern musicians have not yet given enough attention to this side of Delius, a genuine innovation for which the art is perceptibly the richer; and although his reputation during the past fifteen years has grown apace, the creator of *A Mass of Life* and *A Village Romeo and Juliet* has yet to receive that recognition which sooner or later will inevitably be his."

During the summer the Russian Ballet reappeared, repeating its spectacular success of the previous year and depreciating even further the already dubious credit of the operatic side of the season. Decidedly the stock of the music drama was on the decline and the position was in no way helped by the monumental failure of Mr. Hammerstein and his new opera house. With a repertoire drawn mainly from France, and with artists generally of the second rank who were better known in provincial theaters than in Paris, the American impresario encountered one reverse after the other. After less than a year's trial of the artistic predilections of the British capital, he gave up altogether in sorrow and bewilderment, and his unsuccessful descent upon our shores will always be ranked among those of historic ill luck such as the Athenian expedition to Sicily and the French attempt on Russia.

The association between Serge de Diaghileff and myself had ripened into a friendship which bore happy fruit, when in the autumn he engaged my orchestra to go to Berlin and play in a two months' season of ballet at the Kroll Theater. By this time the orchestra, which had taken part in two long seasons at Covent Garden, had the repertoire of the company at its finger-ends, was at the top of its form and promised to be, in Diaghileff's view, a distinct addition to the regular attraction of the Ballet. No English orchestra had yet visited Berlin, and probably as many people there as at home would be astonished that it could really play well at all. In any case, it was looked upon as an act of daring to present it to the critical ears of the German capital.

I thought I would take advantage of this Anglo-Russian invasion to go over at the end of it and give two or three concerts in which I would introduce some English works, as well as a few of my eighteenth century trifles. I was also anxious to see Strauss again, who after the enormous success of his *Elektra* and *Salome* had been inquiring through his publishers if I had any intention of giving his *Rosenkavalier*, produced the previous year in Dresden and just as much of a triumph. I had already urged this work upon my colleagues of the Syndicate, but found them unsympathetic, as indeed they were to most of my suggestions for the performance of novelties or revivals. I had to admit the prudence of their attitude in the light of some of my own experiences, but I had never seen any risk in *Rosenkavalier*, owing to the immense popularity of its composer. But their argument was that although the public might endure an hour and forty minutes of Straussian melodrama, and even be thrilled or shocked by it, it would never sit quietly through four hours of German comedy, whether it were written by Strauss or Martin Luther himself. Nearly two years had gone by since a note of his operatic music had been heard in London, and it was beginning to look as if the chances of its being given in the next ten years would be small unless I myself did something about it.

The concerts aroused an interest that was both pleasing and surprising to me. I had been a little apprehensive about the reception of my programs, having been warned that Berlin musically was a stuffy sort of place, with a marked superiority complex *vis à vis* the rest of the continent. But everyone showed the liveliest curiosity about the new music, disputed warmly just as they were to do twenty years later over the authenticity of my classical readings (one venerable professor of the Hochschule said of my rendering of a Mozart symphony, "It sounds grand but it isn't Mozart") and wondered at the technical accomplishment of the orchestra, notably the wind and horns, which were without question superior to their own. One of the leading critics devoted an entire article to a close analysis of the style, tone, and method of my players, indicating in detail wherein they differed from those of the Austrian as well as German orchestras, and ended by saying, "These Englishmen play with a sovereign authority all too rare nowadays anywhere."

Strauss was deeply impressed just as he had been in 1910 at the time of *Elektra*, and was generous and penetrating in his remarks on the English composers. Of Delius he said charmingly and characteristically, "I had no idea that anyone except myself was writing such good music as this." Afterwards, he went on to talk about the possibilities for *Rosenkavalier*, and before my departure I gave him an assurance that it would be given during the next few months. I had been turning over in my mind the plan of another winter season, and it seemed to me that the combination of a Strauss cycle, some later Wagner and the Russian Ballet in a few new productions ought to strike the public fancy. If this missed fire, then the position was practically hopeless. So upon my return to London I at once engaged Covent Garden for a season of about six weeks along the lines indicated.

My orchestra, which quite rightly considered that it had covered itself with credit, was a little chagrined to find that their success was received rather coolly at home. In some quarters it was even minimized, one leading journal, now happily defunct, hinting that the reports sent over by correspondents on the spot had been somewhat exaggerated. I thought of the almost overwhelming fuss made by the people of every other country, when one of their representative institutions ventured across the frontier for a week or even a few days. We had been in the stronghold, indeed in the inmost citadel of the world's music for over two months, had conquered its prejudices, won its suffrages, and had been admitted to a rank and status held only by two or three of its leading organizations. This however in the England of 1912 passed unnoticed and, for some reason I was never able to understand, was even a little resented.

24. STRAUSS AND STRAVINSKY

During this time i had lost touch with my friends of the censorship at St. James s Palace, but upon the announcement of a new Strauss opera they entered the scene again. As I had genuinely enjoyed my previous dealings with them I went in person to see what they had to say about it, and it appeared that they had discovered the presence of a bed in a remote part of the stage in the third act and were worried about some equivocal references to it in the text. Those who know the work will remember how Octavian, disguised as a girl, inquires the purpose of this object of furniture from the Baron Ochs, who replies, "Das wird sie schon seh'n." There was nothing more offensive in this than a hundred other things heard or seen nightly on the lighter musical stage, but evidently the guardian angels of our national morality were haunted by the idea that what was harmless and innocent at Daly's or the Gaiety Theatre would be dangerous and reprehensible at Covent Garden. I was given the option of two courses. Either the bed could be exhibited without any reference being made to it, or it could be hidden away from sight and we could sing about it as much as we liked. As it was easier to move the furniture around than tamper with the score of the work, I accepted the second alternative and I have always regarded this as an almost perfect example of our British love of compromise.

The *Rosenkavalier*, much to the surprise of my colleagues of the Syndicate, obtained a success equal to that of *Elektra* and *Salome*, and the representation, at Strauss's request, followed closely the one given under his personal supervision at Dresden. In presenting a new work I always follow with complete fidelity the composer's wishes, even if I am often unable to agree with his choice of artists. The audience of Covent Garden is in my experience, and I have knowledge of nearly every important theater of the world outside South America, the most critical as well as the best-informed on the subject of singing. For over two centuries it has been *facile princeps* the sanctuary of it, and scores of artists who are popular elsewhere fail to win approval there. It is inevitable that in a house where all the operas are sung in their original tongues and not in that of the locality, that purely vocal qualities such as tonal beauty, facility of execution, legato in phrasing and range of color should be regarded as the all-in-all of the art; with small concern for the niceties of diction and dramatic point, without which an opera sung in a language which everyone knows becomes an absurdity and an irritation. It is universally known and deplored that the endowments of a great vocalist do not often include those which we associate with charm and romance. But while the London public is as insistent as any other that in the ordinary theater the claims of sight must be preferred above those of sound, there still remains a staunch minority which does not care a rap if the appearance of the performer fails to correspond with the character of the role, provided the music is rendered in accordance with its conception of what constitute the essentials of true or great singing.

For the representation of *Die Meistersinger* I had endeavored to secure Hans Richter; but, as he declined my invitation, I conducted it myself, much to the discomfort of that small clique of Wagnerians who were convinced that the score was safe in no hands but those of its faithful transcriber and first custodian. It was generally asserted both publicly and privately that my tempi were too quick and that I hurried the singers, who had not time to breathe. Anticipating these judgments I had taken steps to have the duration of each act checked by the stop-watch of one of the stage managers, and published the results, a little to the bewilderment of my critics. The timing of my first act was within a quarter of a minute of Richter's, that of the second almost the same and that of the third half a minute, in each case longer and not shorter.

Further the singers one and all declared that so far from being hustled and embarrassed, I had given them more latitude than they had known before for the easy vocalization of many of their passages.

If this were an isolated case of misunderstanding on the part of those listening to one of my interpretations, or a solitary instance of some queer aural illusion, it would not be worth while referring to it. But throughout the whole of my career I have been looked upon as the protagonist of rapid tempi, in spite of the provable fact that in the majority of cases I have actually taken more time over performance than many of my contemporaries who have escaped entirely a similar charge. And although I have frequently given explanations of the seeming mystery, it is clear that they have not carried much conviction. The truth is that the average ear confuses strong accent and the frequent use of rubato with tempo itself, especially if the accents are varied during the course of a single period, and with the result that it has the uneasy sensation of being pricked and speeded against its will.*

Now "The orchestra is a complicated instrument and manifestly more difficult to handle than any other. A virtuoso can do just what he likes with his piano or fiddle, and his own are the hands which fulfill the behest of his brain. Anything approaching a

---

* Connected remotely but perhaps interestingly with this vexed question is an incident which occurred about this time. Some of the musical organizations of London (including Covent Garden) united to give a musical festival in honor of the veteran Saint Saëns, and I conducted a concert at Queen's Hall in which his third symphony in C Minor was the principal item. With advancing years the distinguished French composer had imbibed a taste for somnolent tempi which was often a source of embarrassment to his interpreters. On this occasion his presence at rehearsals had an increasingly depressing influence on the players, and convinced of a fiasco unless this could be counteracted, I did all I could at the performance to create an impression of life through purposely exaggerated accentuation, without altering too perceptibly the prescribed directions as to speed. Later in the evening at supper, I expressed the hope that the execution of the work had been to his satisfaction, and beaming benignantly he replied "You mean, what do I think of your interpretation?" I assured him that nothing would please me so much as to hear his opinion, and he continued: "My dear young friend, I have lived a long while, and I have known all the *chefs d'orchestre*. There are two kinds; one takes the music too fast, and the other too slow. There is no third!"

similar freedom on the part of a conductor depends largely upon a long and close association between him and his players, who must be molded to his purpose as intimately as his instrument is to the virtuoso. This is possible only here and there, for there are very few orchestras composed of first-rate elements which play for a sufficient length of time under the same conductor, and incidentally there are not many conductors of natural talent who are also musicians of scholarship. Yet for the full revelation of all that is enshrined in a great orchestral or operatic score, the first essential is the same measure of ease and flexibility that we expect and receive from a solo performer. At the moment there seems to be a struggle between those who favor a rigidly mechanical style of execution, which degrades music from an eloquent language to an inexpressive noise, and those who run to the opposite extremity of a license that degenerates into anarchy. Surely the truth, as is so often the case, may be found in the just mean (*auream mediocritatem*) and approximates to the style of perfect oratory, where a steady and unbroken line of enunciation derives its vitality from a constant variation of inflection and speed hardly perceptible to the ear. In other words the secret of a persuasive manner is an elasticity of control, so exercised as to give the impression that the iron bonds of rhythm are never for a moment seriously loosened."

Many years ago a great musician said to me, "I judge a player mainly by his rubato," and it is upon the use of this device that most music depends for charm as well as clarity, and of which Chopin is reported to have given this definition: "Play a piece lasting so many minutes through in strict time: then repeat it *with* any number of variations of speed, but let its total duration remain the same." Naturally there is a great deal of music that depends for its supreme effect upon an implacably unchanging lilt, and no one with the smallest aesthetic sense would dream of directing the third movement of the Tschaikowsky sixth symphony or the finale of the Beethoven seventh otherwise. And while it is true that there is infinitely more of this kind written for the orchestra owing to the composite nature of its structure than for any solo instrument, there is at the same time a great deal which is not, and it is of that of which I am speaking.

If the *Rosenkavalier* was the star event of the operatic portion of this season, then certainly *Petrouchka*, seen for the first time in England, was that of the ballet. This remarkable piece is not only the most inspired work of its composer, but the high water mark of the ballet's artistic achievement. Nothing before had been so unquestionably a work of art, and certainly nothing since has been produced to out-rival it. The bulk of the productions had been of an hybrid nature, the music and action not having been conceived simultaneously. Popular concert works, such as the "Invitation to the Waltz" of Weber or the "Scheherazade" of Rimsky-Korsakov had been transferred to the theater where choreography had been adapted to them as ably as possible. But however admirable the results were from the terpsichorean standpoint, they were not equally satisfactory from the musical. To meet the exigencies of the dance, it fell out that the time, the measure, and even the sentiment of the music had often to undergo transformations of which a ruthlessly mechanical style of execution was not the least disconcerting; so that in the new association the dance occupied the position of a senior partner who had pushed his junior into a background, where the outline of his veritable personality was obscured or distorted.

With the coming of Stravinsky, the creative capacity of the Russian Ballet attained its full maturity. In *Petrouchka* the charm and poetry that peer out of nearly every page of his earlier tour de force *L'Oiseau de Feu* rarely make their appearance, the chief characteristics being a rhythm of extraordinary variety and vigor, a *bizarrerie* which although entirely different from that of Strauss is equally individual, and a fleeting hint of pathos that we find nowhere else in Stravinsky's work. It is in fact one of the musical landmarks of the past thirty years, and however interesting the later works of its composer may appear to that section of his followers which expects a fresh development of style from him every other year, I do not think that he has yet given birth to a second piece in which the best elements of his art are so perfectly blended.

My association with the Russians had led me to a much wider study of the operatic output of their great composers, and I felt that the time had come for the introduction into England of at least a small portion of a large and completely unknown repertoire. But here once again I ran up against either the ignorance or the prejudice of my fellow-directors of the Syndicate, who not only had never heard the masterpieces of this school, but flatly refused to believe that anyone else could possibly want to do so; one of them going so far as to throw the coldest of cold water upon the engagement of Chaliapin, who had not yet been heard in London, on the ground that English audiences would not care for that style of singing. I began to feel that the alliance with an organization whose whole scheme of values as well as policy was so dissimilar to my own had outlived whatever utility it had at first contained, and I was convinced that what was vital to the operatic situation in London was some new visitation of striking originality. It was impossible to overlook the undiminished popularity of the Ballet, and it was at least imaginable that another one hundred per cent Russian institution might be the solution of the problem. I accordingly resigned my position at Covent Garden, requested Diaghileff to negotiate the visit of a company from the Imperial Opera of St. Petersburg to include singers, chorus, new scenery and costumes, indeed everything except the orchestra, and took a lease of Drury Lane Theater. Thus I found myself for the summer of 1913 in the same position of rivalry to the house across the street that I should have occupied two years earlier had I carried out my old program as first intended.

During the late spring, by way of an interlude, I gave the *Ariadne auf Naxos* of Strauss at His Majesty's Theater in conjunction with Sir Herbert Tree, who himself played the part of Monsieur Jourdain in the comedy. The work was given in English, translated from the German through the French by Somerset Maugham, whose equanimity was on more than one occasion ruffled by the actor-manager's propensity to forget his lines and substitute an improvised patter for the carefully chiseled periods of that distinguished master of the vernacular. Otherwise Tree, who in this line of broad and fantastic comedy had hardly a rival, was capital, and the whole production was adjudged superior to the original given at Stuttgart in the previous year. In this, the earlier version of *Ariadne*, I have always considered that the musical accomplishment of Strauss attained its highest reach, yielding a greater spontaneity and variety of invention, together with a subtler and riper style, than anything that his pen had yet given to the stage. The incidental music to the three acts of the *Bourgeois Gentilhomme* which form the first part of this unique work takes its place among other supreme examples of the kind, such as *L'Arlésienne* of Bizet and the *Peer Gynt* of Grieg; while the Bacchus section in the opera is one of the purple patches in the operatic literature of the twentieth century. It has to be admitted that it is neither an easy nor practicable sort of piece to give in an ordinary opera house, as it postulates the employment of a first-rate group of actors as well as singers: and for this reason no doubt the authors rewrote it at a later period, making a full-blown opera of the old medley and thinking probably they were making a very good job of it. The result has been doubly unfortunate, for the later version has not only failed to hold the stage, but has dimmed the public recollection of the far superior and more attractive original. Our only consolation is that here we have a rare and refreshing instance of the inability of Commerce to read a lesson to Art, with a nice touch of Nemesis thrown in.

25. FIRST RUSSIAN OPERA SEASON

June came round bringing with it the Russian Opera Company and for the opening performances Drury Lane was by no means full, although this was the first appearance in England of Chaliapin. There is a belief, which must be general because of its constant reiteration, that the intelligent and enthusiastic music-lover is not to be found in the stalls and boxes but in the pit and gallery. Rich people, we are told, care little for opera as a musical entertainment; for them it is a social function only and genuine appreciation must be sought among the less opulent classes. This comfortable article of faith has no foundation in fact, my own experience being in the contrary direction, for almost invariably when I have given master works with which the general public is unacquainted, there has been a conspicuous lack of support on the part of those to whom credit is usually given for superior taste and knowledge. And so in the case of our first Russian season it was only when it began to be known that the stalls and boxes were filled nightly with an audience of persons famous in politics, society and art that the man in the street also came to applaud and approve. When success did arrive, and it was not long delayed, it was total and fully equal to that of the Ballet two years before. Added to the anticipated spectacle of magnificent scenery and gorgeous costumery was the novel interest of a style of music unlike that of any other country and a standard of acting in all sections of the company superior to that which had yet been seen in an opera house. More of an advantage than a drawback was the pleasing element of incomprehensibility in it all, hardly anyone in the audience knowing a word of the language, or having the slightest idea of what was taking place on the stage. For all we knew it might have been the most utter nonsense that was being sung; but the experts proclaimed that Russian was a very agreeable language to listen to, and that for most people was all that mattered.

It has always seemed to me that the surest guarantee of lasting fame for any work of art should be a spice of inscrutability. If its nature is susceptible of easy analysis, it is soon brought down to earth, examined microscopically and worried out of existence by criticism or ridicule. This melancholy fate can be avoided only if its meaning be shrouded in a reasonable obscurity, for the public may then go on for generations wondering and wondering about it and, as no final solution of the problem is ever likely to be forthcoming, will find itself after a few hundred years exactly where it was at the start. It looks as if this were the way, perhaps the only way of making certain of immortality, and to it is due much of the lofty reputation of Greek drama and such works as *Hamlet*, *The Magic Flute*, and *The Ring*, which are given credit for hidden significances when probably there are none there at all.

That the general credit of Russian opera not only stands no higher than in those days, but has perceptibly gone down during the last fifteen or twenty years, is not easy to explain. No one can urge that it has been overplayed, for the public is acquainted with a mere handful of works, and even these are given infrequently. None the less, the Russian contribution to the repertoire of the lyric theater, although less vigorous and revolutionary than the German, and inferior in architectonic skill to the French or in lyrical facility to the Italian, is perhaps the most noteworthy of the nineteenth century. Of a consistently higher musical level than the first and of a more dignified order of utterance than the others, its two striking characteristics are nobility of conception and the absence of cheapness and vulgarity, both evidences of a culture rooted soundly in simplicity and good taste. Much has been written about the origins of the music itself, but hardly anything about its unmistakable affinity with the folk melody of Ireland. That ever distressful country was occupied for four hundred years by the same irrepressible horde of Northern encroachers on other people's property who failed to obtain a permanent foothold in England, but succeeded under Rurik in planting itself solidly on the soil of Muscovy in the eighth century of our so-called Christian era. A striking example of their joint ancestry is to be found in the third act of *Prince Igor*, where the taking little tune associated with the spy Owlov is almost identical with that of a Celtic song of the middle ages.

But that which chiefly differentiates the Russian school from any other is its profoundly national character. The masters of Western Europe from Handel and Mozart down to Bizet and Verdi, have penetrated every known corner of the earth in their search for literary fuel to fire their inspiration, surveying all mankind operatically from China to Peru. But there is hardly one important Russian work that is not only in musical idiom, but in choice of subject, the product of the native soil. The narrative operas of Moussorgsky, Borodin, and Rimsky-Korsakov, are as much of a national possession as the historical plays of Shakespeare, and the sequence of *Ivan the Terrible*, *The Czar's Bride*, *Boris Godounov*, and *Khovantschina* as much a dramatic cycle as the *Oresteia* or *Richard the Second* and the three *Henries*.

It is not surprising that in a people given up so much to mass singing we should find the chorus playing a more prominent and interesting part than in the opera of other schools. With few exceptions, such as *Lohengrin* and *Carmen*, the employment of it is casual and fragmentary, and more often than not, it is brought on to the stage either to send up the curtain on a jolly opening or bring it down at the end with a lively and agreeable clatter. Anyway it is rarely an essential and vital element in the drama, while in a Russian opera it·is a protagonist with a definite and independent role of its own to play, and its larger importance has the effect of adding tonal weight and visual splendor to all the scenes in which it takes part.

Socially the Russians are unlike any other European people, having a good deal of the Asiatic disregard for the meaning and use of the hour glass. Slow movement and time without limit for reflection and conversation are vital to them, and unless they can pass a substantial part of the day in discussions about the human soul, they become ill at ease and unhappy. For this reason, although they professed to like London, I do not think they were really at home there; for I often observed that they appeared astonished to find that other persons had something else to do and actually preferred going about doing it. But although deliberate enough in most things, they had a way of blazing out almost volcanically if annoyed or affronted, and an entertaining instance of this occurred towards the close of the season.

An extra performance of *Boris* had been arranged for the dual purpose of enabling the Royal Family to see it and giving the chorus a Benefit; and it was reported that Chaliapin intended to make a present to his humbler colleagues of his salary for the evening. Of the rights and wrongs of this matter I was never able to form any opinion; but undoubtedly there was a misunderstanding somewhere, for dissension and rebellion broke out in the company with extraordinary results. On the fateful night I did not go into the auditorium until the beginning of the third scene of the first act—"The Coronation of Boris"—and on looking at the stage I was electrified to discover no sign of the Russian singers. It was fortunate that for this occasion I had augmented the choral forces by a fairly large English contingent, so that a complete disaster was avoided. But as this scene depended largely for adequate representation upon a crowded stage and a mighty mass of sound, it missed more than half of its intended effect. I hurried behind at the fall of the curtain and found everything in a state of wild confusion, principals, chorus and ballet all engaged in a fierce argument of which neither I nor my British assistants understood a word. I sent in post haste for the manager of the Company, but he was nowhere to be found; and I afterwards learned that, knowing his countrymen better than we, he had sought safety in a remote corner of the Savoy Hotel.

I contrived to disentangle from the crowd a few of the

more responsible members of the troupe, and with the aid of an in- terpreter gathered from them that the cause of the disturbance was an acute disagreement between Chaliapin and the choristers. Hard words had been exchanged between the contending parties, tem- pers had run high; the only person who might have put the matter right was the manager and he had fled before the storm. Eventually the indignant malcontents were persuaded to leave the stage and retire to their dressing rooms, as they did not appear in the next act; but at the close of it and just as Chaliapin was about to leave, they reappeared. One of their leaders approached him, and a brief altercation took place which ended dramatically with Chalia- pin knocking the man down. Like a pack of wolves the rest of the chorus flung themselves upon him brandishing the tall staves they were to use in the next scene; the small English group rushed to his assistance and the stage doorkeeper telephoned for aid to the Police Station, which luckily was hardly a stone's throw from the theater. The struggle was still raging when a few minutes later Drury Lane beheld the invasion of about a dozen familiar figures in blue, and very soon something like order was re-established, but not before my own manager had intercepted with his head a blow in- tended for Chaliapin, which raised a lump as big as a fair-sized plum. Chaliapin departed for his dressing room passing through a human corridor of protection in the shape of the British constabu- lary, and by undertaking that their grievances should be investi- gated and remedied I secured the re-appearance of the chorus for the rest of the work. So far from being upset by what had taken place, they went through the great Revolution Scene with more than usual fire and enthusiasm; but at the close of the performance nothing would induce them to leave the stage, and they refused to budge a step until they had had it out with Chaliapin himself. The latter at first declined to emerge from his room, but, on being assured that he would be well guarded, finally came out with a loaded revolver in either pocket. By this time the warm reception given to the chorus for their magnificent singing had allayed some-

what their exasperation, and they seemed more inclined to carry on
the dispute in something like orthodox fashion.

It was certainly a strange sight; the principal figure still
in his royal costume and fully armed for warfare; the choristers who
had just played the part of an insurgent peasantry, wild and savage
in appearance; the stolid English contingent in its everyday working
dress; and the cohort of police silent but alert in the background.
The proceedings began with a speech of immense length from one
of the chorus leaders, and this was answered by Chaliapin in another of even greater length. A third speech followed from a female
member of great eloquence and volubility, to which Chaliapin
again replied in like manner. I began to wonder if this was how
business was transacted in the Duma, for it seemed that this sort
of thing might go on forever. But all at once there was a huge
shout of joy and, the next moment, Chaliapin was being hugged and
kissed by every member of the chorus, male and female. This little
ceremony concluded, the general excitement subsided considerably,
and the central figure embarked on another harangue in which I
could distinguish frequent allusions to Drury Lane and myself. The
eyes of the chorus turned in my direction and the terrifying suspicion crossed my mind that they were contemplating a similar
affectionate handling of myself. Quite unable to face the prospect
of being enthusiastically embraced by a hundred Russians of both
sexes, I called out loudly to my native bodyguard, "Come along,
boys, it's all over," and, making a precipitate dash for the doorway,
left the field to the tranquillized foreigner. It was then about two
o'clock in the morning, and I afterwards learned that they did not
leave the building until well after five. Deciding that some kind of
celebration of the happy ending of their troubles should take place,
they had raided the refreshment rooms, lit the large tea and coffee
urns, and made themselves wholly and delightfully at home. But
the following morning they all turned up punctually for rehearsal,
as blithe and unconcerned as if nothing unusual had happened,
and as if wrath and violence had no part in the Slav temperament.

26. A PROVINCIAL ADVENTURE

For some years past an opera company had been visiting the principal cities of the provinces under the direction of a Swiss-German whose headquarters were in Edinburgh, the tour taking place in the autumn and lasting usually thirteen or fourteen weeks. Most of the leading British singers took part in it, there was an adequate chorus and orchestra, and hitherto there had never been any lack of public support. I had accepted an offer to conduct some cycles of *The Ring, Tristan, Die Meistersinger,* and *The Magic Flute,* and the tour started with a two weeks' season at Birmingham. As I had nothing to do in the second week there I returned to London where I had intended to remain about ten days before rejoining the troupe at Manchester, the next town in our itinerary. But toward the close of the first Manchester week I received an agitated telegram from one of the principal artists asking if I and my manager could go there at once. As the sender of the message was a serious and responsible sort of person it was evident that there must be some crisis in the organization, and up we went. There we found a pretty state of things. The audiences for the opening period of the season had proved unexpectedly meager, especially in Manchester, which at that time looked upon itself as the true musical capital of England, the prospects elsewhere were not rosy, the impresario's resources had dried up, and the company, perhaps the largest ever sent on the road, was facing the unpleasant possibility of being thrown out of work for ten or eleven weeks. Was there anything that I could do about it? I called in a brace of auditors, procured the seating plans of all the theaters due to be visited, worked the telephone line in a score of directions, and after twenty-four hours discovered that if we could sell out every single seat for every single remaining performance during the rest of the tour, we had a sporting chance of getting through fairly well after all. How could this be done? Only through a hurricane campaign of publicity that would reach and wake up even the most lethargic and indifferent creature who had ever heard of the terms *music* and *opera*. But clearly there was no time to launch the kind of effort I had in mind over the week end for the remaining portion of the Manchester visit. That must be abandoned, and perhaps the best possible thing too, as this self-styled metropolis of music would then enjoy the honor of having precipitated the breakdown of a great enterprise.

About ten days later we reopened the tour at Sheffield, carried it through to the end with results that did not fall too much below expectations, and even revisited Manchester at the end as a kind of epilogue to the drama. To me at the time the most noteworthy feature of this incident was the first use on a large scale of a method of public propaganda which I have found invaluable on numerous subsequent occasions. I have to admit that in the initial stage of its workings it rarely fails to arouse a storm of anger and disapproval; but when the text of the utterance has been re-read in calmer mood, the average person of judgment comes round to the view that there may be something in it after all. And indeed there is no reason why he should not, for it is no more than telling the plain and unflattering truth about the subject which at the moment happens to be under discussion. For instance, when I hear that one of our politicians dislikes music and refuses to hear it under any circumstances, while I feel sorry for his sake that he is so deficiently constructed as to be able to pass through life without desiring to savor one of its rarest pleasures, my respect for his character is not necessarily diminished. When on the other hand, a community advertises a love for art, boasts about it, acquires and almost profits by a reputation for it, and yet fails to take the smallest interest in those institutions or enterprises without which it is no more than a fable or a dead letter, I then consider that anyone is justified in regarding such pretensions as rank hypocrisy. So on this particular occasion I saw no reason why the public of those cities, whose professions were so widely at variance with their performance, should not learn what one musician, also an impresario, had to say about it. I must do full justice to the press for the handsomest co-operation conceivable, for they gave me almost unlimited space for a series of Philippics upon the whole duty of society to art and the artist.

The first reaction on the part of those attacked and admonished was a fit of sudden fury, which relieved itself in epistolary warnings not to show my face anywhere near the place. The next was a rush to the box office of the theater, prompted by a blind desire to retrieve, in the only way they knew how, the battered reputation of the town. The agreeable result was that by the time I arrived to conduct the opening performance, the first week in Sheffield was virtually sold out. My appearance in the orchestral pit was greeted by the house with a profound and gloomy silence but at the conclusion when I went on the stage to join the other artists in acknowledging the applause, I was greeted with a shout, "Well, Tommy Beecham, are we musical?" Common courtesy obliged me to admit that so far as we had gone the answer was in the affirmative but that I would defer my final judgment until the last night when I should be coming before them again.

The opera I had just been conducting was *Die Meistersinger*, and during the rehearsal that same morning an incident had occurred which indicated that the mentality of these northerners had undergone no change since my departure from the district nearly fourteen years before. For the second scene of the last act, where a stage orchestra of some dozen players is required, my management had engaged the local theater band; but when I arrived at the point where they had to play I observed that they were not on the stage but in the wings. I stopped and invited them by gestures to take their places on the little platform, but they shook their heads and remained where they were. Thinking that this attitude of passive resistance might be due to some dissatisfaction with their scale of remuneration, I invited their leader to descend into the house and adverted to it as delicately as possible. But the worthy man cut me short by saying with emphasis, "It's not the brass, mister, we've no complaint about that. But me and some of my mates have played in this theater for sixteen years and we are all respectable men; none of us have ever been in any sort of trouble, and we are not going to be bloomin' actors for you or anybody else." Nor did they; and I was reduced to the expedient of dressing up a body of supers, who pretended to blow into dummy instruments while the real players remained hidden from view behind the scenes.

It was not to Sheffield only that we were indebted for a grain of that comic relief which is as welcome to the artist working at top pressure as much as to any man. Another great city in the county of broadacres furnished a lively contribution to our gaiety and Wagner was once more the happy medium of it. We had plowed our way through a tolerable representation of *The Ring* cycle, and all had gone without a hitch until the final scene, which as all the world knows is one of the grandest and most moving in opera. Brünnhilde was getting along in capital style with her farewell song, when to my dismay and astonishment the curtain came down. There was general consternation both on and off the stage, but continuing to conduct I pressed repeatedly the bell-button at my desk, and presently to my great relief up it rose and we went on as if nothing untoward had happened. But only for a minute or so: once more it descended. Again I renewed my attack on the button and again it went up, this time staying there until the end.

I hurried behind to discover the cause of this nerve-wracking experience and a sheepish and tired-looking individual was brought forward and introduced to me as the manipulator of the volatile piece of machinery. It appeared that wearied by the length of the piece he had gone off to sleep, and upon waking had found that it was well past eleven. As never before in the history of the theater had any performance been known to continue beyond that hour, he had hastily concluded that it must be over and had rung down the curtain. On hearing my signal, he had hoisted it up but, after a few moments of dazed reflection during which he remembered that his wife was expecting him for supper also at eleven o'clock and would be seriously put out if he were late, he could not help thinking there must be a mistake somewhere. So what with one thing and another he had thought it best to drop it again. I am quite sure that, if one of my own staff had not climbed to the lofty perch from where the dangerous contrivance was worked and relieved him of its charge, it would have remained down hiding the stage from the auditorium until the last note. I do not remember if we expected some little expression of regret from him for this unwelcome contribution to the evening's entertainment, but if so, we were most certainly disappointed. Far from admitting that he could be in any way at fault, he declared emphatically that if people did not know enough to bring any piece, opera or play, to its termination by eleven o'clock at night, they had no right to be in the theater business at all.

The general commotion caused by the early vicissitudes of our tour and the unorthodox method of publicity employed to redeem it from disaster, excited a novel and lively interest among all classes in the general question of opera itself. Quite a number of persons who had never before given a minute's thought to it began to formulate theories and propound schemes for the establishment of opera houses all over the country. None of them were of the slightest practical value, but one or two of the propositions submitted to me were of that fantastically idyllic sort which can emerge only from the brain of a certain type of Englishman. The most fascinating of these was a scheme based upon the serious conviction of its author that opera could be made to flourish only in close association with agriculture. If I would consent to transfer the whole of my organization to the middle of some beautiful and fertile dale occupied by farms, which on an average were two miles distant one from the other, I should find there the fulfillment of my dreams. The unromantic facts that the farming industry had not much spare cash at that moment to spend on such an expensive luxury as grand opera, that the total population of the district under consideration was less than ten thousand souls, that roads

were difficult and sometimes impassable in bad weather, and that
the local revenue likely to be forthcoming in one month would
be hardly adequate to support the company for three days, were all
ignored in favor of the beauty of the idea.

Ambitious musicians everywhere started writing operas
with furious industry, generally on national subjects of inordinate
length, the most promising of these being a projected cycle of six
music-dramas on the life of Henry the VIII. As I perused this
monumental offering to the shrine of wedded bliss, of which each
section was devoted to one of the sextet of spouses, I tried vainly
to expel from my brain the recurrent tum-tumming of that rap-
turous strain which some marriage-minded enthusiast chanted to
a group of startled maidens in one of the Sullivan operettas.*

But undoubtedly the most original inspiration that
reached me, although it went no further than the libretto, was one
dealing with a psychological problem that should be of the deepest
interest to everyone. The last day of the world had dawned and the
whole of humanity save two persons had perished in the freezing
temperature of a new Ice Age. These two survivors, a man and a
woman, were thrown together in a certain spot with but one hour
of life left to them. Although they had long loved one another, circumstances had thwarted any kind of union, and now a great moral
question was posed to them. Should they maintain to the end their
hitherto chaste relationship or, faced with impending extinction,
surrender themselves to the joy of an unbridled orgy of passion?
The dénouement was still uncertain in the mind of the inventor
of this delightful situation and he sought my advice about it. I
could only answer that there was but one way to determine it beyond question, which was for him to go off somewhere where he
could be frozen to the nearest point this side of death. Out of his
own experience in passing through such an ordeal, he would be
admirably fitted to comprehend the emotional ecstasies of two
other persons in a similar plight; and I felt sure that in the interests

* We'll indulge in the felicity
Of unbounded domesticity."—*The Pirates of Penzance.*

of science as well as art he would not shrink from undertaking the experiment without delay. But as I never heard anything more from him, I was reluctantly obliged to conclude that he must have felt unequal to settling the question in the only way that seemed convincing and final to me, that of trial and, probably, error.

27. SECOND RUSSIAN OPERA SEASON

The striking success of the first Russian season made inevitable the return of the company for the summer of 1914, and it was the joint ambition of Diaghileff and myself to make of it something that London had never known before. On the first visit we had ventured to give three operas only, but we now drew up a program of at least eight, and half-a-dozen new ballets, preluded by a short cycle of German works including *Der Rosenkavalier* and *The Magic Flute*. My father, whose name had been prominently associated with the 1913 enterprise, enthusiastically backed this imposing scheme, balking only at the idea of reviving *The Magic Flute*, which he claimed had never been anything better than a mild failure in England for over a century. It was for this very reason, I contended, that the tide of fortune was due to turn in our favor. But to his solid business mind this long view sounded a bit metaphysical, and I took over the personal responsibility of this black sheep of the flock much to his relief.

I was not without some reason for my confidence in this grand but at that time neglected masterpiece. I had recently conducted several performances of it and had had full opportunity to discover the weaknesses in the unwieldy and ponderous production which had been made for the provincial tour. There had been interminable waits between many of the numerous scenes when it was imperative that there should be either none at all or only those of the shortest duration. It should be quite possible to save from one-half to three-quarters of an hour in the total length of the representation with as much gain to the musical and dramatic side of it as relief to a bored and impatient audience, and I remodelled the old scenery to square with this design, curtailed the dialogue, and engaged a cast which I hoped could interpret the music in the way I wanted.

For some time I had been giving thought to the vocal style of Mozart and I was growing more and more doubtful whether the accepted traditions of its interpretation could really be authentic. I fancied that I had already discovered in the symphonic works depths of poetry and passion which did not rise even to the surface in the average performance, and which might be present in the operatic masterpieces also. Certainly I had never heard those transcendent airs "Deh vieni," "Dove Sono" or "Ach ich füll" as I had dreamed that one day they should or might be sung. But in 1913 I had come across a young soprano at the Berlin Opera whom I had engaged for the parts of Sophie in *Rosenkavalier* and Eva in *Die Meistersinger*. I cannot say that in these she had been more than fairly satisfactory if judged by an international standard, but the voice was remarkable for two qualities, a perfect legato and a phenomenal breath control, exactly what were indispensable for what I had in mind.

The appearance of Claire Dux as Pamina at Drury Lane in the spring of 1914 was one of those artistic events which are red-letter days in the annals of opera. In order to give her song in the second act the chance of making its fullest effect, I had manipulated the scene with curtains so that the singer appeared to be framed in a small space, thus focusing upon her more directly the attention of the audience. Over twenty recalls greeted the most exquisite exhibition of "bel canto" that London had heard for probably more than a generation, and even the old habitués who still crossed themselves when the names of Patti or Nilsson were mentioned had to admit that the day of great singing had not yet vanished. For the next performance the whole of the front row of stalls was occupied by vocalists, among whom were Melba, Destinn, Caruso, and Chaliapin, all genuinely curious to see just what it was that Claire Dux did with a piece that all of them must have heard many times without suspecting its full possibilities. Naturally it was the opinion of Melba, a soprano of world fame, that was most eagerly awaited, and I was almost as gratified as Claire herself when the formidable Nellie hailed her in my presence with the words, "You are my successor." The only person perhaps who failed to rejoice wholeheartedly over the unexpected success of *The Magic Flute* was my father, who almost kicked himself with chagrin for his want of faith in it. After a few representations of *Der Rosenkavalier*, notable for a new Octavian, Charlotte Uhr, the best I have yet known, we came to the event which many were looking forward to as the climax of the social year, the return of the Russian Opera.

The preliminary interest in it had been immense and the theater was almost entirely sold out before the arrival of the company; that is so far as the purely operatic performances were concerned. Diaghileff had chosen *Prince Igor* for the opening night, doubtless for the reason that it gave singers, chorus, and ballet all the chance of appearing at their best, Chaliapin taking the two roles of Galitzin and Kontchak. I have figured both as actor and spectator in a goodly number of stirring episodes in the theater, but can recall none to match the tumult among the audience that followed the fall of the curtain on the great scene in the Tartar Camp at the close of the Third Act. And yet the preparations for this triumph were as far from smooth sailing as any one can imagine, and more than once I made up my mind that the production would never see the light of day.

Quite as interesting as the performance of any opera by an all-Russian company is the rehearsal of it, and it still remains a mystery to me not only how we ever reached that first night, but how everything during it went with such accuracy and swing. The few final days beforehand Drury Lane was more like a railway station than a theater, with scenery arriving from three or four different quarters, and, when unpacked, disclosing frequently the awful fact that the artist had gone no further than indicate the design on some cloth sixty feet long without adding a stroke of paint. As Russians work on a flat floor instead of a vertical frame as we do in England, that meant finding at the shortest notice some horizontal space large enough to accommodate such huge areas of canvas, just the sort of thing that drives an overworked manager to despair or debauchery. The orchestral parts were full of blunders with most of the cuts marked wrongly, so that it took hours to establish any kind of correspondence between band and stage. The proceedings were interrupted every five minutes by the agitated appearance of a small legion of dressmakers, wigmakers, and bootmakers, all of them insisting that if immediate attention were not given to their needs, the fruits of their labor would never be ready in time. The leading singers quarreled, the temperamental Chaliapin had a fisticuff encounter with the baritone who sang the title role, and the chorus took sides with as much ardor as if they had been Capulets and Montagues. The actual day before the production the final rehearsal began in the early afternoon, went on throughout the evening well into the morning hours, and came to an end only then because the conductor had an attack of hysteria, had to be taken off his chair, carried into a dressing room and put to bed on a sofa. It now seemed humanly impossible that the work could be ready in time; and yet such is the caliber of this remarkable people that fifteen hours later everything fell into place like the diverse pieces of a jigsaw puzzle and yielded a performance as flawless as exhilarating. It is true that while the first act was being played some of the scenery for the last was still in the hands of painters, but it was all finished with a good half hour to spare and, when hoisted into position, looked none the worse for its neck to neck race with the clock.

Of the other operas that were wholly new to us *Le Coq d'Or* was in every way the most interesting. Rimsky-Korsakov is with Tschaikowsky the greatest of craftsmen among the Russian masters, and although inferior in the main to his rival in passion and rhetorical vigor, he frequently excels him in delicacy of imagination and now and then, as in *La Fiancée du Czar*, in beauty and originality of melodic invention. As a writer for the stage he easily out-distances all his fellow-countrymen in versatility and command of those technical resources that seem to be the happy possession of a bare handful of names in the history of the lyric drama. There are a dozen scenes in Russian opera more powerful, more moving and more impressive than anything in Le Coq d'Or, but there is nothing more beautiful and exotic than its second act from the moment the Queen of Chemaka, one of the world's greatest dramatic creations, makes her appearance. For the first time in the theater do we hear an authentic cadence that links East and West. There are none of those over familiar devices for creating local color which sound so pathetically fatuous even in the hands of skilled musicians. Here is a character conceived and worked out from start to finish as a musical entity, with an idiom all its own, and we salute it with gratitude as a genuinely consistent as well as fragrantly lovely contribution to the world's stage. One has only to think of it in comparison with other attempts to reproduce the Orient, as for example the Flower Maiden's scene in Parsifal, to realize its immense superiority over anything else in this line. Of the remaining novelties in the operatic repertoire the most note-worthy were La Nuit de Mai of Rimsky-Korsakov, a charming and melodious light piece of work, and Le Rossignol of Stravinsky, which delighted the ultra-moderns of the town and was adorned by one of Bakst's most sumptuous scenic inventions.

It was now the turn of the Ballet, which during the first few weeks had remained a little in the background, to take the field, and worthily indeed it performed its task. There were many who re-gretted the absence of Nijinsky from the list of dancers this season, but there was some compensation in the return of Fokine, the choreographic creator of the Ballet, who had parted from it in 1912. These two events were not unconnected, and the choice be-tween them was determined by the best friends of both Diaghileff and the Ballet, who placed the maintenance of the finest ensemble in existence above the claims of even its greatest solo dancer. The three star productions were the Daphnis et Chloë of Ravel, La Légende de Joseph of Strauss and Le Sacre du Printemps of Strav-insky. Of these decidedly the most attractive was Daphnis et Chloë, the most original *Le Sacre du Printemps,* and the least attractive and original *La Légende de Joseph.* The German master revealed no talent for this sort of thing; in spite of a few vivid and picturesque moments, the piece went with a heavy and plodding gait which all the resource and ingenuity of the dancers could not relieve or accelerate, and perhaps the most memorable feature of the performance was the first appearance in the Ballet of Massine in the part of Joseph. *Le Sacre du Printemps* created more surprise than delight, although as there had been a good deal written and talked about it in advance, the public listened to it politely and attentively. I will express no other opinion on this striking and interesting work than to reiterate my mature view that *Petrouchka* remains its composer's masterpiece. *Daphnis et Chloë* has not only continued in the repertoire of most ballet companies until this day, but is familiar to every symphony concert audience. It is Ravel's finest achievement in instrumental writing and one of the treasures in the regalia of twentieth-century French music.

For variety's sake I interpolated an all British production, of which the music was by Holbrooke and the libretto by Lord Howard de Walden. *Dylan,* founded on an old Celtic legend, is less an opera than a series of scenes, with the frailest link of connection between them and the minimum amount of action, and it was not the easiest of jobs to put it on the stage at all. When the authors had completed their work they sat down to think of the right man to design the scenery and supervise the mise-en-scène, which included a few doubtful innovations such as a chorus of wild fowl. They approached the most celebrated of English scenic artists, prolific in imaginative conceptions whose originality made them usually impossible of realization on any earthly stage. He asked for a copy of the libretto, kept it a few months and than announced that if the authors would omit two of the scenes and condense the story and music into the two remaining, he might see his way to provide suitable pictures for them. Further than this he would not go, as the rest of the piece did not appeal to him. Naturally the authors were unable to accept this annihilating condition which reduced their work to insignificance as well as non-sense, but I have often thought that if the cinema should ever take it into its head to experiment with opera it should proceed in some such way as this, which in the ordinary theater would be putting the cart before the horse.

A producer would select a subject, design some twenty or thirty wonderful pictures to relate the outline of the story and add words and music to fill in the accompaniment of lyrical and dramatic illustration. The main reason why no opera written for the living stage bears adaptation to the film is that in it the music is of supreme and the rest only of negligible importance. On the screen the pictures are virtually everything, and it is these which attract the interest of nine-tenths of the spectators. Further, the musical unit in any opera, be it a song, a duet, or concerted number, will last from five minutes to half an hour, and barring a very few exceptional instances it is quite impossible to change the scene during any one of them. On the film no one wants to look at a picture for as long as this, and as you cannot have a moving procession of pictures while a soprano is struggling with the complexities of a coloratura aria as in *Lucia*, or a baritone is anathematizing those who have betrayed him, as in *Il Ballo*, the only alternative is to have musical units of much shorter length. As no operas exist where such are to be found, it will be necessary to write them: and when that is done, the cinema will be enabled to bring forward a brand-new artistic convention, the like of which it stands in evident need.

Holbrooke was (in those days anyway) a musician of natural ability handicapped by a poor aesthetic endowment and a total want of critical faculty. No one with the united talents of Mozart, Wagner, and Verdi could have made an opera out of *Dylan*, and indeed not one of them would have tried for two minutes. I believe that much of the music was liked by those who heard it, but without question both the story and the text were wholly beyond the comprehension of the Drury Lane audience. One of the drawbacks of opera in English where everything that is sung or said can be instantly understood, is that our public which has a lively sense of humor never misses an opening for a laugh; and there were quite a number of these in *Dylan* owing to the author's failure to remember that whatever else may take place in a wholly serious scene, not one word must be spoken to reduce it suddenly to comedy or farce. In the first act the hero signalizes his entry on the scene with the unfortunate line, "I sing, I have sung, I can sing better," and as that evening he was obviously in poor voice, the emotion of the audience can be easily imagined.

The London season was beginning to draw to its close and my mind goes back to an evening in the latter part of July when a company of persons assembled to bid a temporary farewell to one another. It was in the garden of my house, an old world dwelling in Hobart Place standing some way back from the street, in which a fountain playing day and night tempered the summer heat. There we gathered for supper, and to few of us came even a fleeting apprehension that the normal current of our lives would not remain unchanged for years to come. Plans for the future were made, hopes and promises of early reunion were exchanged, and the party broke up under the certain impression that the next year and the years after that were to be so many new links added to the existing chain of their comradeship in work.

Within ten days Europe was smitten with madness and the old world fell into ruins.

28. WAR TIME

Since my first visit to Germany, I had followed with keen interest the progress of its imperialistic ambitions. At that time it possessed no navy; a few years later it had a formidable one and the earlier balance of power in Europe was a thing of the past. Public opinion was divided into two opposing sections, a minority which saw the country in danger and clamored, not only for a large shipbuilding program but the creation of a powerful army, and a majority that had complete trust in the friendly intentions of Germany and looked upon war in the twentieth century as unthinkable under any circumstances. In these pious beliefs it was greatly fortified by the appearance of Norman Angell's *The Great Illusion*. This remarkable work, whose main argument was that since war was no longer a paying proposition for any nation it had become meaningless and obsolete, made a deep impression upon that large mass of people who were incapable of understanding that men may sometimes labor for ends other than those of pecuniary advantage. They refused therefore to see any sinister motive behind the rapidly growing armed forces of Germany on land and sea.

With the public generally in this mood, the prophets of action did not make much headway. To create a minimum army of one million men some measure of conscription would have been necessary, but this would never do. Every free-born Briton would resist it as a gross infringement of his personal liberty, as well as an insult to the very spirit of democracy. There were many inconveniences that a man was legally obliged to stomach, whether he liked them or not; such as paying taxes, serving on juries and keeping the peace. But military training for the defense of his country was quite another matter, and not to be contemplated seriously for a moment. Such was the doctrine not only preached to but accepted by the average citizen of the day, and if his war-inured descendant of 1943 may be inclined to look upon this picture as overdrawn, I venture to recall that as late as the summer of 1915, after the war had been raging for ten months, a prominent labor leader declared at a public meeting in the Midlands that if the Government attempted to introduce any measure of compulsory service there would be revolution in the land. Six months later the dreadful deed was done without a protesting voice raised anywhere, and for this sublime piece of prescience its owner was not long afterwards rewarded by a seat in the cabinet, where presumably he continued to serve the nation's interests by prophesying calamities that never eventuated.

But that which lulled the public into a torpor of indifference more completely than anything else was the proclaimed conviction of eminent bankers and actuaries that, even if war did take place, it could not last longer than six weeks, owing to the closely interwoven relation of international finance. The money machine would run down quickly with sand well in all its inwards, and how would men go on fighting after that? In England, if it is a writer or artist who utters a serious opinion, he is at once suspected of trying to be funny; if a scientist, then he is a crank or faddist; if a politician or even a mere member of Parliament, he is listened to with respect if not always with credence. But when a banker speaks, an awe-inspiring silence descends on the land and every word is received as a revelation from on high. This invocation to Mammon settled the question, for surely the Germans who were a clever people must recognize these sublime truths as clearly as ourselves.

When accordingly the fateful fourth of August did arrive and the government much against its will was forced to declare war on Germany, the only European people to be surprised was the English; and how it was possible for it to have continued all the while in this happy state was hard for anyone to imagine who had spent much of his time on the Continent. In Italy where I was in the summers of 1912 and 1913, I met everywhere statesmen, journalists and industrialists who one and all discussed the coming conflict as a certainty, and as for Germany, it had been regarded as inevitable for the past ten years. The rival pretensions of Austria and Russia in South Eastern Europe were impossible of reconciliation, the overblown bubble of concord might burst at any moment, probably just about the time when the new Palace of Peace at The Hague would be opened, and both France and Germany would be drawn in to the aid of their allies. The only unknown quantity was Great Britain and her conception of her obligations to France under the Entente; and this was the question which agitated the whole country during the few final days when it was at last realized that hostilities of some sort were unavoidable.

It is a fact that on Thursday, August first, no one knew the answer to it, not even the Cabinet. On the late afternoon of that day I went to the French Embassy with the Princess Alice of Monaco to see the Ambassador, M. Paul Cambon, who had just returned from the Foreign Office. He was in a state of considerable perturbation, having failed to obtain from Sir Edward Grey definite assurances of aid in the event of France being attacked by Germany. The peace bloc in the Cabinet was powerful, almost overwhelmingly so, and was backed up vigorously by the influential press of the Liberal Party such as The Daily Chronicle, The Manchester Guardian and The Daily News, one of them cheerfully advocating nonintervention for the reason that neutrality would give us an unprecedented opportunity of making money out of all the belligerents in turn. Fortunately for the Entente the hand of the Prime Minister was strengthened by the support of the leaders of the Conservative Party, so that the following day Germany received the ultimatum which expired at midnight August third.

I do not think there were anywhere two persons more distressed at the catastrophe than the German Ambassador Prince Lichnowsky and his wife Machtilde. Only a few weeks before I had given a private concert in the Embassy with my orchestra; the couple were devoted to music and constantly seen at the Opera and Ballet. Of an amiable South-German stock they were both of them heartbroken at the breach between their own country and one to which they had become attached, and felt that in some way they had made a pitiable failure of their diplomatic mission. Strictly speaking this was true, for Potsdam had been guided less by the ambassador's advices than those of his first lieutenant Von Kullmann, who, exaggerating the embarrassment of Great Britain over the Ulster imbroglio, was convinced that she would not intervene in the struggle.

The first reaction to the declared state of war was that all public entertainment should cease. It would not do to fiddle while Rome was burning, a pompous precept trotted out invariably by those who have done the least to prevent the conflagration. Concert societies all over the country were closing down, and it seemed that unless some countermove were made quickly England would find itself without music of any sort. It seemed to me that the first thing to do was to insure the continuance of some of the older and more indispensable of the big organizations, and as I happened to be staying at the time with my father in Lancashire, I went to see the manager of the Hallé Concerts Society in Manchester, which at the moment was without either conductor or policy. The venerable Richter, having retreated two or three years earlier to the tranquil refuge of Bayreuth, had appointed in his place another German, one of those solid and painstaking hacks whose insensibility to every finer shade of music was (and still is) accepted in most quarters as the eighteen-carat hallmark of a true orthodoxy. The crisis cutting short his labors, the Committee of the Society to whom the future of their concerts appeared dark and dismal without the guiding hand of a true-blue Teuton, was in a pathetic state of helplessness and vacillation.

Here was a situation that should be met without delay. The organization was the center and chief of an imposing number of lesser or satellite bodies who looked to it for example and guidance; and its excellent orchestra traveled far and wide, not

only giving its own concerts but taking part in those of choral
societies whose work would be hampered or curtailed without its
cooperation. Any manifestation at this vibrant moment of infirmity
of will, timidity of purpose or, worst of all, abnegation of leadership would depreciate morale, diminish zeal and undermine the
outer defenses of the gallant stronghold of culture which Charles
Hallé had toiled so laboriously to consolidate over a period of
thirty years. I entered into a partnership with the Society under
which I would work for it as an unsalaried musical director, conduct the concerts when on the spot and engage a fitting substitute
when absent.

I lost no time in reversing what had been its artistic
policy for the past fifteen years, filling the programs with French,
Russian, English and Italian works, hardly any of which the public
had yet heard. I doubt if this could have been done in such a
wholesale fashion in pre-war days, but with anti-German feeling
increasing daily, the audiences soon developed a temper in which
they were ready to listen to anything written by the composer of
an allied nation. Manchester having been successfully planted on
what appeared to be the solid ground of security, I turned my attention to London and the Royal Philharmonic Society which was
also in a mood of indecision. With the support of two stalwart
directors Stanley Hawley and Mewburn Levien I concluded an arrangement which enabled it to carry on the series which had been
running uninterruptedly for over a hundred years, even during the
Napoleonic Wars. It would never have done to permit the Kaiser
to succeed where the great French Emperor had failed.

The more I observed the general situation of music
arising out of the war, the more I was appalled by the disorganiza-
tion caused in its professional ranks. Artists of name and ability,
singers, pianists and others who a few weeks earlier had been making a comfortable and in some cases a handsome living, now found
themselves without a single engagement. The only institution or
quasi-institution which survived intact was the annual performance
of *Messiah*, which every choral society with a spark of vitality left

pulled itself together to perform. Isidore de Lara, who had lately arrived in London from France, where he had been living for the past twenty years, started at Claridges Hotel a set of wartime concerts confessedly for the relief of those in difficulties. This was an enterprise of high merit which was not treated at the time with the respect it deserved. It ran throughout the war, provided work for hundreds of musicians and was the medium by which a large mass of British compositions was introduced to a section of society which so far had been unaware of its existence. For the audiences were largely composed of women of fashion and of those who liked to be seen in their proximity, but all a little curious to inspect at close quarters a man who had become almost a legendary figure of romance.

Some twenty-five or thirty years earlier, de Lara had been a popular young composer of whom much was expected. He had written a few songs of the ballad type that were sung in every drawing room of the Kingdom and even an opera on Edwin Arnold's poem *The Light of Asia*. Realizing that there was next to no opportunity at home for anyone who wanted to devote his career to the lyric theater, he had transplanted himself to Paris where he remained until the beginning of the war, and during the intervening period had written some half-dozen operas of which the most popular was *Messaline*. Both as man and musician he was skillful, adroit, and knowledgeable; with a shrewd eye for the sort of subject likely to make a good libretto and the sense to invoke the aid of a practiced hand at the game. Thanks to these useful qualities his operas were a plausibly attractive entertainment when heard for the first time, the ingredients making up the dish served to us being blended with cunning enough to disarm the critical part of our musical attention. But further familiarity soon made it evident that here was another talented writer who had succumbed to the lure of the stage without the possession of those gifts which alone have the power to create a work containing the elements of true drama. De Lara's bent was purely lyrical and devoid of the capacity to construct big movements, build up climaxes or endow his puppets with the breath of individual life. The listener must have a sluggish ear indeed who fails to discern that the songs sung by the Countess, Susanna, and Cherubino in *Figaro* are utterances of three clearly differentiated personalities, and this investiture of stage figures with variety of portraiture through the medium of the music itself, is the prime essential of any opera which asks that it be accepted as a genuine work of art. For it can never be emphasized too often that it is the music alone that matters, and if it be of the right sort, no one troubles about anything else.

There were at that time half-a-dozen composers of de Lara's stamp who were unable to comprehend the distinction between the two entities, drama and theater; and who imagined that so long as they made full use of all the devices and paraphernalia of the melodramatic spectacle or the pageant play, thrilling tale, picturesque milieu, troops of dancing ladies and houris, Roman amphitheaters and mirages in the African desert, all would be well with the music. If we accept this formula as canonical, we shall probably have to reject that employed in *Pelléas and Mélisande*; and I have more than once heard apostles of the former declare that neither Debussy nor Delius knew how to write for the theater. Possibly not, but they could write for the opera house; and although they show next to no desire to dazzle or "upset" us, we do remain interested even after a dozen hearings, for the reason that these men are fundamentally musicians who are able to satisfy our ears with a line and volume of sound that makes all else going on of secondary importance.

In disposition de Lara was a simple, kindly and manly fellow who almost to the end of his life boxed and rode daily on a bicycle in the Park. But through his long association with the stagier sort of people, he had developed a slightly theatrical air with which his British colleagues did not always find themselves in sympathy. The idol of his earlier years had been that great master of posture Maurel, some of whose tricks of manner and speech he had unconsciously absorbed; and these rarely failed to come to the surface with amusing fidelity at the rehearsals of his operas, or during discussions of those artistic problems on which his proto-type never wearied of holding forth, so long as there was someone at hand to listen. By reason of his long absence from England he was inclined to overlook the considerable changes that had taken place during that period in public taste, and to present us with diversions that might have met with keener appreciation in the eighties or nineties. On one occasion we were electrified by a stir-ring address on the subject of Passion, delivered with immense gusto to an audience mainly composed of aged dowagers and their great-grand-children; and on another by a concert of his own songs, most of them dating back to his salad and ballad days. This latter event attracted enthusiasts from all parts of the country and, I sat next to two ladies of extremely advanced years who had traveled the whole way from Cornwall to listen to his own rendering of his famous ditty "The Garden of Sleep." As the moment drew near for the performance of this favorite gem their excitement was al-most painful to witness, and at its conclusion one of the pair murmured to the other "Thank Heaven, my dear, I have heard him sing it again before I die."

More than one musician of commanding stature has been known to envy the authorship of some of the Johann Strauss waltzes, and I daresay there are many others of larger accomplish-ment than de Lara who have journeyed through long and honora-ble careers without ever evoking such a manifestation of pious devotion.

29. *MUSICAL TRAINING AND*
A TOURNAMENT OF SONG

About the beginning of 1915 Delius and his wife, who had been forced to make a hasty flight from Grez when the German armies were advancing in the Marne district, arrived suddenly in England. They had buried their stock of wine in the garden, left their beloved jackdaw Koanga in charge of the parish priest, climbed on to a manure cart and, after a painfully long and circuitous journey, contrived to reach one of the Channel ports, from which the steamers were still making their daily crossings. I had a house a few miles out of Watford where I thought the wandering couple might care to take up their residence. A pretty little place, formerly the dower house of a large estate, with a millwheel to provide soothing music day and night and well away from main roads, it seemed to me quite the sort of a retreat where a hunted composer could repair his ravaged nervous system and continue his work in peace. And settle there they did but not with full content until they had succeeded in bringing over their own French cook from Grez and relegating my homely English help to duties of a strictly non-culinary kind.

As my occupations were increasing rapidly I could pay him only occasional visits, usually at a week end when other visitors would look in to pay homage to genius in exile, and among them was a young man just down from Cambridge who surprised us all by his sympathy for and understanding of modern music. His ambition was to edit a journal which should be progressive and aggressive in tone, and as the idea had the enthusiastic backing of Delius, whose chief delight in life next to composing was to stir up any kind of public controversy provided it was acrimonious enough, we drew up a scheme for launching it under the title of *The Sackbut* or *The Anti-Ass*. But nothing much came of this promising enterprise, for although the paper did make its appearance some months later, it remained but a short time under the control of Philip Heseltine, or Peter Warlock as he afterwards became known. Passing into the hands of a safe commercial house which shore the title of its provocative and better half, it ran with success according to the most unimpeachable rules of good journalistic conduct. This strange and gifted youth was born out of his time and suffered from a duality of nature whose two divisions were opposing and irreconcilable. One half of him looked wistfully back to the healthy naturalism of the sixteenth century while the other faced boldly the dawn of an age whose music shall have parted company with every element which for centuries we have believed to be the very essence and justification of its existence. Such types have small part in the present; they "look before and after and pine for what is not" and either consciously or subconsciously are in perpetual conflict with it. Their spiritual isolation makes it hard to say whether they are the remnant of a biological experiment which Nature in a capricious mood has already tried and abandoned, or the premonitory symptom of one that is in an embryonic stage of gestation. But Peter Warlock, if he was a lost soul, was a brilliant and lovable character, a man among other men, and an intellect that never wholly lost touch with a past without which there cannot be a future. In this he stood apart from some of his contemporaries and most of his successors, who were not only an innovation in European music but the negation and denial of it, and can be viewed with equanimity on the one condition that they are the close and not the beginning of an era.

For some time I had been more and more interested in a problem which no one heavily involved in the business of public performance could afford to ignore, the failure of our leading colleges to produce an adequate output of superior talent.

Something like five thousand students were assembled in the London institutions alone, and while it was our custom to hold regular and frequent auditions of those singers who were represented to be the prize specimens of the year's crop, we were hardly ever able to make use of any of them in the condition they were sent to us. The bulk of the English singers who had taken part in my seasons had received their training either abroad or at home privately, and those who had actually passed through one of the colleges were obliged, almost invariably to seek out some additional instruction to supplement the scanty measure they had obtained there. Hardly more satisfactory was the state of advanced instrumental playing, for although it had earned our gratitude by raising the standard of style and execution in the orchestral player, the prevailing system seemed incapable of producing the class of performer who could pass beyond that stage to one of higher individual excellence. I once escorted Maurel on a tour of inspection through one of the largest of the great teaching establishments, and the Principal, thinking to make a telling impression, told us how many thousands of puipls were working under his roof.

"Étonnant," commented the distinguished relic of an older and leaner day, "mais combien d'artistes avez-vous?"

Perhaps this was asking too much, and any academy is justified in protesting that it is not within its power to guarantee the creation of lofty natural ability. But this would have been no answer to or explanation of the undeniable fact that much the greater part of it as did exist had passed through hands other than its own. Remembering what Charles Wood had once said to me about the knowledge of orchestration, I began to wonder if these great nurseries of the art possessed either the will or the insight to employ pedagogic skill of a sufficiently expert order, for I knew quite a few instances of posts held by men who in the spheres of singing and playing had been anything but shining lights in their profession. As I have said before, the supreme artist has always a difficulty in handing on his own peculiar method, but if it were true that the bulk of the youth on the continent that ultimately found its way into its two hundred opera houses had been sent out by the conservatories of Paris, Vienna, Milan, Berlin, and a dozen other centers, it was inevitable that someone sooner or later should ask why our own could not do the same.

My interest in this question, which is as much alive today as then, has been resented and misunderstood on nearly every occasion I have expressed it, sometimes in those quarters where I had the right to expect a more attentive hearing as well as a more thoughtful reply. For it is not as the conductor of an orchestra that I have spoken but as an employer of musical labor, and by no means the least active in my own country. As I cannot run opera seasons without singers, or give certain works at all without some of a specific class or kind, it should follow that it is I as much as anyone else who is concerned that they should be forthcoming. In another sphere of discovery the same responsibility extends to the concert room, in which during the half dozen years before the present war it was my task to draw up or assist in drawing up something like a hundred different programs of music annually. As my appetite for genuine novelty has in no wise abated I am constantly on the lookout for it, but hardly once a year do I come across an unmistakable example. If some unprejudiced inquirer would take the trouble to make one list of the admittedly great orchestral works written between 1890-1910 and another of those written between 1920-1940, a cool comparison of the two might start him on a line of salutary reflection. And if he cared to go on to a brief examination of the true state of opera, his surprise would be increased by the disconcerting revelation that, while in the earlier period we were blessed with a score of masterpieces or quasi-masterpieces, one piece only during the later has managed to maintain its place in the international repertoire.

This none too sound condition in the kingdom of music is familiar enough to those whose preoccupation is to search for first-rate work and bring it to the light of day. But if any one of them is moved from time to time to issue a word of warning about it, he is informed with the minimum of polite consideration that he is guilty of an unworthy pessimism and an action of gross disservice to an art which is still flourishing with undiminished vitality. The depressing truth is that the capacity for self-delusion seems to be as great in the aesthetic world as in the political, and that little short of a series of catastrophes will bring enlightenment to those who continue to ignore the writing upon the wall.

Being present in Manchester for a few days during the spring of 1915 in company with Delius, I found myself dining one evening at the house of the principal patron of the College of Music there. The conversation turning to the subject of academic training in general, Delius, who had enjoyed about as little of it as any musician living, entertained the party with a magnificent effort of abusive condemnation. Our host, sensibly alert to the possibility of a little fun, asked him if he would address the College on the following evening, when, as there was an annual celebration of some sort, professors, students and everyone else connected with it would be present. This Delius declined to do on the plea that he was no public speaker, which was true. Like several other brilliant conversationalists I have known, he was fragmentary and incidental rather than comprehensive and sequential, and disdained the humbler faculty of marshaling ideas with that semblance of logical order necessary to the mental comfort of any audience that is asked to bear with patience the ordeal of a lengthy delivery on a single subject.

As it was known that I had done a good bit of this sort of thing for many years past the invitation was passed on to me and, thinking that here might be a chance of venting a few of the doubts and misgivings which for some time had been troubling me, I accepted it. But I knew that to create a lively interest and provoke any useful reaction over a wide area I should have to employ the tactics of an out-and-out offensive, I thought that I should first ask our local Maecenas if they would be likely to injure the interests of the especial object of his protection. He an-

swered that the more outspoken my discourse the better, as there
was far too much self-satisfaction in the place for his own liking.

Encouraged by this admirable objectivity of outlook I
took for my text Dante's famous line, "Lasciate ogni speranza che
voi entrate," which I suggested should be written over the entrance
door of every academy in the land, and challenged the particular
one I was addressing to point to a single musician of outstanding
distinction produced by it during the twenty odd years of its
existence. The result was equal to any I had expected, and for
weeks the Manchester papers were full of indignant letters citing
the names of singers and instrumentalists, who in the opinion of
the various writers gave the living lie to my insult. Presently there
came an opportunity to put the issue to a practical test. I had advertised in one of the Hallé Society programs Delius' "Sea Drift,"
which requires a solo baritone with gifts not only of voice but of
diction and poetical insight. As I had not yet engaged a singer,
I issued an invitation to the College to bring forward one among
its students, past or present, who could interpret the part adequately. The composer, who was on the scene, would act as judge;
and as he was likely to want a performance of his work as much
as anyone, the conditions of trial would be favorable to the competitors. There was intense excitement in the whole county: its
musical capacity had been called into question, it was determined
to wipe out the affront convincingly, and it looked as if we were going to have a tournament of song that would rival in importance
that historic contest on the Wartburg.

I knew that eventually I should have to choose someone to sing the work, but I hoped that the argument would drag
on long enough for me to extend it to a much wider domain of
debate, to create a pleasantly dramatic tension, and that by spinning
out the trials I would be enabled to make the ultimate verdict all
the more gratifying to local pride. But I had reckoned without
the incalculable element of Frederick Delius, who, at the opening
audition, forgetting entirely the real purpose of the whole adventure, chose the first singer who presented himself. It availed noth-

ing that in all essential endowments the fortunate vocalist was far from being the ideal type for the music; the decision was given, and the triumph of the College was complete. For if the very first candidate who appeared had proved acceptable, then it followed as a matter of course that there must be many others of equal eligibility. My discomfiture was as total as the elation of the other side, and I vowed that never again would I entrust the casting vote of decision in other of my carefully calculated projects to the unaccountable impulse of a composer, however eminent.

Shortly after on my return to London I was dining by myself at Pagani's and was joined by Landon Ronald, who was also alone. My acquaintance with him was of the slightest and by the turn of circumstances we had generally been in opposite camps of public activity. For when I severed my connection with the New Symphony Orchestra at the end of 1908, he had been appointed its conductor and had shared a little of that emotion of rivalry which the players had felt upon the unwelcome appearance of a new body of competitors. He had meanwhile been appointed to the Directorship of the Guildhall School of Music, an organization which had been a special object of attack in my Manchester address, and he now wanted to know what he had done to deserve it. I explained to him that there was nothing in the least personal in my action, that it had been taken for the sole purpose of arousing public interest in the whole educational system, and to assure him further on this score I proposed that he assist me as conductor both in the Hallé Concert Series and elsewhere during the coming autumn. To this he willingly agreed but suggested that we might begin our cooperation earlier by doing something together during the summer in London, which otherwise would be entirely without music for months to come; and we there and then planned and subsequently gave a short season of Promenade Concerts at the Albert Hall which the pair of us conducted on alternate nights.

Landon Ronald was a man of integrity, scrupulous in all his dealings with his fellows and an affectionate and constant friend. He had unquestionably a great and natural talent for conducting, and his bearing and movements in action carried an ease and grace that I have never seen rivaled. His sympathies however did not equal his endowment, and this limitation of taste, combined with an inborn inertia, placed a check upon the growth of his repertoire which I often deplored. I judged from the answers to my remonstrances that he was not fully aware of his own unusual ability; and this self-depreciation, highly uncommon in an artist, deprived him of that extra ounce of incentive which is the impelling force behind any sustained endeavor or successful accomplishment. His secret inclination was less toward public parade than private placidity, with plenty of time and opportunity for the gratification of those indulgences which were as necessary to him as music itself. One day, many years later, upon my asking him to do a special job of musical work for me that would go over several weeks and take up most of his spare time, he replied that while nothing would please him better he was not sure whether his health would stand the strain. But he was very shortly seeing his doctor for a periodical overhauling and would procure his opinion on the point. It happened that soon after this I too had occasion to visit the same famous physician, and I inquired anxiously of him if there was anything seriously wrong with our friend. To this the Galen of England answered, "Not at all; it is only a case of wine, women and song, and I have told him that he must make up his mind to drop one of them." When therefore I next was in a position to ask Landon which of the three dangerous joys of life he had decided to cut out, to my disappointment though not to my surprise his instant reply was "Song."

My only other effort of consequence that summer in London was the organization of a public meeting at Queen's Hall, to demand that the Government should place cotton on the list of contraband goods. For some reason quite inexplicable to the entire country, this had not been done, although we were well in the eleventh month of the struggle and the dangerous stuff was pouring into Germany through every available opening. The war had come just in time to prevent the adoption by half-a-dozen great powers of the *Declaration of London*, an extraordinary document which seemed to have been designed for the main purpose of crippling the power of the British Navy. Anyway, at the head of a long list of articles to be made non-contraband in the event of a conflict stood cotton, the most vital of all the materials used in the manufacture of shot and shell. The only conclusion one could form was that, although the declaration had never been signed, the Government which had fathered it was striving to abide by its terms; for in spite of much protest in the Press, the Foreign Office preserving an unbroken silence offered no explanation of its ambiguous attitude. Many of us in Lancashire, the home of the commodity, considered that the time had come for a series of public meetings far and wide, and that at Queen's Hall was the opening event, with Sir Charles Macara, President of the Cotton Spinners Federation in the chair and a group of scientific and industrial celebrities on the platform. During the course of the day the Foreign Office made an unsuccessful attempt through my father to discover my whereabouts, though for what reason I never knew. It could hardly have been to request the cancellation at the last hour of a public gathering that had been advertised for weeks, but as Government departments in those days moved in every way as mysteriously as they do now, such an impromptu step would have been no surprise to us. Whatever its purpose, that evening was the beginning and end of our campaign, for a few days later appeared the welcome proclamation that, so far as was within the nation's control, the enemy would receive no more cotton. It is probable that the Government had been on the eve of taking this belatedly necessary action, but it pleased us all to imagine that our little effort had done something to accelerate its decision.

30. A GREAT JOURNALIST

During the summer of 1915 there had been a growing dissatisfaction not only with the conduct of the war but with the inadequate control of business firms suspected of profiteering on a vast scale at the public expense as well as the lax supervision of provisions supplied to the armies in France. It was in connection with this that I became involved in the fortunes of a paper which enjoyed some reputation as an upholder of straight dealing in public affairs, The New Witness.

Most readers of books know something of the late G. K. Chesterton, essayist, playwright, verse-maker, and creator of Father Brown. Very few probably have ever heard of his younger brother Cecil, who was in some ways an equally remarkable personality. He first attracted public attention a few years before the war as the center of a libel action brought by the British government against a weekly journal, The Eye Witness, of which he was the editor and guiding spirit. The case was the famous Marconi Scandal which for months unpleasantly stirred the whole of England. At that time the government was contemplating taking under its control one of the several rival radio organizations; curiosity was rife as to which would be the lucky choice, and eventually the lot fell to Marconi. Shortly afterwards it was discovered that three members of the government, who presumably had private knowledge of its intentions, had been acquiring shares on a rising market in the Marconi concern, which was a public joint stock company. Chesterton and The Eye Witness, denouncing this as political corruption, called for the dismissal of the ministers involved. The government obtained a technical victory over the paper and was awarded a farthing damages which was equivalent to a moral defeat. The three ministers were saved from political extinction by the action of the Prime Minister, who interposed the broad shield of his own popularity and respectability between them and public disfavor, and it is somewhat ironical that a few years later, during the war, one of the three salvaged by this magnanimous effort was the mainspring of the intrigue which ousted Mr. Asquith in favor of Mr. Lloyd George. Shortly after the trial, *The Eye Witness* changed its name to *The New Witness* and it was about this time that I became acquainted with Cecil.

I must confess that the first sight of him was a distinct shock. He had become quite a hero of mine, I had pictured him as a dashing and romantic knight of the pen, the champion of dangerous but righteous causes, and here was one of the most ill-favored and unprepossessing individuals I had ever looked on. His method of speech, or rather delivery of it, was hardly better, for he stammered, stuttered, and spluttered and seemed to swallow his tongue as well as his words when he became carried away by enthusiasm or indignation. But after a while it became evident to me, as to everyone else, that here was a fine and fearless spirit, a born fighter filled with a sacred zeal for honest living and a burning hatred of humbug and crooked ways. As I too was very much in the crusading vein just then, my heart warmed quickly to this doughty little figure, and when *The New Witness* shortly afterwards began to enter a period of difficulty and distress, I offered my collaboration. This was accepted and enabled the paper not only to get firmly on its feet, but to expand in the way of bringing in as regular contributors some of the most famous names in English letters and journalism; Hilaire Belloc, Bernard Shaw, G. K. Chesterton, Ernest Newman, Alice Meynell, and a few distinguished foreigners such as the Abbé Dimnet with a weekly article on French affairs. Although I never used or attempted to use the paper as a vehicle for any of my own opinions, I kept in fairly close touch with Cecil and made many appearances at his Friday board meetings which were held in a dingy room in Essex Street just off the Strand.

The meetings began at five and for about half an hour were conducted in an atmosphere of comparative silence and gloom. A boy would then enter with a large tray on which were glasses and several bottles of Burgundy, one being placed before each member present. This pleasing indulgence, so I learned, owed its adoption to Hilaire Belloc, one of the most renowned wine drinkers of the day, and it certainly seemed to have a miraculous effect upon the proceedings. During the next half hour, tongues were unloosed, ideas floated in the air, epigrams were coined, and at times I could almost fancy myself in the old Mermaid Tavern of three hundred years ago. Another half hour and the next week's issue was virtually written and we went our different ways rejoicing. But among this brilliant gathering of wit, fancy, and solid learning, it was always Cecil who was the centerpiece of the show. Without any of the subtlety and paradoxical charm of G.K., or the massive knowledge of Belloc, he had a direct and powerful intelligence backed by a pungent and telling prose-style that were just what was needed for an enterprise such as *The New Witness*. The paper existed and was read mainly for its belligerent and critical policy; it was he who undertook the lion's share in maintaining its reputation as a courageous revealer of malodorous misdeeds; no influence or argument could ever turn him from his course once he had determined which way to go, and he became a source of terror to some of those rapacious vultures who were taking the fullest advantage of the war to line their own pockets.

One day he wrote to tell me that he was going into the army; there lay his duty and he would not seek to avoid it; and a little while after he announced his forthcoming marriage to Miss Prothero, a gifted contributor to the paper. Their wedding breakfast was given at the Cheshire Cheese Tavern in Fleet Street, the favorite rendezvous of Dr. Johnson, practically all literary London attended, and a few days later Cecil left for the front. The sequel was pathetic. The hero of a hundred public controversies succumbed after a few months, not to the rage of battle but to an attack of influenza, and the paper did not long survive his loss. It might have managed for a while to carry on in some shape or other, yet without that sledge-hammer stroke of his in attack and that unrelenting persistence in argument, like a good bulldog gripping its antagonist, it would not have been the same. Thus came into and passed out of my life the man who to my mind was the finest journalist of his day in England; and as a memorial to him London can point to the Cecil Chesterton Hostels of which there are now about a dozen in existence, every other year seeing one more added to the number. These, are institutions where women who are strangers to the city or depressed in means can obtain accommodation for a nominal sum, and were almost unknown when Cecil and his wife began a journalistic campaign for their foundation. Always the friend of the poor, the unfortunate and the down-at-heel, he would rejoice if he could see how the executive ability of his widow and the appreciation of the public have realized one of his most cherished projects.

I spent a portion of the later summer with my father in Lancashire, who had begun to worry a good deal over a venture he had embarked on just before the outbreak of war and which was not going at all to his liking. Sometime about the close of 1913 he had met James White, generally known as Jimmy White, one of that group of financial wizards who appeared and vanished like comets in the sky of the business world during the period 1910-1930. White had persuaded him to enter into a contract to purchase the Covent Garden Estate at a price well exceeding two millions, and it was then intended, in cooperation with a well-known Northern firm of brokers, to float a public company to deal with the estate as a commercial proposition, when my father would receive back the considerable sum he had paid as deposit money together with a bonus for his services as financier. The scheme, the sort of thing done a hundred times a week in the City during normal conditions, was sound and workable enough, for whatever were the abilities of James White in other walks of business, he was a first-rate authority on anything to do with real estate. But before this public floatation could take place, the war supervened, the Treasury refused permission for any further issues of capital other than those for war purposes, and my father found himself saddled with a contract to buy a vast property he did not want, and which, without the cooperation either of the public or other private individuals, he could pay for only by mai ng very heavy sacrifices. For a man approaching seventy, who had never known a day's financial worry of a serious nature, this was a trying predicament, and one from which the united ingenuity of the City seemed unable to extricate him. Failing a modification of official restrictions, the only alternative was to obtain some revision of the terms of purchase from the vendors of the estate, and he asked me if I would take. an interest in the matter and assist him and White to that end. As this was the first commercial transaction of magnitude with which I had been brought into touch since my departure from the North fifteen years earlier, I felt at some disadvantage beside White, who had not only been handling it for the past twelve months but was one of those fortunate creatures who have the answer to everything. He declared himself to be full of optimism, to which I replied that my father was equally lacking in it and viewed the whole position with justifiable anxiety. Something must be done about it, and as the whole deal was the child of his brain, he was the man to do it. He said he already had the figment of a plan floating around the back of his head, that he would discuss it with his associates of the broking firm together with some private bankers, and lay it before me in a few weeks' time. I then went down to Watford and spent the remaining part of the summer with Delius, watching the progress of two growing compositions, "Eventyr" and the "Arabesque," and making preparations for a new enterprise that was to start in the autumn.

The deplorable condition in which the musical profession had been plunged had worried me considerably, and during the past six months I had been investigating it from every angle of approach. It seemed to me that the best contribution a single individual could make to the problem was to form an opera company which, running for the greater part of the year, would give regular employment to a substantial number of singers, orchestral players and stage technicians. The new organization opened in October at the Shaftesbury Theater and played without a break until Christmas, meeting with a fair measure of public support. As I had taken upon myself the direction of so many concerts there was very little time for work in the theater, and I looked around for promising recruits not only to the conductor's desk but to the field of scenic design, as the public taste, completely spoiled by the wonders of the Russian seasons, was in no mood to tolerate a return to the old humdrum settings of pre-Muscovite days. Although I had already a stalwart adjutant in Percy Pitt, who through his ten years' experience at Covent Garden had a complete knowledge of the working of a theater as well as a fair familiarity with the scores of a hundred operas, the work of musical direction was too much for one man and competent assistants must be found.

I had recently engaged as general secretary a young man of about twenty-two who had come to my notice through the de Lara concerts where one of his compositions had been played. Issuing from a musical family, both his father and grandfather having been conductors of the Carl Rosa Opera Company, Eugene Goossens had plenty of background and example for an operatic career and the only question was whether he could conduct. I entrusted to him the charge of two new operas, and as I did not expect to be on the scene at the probable time of their production, he would be left alone to manage for himself, on the principle of sink or swim. These novelties were *The Critic* of Stanford and *The Boatswain's Mate* of Ethel Smyth, and from the start the resourceful youth comported himself with the baton as if he had been a veteran with a life's experience behind him. His coolness and facility were phenomenal and he had good need of both, as I do not think any man of his age was ever subjected to such ordeals as those I imposed on him. It was my frequent practice to produce and conduct the opening performances of an opera and then hand it over to my young coadjutor, who had to step into my shoes at any moment and take over without a rehearsal; and many were the times I sent him here and there to conduct a symphony concert, carrying a bundle of scores with which he would make his first acquaintance during the train journey. All this may seem to the orderly soul a little haphazard, but the situation at the time was both trying and complicated: train travel was unreliable and in the interests of several institutions I had taken on more work than I should have done had I foreseen more clearly the troubled course of events. Goossens remained with me over five years, indeed throughout my association with the company, and was an indispensable stand-by, as well as a loyal and devoted colleague.

An equally fortunate discovery was Hugo Rumbold, a scenic artist of genuine invention, impeccable taste, and unfailing resource. Although I had known him socially for some time prior to this, I had seen nothing of his work, and so far had been under the impression that he was a clever amateur with ideas that might be attractive enough on paper but of little practical use in the theater. But there was nothing of the dilettante about Hugo Rumbold; on the contrary, he was the most absolute professional in his line that I have ever known. While he rarely painted with his own hand, he supervised every square foot of the execution of a scene, took an infinite amount of pains over every detail of the costumery, bootery, and wiggery, and in no theater anywhere, the Comédie Francaise not excepted, have I seen such perfection in head-dress as his. He would experiment laboriously with the lighting plant until he got exactly the effects he wanted, and heavy was his wrath if some careless mechanic ventured at any later performance to vary his plot by the substitution of a single unauthorized shade of color. Such was the personality who arrived just at the right moment to give the decorative side of the new company a touch of distinction and originality that was badly wanted. For a contingent of the singers, although not wanting in talent, were painfully inexperienced and would require many months of arduous work before beginning to settle down as good usable material. A certain young man, who later on became one of the best actors of the lyric theater, startled us all at his début by solemnly scratching his wig during a charmingly poetic passage addressed to him by another artist on the stage. But the stamp and character which Rumbold introduced to the pictorial side of the company's work only placed on me the necessity of finding others of like accomplishment to back him up.

31. A STRANGE MISSION

In spite of my artistic activities I had kept in touch with James White over the Covent Garden position and stimulated his energies whenever they showed any sign of slowing down. The plan which his fertile brain had conceived was taking longer to work out in detail than he had foreseen, and it would not be until the close of the year that it could assume workable shape. But it was sound and practical enough to let in a little light on what had become an unpleasantly obscure situation, and as it relieved considerably my father's mind I felt free to shelve the problem for a while and to undertake a task of a rather singular nature in Italy.

Suggested by a member of the Government, it was a composite affair, an odd mixture of the social, political, and artistic in one. The aristocratic class in Rome was none too sympathetic toward Great Britain, indeed a fair proportion of it favored the Central Powers. A good many Romans had married Austrians and Hungarians, and these alliances were thought to be something of a danger to our cause. It might therefore help at this juncture if some Englishman would go out there, make himself as agreeable as possible, give parties and throw in a few orchestral concerts as well. The idea seemed fantastic to me and I should certainly have never put it forward on my own account; but as it emanated from a responsible politician I listened politely, if incredulously, and set out for the Eternal City.

My arrival was inauspicious, for while in Paris on my way through I had caught a touch of influenza which kept me indoors for several days. But the enforced inactivity enabled me to obtain an advance idea of how the land lay, for my old friends and acquaintances turned up in force, all overflowing with information and advice. One of my most frequent callers was Oscar Browning, whose chief delight was Mozart and all his works, and every time he came to see me he insisted upon my playing him some favorite piece. But as he had a perverse affection for little known specimens such as the concerti for Horn and Bassoon or the opera Zaide, it was not always easy to oblige him. Afflicted by a delightful vein of snobbery of the historico-social kind, he was inspired with a profound veneration for the antiquity of the noble Roman houses. One day he was positively shocked when I caused a certain lady who had been announced to wait below for a few minutes, asking in a tone of gentle rebuke if I was aware that she could trace back her lineage to our Saxon times. The most adequate excuse I could make for delaying her admission was the truthful one that I wanted to finish the Mozart movement I was playing for his sole benefit, but while this may have flattered his vanity I could see that his ruffled sense of propriety was only half tranquillized.

For my first concert at the Augusteo I had selected a program of ancient and modern music in more or less equal parts. I knew very little of the state of local musical culture, and had I been better informed about it I should have proceeded even more conservatively, for Rome is not really a musical city if compared with other great European centers. But things went smoothly enough until we reached the "Paris" of Delius, a piece of musical impressionism pur sang, mysterious and poetic for the most part, with here and there wild outbursts of hilarious gaiety. The public of the Augusteo was dumbfounded by the tone-picture of a city of which their acquaintance probably did not extend much beyond the Avenue des Champs Elysées, the Ritz tea-room and the cabarets of Montmartre, endured it in silence for about ten minutes, and then began to shuffle their feet and break into conversation. A few serious listeners endeavored to silence the chatter but succeeded only in increasing it. Presently a few bolder spirits began to whistle, the opposition responded with furious cries and gestures of protest, and from that moment on the rest of the work was inaudible. I did not attempt to finish it, but waited for a likely place to stop and walked off the platform. The unexpected cessation of the music had the instant effect of quieting the uproar, and I returned to play the little overture of Paisiello's "Nina o la pazza d'amore," whose artful simplicity enchanted both sides of the house and saved the situation.

After the concert I was accosted by a stranger of great age, who introduced himself to me as Cotogni.* I strove to manifest recognition and delight all the while my brain was working furiously to remember who on earth it might be. Then suddenly I recalled having seen the name on an old program and in accounts of opera performances half a century or more earlier and decided that a heaven-sent opportunity had been offered me to elucidate dozens of doubtful points in the production of some works which had been puzzling me for years. For here was one who had sung constantly under the eye of Il Vecchio himself, an actor in and spectator of great events, a witness to the truth almost as impressive as the voice of the oracle itself. I invited the old gentleman to dinner and posed the hundred and one questions to which I longed to receive replies. What did Verdi mean by this or Ponchielli by that; how did Mariani take this scene or Faccio the other, and what did the chorus do in such and such an ensemble? To none of these interrogations did I obtain a satisfactory answer, and I began to think that the mind of my venerable companion had failed to retain any clear impressions of the past. But here I was wrong, for with perfect lucidity he explained that why he could not answer my questions was that hardly any of them were concerned with scenes in which he had a share. In his time a singer was expected to learn nothing but his own part and to devote his energies to executing it to the best of his ability. What

* One of the most popular operatic baritones of the second half of the last century, and a frequent visitor to Covent Garden. British admirers of the late Nellie Melba may be interested to know that at her London debut in *Lucia di Lammermoor*, during the season of 1888, Cotogni sang the part of Ashton.

his fellow artists were doing was no business of his, and I could see that he was inclined to regard any suggestion of mine to the contrary as an amusing flight of Anglo-Saxon eccentricity. I doubt if he knew the stories of half the works he had sung in, for while perfectly reminiscent of his own share in them, he could rarely recall the names of other characters in the same operas. I have often wondered whether this method is inferior to that of many modern singers who have an intelligent knowledge of an entire work, but do not seem able to make much of their own roles.

For my second symphony concert at the Augusteo I eschewed anything in the way of dangerous novelty, relying upon pieces which had the maximum of "cantilena" and the minimum of polyphonic complexity. About the most advanced item in the program was Balakirew's "Thamar," and the performance threw a flood of light on the ways of Roman orchestral musicians, and their attitude to the obligations of public appearance. In this work there is a third clarinet part of some importance as it contains a small solo passage, and the player of it who had attended all the rehearsals was missing at the concert. No satisfactory explanation was forthcoming from the management, every other member of the orchestra professed total ignorance of the cause of this defection from duty, and I had nearly forgotten all about it when ten days later I ran into the absentee at a street corner and inquired what had happened to him. He looked distinctly embarrassed for a moment but, deciding to make a full and frank confession, said with the most engaging simplicity, "You see, Signor, it was like this. My wife reminded me on the morning of the concert that I had promised to take her to a Fiesta, and I couldn't disappoint her, could I?" With this burst of confidence he looked at me with such anxious entreaty that I hadn't the heart to do more than compliment him on this touching sacrifice of art upon the altar of conjugal devotion, which I felt must be unique in the annals of modern Italy.

In the intervals between public performances I had plenty of time to probe the state of feeling in the various social

circles of Rome on the subject of the war, but I failed to discover
any strong prejudice one way or the other, the prevailing sentiment
being a mild indifference, with here and there a gently expressed
regret that Italy had been dragged into it at all. There was a wholesale fear of the might of the Central Powers and little confidence
in the capacity of their own forces to cope with the Austrians
should an invasion take place. A few super-pessimists declared that
such a disaster would be the end of all things, and, one among
them, the son of a former Prime Minister, vowed that on the day
it happened he would blow his brains out. The dreaded event did
take place and he kept his word.

While I could discover little danger to the Allied
cause from anything the Romans might or might not do, I did
learn much about the tenacious hold which the Germans had over
large masses of the agricultural population through a widespread
system of purchase by installment. This was operated through the
big business banks of the country, the travelers granting the easiest
terms to the rural client, who never having been treated so pleasantly before, blessed and revered the name of the kindly Fatherland. One large commercial house was financed almost entirely by
German capital, which concealed its existence behind a façade of
Italian nomination. Before long however there was an exposure
of this ingenious deception, Teutonic influence was eradicated,
and a British bank took over control until the end of the war.

Shortly after the turn of the thirties German economic
influence, which with our help had been extirpated from one end
of the peninsula to the other, began to lift its head again, and
allying itself with a powerful industrial group in the North, made
such rapid headway that a few patriots, who had poignant memories of the first war, traveled to France and England with the
object of once more enlisting aid to resist the new incursion.
In neither country were they received with anything but languid
indifference, and the ultimate result was that a few years later,
Italy passed under the alien commercial yoke more completely
than twenty-five years earlier. In the spring of 1940 the Anglophile

editor of one of the leading Roman newspapers told me that the
Italo-German combines headed by Count Volpi were more powerful than either the King or Mussolini, who were now almost figure-
heads without actual power.

For a great capital there was very little public entertainment in Rome, not even the opera being open, although at
any time one could view the manager (a lady) sitting all day on
the steps of the front entrance and indulging in the unusual
pastime of watching the funerals go by. The most interesting theatrical show was Il Teatro Dei Piccoli, where marionettes gave delightful performances of some old operas never seen on the living
stage. Among these was *Il Barbiere* of Paisiello; a charming work
and worthy to be remembered, if for nothing else, for having suggested to Mozart the key, the time, and the mood of *Voi Che Sa-
pete*. Once I had acquired a little knowledge of the habits of the
noble Romans, I adapted myself to them to the best of my capacity. My new circle of friends liked music a little but dinners
and suppers much more, especially if there was no stint of cham-
pagne. I therefore gave some concert-dinners, where the provision
for the carnal man exceeded in length and importance that for
the spiritual, and this concession raised my stock appreciably in
the eyes of my guests, who began to look upon me as "gentile,"
"amabile" and almost un-English. It was at one of these that the
celebrated artist Gemma Bellincioni appeared, she who in the
early nineties had created the part of Santuzza in *Cavalleria Rusticana*. Although the freshness and purity of the voice were no
longer there, she sang with charm and understanding and was
still a very handsome woman. Two other distinguished singers
were in Rome about this time, Titta Ruffo and Edouardo di Giovanni, better known to Anglo-Saxons as Edward Johnson. This
excellent tenor, the best yet born and bred on the American continent (he is actually a Canadian) was enjoying an unquestionable
success, notably in the *Manon Lescaut* of Puccini, in which as
Des Grieux he surpassed all other interpreters of the role in romantic grace and delicacy of emotion. If it had been foretold to us

two in the year of grace 1916 that after the passing of another generation we should be in the grip of a second world war, that he would be in command of the Metropolitan Opera House of New York and that I should be conducting there, I think that we should have given the prophecy as little credence as Caesar gave to the warning against the Ides of March.

32. ENGLISH OPERA

I returned to England with my status advanced from plain "Esquire" to "Knight," for what precise reason I never knew. It is related of the great Coquelin that after a season in London where he had been handled rather unkindly throughout by the critic of the *Times*, he called on the latter to say good-by and tender thanks; and upon the slightly astonished scribe asking why, answered, "Oh généralement." I did not know whether this honor which was conferred on me during my absence had any connection with my mission, or like Coquelin's appreciation of well meant if unwelcome criticism, was just "généralement." But I was well aware that there is a heap of solid advantage appreciated by all men of sense in the possession of a title in England. I had once asked an elderly friend why after many years of refusal he had unexpectedly accepted one, and his answer was that in his observation all those of his acquaintance who had some distinction of the kind invariably obtained better and quicker attention on trains and boats. As he himself traveled a good deal, he had at last made up his mind to join their company and bask equally in the approving smiles of railway conductors and liner-stewards. Of course, one is expected to tip on a more generous scale, but then we just murmur "noblesse oblige," and try to look as if we had been doing it all our lives.

Also in my absence the two operatic novelties, *The Critic* and *The Boatswain's Mate*, had been produced and with considerable success. Of the latter work I have already written, and of *The Critic*, while there is little to be said of the music than that it is a pedestrian but skillful setting of Sheridan's brilliant text, Rum-

bold's scenery and costumes were a triumph of comic art and made
the piece worth seeing for their sake alone. As it now seemed likely
that the new company had arrived to stay, I suggested to my father
that we establish it permanently in the Aldwych Theater, of which
he was the proprietor and which at the moment was untenanted;
and he, agreeing with me that it was better to have the house
occupied than empty, we moved there in the early spring. Prior to
this I had spent some time in Manchester with the Hallé Society
and had discussed with its manager the chances of success of an
opera season there in which their orchestra could be employed. The
important question was the choice of theater and here opinions
were divided. The largest and most suitable building was the New
Queen's Theater, which held over three thousand persons, many
hundreds more than any other, but it had one fatal disadvantage in
the eyes of most Mancumians. It was fifty yards on the wrong side
of the street, Deansgate, which divided the sheep of the town
from the goats. The right sort of people, my advisers alleged, would
never cross the historic line of demarcation, and the wrong were
without the means to pay the price of an opera ticket. I was un-
convinced by either argument, for already in the concert room the
public had shown a willingness to throw overboard the traditions
and loyalties of a bygone age, and in a very large building I could
afford to have a greater number of seats at a price which almost
anyone could afford to pay. So with much shaking of the head on
the part of my associates I decided in favor of the house in the
unhallowed area and took a lease of it.

The Manchester season of opera was the turning point
in the career of the company. Overnight it evolved from the chrysa-
lis state of a smallish troupe of Opéra Comique dimensions into the
full growth of a Grand Opera organization, with an enlarged quota
of principals and an augmented chorus and orchestra. I opened
with *Boris Godounow* sung in French, the title role being taken
by Auguste Bouillez, the Belgian bass-baritone, who had been already heard in London; and as there had been formed for the
occasion a special choir of about 120 voices to augment the regular

professional chorus of the company, we had a fine choral display on the stage for the big scenes. This amateur body of singers, selected from the best voices in the district, gradually developed a remarkable proficiency which enabled it to take part in several operas on its own with assurance and success. The fine voice of Bouillez, the splendid scenery of Benois (it was the first time that Manchester had seen a Russian opera), and the vitality and pathos of the music combined to make a deep impression on those who had heard nothing more ambitious than the limited efforts of the moderate-sized touring companies. Lukewarmness and curiosity grew apace into keenness and enthusiasm and opera became one of the more important subjects of the hour.

If I were asked to look back over the years and to say in which of them I considered the British people was to be seen at its best, I should choose the period 1915-1916 with perhaps the first half of 1917. At the outbreak of war it was for a short time too startled to take in fully just what had happened and to find its bearings in a new order of things that had come into being overnight. A hundred years had passed since it had been involved in a conflict with a great West-European power; it had been ignorant of the huge field of operations and had failed to realize how its tiny expeditionary force counted for so little alongside armies totaling fifteen to twenty millions. The trumpet blast of reality, blowing away forever into the air the theories and arguments of economists, politicians, philosophers and novelists, was the appeal by Kitchener for a mighty army of volunteers to serve for three years or the duration of the war. Here was talking, as they say in my county of Lancashire; this was real war with a vengeance. The most popular and successful of English soldiers was at the War Office, and was he or was he not likely to know more of the true position than the mob of dreamers who had already been proved to be wrong on every count? Anyway the whole country woke up, rubbed its eyes and stared into the abyss. Not that it yet knew the full depth and terror of it, for that the issue of the campaign could possibly be in doubt never crossed its mind for a moment. Clinging to the purely legalistic *casus belli*, the violation of Belgian neutrality, it flattered its soul to appear before the world as the champion of the weaker side and the sanctity of the written pledge. The greater part of it knew nothing of the fundamental causes of the continental struggle, of the far-reaching ambitions of the German rulers or even of the true nature of their own Empire. Forgetful of how it had been founded and maintained by commercial enterprise, often during its earlier and heroic stages in painfully fierce competition with other nations, it had grown to look upon it as a gift, bestowed by an approving Providence upon his favorite people as a reward for their virtue and valor, and preferred to believe that out of the store of their abundance it was taking part in a great conflict from motives of conscience. This romantic interpretation of all its actions assorts well with the character of the British people, at all events the English part of it, which still retains in its secret consciousness something of the chivalrous sentiment that runs like a thin vein throughout its history. As Mr. Shaw pointed out long ago, it is the Celt who is the hardheaded and practical fellow, not the sentimental and visionary Englishman.

The only person of importance in Europe ever to understand the true nature of the French Revolution was the simple realist, Bismarck, who saw in it a racial rather than a social or political upheaval. The conquering caste which had ruled the country for a thousand years had degenerated in vigor and authority, and the older submerged and conquered races awakened from their long sleep to step into its place. One has only to compare the portraits of prominent Frenchmen down to the end of the seventeenth or even the eighteenth century with those of a group of modern politicians, to realize that here are two wholly different breeds of men. Similarly in England the grand amalgamation of two peoples, beginning in the eleventh and ending in the fourteenth century, found little room for the ancient and isolated races of Celtic origin; and until well on in the eighteenth century that portion of the nation that counted for much was a Franco-Anglo-Saxon-Scandinavian fusion. Only with the industrial revolution did a critical change take place in its structure, and the center of it was Lancashire, which had been the most backward of the counties, with its Celt-Iberian stock of antiquity, and which in its new found importance drew to itself a large recruitment from Wales and Ireland. The influence of the Celt has grown stage by stage in England so imperceptibly that the English themselves have failed to realize the meaning and consequence of it. Consider for a moment that great organ of opinion and communication, the press of London. How many of the leading journals are in English hands and reflect the temper and psychology of the English people itself? We find one powerful group possessing a dozen or more papers to be Irish. Another of equal influence is Welsh; a third Scotch-Canadian; smaller groups or single publications reveal a like alien ownership, and even the greatest and most representative of all British newspapers is only partly under English control. The voice of that part of Britain which is essentially and characteristically English is silent today in the capital of the Empire, and this strange revolution has taken place almost entirely during the past sixty years.

"Is it possible that there may be some connection between the phenomenon of the resurgence of the Celt and the steady decline visible in every part of the Empire during that period, similar to that which has overtaken France? For a decline there has been unmistakably, not so much moral as intellectual, and manifested most conspicuously in the decrease of the capacity to govern wisely and well. In no quarter is there satisfactory evidence that we retain undebilitated that instinctive gift for successful administration which in former years extorted the unwilling admiration of most other nations. In Canada there is the spectacle of a disunited people that local statesmanship has signally failed to adjust. In Australia we view the unpleasing predicament of a small community in a large continent, retarding its population, discouraging immigration and resenting every effort from outside to relieve its statically backward condition. In India, although we have made a prolonged, honest, and gallant attempt to solve the problem of its racial tangle which is understood and appreciated by no one, the plain fact remains that we have so far failed. Lastly, but worst of all, we stand convicted before the civilized world of want of will to prevent the recovery of a beaten and powerless Germany as a stronger menace to the peace of the world than ever before. What is the cause of it all? There is only one answer. The want of will to govern firmly and the absence of the ability to make clear decisions. The time spirit will overlook mistakes but it never pardons inactivity, and the Empire will have to breed a different class of ruler if it is to survive. The so-called professional politician is the dismalest failure of the ages in all countries; he is not only dead but damned, and until the people full realize it there will be no hope of a saner, wiser, and stronger system of government."

If any of my readers should begin to wonder what all this has to do with the occupation of an artist, I might remind them of the title of this work, which suggests a selection of topics without limit. But why should an artist be talking about politics and statecraft? Precisely for the same reason that vitally concerns the fishmonger, the cab driver, and the railway porter. Not less than these is he interested in how his country is run, and his opinions are not inevitably of less consequence.

I have frequently been struck by the singular attitude adopted towards persons of my profession, or indeed of any other artistic profession, by so-called businessmen, Members of Parliament and journalists. For instance, when in 1940 I was in Australia, a Sydney newspaper asked me for an interview, and under the mistaken impression that it was interested in the war, I spoke at some length about my experiences in Germany which I had visited annually between 1929-1938. I recounted how my numerous appearances at some of their great festivals such as Cologne, Salzburg, and Munich had brought me into touch with all classes of the people, how on one occasion I had spent two months working in the State Theater of Berlin, how I had met Hitler personally as well as nearly all the other members of the Nazi party, and I made special reference to my meeting with Rudolf Hess at Munich in 1936. In the published account of the interview next day there was not a single reference to any of these matters. All that the reporter had thought fit to relate for the edification of his readers was a description of my buttoned boots and the particular brand of cigar I was smoking. Had I been a politician who had never been to Germany in his life and who betrayed an obvious ignorance of everything that had to do with its public and private life, my windy platitudes would have found a welcome in about three columns of the front page. I am uttering no grievance, for it was not I but the newspaper which had sought the interview, and it was a matter of total indifference to me whether it printed my remarks or not.

But, returning to the spiritual condition of England in 1916 and the progress of opera in particular, the combination of a high mood of idealism in the public and economic stringency in the musical profession were effective in enabling me to create and develop the finest English singing company yet heard among us. In war time the temper of a section of the people for a while becomes graver, simpler and more concentrated. The opportunities for recreation and amusement are more restricted, transport is limited, and the thoughtful intelligence craves and seeks those antidotes to a troubled consciousness of which great music is perhaps the most potent. But whatever the reason may have been, the public for opera during war time was everywhere greater than it had been before 1914 or than it became after 1919. Although it is true that there was a good deal of new money being made through war industries, that, I like to think, was a collateral cause only. The artist for his or her part, owing to the paucity of work occasioned by the closing down of so many concert societies, was happy to remain in one organization, where a satisfactory if not handsome remuneration for the greater part of the year could be gained. Had the musical machine of the country been running at normal speed, I could never have retained the almost exclusive services of such a fine group of vocalists, for half a hundred towns would, in competition with me, have been offering fees that would often have been beyond my capacity to pay. The importance of the Manchester venture in my plan of operations was that it functioned as a kind of pointer for the other great provincial cities. London I knew would support only so much opera in the year, and if I were to maintain the company for most of the twelve months I could do so only by a series of seasons elsewhere.

The performance of *Boris* had proved to be an auspicious opening, and I followed it up shortly afterwards with a new production of Verdi's *Otello* executed by the Russian painter Polunin. It was sung in its original tongue with Frank Mullings in the title role, Bouillez as Iago, and Mignon Nevada as Desdemona. Of these three artists Bouillez was the least successful, his downright delivery and robust deportment being less suited to the sinuous line of Iago than to Boris. The Otello of Mullings was a striking study in drama, and the vocal part of it improved fifty per cent when later on the work was sung in English, in the use of which his accomplishment matched that of John Coates. The Desdemona of Mignon Nevada was the best I have seen on any stage. The gentle helplessness of the character and its simple pathos were rendered with perfect judgment and art, and the voice in the middle and upper middle registers had an appealing quality evocative of a tender melancholy admirably suited to this part or that of Marguerite in *Faust*. As compared with most other sopranos, its color was as ivory is to white, and what it lacked in brightness and edge was more than set off by the charm of its subdued and creamy vocal tone. Both of these highly gifted artists suffered from the same serious weakness, an unsound vocal method. In the case of Mullings I do not think he ever had one at all, and when he tackled or rather stormed certain high passages in *Otello*, *Aida*, or *Tristan*, I used to hold my breath in apprehension of some dire physical disaster, averted only by the possession of an iron frame that permitted him to play tricks which would have sent any other tenor into the hospital for weeks. But in the center his voice had ease and uncommon beauty, and his singing of quiet passages had a poetry, spirituality, and intelligence which I have never heard in any other native artist and in very few elsewhere. Like most large men he was also a first-rate comedian, and his fooling in *Phoebus* and *Pan* as Midas was a joy to all who saw it and has come down as a legend to the present generation.

The case of Mignon Nevada was wholly different. She had been trained exhaustively and exquisitely, but along the wrong lines. Her mother, Emma Nevada, had been a light soprano of beautiful quality and a natural coloratura equal to any of her contemporaries. But on taking up teaching she had contracted the pious belief that every soprano, without exception, should be a model of herself, and she strove with zest and ardour to make them into such. This worked out all right in the case of those who had been created and dedicated by Providence to this end, for within these limits Emma Nevada really knew how to teach. For those, however, who were otherwise endowed, this application of the methods of the Procrustean bed was less successful. Her daughter was naturally a lyric soprano with a unique quality about as far removed from the typical light coloratura as is possible to imagine, and upon this foundation the zealous Emma had striven to superimpose a top that would enable Mignon to sing all those parts dear to her own heart, like *Somnambula*, *Linda di Chamoünix* or *La Perle de Brésil*. This maternal ambition to see her daughter go one better than herself was frustrated by the stubborn refusal of Nature to submit to such an arbitrary experiment, and the unlucky subject of it ended by not singing at all: just one more sacrificial victim on the altar of misguided enthusiasm.

33. AN UNEXPECTED LOSS

It was during the same summer that I received an invitation to attend a meeting in Birmingham summoned to consider the best way of forming a municipal orchestra. It was surprising that what had proved impossible in peace time should be regarded as feasible in the middle of a world war; but so many unexpected things had happened since 1914 that this perhaps was but one more to be added to the list. So there I went and duly attended several gatherings, at which all the trite sentiments ever uttered upon such a subject anywhere since life began were rolled out by one speaker after another. How necessary it was for Birmingham to have an orchestra, what a valuable contribution to the city's culture it would be, how the plan ought to be supported by everyone, and what a wonderful thing music was with its power to inspire and uplift! But of any idea how to put it into practical operation there was little evidence: certainly no one seemed ready to spend any of his own money on it, and the Lord Mayor, Mr. Neville Chamberlain, was very clear that the present was not the time to add one farthing to the rates in the interests of the fine arts.

This negative kind of zeal was as usual getting us nowhere, but I did discover among the representatives of about half a dozen leading societies a much greater willingness to cooperate than formerly, and I told Mr. Chamberlain that if the scheme under discussion did not materialize he might let me know, as I had just the skeleton of another in my head which might result in something tangible. A little while after I did hear from him that he saw no immediate chance of any civic project being carried into effect, and that I was free to work out something on my own lines if I wished to do so. As soon therefore as I could go to Birmingham again I called into consultation two or three energetic spirits whom I had known in earlier days, obtained a list of the concerts given during the past season by all the societies operating within a radius of thirty miles, and finding it to be larger than I expected, invited their managers to come and see me.

They all attended and I told them that I was willing to engage an orchestra on a permanent basis for six or seven months in the year, if I could rely on their cooperation; which meant simply an undertaking from them to use it for the whole of their concerts. The cost so far as they were concerned would be no more than in previous seasons; indeed if they cared to lengthen their respective series it would be less, in view of the conditions under which the new body of players would be working. On satisfying themselves that there was no catch or snag in the proposal they unanimously consented, and my next step was to ask the principal supporters of the concerts I had conducted in 1911-12-13 if they would join with me in reviving them, as it would hardly do to have a resident orchestra in the town playing only for choral societies. This too was agreed, and I set about the task of founding yet another institution, which I maintained along the lines indicated for two years without incurring more than a reasonable loss. I was preparing to continue for a third when my representative in the town notified me that the Government had taken possession of every building where music could be given and asked what was to be done about it. I replied that the proposition was transparently clear: no hall, no music; no music, no orchestra; and that it was for Birmingham to decide if this was what it wanted. As none of the local authorities took enough interest in the matter to intervene and preserve the existence of the young organization, I had no alternative but to abandon it, and once again the adverse fate which frowned upon every serious enterprise in Birmingham had got the better of us. But the effort was not entirely in vain. I had demonstrated that the thing could be done in a practical and fairly economical way, and a few years later the city council came forward with a grant which brought about the establishment of an actual municipal orchestra.

The opera company returned from Manchester to the Aldwych Theater, and I made several additions to its repertoire, which by this time included about fifteen operas. The most important of these were *Il Seraglio* of Mozart which I had not given anywhere since 1910. I have never understood why this beautiful piece has failed nearly everywhere to win the full favor of the public. Even as late as 1938 when the popularity of Mozart had reached its zenith and I gave it with a superb cast at Covent Garden, it was received coolly. According to Weber, its author never again produced a large work so thoroughly imbued with the spirit of youth and happiness, and as it coincided with the time of his marriage to Costanze it may be looked upon as an epithalamium for that event. Its artistic consequence eclipses even its domestic, for here at last we find the full-grown and mature Mozart, emancipated from the traditions and conventions of a style of operatic composition that had held the stage for eighty years and of which his *Idomoneo* is a splendid example. In *Il Seraglio* we are introduced to a new and living world. Gone from the scene are the pallid heroes and heroines of antiquity, the unconvincing wizards and enchantresses of the middle ages, and all the other artificial creatures dear to the whole tribe of 18th century librettists. In their unlamented place we have ordinary human beings of recognizable mold, singing their joy and sorrows to melody that rings as freshly in our ears today as in those of the Viennese one hundred and sixty years ago.

In songs of the highest excellence the score is exceptionally rich. Instances are the "O wie ängstlich", with its wonderful accompaniment expressing more perfectly than any other music known to me the tremulous expectation of the anxious lover; the three arias of Costanze, of which the second is the most haunting idyll in all opera; and lastly those of that grand old rascal Osmin, for whom the composer confesses an obvious affection by the gift of the finest explosion of triumphant malice in vocal sound. But astonishing as is this exhibition of solo virtuosity, it is outrivaled by the ensemble pieces of which the finale to the second act is the crown. Here we have the first instance on a large scale of that matchless skill with which Mozart could weave together a succession of movements, each representing a different mood or stage in the action, into a complete unity that is entirely satisfying to the musical sense. And as the absolute fitness of the music to the dramatic situation is never in question for a moment, all flows on with a natural ease beyond which human art cannot go. In the last number of all, the Vaudeville, we have a specimen of that haunting strain peculiar to this master, half gay, half sad, like the smile on the face of a departing friend. These tender adieux abound in the later Mozart, notably in the slow movements of his later instrumental works, such as the great piano concertos in D minor, in A major, and in C minor.

I had succeeded in finding another scenic artist of talent, Adrian Allinson, and it was in *Il Seraglio* that he first gave the public a taste of what he could do. Allinson had hardly the same unerring flair for stage design as Rumbold; his effort was more unequal and he required some guidance in all that he attempted. But he had a larger fund of poetry and imagination which enabled him now and then to create pictures of the highest charm, and the second act of *Il Seraglio* was quite one of the loveliest I have seen anywhere. Another branch of our work to which we gave particular attention was translation. For general purposes I had a skillful and practised hand in Paul England, who invariably provided us with a scholarly first version. Afterwards I would summon together the principal artists who were to appear in the opera, go over each phrase with them and ascertain what words they could the most easily vocalize on certain notes. Our two leading baritones, Frederic Austin and Frederick Ranalow, had a high degree of ability in this sort of thing and were often able to find in English the vowel sounds which corresponded exactly to those of the original text, a valuable alleviation of a notorious thorn in the flesh of every conscientious singer.

Among the other operas which swelled the repertoire were *The Magic Flute* and *Tristan and Isolde*, both in English. The former proved to be more popular than any other piece I gave with this company and the latter was a near rival to it, due mainly to the singularly individual impersonation of Frank Mullings. I have often (especially during the last twenty years) been baffled as well as amused by the attitude toward Richard Wagner on the part of a large number of apparently intelligent persons. Although it finds its origin in a dislike for or want of sympathy with the sentiment and style of the music itself, it claims to discern in the man and his work all sorts of characteristics and significances which so far have been entirely hidden from me. One of these is a strange theory which made its appearance in the first World War and has cropped up again in the present one. It is that while the pantheist Beethoven represents a spirit completely in accordance with that of the struggle to preserve the religious ideals of the past nineteen hundred years, the christian Wagner is as much of an opposing element to him as Beelzebub was to Jehovah. How the creator of *The Flying Dutchman*, *Tannhäuser*, *Lohengrin*, and *Parsifal*, all quasi-religious dramas in praise of the creed, the traditions, and virtues of the ancient faith could ever be regarded as other than the most stalwart and persuasive champion it has yet produced passes my comprehension. Even the pagan *Ring* considered didactically, is a weighty sermon on the anti-christian vices of lust of power, fraud, the arbitrary exercise of force, and the tragic consequences that proceed from them. Apparently other composers, Handel, Gluck, Mozart, or Weber are permitted to seek inspiration in Classical Greece and Rome, Moslem Arabia, or Confucianist China; not, however, Wagner. But what of *Tristan*, which it has become the fashion to refer to as an indelicate exhibition of acute eroticism? Even if this were true, it would not be surprising in the case of a man who devoted most of his time to the preachment of the doctrine of renunciation and the eulogy of Venus Ourania. These antitheses and reactions are the commonplace of the world's dramatic history, and contrariwise the gayest of all English playwrights turns without effort or embarrassment from the unabashed naturalism of *The Custom of the Country* to the delicate and lofty spirituality of *The Knight of Malta*.

Everyone is privileged to read into music that which dogs his own private thoughts and emotions. But if anyone can find in the great love drama a single sign that Wagner did not look upon the passion of its protagonists as a dream outside all practical fulfillment in a world dominated by the claims of duty and honor, it must be someone with a telescopic vision denied to ordinary creatures like myself. The plain fact is that music per se means nothing: it is sheer sound, and the interpreter can do no more with it than his own limitations mental and spiritual will allow, and the same applies to the listener.

The value of Mullings' interpretation was that while the music was sung with greater alternate vitality and tenderness than by any other artist I have heard, the whole rendering of the part was suffused with a high nobility, an almost priestly exaltation of mood and a complete absence of any wallowing in the sty of mere fleshly obsession. The total effect was one of rapt absorption in an other-world fantasy, hopeless of realization on this earth, and this I believe to have been Wagner's own conception.

All this time I had kept my eye on the progress of the scheme for placing the Covent Garden contract on something like a manageable basis. There was no question of my father being relieved of any of his personal responsibility to the vendors; indeed an essential part of the new deal was the provision by him of another large cash payment which would increase the amount advanced by him on account of the purchase to upwards of half a million pounds. On the other hand James White had secured the offer of some fresh financial backing as well as an agreement between the contrasting parties that everything else would stand over until the conclusion of war. There was no doubt that the unsettled state of this affair had weighed heavily on my father's mind during the past two years, and he had aged visibly. I made a point of seeing him more frequently and on most occasions we were alone. All through his life he had been a man of unusual reticence and could rarely bring himself to discuss matters of an intimate nature with anyone. The antithesis of my grandfather, a personality of vigorous utterance and changing impulse, who did not hesitate to let everyone for a mile around know what he was thinking about, he always tried to avoid giving a definite answer to any question. Because of this incapacity to meet others halfway or open his mind freely, he was something of a trial even to those friends who were sincerely attached to him; and occasionally some old crony who had known him for forty or fifty years, would seek my aid under the mistaken impression that I could tell him what my father's thoughts were about some question on which he himself had been unable to extract any expression of opinion.

But during the late summer months and early autumn of 1916, he for the first time in our association unburdened himself to me as much as I believe it was in his nature to do. His had not been a very satisfactory life. He had married against the inclination of his family, his wife had been an invalid during the greater period of their union, he did not seem to understand his children very well, nor they him; and the reserve which had afflicted him since boyhood was due to an incurable shyness and a fear of being misunderstood if he talked on any conversational plane save the most prosaic. The greatest of his misfortunes had been the break with myself, which occurred at a time when he needed most the friendship and companionship of a member of his own family. This was something he had been looking forward to during the years I was at school and Oxford, and the loss of it had the effect of causing him to withdraw still further into his shell. For books he cared little; for pictures rather more. But music, after his business, was the main interest of his life, and the operas and symphonies that he loved he would hear over and over again without tiring of them. *Lohengrin* was his favorite, and he must have seen it a hundred times in nearly every opera house of the world.

It was about the beginning of October that I went up to Lancashire to stay with him. The signing and sealing of the document which was to free his mind from further anxiety about Covent Garden was to take place some time during the latter part of the month, and there were final details to be discussed and settled before the date of completion. As I had to make preparations for the Hallé Concert Season which was to open in about two weeks' time, the intervening days were spent between Liverpool and Manchester. He attended the first concert, which was on a Thursday; and as it was over at a comparatively early hour, he decided that he would return that night to his home. As I saw him into the train, he reminded me that the appointment at the lawyer's office to approve finally the various agreements under the revised deal had been made for ten o'clock on Monday morning, and asked me not to be late for it. The next day I went South and spent the week end in the country, going up to London early and arriving at the Aldwych Theater about half past nine.

My manager was waiting for me with the gravest face and the most unwelcome news. My father had died in his sleep some time during the previous night.

34. MUSIC VERSUS NATIONALITY

The unexpected death of my father, due to heart weakness, deeply affected me. Our relationship had been a strange one; outwardly there was an apparent formality, but inwardly an actual sympathy, almost an affinity between us. He was, I think, inclined to be a little afraid of me; and I, for some reason I could never explain to myself, generally felt rather sorry for him. Even in the years when I never saw him, he had been a vivid personality in my mind, and it took me quite a time to realize that I should never see him again. Although I knew that without his all-important participation the scheme which had taken nearly a year to bring to fruition was definitely at an end, I did not yet comprehend all the implications of his disappearance from the scene. What further consequences of the disaster might be in store for us no one could foretell until the true position of his estate was known. Several weeks would have to elapse before this point was reached and for some time longer no business outside the preliminary duties of administration could be undertaken.

James White had acted as general business adviser to my father over his London interests, and he now proposed, and I and my brother agreed, that he should look after ours in the same way. Impressed by his conviction that he could handle successfully the problem of the Covent Garden Estate, this seemed a satisfactory arrangement at the time, and for a while it worked well and pleasantly enough. But his was not the sort of intelligence to guide us safely through the complications of the intricate tangle in which we were involved. He was dashing and effective enough in the opening stages of a proposition, but later on, and especially if there

were occasion to make a wise retreat, he was apt to become apprehensive, sometimes to the point of panic. Such dispositions in
business are akin to those who in military tactics are invaluable
when on the advance, but of small use if forced to take the defensive or play a waiting game. He had the minimum of education
but a considerable charm of manner; an easy capacity for making
money, and one still easier for spending it. He once confessed to
me that life without £100,000 a year was not worth living, but how
he could ever have got through such an income I do not know, for
he lived in a very modest way. For a brief period he owned a steam
yacht which was intended to serve as a retreat from the bustle and
flurry of city life, but the first thing he did when arriving on board
was to have a wireless fitted up so that he could be in continual
touch with his office. Later on he acquired and ran personally a
theater, about the least unexciting diversion to be imagined. His
office in the Strand had become a rendezvous for all sorts and
conditions of Londoners, politicians, newspaper proprietors, actors,
jockeys, and prize fighters, and through this variety of acquaintance-
ship he sometimes acquired information on current events of importance before the outside world had any inkling of them.

It was during the late autumn that he one day startled
me by saying "Your friend, Mr. Asquith, won't be long where he
is." I asked him what he meant, but he affected a casual air and said
it was just a rumor. I knew his manner too well to be put off like
this, and at last wormed out of him a story so extraordinary that,
had it not been for the names of his informants with whom I knew
he was on intimate terms, I should have looked upon it as a fairy
tale. Satisfying myself that he was perfectly serious about it, I sought
out a member of the Cabinet, a close friend of the Prime Minister,
told him in detail of the existence of an intrigue to oust his leader
in favor of Mr. Lloyd George, and that this and that person were
in it up to the neck. He said that he would make inquiries from
his end and would see me about it again. The days went by and
White one evening confided to me that the bomb was shortly due
for bursting and that if any counter move were intended, the time

had come to make it. As I had heard nothing from the Minister, I passed on to him the further facts which had come into my possession, but he replied cheerfully that he was convinced that there was nothing really to worry about and that Mr. Asquith was never in a stronger position. Just previously I had caused the whole story to be communicated through an influential friend who might succeed in making a more serious impression to Mrs. Asquith, whose only comment was "Nothing but death can remove Henry." Within a week Mr. Asquith was forced to resign the premiership and Mr. Lloyd George stepped into his shoes.

In Manchester the affairs of the orchestra were flourishing, for in addition to its usual concert series, it now had the opera season (the company was to make a longer return visit at Christmas), and I had recently inaugurated a season of Promenade Concerts in the building of ill-fame, which had now been rechristened the Opera-House. The cotton and mining industries were booming throughout Lancashire and money was flowing plentifully. In London the concerts of the Royal Philharmonic Society were on a sound footing, and I had extended my interest to those of the London Symphony Orchestra which had been making a gallant fight all this time to keep its head above water. The opera company had increased its popularity and enlarged its audience so widely that I decided to move for the summer season from the Aldwych to the much larger Drury Lane where I had spent such pleasant days in 1913-14. As shortly before this we had increased our Provincial connection by taking in Birmingham, Glasgow, and Edinburgh, the barometer for the future seemed to be set at fair and I saw no reason why it should not remain there. For the migration to Drury Lane, it was essential to provide something in the nature of a "coup" that would place the reputation of the company on a pinnacle higher than any it had yet reached. I again called to my aid Hugo Rumbold and requested him to prepare designs for a new production of *Figaro* that would surpass all that he had hitherto done for me. A fresh translation was made of the text to include the whole of the trial scene in the Third Act, which is usually curtailed and sometimes omitted, and then came the all-important question of stage representation, for I had in mind to reproduce as far as possiole the style, and gesture of the Théatre Français with singers who could also act. We approached Nigel Playfair, who agreed to cooperate on the condition that I would let him have the artists selected for the performance every day for at least three months. But I had to tell him that their necessary appearances in other operas prevented such an exclusive absorption in one work, and that he must be content with having them some of the time for five. And throughout this period, two and often three times weekly the chosen band turned up for rehearsals and worked away enthusiastically to fulfill every direction of the first authority in England on the comedy of the eighteenth century.

It was generally allowed that this production topped a peak so far unscaled in the annals of any native opera company. Outside the Russian seasons nothing like it had been seen before, and certainly nothing has appeared since to excel it. And yet the cast, which had been selected more for appearance than voice, contained hardly one of the better vocalists of the company, although the singing was both adequate and stylish. But no one felt poignantly the lack of a higher level of vocalism in an entertainment replete with charm and elegance and providing an object lesson in what can be done with a piece like *Figaro* or *Cosí Fan Tutte*, given a bold and novel approach to a fitting method of presentation. There was however a distinction of the highest merit common to every member of the cast, a first rate diction. One evening I went up to the top gallery and stood right at the back to listen, and from there I could hear not only every syllable of the songs, but of the ensemble pieces as well, all being as clearly enunciated as if it had been spoken instead of sung.

A quasi-novelty was an English version of *Ivan the Terrible*, which is by way of being a companion piece to the beautiful *La Fiancée du Czar*, which I gave many years later. Both of them are unduly neglected, but it may be that performed by a company other than Russian they fail to make their full effect. As I have already said, the bulk of the Russian repertoire is intensely national and liable to lose much of its potential appeal, if dependent upon an alien interpretation. An actual novelty was a charming little opera which won an instant success everywhere and remained in our repertoire for years, *The Fair Maid of Perth* by Bizet. When first given in London the press took up a hostile attitude toward it, one newspaper asserting that there were half a dozen British composers at hand to write something much better. I at once offered a prize of £500 for a work which, in the opinion of three competent judges, should equal it in merit, and guaranteed its production as well as the publication of the score; but not a single competitor came forward to answer the challenge. It was an interesting symptom of the widening of public interest in opera everywhere that this piece, which is a typical specimen of French opéra comique, should have been so quickly and generally accepted when six or seven years earlier it would have been an almost certain failure. It was also the means of converting a Philistine friend of mine in Manchester to the appreciation of serious music; for, dining with him one night, I asked if he had yet been to the opera, and he replied that nothing on earth would induce him to go anywhere near it. Years before someone had taken him to a later Wagner music-drama, given very indifferently; he had been bored to death and had no intention of repeating the awful experience. I bet him a box of cigars that he would not find the *Fair Maid* a bore, won over the sympathies of his wife, and finally prevailed on him to make the trial. The next day he rang up to say that he had found it almost as good as a musical comedy and asked if there were any more like it. I thought for a moment of recommending *Tristan* but repented and proposed *Il Seraglio*. This he found equally to his taste, no doubt for the reason that it is itself nothing more than a musical comedy, differing only from the popular type in that while the comedy is in no way inferior the music is vastly superior to any other of its kind in the world.

The addition of *Tannhäuser* and *Die Walküre* to the

repertoire provoked the ire of a certain newspaper magnate, who liked to think of himself as the real ruler of England and the keeper of all men's consciences. In his view German music was an integral part of the German soul, and as that especial entity was a very unpleasant freak of nature, it was unfit and improper to foist on the public anything born of it. I really ought, he urged, to banish it from my theater; otherwise he would have to launch the thunderbolt of disapproval against me in his columns. I pointed out that Wagner was the favorite composer of that section of the audience which was in khaki, and that it was because of its insistent demand for these two operas that I was playing them at all. This shook him a bit, but not enough; for he went on to suggest that if members of His Majesty's Forces had such perverted tendencies, their erring steps should be guided into the right path. I thought it was time to resort to the use of the *argumentum ad hominem,* and made him a sporting offer. I knew he had some fine old German pictures in his house of which he was justifiably proud, and I undertook, if he would bring them into Trafalgar Square (having well advertised the event a week ahead in all his journals) and burn them in full view of the public as a protest against the abysmal iniquity of the Teutonic spirit, that the very next day I would withdraw everything of Wagner from my program. But until he was prepared to make some personal sacrifice of the kind he could hardly expect me to do so. He was so bowled out by the proposition that for quite half-a-minute he was silent. Then the suspicion of a smile appeared on his face which by and by broadened into a grin, and he at last said: "It is rather silly, isn't it?" And there we left the matter.

I have often been baffled and disconcerted by the phenomenon, in an era which vaunts itself to be progressive, of the big newspaper owner. That he is occasionally a problem to government also was to be recognized some ten years later when the Prime Minister of the day had to remind two of the more presumptuous specimens of the breed that the alliance of great power and small responsibility was not one to be tolerated indefinitely in an orderly state. Most of those whom I have met have been men of moderate education, less culture, repelling manners, and victims of the most offensive kind of megalomania. One of them, perhaps the most fantastic of the whole set, having attended an opera performance for the first time in his life, telephoned the next day a friend of mine to say how much he liked it, but wanted to know more about this fellow Wagner, who he understood had written the piece. On being told that Wagner was a tolerably well-known composer, whose works were quite popular, his spontaneous comment was "Not half enough, I am going to give him a boost in my papers." The gist of this interesting conversation was communicated to me without loss of time, and I rang up one of the great man's more knowledgeable editors to warn him that his chief had just discovered Wagner and was preparing to introduce him to the notice of the public. "Good Lord," he groaned, "this must be stopped at once," and stopped it was, rather to my regret, as there must have been hundreds besides myself who would have appreciated this announcement of Richard's existence from the latest of his converts.

It is only just to add that here and there were others of a different denomination, a few survivals of a journalistic age on which had not yet been showered the blessings of the Yellow Press, and one or two who combined the liveliest modern technique with some respect for past tradition. Standing head and shoulders above any rival, not only in this last named group but in all others, was the brilliant and dynamic Alfred Harmsworth, Lord Northcliffe. Patriotic, far-seeing and receptive, of him alone can it be said that the forces and influence of the new school were on the whole employed beneficially as well as audaciously. As in the case of nearly all men who have risen from a modest position to one of authority over so many of their fellows, he both received and welcomed any amount of adulation. But I think that however large may have been his capacity for absorbing it, he must have felt a twinge of embarrassment at some of the tributes offered him. Among these the most picturesquely strained was that of a popular versifier who, struck by the coincidence in christian names, proclaimed to an astonished public that during its thousand years of troubled history the three outstanding heroes among the company of England's saviors in time of peril were Alfred the Great, Alfred Tennyson, and Alfred Harmsworth. It is no disparagement of the sanity of his views on most matters to say that some of his utterances and prognostications have a slightly comical ring in the light of political developments both at home and abroad during the past twenty-five years; for among the formidable crowd who have been preaching and prophesying to us all this time, all but one or two have been proved to be hopelessly at fault. Incidentally, some of them, now of very advanced years, are still at the game, probably with equal fatuity and credulity. Evidently once a seer always a seer, and the itch for looking into the future appears to be as irresistible as any other form of speculation, the only difference being that it is practiced at other people's expense instead of one's own. But one instance of Lord Northcliffe's more uncalculated pronouncements I cannot help recalling, for the double reason that it was I think the last occasion I saw him, and a perfect example of the way in which the whirligig of time brings in its revenge. It occurred at a public lunch at which he was the guest of honor, and on being called upon for the usual speech, delivered a fiery onslaught on Mr. Winston Churchill, who not long before had left the government. In his opinion the present Prime Minister of England was a man unfit to hold any important office of the Crown, it was unthinkable that he should ever do so again, and he (Northcliffe) would see to it that he never would!

35. A UNIVERSAL PROBLEM

Not so long ago an ingenious and learned author brought out a book entitled *The Age of Fable*. The purpose of the book, which is moderate in tone and franked by a wealth of instance, is to show that for the last generation or longer the public has never known the real truth about anything, has existed in a thick fog of error, ignorance, and delusion, and that for this appalling condition of things the Press, reinforced in the later years by the Radio, has been mainly responsible. In my country it is next to impossible to run successfully a newspaper that has not a party label of some sort, with the result that in addition to general policy, the presentation of opinions and the juggling of news are influenced and dictated by its political trend. Every time a great national question is raised in our so-called democratic states, instead of an immediate agreement between the various party machines to treat it as something that vitally affects the safety and prosperity of the entire community, it is made a football to be kicked about for their private amusement.

One would think that the adequate defense of the nation was a self-evident proposition; we protect our private lives and property from accident by insurance, so why not insure the safety of the realm from much greater mishap by making doubly certain that it shall not suddenly be endangered by attack from outside? But in my day not only has this never been accepted as the first axiom of national preservation, but has been the constant subject of irreconcilable dissension among the various political groups.

The foreign policy of a country like England is not determined by what is best for the interests of the whole of its people, but by the sympathy of one party or the other with those states whose systems of government or ideological creeds bear some resemblance to their own. It is true that the average man likes to take sides; existence would be intolerable without the clash of opposing ideas. But equally he does not want to wrangle the whole day long or see applied the meretricious methods of the forum or the political tub to the management of the affairs of the nation, any more than to the running of his own business or home. Also he sometimes likes to hear the other side of the question stated with lucidity (audire alteram partem), and above all he wants to know the truth. But this is precisely what he never does get. He is talked at, lectured, and admonished from morning to night, but enlightened never. I have just been reading a book by an American writer on England, and it is hard for me to understand how such a piece of work came to be written, unless for reasons directly antagonistic to the interests of plain veracity; for the picture drawn of it is unrecognizable by anyone whose eyes are not blinded by illogical prejudice or emotional antipathy. The career of an artist in Great Britain is not one to beget a fanatical worship of everything there, and I have passed a large portion of my life in other countries where I have seen much to admire and respect. But there are certain aspects of English life which remain preëminent, and only a total inability or disinclination to acknowledge their existence can account for denying or ignoring them. For example, the protection of life and property, two not inconsiderable interests, is greater than in any other country of importance. In comparison with another great democratic community, the statistics of crimes of violence are in a proportion of one to eighteen hundred, or allowing for the difference of the two populations, one to six hundred, and no one but a thug or gangster will deny that here we have a slight advantage. Although much of our legal system is cumbersome or obsolete, the actual administration of justice is superior to any other, notably in the criminal courts, whose simplicity, dignity, and celerity are a model to all others.

The personal liberty of the poor man is greater than

elsewhere for he can be oppressed by neither employer nor fellow employee. Recently in a Canadian province a talented musician was fined by his union for giving his services gratis to a war charity, a species of tyranny surpassing anything known to the Middle Ages and out of the question in England, where freedom still means the privilege of the individual to do all those things that seem right in his own eyes, provided he do no wrong to his neighbor. If my country could for a few years rid its collective mind of all the political and social shibboleths, isms, and ologies that have been crammed down its throat and rammed into its ears, compose its domestic differences, which after all are very few and trivial, and above everything reject decisively all nostrums and specifics (mostly of foreign origin and completely out of date) for the improvement of human nature, there might be still a chance of its playing a leading part in the affairs of the new world which is now being born.

Our failures during the past twenty years may be credited to one overriding cause, stagnation. We have marked time, maintained a negative attitude to every critical event that has taken place elsewhere, and we have not made one practical contribution of the slightest value to the preservation of peace and sanity in the world. On numerous occasions our leadership and counsel have been sought and our decision or action implored, but we have responded with words. Where the exercise of the strong hand was the one thing to prove effective we have preferred to offer the empty platitudes of the party hack. Less than a year before the outbreak of the present war, the distinguished leader of the Conservative party in the House of Lords indicated in a letter to the Times the danger to the entire world of an empire like ours which seemed incapable of ever making up its mind or coming to the point. The evil must be fairly deep rooted when a political mandarin, usually the last person to acknowledge any deficiency in the existing system, can bring himself to issue such a warning.

The general mist of misrepresentation which envelopes nearly all public transactions covers those of private persons also, especially when they are of the kind that journalists call "news." It may have been observed that in my foregoing chapters I have made the scantiest references to my personal or intimate life. I cherish the old-fashioned prejudice that every man must have a sanctuary to which he can retire, close the door, pull down the blinds and exclude the world outside. This was the substance of the old doctrine that an Englishman's house is his castle, once a reality but now a fiction owing to the monstrous ubiquity of the modern press reporter and his accomplice in persecution, the camera pest. Any genuine privacy and seclusion, unless one goes into the heart of the desert, has been rendered impossible by the malign industry of that basest creation of the age, the gossip writer. This slinking, sneaking, worming and reptilian creature passes his time listening at doors, peeping through keyholes, corrupting the servants, and all to discover and retail in print an illiterate jumble of incoherent rubbish about something which no one with the self-respect of a baboon would dream of concerning himself. I once asked the editor of a leading London daily how he came to allow the publication of some nauseating piece of twaddle that had just appeared, and he answered, "We live on garbage." But if the slightest protest is ever made in any quarter the cry at once goes up to heaven, "the freedom of the Press." Until a few years back a considerable amount of space in certain London papers was given up to long, lurid, and salacious reports of divorce cases, and the kind of stuff that we used to read every day would, if forming part of a novel or even a scientific treatise, have been banned by the police magistracy. When the incongruity of this preposterous situation at last penetrated the intelligence of the public, there was a demand for the compression of such accounts which after a while was conceded by a rule of the courts. But the resentment of the journals that lived on "garbage" was so loud and strong that if a stranger from another sphere had descended among them he would have concluded that the foundations of justice, society, and the realm itself would totter dangerously if the champions of free speech were deprived of their scavenger's cart.

All of which brings me to the point where I propose to throw a ray of truth upon certain private affairs of mine which have received a good deal of notice in the Press of most countries and about which I have preferred to remain silent during twenty years and more. Everywhere I have found the impression that I inherited from my father a large fortune, the greater part of which I have spent on artistic enterprises, and that generally I am thriftless, prodigal, and without understanding of money. One part of this opinion at least is as far removed from the truth as anything can be. It may be that I have expended very large sums on music and other artistic ventures, but not out of my inheritance, for the simple reason that I was powerless to touch the capital of it. How has this misconception come about? Mainly through the indefinite character of much of our legal system and the casual methods of reporting in the Press, as will be seen hereafter.

My father's executors, having completed the preliminary examination of his affairs, called me into consultation. The disposition of his estate was simple enough in outline, his Lancashire business being left almost wholly to my brother and myself and the residue mainly to four of my sisters. But upon the whole property lay the burden of the Covent Garden contract, on which two million pounds were still owing. There was no earthly chance of finding this sum out of the assets at our disposal, for even if the business could be sold in war time, which was highly doubtful, it would not bring in enough to discharge the obligation. Although its yearly profits were considerable, its capital value was moderate, consisting mostly of good will, with few tangible possessions such as land and buildings to back it up. A larger portion of the residue than expected would have to go in paying debts and overdrafts, and it looked as if my sisters' share would be considerably below anticipation. It would help the situation, argued the executors' advisers, for the whole estate to be in the hands of my brother and myself alone, and if we would purchase the residuary part of it, we should be left in undivided control and in a better position to deal with Covent Garden.

James White was well on the side of such a transaction, being just as anxious as the executors to get the estate out of their hands and into ours; and as he was quite confident that we could find the money to carry it through, my brother and I entered into a contract under which we undertook to pay for the residue about twice as much as it eventually proved to be worth, and sat down to observe the operations of the financial wizard.

My father, in full anticipation of many more years of life as well as the imminent settlement of the Estate problem, had only a few weeks before his death made a fresh will, and if he had survived a year or two longer its terms would have presented no difficulty to his successors. But having been drawn with an eye to the big deal which was awaiting early completion his unexpected death made it almost unadministrable, so interwoven and complicated were the numerous interests therein, great and small. The portion of the business bequeathed to me was left in trust, which proved to be a constant stumbling block in the path of White's schemes for handling the estate in the broad, bold fashion with which he was familiar; and as the months went by it became increasingly evident that here was a problem beyond his capacity to solve. He could raise the money neither to complete the residuary estate contract, nor to finance Covent Garden, and he was not helped by the war situation, which had deteriorated rather than improved. Air raids had been more frequent, the U-boat menace was the constant nightmare of the Government, and the public was beginning to realize that it was involved no longer in a chivalrous crusade but a war of life and death. Official restrictions continued to remain unrelaxed, the City was unresponsive, financial wizardry had bitten off more than it could chew, and its magic wand was waving in vain. We had no alternative but to go to the executors and confess our impotence. If only the war would stop and the wicked Germans admit defeat, all might be well: the wheels of company flotation now at a standstill would revolve again merrily and we would all live happily ever afterwards. The executors sympathized with these pious hopes for the future but were naturally more interested in the present. They had a contract with us for a very large sum of money and where was it? The only answer to this question was, nowhere, and there appeared small chance of an improvement in our unlucky position.

There happened to be in Liverpool at that time an accountant with a talent for figures nearly akin to genius. He had been called in by the executors on taking over their duties, had advised them throughout, had been half anticipating the present impasse, and now produced overnight a scheme for the reconciliation of the conflicting interests in the estate and the unraveling of the Covent Garden tangle. It was necessary, however, in view of the numerous trust shares in the will and the ambiguous position of the executors, for the estate to be administered under an order of the Court of Chancery; and the essentials of the scheme were that a large sum be borrowed from the bank to reduce the unpaid balance of the Covent Garden purchase money, that the property be nursed over a period of years, that my brother and I agree to accept a much reduced income from the business and that the balance of such income be accumulated to pay off the bank and ultimately the residuary contract.

When the suggestion of Chancery was first made, my thoughts reverted to a disclosure which my father had made to me during that summer of 1916 in Lancashire. An old friend of his and a man of great ability had died leaving a will which he had innocently imagined to be crystal-clear and fool proof. It had proved to be so difficult of interpretation that his estate had to be thrown into Chancery, and there it remained for over five years. While deploring this disaster my father had been a little critical of the carelessness of its author and declared with a certain complacency that, profiting by this experience, he had caused a will to be drawn up which could give under no circumstances the slightest trouble to those appointed to carry out its provisions. I was filled with disquiet and foreboding at the prospect before us, but there appeared no other way out. The vendors of Covent Garden were getting restless and something had to be done about it. So off to the Court we went and obtained an order of administration which took six full years and more to run its appointed course.

This critical step brought me up sharply against an unpleasant reality. My father during his lifetime had stood solidly behind my numerous enterprises, sometimes shouldering a part of the burden himself, at others loaning me amounts which would be debited to my eventual share in the estate. At his death therefore I had several overdrafts which could have been discharged or reduced without difficulty had I been receiving all the dividends due to me from the St. Helens business under normal conditions, but not with a materially reduced income. Undoubtedly the wise thing from the prudential point of view would have been to part company with those organizations which I had been assisting to keep alive since the outbreak of war, or at all events to cut down substantially my contribution to their support; but I shrank from the immediate application of the axe of economy to the root of my problem. Hundreds of worthy people were for the moment dependent on the continuance of my efforts; I had created the finest native opera company ever seen in England, my audiences were increasing over all the Kingdom, and although my outlay was heavy, I was hopeful that after a while it would diminish. Only in the last extremity did I feel like throwing up the sponge, for after all the war might end before long and the situation change for the better. I therefore threw caution out of the window and determined to go on as long as it was within my power.

36. *THE RETURN OF PEACE*

We had now reached the spring of 1918, and our operatic performances began to be disturbed more and more by air raids. During one week a bomb killed the stage-door keeper of the Aldwych Theater, another wrecked the premises of a publishing firm just up the street and a third shattered the sixteen thousand panes of glass of the Covent Garden flower market, the most stupendous clatter I have ever heard anywhere. The shrapnel from our anti-aircraft guns occasionally came through the roof of the stage to the discomfort of the singers on it, and one night when I was conducting *Figaro* and the second act had just begun, a terrific bombardment opened all about us, and for minutes at a time the music was hardly audible. There was a momentary nervousness in the audience which was at once relieved by a courageous lady in a box arising and exhorting it to follow the example of the artists who were singing away as blithely and unconcernedly as if there were no such things as a war or Zeppelins. These raids and a few in the summer were almost the last attempt of the enemy on London. The Zeppelin attack was singularly futile, almost every one that came over being brought down in flames, and I myself saw two or three destroyed, in each case by a single airman who climbed up within easy firing range and punctured the huge mass with gunfire.

An interesting interpolation in our summer season at Drury Lane was a performance in conjunction with the Stage Society of Byron's *Manfred*, the opera company providing the orchestra and choir for Schumann's music. This fine but gloomy drama is very much of a monologue and I saw it falling flat unless cheered up in some way indicated neither in the play nor the musical score. I introduced a part song or two as well as some short orchestral fragments into what seemed to be fitting places, but the monotony of the piece remained unrelieved, and it finally occurred to me that what might save the situation was a little dancing, recalling that whenever George Edwardes of Daly's and the Gaiety Theaters saw his piece lagging and failing to catch fire, he would invariably call for a fancy dress ball to be brought on the stage. But as Schumann had never written any ballet music it was necessary to invent some, and I selected about a dozen of his short piano pieces and handed them to my two lieutenants, Eugene Goossens and Julius Harrison, for orchestration. As there were only three days to go before the first performance, these two invaluable young men sat up for two nights with wet towels round their heads, turning over the ballet as it was scored, page by page, to the copyists who were to make the orchestral parts. The dances were inserted in the scene of the Hall of Ahrimanes, the décor of which was borrowed from Boito's *Mefistofele* and did something to enliven a work which perhaps was never seriously intended for public performance.

During the winter and spring the nation, realizing that the supreme moment of the war had arrived, had followed with painful concentration the final effort of the Germans to break through to Paris. But as the year advanced there came a gradual relaxation of the tension, due to a conviction based more on instinct than fact that the enemy's attack had failed and victory was in sight. Both Turkey and Austria were out of the struggle; only Germany remained in the field. The end came suddenly and unexpectedly and the armistice was signed almost before we were aware that fighting had ceased. Excitement was intense and the whole country gave itself up to a riot of junketing. During the past eighteen months I had noticed a growing change in the attitude of most people toward the war and each other, and the sacrificial spirit of the early days that we see mirrored in the verses of Laurence Housman and Rupert Brooke had given way to a harder and coarser state of mind, generated I think by the brutalizing and tedious strain of trench warfare.

The employment of women on a large scale in war work had brought the sexes closer together, with results that appeared to be as little attractive aesthetically as ethically. The few years that followed the armistice were a frank return to the outward freedom of Restoration days, and an erudite historian said to me one day during 1920, that he did not think anything quite like it had been seen in England for hundreds of years. But of this one can never judge with certainty, for almost the same thing was said to me by an elderly friend in 1913. So far as I can read between the lines of history, men and women have been very much the same in all ages, and the only visible difference between good and naughty periods is that in the latter they care less for the opinions and judgments of others. But what undoubtedly was, and remained for years, the universal obsession was dancing; not dancing in the free-limbed bouncing style of twenty years earlier, when a few couples scamped vigorously up and down a spacious room, but a funereal assemblage of creatures, tightly packed together in an exiguous space, bumping and banging into one another, hardly moving the while and all looking as if they were practicing some painful penitential exercise. The comment of a distinguished French diplomat on his first sight of this singular species of amusement, deserves I think to be remembered: "Les visages sont si tristes, mais les derrières sont si gais."

About this time I was fortunate in being able to form a small syndicate to take over the opera company, for I had come nearly to the end of my resources and should not have been able to continue unassisted much longer. As it was I was heavily in debt, but for the moment was not greatly concerned about that as, the war over, I like most others was expecting a rapid return to the conditions of 1914. A part of the recent estate transactions had been the formation of a Covent Garden Estate Company which, upon the payment of a further sum of £500,000 to the vendors, who granted a mortgage for the balance, became the proprietors of the Opera House in addition to Drury Lane Theater and several other theaters. But the possession of the opera house was more honorable than profitable as the Grand Opera Syndicate had an old lease of the building which still had twenty years to run and for which they paid the modest sum of £750. a year. During the war it had been used as a storehouse so that a good deal of refurnishing and redecorating was required to restore it to its former condition, and while this was being done, I renewed my former association with the lessees for the purpose of a Victory season in the summer. It was a few weeks before its opening that an angry figure stormed into my office and asked what the deuce I meant by painting her room green. It was Nellie Melba, and very upset she seemed to be. I had never before come into working contact with this formidable personality although I had heard something of her autocratic ways; and considering the best method of defense here was attack, I pretended not to remember who she was, and asked what the deuce she meant by entering my office unannounced, adding that I knew nothing of private ownership of rooms in the building. This produced a fresh explosion of wrath which, as I remained grimly silent, gradually subsided and was eventually succeeded by an aspect of resignation and the remark that she would not have minded so much if the green had been of a cheerfully light instead of depressingly dismal hue. I thought of the gentleman in *Patience* who suffered from a similar prejudice—

I do not care for dirty greens
By any means

and as she was going to sing on the opening night under my direction, I thought I would be magnanimous as well as diplomatic to the extent of offering to repaint "her" room any color she liked. This little concession delighted her more than the most costly present could have done and we soon became excellent friends. Melba was a singer who had nearly all the attributes inseparable from great artistry. The voice was beautiful and bright, of uncommon evenness throughout; and she handled the whole range of it with complete skill except in measured coloratura passages such as those at the end of the Waltz Song of *Romeo and Juliet*. She was extremely accurate, insisted on her fellow-artists being equally so, was punctual to the tick at rehearsals and while at work was a shining example in discipline to everyone else. But there was always some element lacking in nearly everything she did, and it is not easy to say just what it was. It was hardly lack of warmth, because many an artist has had the same deficiency without one being made uncomfortably aware of it. Of the mysterious quality known as temperament she had certainly a little, and her accent and rhythm were both admirable. I am inclined to think that she was wanting in a genuine spiritual refinement, which deprived the music she was singing of some element essential to our pleasure; and perhaps it was for this reason that in the maturer musical culture of the Continent she had comparatively little success, her popularity being confined to England and those other Anglo-Saxon communities where the subtler and rarer sides of vocal talent are less valued.

This season was in every way a pleasant and successful affair, notable chiefly for the appearance of four unknown tenors, all of them good, Burke, Hislop, Dolci, and Ansseau. The old Covent Garden favorites reappeared from various corners of the earth, most of them none the better for the lapse of time, although the charming Edvina gave admirable performances of *Manon* and *Thaïs*. The *Thérèse* of Massenet was among the novelties, of which the more interesting were the *Iris* of Mascagni and *L'Heure Espagnole* of Ravel, and for the latter work Hugo Rumbold furnished a setting of the greatest brilliance and charm, perhaps his "chef d'oeuvre." *Iris* contains so much beautiful and poetical music that its incapacity to maintain a regular place in the repertoire must arouse some of our sympathy. But it convincingly points the old maxim that metaphysics and the theater, especially the lyric theater, hardly ever go comfortably hand in hand, as Strauss also discovered in the case of his *A Woman without a Shadow*. The English section of the company distinguished itself in a translated version of *Prince*

Igor conducted by Albert Coates, who had not been seen in England since 1914, and in a splendid production, with scenery and costumes by Charles Ricketts, of Isidore de Lara's *Naïl*.

A holiday spirit was everywhere in the land, and those portions of the community who during the war had been making a good deal of money for the first time in their lives were spending it with a fine freedom. The high wages earned by many of the cotton operatives and miners in the North produced some singular manifestations of the use of it. One day I was in the principal music shop of Manchester when a couple entered, the lady wearing a shawl on her head and a fur wrap around her shoulders, and asked to see a piano. On being asked what sort of piano, the man replied that they were not particular, but it must be upright and have a green marble top. The director of the establishment who was also the manager of the Hallé concerts was about to say that they had nothing in stock answering to that description, when I whispered to him that it was quite easy to have it painted to resemble marble and they might never know the difference. He then assured the intending buyer that although there was not at that moment in the showroom anything exactly like the article he wanted, one would be procured for him within a few days. My curiosity aroused by this unusual preference, I inquired the reason of it, and learned that having recently taken a house in the parlor of which there was a fireplace with a green marble top, they must have a piano to match it properly.

There was an equally interesting sequel to this event although I was unfortunately unable to take part in it. Some weeks later the pair visited the shop again and ordered a second piano to correspond with the first in every particular. In the course of conversation they volunteered the surprising information that it was going in the same room on the other side of the fireplace. They had spent most of the intervening time in looking for a piece of furniture that would suitably fill the vacant space, but finding nothing to their satisfaction had decided that the only solution of the problem would be a replica of their original purchase!

37. THE BRITISH LEGAL SYSTEM

During August the English Opera Company broke
fresh ground by putting in a month at Blackpool, the Margate of
the North, and this was a fortunate addition to the year's work,
as it had given fewer performances during the summer season at
Covent Garden than in any previous year, owing to the return of
the Internationals. I went there myself for a few days, stayed at a
country hotel halfway between Blackpool and Fleetwood, and before leaving, walked once more along the familiar road to Rossall.
Since I left to go to Oxford in 1897 I had revisited the school
once only, when I took the Hallé orchestra and gave a concert in
the hall where as a boy I used to play the piano. To my eye the
place was beginning to lose much of its old attraction, quiet isolation: buildings were springing up where formerly there were fields,
and the ancient landmarks had vanished or were hard to trace. I
rarely contemplate returning to scenes after long absence from
them without a nervous apprehension that I shall find a difference
too great for my happiness; and it is the same with people whom
I have not seen for many years. If I find much alteration in their
appearance I am so uncomfortably embarrassed that I half wish I
had not met them again. It is otherwise with those with whom we
are in touch almost daily: they too alter, but imperceptibly, and
preserve for us the semblance they wore when first we knew them.
But where music is concerned, the passage of time has been powerless to change or modify my first attachments, and that which I
loved as a youth still holds the foremost place in my regard. No
matter if a generation go by without my hearing some strain of

287

which I have affectionate remembrance, I always find undiminished the brightness of its original spell.

Toward other arts, particularly painting and architecture, I have been unable to maintain this constancy of mood. Nearly every time I find myself after a lengthy interval in a great gallery like the Louvre or the Vatican, I am startled by the entirely different appearance of pictures which I have been carrying clearly in my mind's eye the while, and I have a similar disconcerting experience with buildings, although here it is less a question of individual examples than of whole styles. In my earlier days, and I believe most young people share a like obsession, I was wholly wrapped up in Gothic: neither Romanesque nor Renaissance had any but the slightest interest for me, and as for Baroque I fled at the sight of it. Then gradually I began to see these other styles one by one with new eyes and to find in them points I was incapable of appreciating before. Reflecting on this experience, I have often conjectured whether the ear be an organ that retains its sensory faculties longer than the eye: or if it is that the pictorial and monumental arts are tangibly bound up with scenes, peoples, creeds, and philosophies of which our personal ideas and evaluations are continually changing, while music is after all in the last analysis devoid of association with any other definite thing in our consciousness.

A well-known British statesman has told us that the only man alive who ever inspired him with awe was his former schoolmaster. At the height of his career and fame he never went down to his old school and into the presence of the Head, without feeling that he was in for a severe "jaw" or something worse. Similarly there was at Rossall one whom I had equally dreaded, and his pedagogical austerity had not diminished with the passing of time. He still addressed me in the style of twenty years back, only now and then pulling himself up for a moment to apologize for what he thought was a lapse into undue familiarity; but in ten seconds he had reassumed his wonted manner and was the terrifying old Dominie once again. This continuing consciousness of a pupillary state extending into mature manhood is characteristic of the public school, and I sometimes wonder if, despite the many other admirable features of its system, this particular one does not carry some disadvantage. Its conservation of the boyish element in the British character to which I have alluded, although questionable, is less baneful than the perpetuation of those numerous prejudices and inhibitions that separate the bulk of our ruling class from every other community of men. A member of the Government that was in office when the present war broke out had been visiting Rossall while in the North, and to his surprise had seen my name on boards as both the captain of my house and a member of the cricket eleven. A little while afterwards he met and said to a friend of mine, "You know, he can't be a bad sort of fellow after all." This attitude to music and musicians is peculiar to England; it exists nowhere else and is an abnormality of nineteenth century growth. Its possessors are under the melancholy impression that it is the mark of a sterner manhood, as if the Germans were any the less virile for the possession of over eighty permanent opera houses. If they could be persuaded to give a backward glance at their Elizabethan and Georgian ancestors who were busy creating that Empire which they themselves appear to have been almost equally absorbed in disrupting, they would discover that music played there a part nearly as important as in ancient Greece, also an historical epoch not wanting in heroic character. The simple truth is that the want of the musical sense is just as much of a deformity as the non-existence of an eye or any other organ, and means that the one truly international link between a hundred different peoples, separated by the differences of language, customs, and institutions, has no place in their understanding. In other words, they are cut off from their fellow creatures in other lands in a way that no musician or musical person can ever be, either of whom feels completely at home in any circle whose culture joins his own on this common meeting ground.

      In no quarter is this disdain and ignorance of music and the part it plays in the life and estimation of other peoples so profound as among the otherwise worthy men who adorn the judicial benches of our Law Courts. That they administer the law, when they happen to know it, with scrupulous rectitude and clear-sighted ability is not to be denied. But in England very few persons do know the law, including all solicitors, who can rarely advise their clients on any question of importance without rushing off to obtain the opinion of Counsel. This opinion is not based upon any fixed code approved by either the legislature or a college of lawyers after the fashion of the Pandects of Justinian or the Code Napoleon, but upon the latest decision of some individual judge, usually made on the spur of the moment. This is admirable from the standpoint of the fraternity itself, for the law becomes an obscurity and mystery like the climate or fortune telling. The consequence is that no man knows where he is, sometimes not even the judges, for in recent years quite a few of them have demonstrated their incapacity to draw up their own wills correctly. It is less satisfactory to the laity, for if there is one thing in a well-ordered society that ought to be as clear as day and free from the least ambiguity, it should be the legal position of every man and his possessions vis-à-vis the state and his neighbor. Unfortunately the learned practitioners of the craft have not yet realized that the dubiety and uncertainty surrounding it have tended to bring them into almost as much contempt and ridicule as the modern politician; and the old time respect and esteem for the judiciary has not been increased by the deplorable garrulity of that portion of it which never loses a chance of airing its views and exposing its intellectual limitations at the expense of those who are seeking from them only the administration of justice.

Years ago I heard a judge of notorious indiscretion declare his inability to trust the word of a witness on the ground that he was a Roman Catholic. I am no member of that community and I was very young at the time; but I still recall vividly the shocked astonishment I felt at hearing from an occupant of the Bench an insult leveled at a large number of His Majesty's subjects throughout the Empire, not to speak of something like two hundred millions of the same creed in Europe. In another instance during a matrimonial case, a woman who conducted a business independently and with high success was branded as a worthless person. I have not the same respect for money as the ethereally-minded Ruskin, who somewhere described it as character. But it did seem to me that any one who on her own could run a concern which made a large annual profit and employed a substantial number of people could not be wholly without qualities of one sort or another. Anyway the question involved was a purely moral one on which no lawyer is any better fitted or more entitled to have and express judgment than any of the other twenty million adult citizens of the kingdom.

I have not been able myself to escape this offensive tendency. Quite early in the course of our Chancery proceedings it was disclosed that I had spent a considerable amount of money in the cause of music, and the wise judge's instant comment was, "What is the good of that?" It was nothing to his childlike intelligence that through the use of this sum, wisely or unwisely, a goodly part of the war time music of the country had been kept alive. Had the objects of my outlay been a group of racing stables, a shooting box, and a steam yacht, things in his eyes that were the proper indulgence of the manly Englishman, he would probably have expressed his approval. But music never.

On a later occasion, another legal luminary in the course of a hearing heard my counsel refer to the musical profession, whereupon he interpolated this stupendous comment: "What's that? You don't call music a profession, do you?" A third instance where a young man I knew happened to be a party to a suit and it was mentioned that he was studying to be a musician, the arbiter of equity raised his eyebrows, shifted his wig, and snorted, "Why doesn't he go into some honest trade?"

Of course these pathetic revelations of mental singularity and oafish manners, which in most other countries would procure the early retirement of their authors, are hailed with delight by that section of the press and public which still clings to the conviction that knocking little balls into holes or hitting other little balls about a green field is almost the only acceptable evidence of virility in a great nation. And so the disabilities of continued immaturity and arrested mental development handicap fatally a large mass of my countrymen, and while this anachronistic condition remains, there will be no return to that commanding position we once occupied in the esteem of others. For over twenty years I made a point of reading the reports of annual congresses and other junketings of the Labor party, and I cannot recall one occasion when the subject of the higher education of the people was brought forward for discussion. The time of the meetings was taken up with infantile complaints about one alleged grievance or another, fulminations against this system or that, and declarations of faith in some ology or other unshared by the mass of their fellow countrymen. Not a word about the most vital business of all, the mental advancement and spiritual enlightenment of the classes whom they professed to represent, and no wonder an intellectual darkness hangs over the land when the better part of man is treated as something of little account. Blazoned on the entrance to half our public buildings should be the admonitory verse from the Epistle to the Corinthians, which begins with the words: "When I was a child I spake as a child."

The autumn and winter seasons of opera in London were both given at Covent Garden and separated by one or two months at Manchester. For the first of these the main additions to our repertoire, which now included some fifty operas, were *Parsifal*, *Khovantschina*, and *Die Meistersinger*, all in English, of which I conducted only the last. The decline in health of my able and devoted manager, Donald Baylis, had thrown upon me much of his administrative work and, combined with the necessity of giving more of my time to private business, was reducing materially my public appearances as conductor everywhere. Baylis had been with me since 1910 and had started his career as a correspondence clerk in my father's office at St. Helens, being about twenty-five at the time. During my first season he acted as manager of the chorus, later on as sub-manager of the company, and in 1913 I placed him in full charge of all my musical undertakings. His education was of the smallest, and his outward appearance about as far from the conventional notion of a theater director, a suave and smiling creature in a top hat and frock coat, as could be imagined. But he had an uncanny insight into public psychology, an industry and ingenuity that were continually arousing my astonishment and admiration, and a fanatical devotion to the house of Beecham that won and held my affection. Many was the tight corner from which he rescued one or other of my war time ventures at the eleventh hour, and his early death in the spring of 1920 was as great a loss to me as that of my equally resourceful and adroit lawyer, who about the same time was smitten with an illness that removed him from the sphere of active work.

I notified the various concert organizations with which I had been connected since 1914 of my inability to continue my association with them, and in the case of the Hallé Society counselled the appointment of a permanent conductor who would be willing to settle in the town. During the war the orchestra had been kept together with great difficulty, losing one member or another every month, and had thus taken on a shape almost as impermanent as that of Proteus himself. What it needed badly was the control of a resident musician who would give all his time to the rebuilding of its badly shattered constitution, and the committee, accepting my advice, appointed Hamilton Harty, who occupied the post until 1933. So far as these institutions were concerned, my work was done: they had weathered the storm, safely reached land again, and could pursue their old courses without further aid from me.

38. THE "WINDS OF COMPLICATION"

The termination of the war and the return to peace conditions added considerably to the costs of running an opera company. While the struggle continued I had almost a monopoly of the services of a substantial proportion of the best artists in the country; but with the relaxation of those restrictions and regulations which had crippled their activities for over four years, hundreds of concert societies came to life again and, with appetites stimulated by their long fast, took up their work where it had been interrupted. As the members of my company had been more in the public eye than any others of the profession, they were in universal demand, and I had to choose between granting them frequent leaves of absence, which must depreciate the discipline and efficiency of the ensemble, and increasing their remuneration. As the virtue and strength of the organization lay mainly in its splendid teamwork, I and my colleagues preferred to accept the latter alternative, and concurrently with this went a large rise in labor charges, chorus salaries, and everything else material to the maintenance of a big theater.

As always happens after a great war, there was a universal opinion that a new era had been inaugurated and a good time at hand for every one. The trifling circumstances that the national machine of industry had yet to be reorganized so as to absorb five or six million service men, that the national debt had risen from seven hundred and fifty to six thousand million pounds, and the annual budget from two hundred millions to a thousand, were overlooked in the exhilaration of the moment. Men and women alike had but one thought; to forget about the war as soon as possible and enjoy themselves, no matter at whose expense. This all-round augmentation of costs was alarming for the future of the enterprise, for even on the reduced war time scale the losses had been heavy, amounting to as much as two thousand pounds in a week when air raids had been frequent. Although we no longer had this super-distraction to cope with, there was the competition of other forms of entertainment which had languished during the days of danger; and the halls, musical comedy theaters, and pantomimes regaining their old place in the great heart of the public, the earlier mood of simplicity and gravity that had led so many to the solace of great art vanished in favor of one that sought a class of entertainment requiring the minimum of thought and concentration.

It began to be all too clear to me what I had suspected for some time, namely, that without assistance from the state or municipality, a first-rate operatic organization could never be maintained on a permanent basis. Individual seasons might now and then be run at a trifling loss, and third or fourth rate companies could even make a little profit for themselves, on the condition of adhering relentlessly to a standard of performance liable at any moment to cause the outraged spirit of some dead master to walk the earth again like that of Hamlet's father. But an institution that employs the services of the best available singers, musicians, dancers, mechanicians, producers, and scene painters, is a commercial impossibility and beyond the means of one man, unless he be a multi-millionaire. Modern history, alas, has not yet furnished the refreshing phenomenon of a multi-millionaire who has taken a really serious interest in music, probably for the reason that his concrete soul is shocked by the intangible and unsatisfactory nature of the art itself. For where are the abiding results of so much expenditure? They cannot be stowed away in the cellars of museums, hung on the walls of picture galleries, used for the better purpose of domestic decoration, or best of all, turned into solid cash once more in the auctioneer's salesroom. During one of my trips to the United States, I had a visit from a benevolent gentleman who had been contributing handsomely for years to the maintenance of a great orchestra and was desirous of comparing notes with me on how such institutions should be run. I related as many of my experiences as might enlighten without terrifying him, and his parting words as he went out of the door were: "Well, sir, I guess that every time some guy draws a bow across a fiddle, you or I sign a check for a thousand dollars." A pleasing example of the New World's inimitable capacity to express "multum in parvo."

But I knew that for the moment anything in the nature of state aid was out of the question, as no government that had been cheerfully spending between six and seven millions a day on the work of destruction would dream of providing a mere fifty or hundred thousand a year for the maintenance of an institution which was making a fair bid to be valued as educative as well as artistic, and which ministered to the needs of an appreciable percentage of the cultured portion of the community. In Manchester it was estimated that over seventy thousand persons had visited the opera during our two recent visits there, about one-tenth of the population of the city. Besides there was an ominous whisper in the air, deflation; and the Bank of England was seriously disturbed by the specter of so much general prosperity. There was far too much money in circulation, some drastic surgical operation must be performed and the nation made poorer, after the fashion of Molière's "Médecin malgré Lui," who cautioned a patient that his perfect condition of health was alarming and would be the better for a little loss of blood. However, most of this was as yet in the future and the only thing to do for the moment was to go on sticking to one's task without too much thought of what tomorrow might bring forth.

At the turn of the year, January, 1920, I revived *Falstaff* at Manchester, and to judge by the reception given to the performance that opening night, any one present might have surmised that this charming work which had never been anything but the palest of successes in England, had at last come to stay.

But it was not to be, for neither the later performances there, nor those I gave shortly afterwards in London excited more than a limited interest, in spite of a really first-class ensemble. Indeed, in point of musical accuracy, intelligent stage work, diction and ensemble, the English company of that time outrivaled any other that I have conducted in any part of the world. With all the necessary resources at one's disposal, it would be impossible to reproduce it today, for the general level of singing has declined and the number of gifted stage personalities is depressingly small.

I have often been asked why I think *Falstaff* is not more of a box-office attraction, and I do not think the answers far to seek. Let it be admitted that there are fragments of melody as exquisite and haunting as anything that Verdi has written elsewhere, such as the Duet of Nanetta and Fenton in the First Act and the song of Fenton at the beginning of the final scene, which have something of the lingering beauty of an Indian summer. But in comparison with every other work of the composer, it is wanting in tunes of a broad and impressive character, and one or two of the type of "O Mia Regina," "Ritorna Vincitor," or "Ora per sempre addio" might have saved the situation. Also there are too many scenes, six in all, for the thin shape and light weight of the piece, and the ensemble movements, until the very close when it is too late, have not the time to gather momentum and thrill the ear with that irresistible flood of tone that we have in the great finales of *Aïda* and *Otello*. Although there may be less scope for it in a work of frail texture, the harmonic side of it has little of the variety that we find in *Otello* or the "Requiem," and finally, the whole opera is wanting a little in the human note. The characters are charming but never very real, even Falstaff himself; and I cannot resist the impression that Verdi, in this his swan song, was too subservient to the influence of Boito for the good of his own natural genius. Or was it only that the stream of autumnal invention, although clear as ever, was running more slowly and fitfully?

The major event for me of the winter Covent Garden season was the revival of *A Village Romeo and Juliet*, after a lapse of ten years. When first given the work had labored under two disadvantages, the unfamiliarity of its style, which puzzled both singers and auditors, and the crushing competition of *Elektra*, which had taken the town so violently by storm that it had no mind to think of anything else. But much had happened since then; the thunderbolt of Strauss no longer had the power to terrify; or the Delian idiom to bewilder. That class of opera goer who expects every new piece to be as full of lurid incident as *La Tosca*, proclaimed Delius to be undramatic, thereby exposing its ignorance of the meaning of the term. Obviously no work is undramatic that can in one way or another hold the stage, as *A Village Romeo and Juliet* certainly does when sung and played sympathetically; and it is a melancholy sign of the lagging cultural condition of operatic audiences that an aesthetic quarrel settled long ago in the playhouse should still be active among them. For it is nothing more than the old antithesis between the socalled drama of bustle and movement and that of thought and feeling, of which Scribe and Sardou are protagonists on the one side and Maeterlinck and Tchekov on the other. I admit freely that it is good to be roused now and then by the cheering spectacle of a gentleman vigorously chasing a lady around the room in spite of the unoriginality of the motive, or a father towing behind him the mangled remains of his child in a sack: but such excitements are not the necessary Alpha and Omega of every stage work. Also I am at one with the illustrious author of *Jane Eyre*, who once declared of an equally famous sister novelist that while she did not want her blood curdled, she did like it stirred. But there are more methods than one of accomplishing this purpose, and the kingdom of the drama has domains enough to accommodate all fancies and predilections.

    A Village Romeo and Juliet has the remotest kinship with melodrama; it is an idyll with something of the other-world or dream quality of a pastoral or fairy play. The characters are types rather than personages and express themselves with a brevity and reticence that is almost epigrammatic. I have never counted the number of words in its text, but I have little doubt that they are fewer than those in any other work of equal length; and an added reason for this is the frequency of purely orchestral episodes and connecting sections which play almost as important a part in the narrative as the singing. The vocal intervals are sometimes trying but not impossible, and although angular in appearance on paper do not sound strained or unnatural in performance. The music as befits the subject is lyrical and consistently poetical, with a recurring strain of tenderness more fully present than in any other operatic score of the past fifty years. The orchestral texture throughout is a joy to the ear and has that subdued warm tone suggestive of dark gold or rich velvet of which this composer alone has the full secret.

This was the last of our seasons to enjoy a reasonable amount of favor, though hardly prosperity. The volatile public had already begun to avert its face from Grand Opera and difficult days were approaching. Yet the standard of performance had been rising steadily month by month and the program drawn up for the summer of 1920 was one that the most cautious of impresarios would have passed as safe and sound. Our prime novelty was *Il Trittico* of Puccini, that interesting and varied assortment of one act pieces, of which only *Gianni Schicchi* is now seen on the stage. But the other two are also effective in their respective ways, and *Suor Angelica*, I think, stood a fair chance of success if the obstinacy of Puccini over its stage setting had not completely wrecked its chances. Having seen somewhere in Tuscany a convent which fulfilled his conception of what such a building ought to look like, he had insisted that the facsimile of it should be transferred to the theater. As the convent was built around a large close which occupied the whole of the center of the stage, it followed that the bulk of the action must take place either in one of the cloisters on either side of it, or away at the back almost out of sight. Puccini decided to place it in the left-hand cloister very much down stage, which meant as near the proscenium as possible. But the shape of Covent Garden successfully prevented this misguided stroke of mise-en-scène from being visible to a large part of the audience, and although we all did our best to persuade him to adopt some other scheme of production, the unlucky scene went on the stage just as he wanted and fell hopelessly flat, in spite of a graceful and moving interpretation of the errant nun by Edvina.

The quota of fine singers included a newcomer, who proved to be one of the most accomplished of our age, Pareto. Of slight and distinguished appearance, this remarkable artist had a voice of exquisite beauty, haunting pathos, and flawless purity. Of the various roles she undertook, Leila in *Les Pêcheurs de Perles* and Violetta in *La Traviata* were the most outstanding, her representation of the latter being easily the most attractive and satisfying in my recollection. This very exceptional singer, like Claire Dux, never achieved that preëminent position to which her gifts seemed to destine her, and although there is generally a reason for such things, in this case I am ignorant of it.

The conductor for the Italian portion of the season was the renowned veteran Mugnone, whose interpretations of Verdi I have always preferred to those of any other maestro known to me, past or present. Like some others among his contemporaries, he was a man of fiery and uncontrollable temper, and never a day passed without a stormy scene with singers, chorus, and orchestra, coupled with threats to return to Italy at once. The peak point of such paroxysms was usually reached in my room after rehearsals, and upon the sixth or seventh occasion I began to find it distinctly wearing. On the next therefore I was fully prepared and addressed him in some such fashion: "My dear friend, it pains me to see you so genuinely unhappy. We like you very much, but it is only too evident that you do not like us. I know you want to get away at the earliest moment, but perhaps feel in duty bound to stay here. I am quite ready however to release you from your contract now, and what is more, I have this morning bought tickets for yourself and family back to Milan, so that you can start tomorrow if you like." And so saying I produced them from my pocket and offered them to him.

I have seen a good many men astonished in my time,

but none quite so completely as this worthy Italian. He opened and closed his mouth, rolled his eyes, ruffled his hair and after several abortive efforts at speech, finally roared out, "I will never leave you."

"Oh, yes, you will," I replied, "I know your mind better than you do yourself."

Then followed a long speech of explanation, self-justification, and protestation that he was grossly misunderstood; that he really adored London and would like to spend the rest of his days there. But he was just beginning to understand English ways, and I should in future see how well he would get on with every one in the place. As most of his squabbles had been not with the English at all, but with his own compatriots, I was not wholly convinced; but as I saw that I had made some effect on him, I restored the tickets to my pocket and inwardly prayed for the best. Our little encounter did prove to be of some efficacy, for I heard of no further disturbances of the peace. At any rate they did not come my way.

A welcome diversion in the season was the return of Diaghileff with his company for a series of performances, which included three old Italian works arranged as opera ballets, one of them being the *Pulcinella* of Pergolesi, rewritten and orchestrated by Stravinsky. None of them was conspicuously successful and I was disappointed with the reception given to the Ballet. It is true that Diaghileff had been hard pressed to keep it alive during war time; and together they had spent most of these troubled years in Spain, wandering over the whole country and playing sometimes for a night at a time in tiny towns on their way from one center to another. But although some of the stars of olden days had now retired or gravitated elsewhere, it was still a splendid organization, superior to anything else of its kind in Europe. Hardly anything we gave, however, seemed to appeal to the public, and the press too had developed a pronouncedly captious tone, considering it almost an affront that we could not repeat in toto the triumphs of 1914; unmindful of the fact that both Russia and Germany were for the moment as inaccessible as the planet Mercury. Lastly the slump had set in, deflation was playing havoc throughout the land, and people bewildered by a change which was as darkness is to light were discouraged and daunted. The financial loss on the year's season was overwhelming, and at the close of it my fellow directors declared their intention of not going on.

39. DISASTER

The well-worn adage that it never rains but it pours, was hardly ever better instanced than in my case during 1920. I had lost my manager and my lawyer, who were the hands of my executive machine. My opera organization, after five years of uphill work carried out under conditions of almost insuperable difficulty, was foundering through want of support just as it had reached the pinnacle of its achievment, and I was about to face the most trying and unpleasant experience of my life. I have previously referred to the failure of James White, my brother and myself either to handle the Covent Garden problem or carry out our contract to purchase the residue from the executors of my father's will, who consequently had thrown the whole estate into Chancery. The Court had made an order approving a scheme of which the materially important part was that my brother and I consented to devote the greater part of our income to the reduction of a large Bank loan, created for the purpose of placing the Covent Garden transaction on almost the same basis intended under the plan made abortive by the death of my father. We had not really much option in the matter, as until all the debts of the estate were cleared, the Executors would not relinquish their office, in which they were almost omnipotent. The sum of the matter was that in spite of the return of peace conditions, it had been found impossible to deal with our problems as we had all anticipated in 1917, when my brother and I had entered into the imprudent contract to buy the residuary estate for a cash sum at least twice its actual value and well exceeding half a million pounds. Had our hopes of being able to clear the Covent Garden position been realized, it would have meant that the business would have left free to pay both my brother and myself the very large dividends by way of profit that it was making annually. Such was the undoubted intention of my father, and had these dividends been available, I could not only have dealt easily with my private financial situation but also have taken part in some new project to carry on the opera.

During the past few years as I have related I had expended large sums on musical enterprise and incurred heavy liabilities. When the estate went into Chancery and I agreed to accept less than one quarter of the income that would have been forthcoming to me under normal circumstances, I sold my house in the country, a quantity of valuable furniture and plate and realized everything else of a tangible kind in an attempt to clear my obligations. These I reduced materially, but there was still a substantial amount outstanding. I called my creditors together and explained to them how my full income was held up for a while, but that it was being preserved through the scheme we were working under, and how it was only a matter of time before enough of it would be released to discharge my indebtedness to them. Meanwhile they would receive a good rate of interest on their money, certainly higher than that which they could obtain elsewhere from an investment equally sound. All agreed save one, who for some reason understood by nobody else was refractory and unfriendly. He insisted upon being paid at an early date, otherwise he would take extreme measures. I explained that in this way he could get nothing, as everything I had was so effectively tied up as to be freed only by the discretion of the Court, and this would not be exercised for some time to come. No arguments were of avail, Shylock must have his pound of flesh, and the recalcitrant party presented a petition against me in Bankruptcy. As soon as this was done, all the rest followed suit, theoretically to protect their respective interests should actual bankruptcy ensue.

There was no immediate publication of this occurrence, for I took the case to the Court of Appeal, where it remained during one adjournment after another for several months. These I obtained upon the ground that I was not insolvent, that I had resources with which to meet all my obligations with something to spare, and I asked time to do so. I was still hoping that something might be done in one way or another to free us from the stranglehold of the Chancery scheme, and I haunted city houses and great banks with half a dozen projects for dealing with the problem. But the time was not ripe, I could not produce the rabbit out of the hat, and the day arrived when the Court of Appeal, which had been very patient, would give me no more time. Consequently the receiving order which had followed the presentation of the petitions in bankruptcy was published to the world, which was made acquainted with the melancholy fact that I could not pay my debts.

The public of England is none too well informed on the subject of law but there is probably no branch of it on which it is so entirely ignorant as bankruptcy. During the past twenty years I have encountered the impression in scores of quarters both at home and abroad that at some time or other I have been a bankrupt. This delusion to my personal knowledge has been shared by those who should know better, such as politicians and even lawyers, and I think therefore that here is a fitting place to state, and with all the clarity at my command that never for one moment at any time have I been a bankrupt. I admit that there may have been some justification for the false impression, owing to the preposterous nature of the proceedings in which I became involved, and the Munchausen-like publicity which filled the cheaper and less responsible sort of Press.

The principal trouble lay in the obsolete condition of the law of bankruptcy. So far as I know it is still in the same deplorable condition and likely to remain so until another A. P. Herbert awakens to the full iniquity of it, just as that gallant champion did in the case of our marriage laws, until recently the most barbarous in the protestant world, and still far from satisfying the common conceptions of either equity or decency. A receiving order neither implies nor involves bankruptcy. It means in the first instance that a man cannot at the time it is made meet his obligations and that his creditors must be called together by the Court to see what is to be done about it, as much in the interests of the debtor as in those of any one else. This was done in due course and the comedy side of the whole business unfolded in a blaze of farcical absurdity. In order to comply with the law, everyone to whom I owed a penny had the right to be present at the meeting and to vote for or against the adjudication of the debtor as a bankrupt. Two factors governed the operations of the ballot, the number of the creditors and the amount of the claims. The latter presented a dazzling spectacle of fictitious financial embarrassment, and included:

A The unpaid balance to the vendors of
 Covent Garden for which I was jointly
 and severally liable   £1,500,000.
B The residuary contract   £ 575,000.
C The liability to pay up, if called upon to
 do so, the share capital in a private estate
 company of my own   £ 500,000.
D The Bank   £350,000 (circa)

and sundry other commitments in the way of family settlements and minor contracts.

The misguided creatures who had forced the order, and whose claims amounted to no more than a fraction of this mountain of apparent indebtedness, were literally overwhelmed by it and perhaps for the first time realized the fatuity of their action. For the official who presided put the vote to the meeting as to whether there should be bankruptcy or not and inevitably the majority was against. This meant in fact that I stood almost exactly where I had been before these proceedings had been initiated and that none of those who had caused them were a jot the better off. All they had accomplished was to cause an immense amount of trouble and worry to others besides myself, a large expenditure in legal fees, and a widespread publicity that no one could understand. One day an eminent banker meeting me in the street stopped and said: "Tell me, T.B., do you owe or are owed a couple of million, I can't make out which." I replied "Both," which in a way was partly true, but left him more mystified than ever. As for the official receiver whose business it was to call in whatever assets the debtor might have anywhere, the income I was receiving under the scheme of the Court and which had been confirmed to me under a special order was difficult if not impossible of collection; and as everything else was firmly tied up there was nothing for him to do but to sit down like the creditors and wait. As I said at the time, "For what he is about to receive, may the Lord make him truly thankful," a comment which was considered by the grave and sententious as highly frivolous and unbefitting the seriousness of the occasion.

The basic cause of this solemn "divertimento" lay in the cumbersome and imperfect machinery of the law. Under its provisions it is possible for one person, who may be irresponsible, ill-tempered, or spiteful to precipitate a course of proceedings which may bring a man near to ruin. No single person should have such power or opportunity. In one European country the official in charge takes the matter into his own hands and without the incidence of a needless publicity, investigates the whole circumstances of the case and nurses the debtor's assets until the creditors can be paid. Thus both sides are adequately protected by an impartial authority, and only when the case is hopeless and it is clear beyond doubt that the debtor can never pay, is he adjudged bankrupt. But with us every solicitor in London knows that the vilest methods of extortion and blackmail are practiced by a group among them who cause petitions in bankruptcy to be made solely for the purpose of creating legal charges, and then count on being bribed heavily to agree to the repeated adjournment of them in order to avoid receiving orders. This scandalous and notorious racket is universally known in the profession and admitted to be an abuse which stands in need of drastic reform, but nothing is done about it. Truly our English law needs a Hercules to sweep clean its Augean stable.

By the close of the year the career of the opera company had run its course and for the first time for fifteen years I was without an active interest in music. I gave the whole position the fullest consideration and decided to withdraw from public life until the final determination of my complicated business tangle. There was more reason than one for this. I could not have supported any fresh enterprise, although there was a group of new enthusiasts at hand who would have done so on the condition that I gave my whole time to it. But this I could and would not consent to. I felt strongly that the time had come to take a much more direct share, not only in the control of my own business affairs but of those of the whole estate as well. So far I had left nearly everything in the hands of the executors and their advisers, but after all it was not their property, and it was asking too much that they should show the same zeal and interest in it as the principals. The crux of the whole situation was Covent Garden, and to run it as a commercial enterprise a family company had been formed, on the board of which I was a director. I had never been satisfied even in the days of James White that the most was being made of the potentialities of the estate; they required restudying from beginning to end, and I could see no better way of passing my time than to begin the task. I was also a little out of humor with the musical world. It had somewhat prematurely assumed that my career was at an end, that I could never rise again, and several tearful elegies appeared in the more sympathetic newspapers. From the numerous societies I had worked with or assisted during a period of five and in some cases six years, as well as the hundreds whom I had employed during the same period in the opera house or concert room, I failed to receive a single word of inquiry or condolence. Taking these different things into account, I decided to give the musical world a miss for a while: doubtless some day I would return to it, not again, however, under the old conditions. But to carry out a comprehensive plan for the practical

exploitation of the resources of the estate demanded the cooperation of another: a man of ability, technical knowledge, and personal
loyalty. I had such a one in mind if he would unite his forces with
mine, the Liverpool accountant, Louis Nicholas, our general secretary and adviser, the actual author of the residuary contract, the
Chancery scheme, and indeed the whole of my temporary embarrassment.

40. *RECOVERY*

Up to this moment I had known very little of Louis Nicholas. Although I had met him on various occasions during the past four or five years, it was always in company with others, executors and lawyers who were, so to speak, on the other side of the table. But from the moment I made it clear that I was out for business and ready to devote all my time to it, he too was seized with the urge to set about the task. Fortunately the senior executor, who was also chairman of the board, was a man of sound practical sense who gave us willing and regular support, and a little later on we had the cooperation of my brother, who until now had been giving all his time to the administration of the St. Helens business.

The plan in front of us was simple and divided into two parts, like the Estate itself, which consisted of the market and a further half dozen acres on which were theaters, hotels, office buildings and even churches. At the inception of the scheme in 1918 the amount owed to the former owners was £1,500,000; to the bank £500,000; and to the Residuary estate £575,000; and although the bank loan had been considerably reduced it was still standing at a high figure. The two courses indicated were to sell as much of the non-market portion as possible and to increase the revenue of the remainder. The moment was not inauspicious, for ground values were rising and the leading marketeers having all done extremely well in the War had money to invest. The detailed proceedings of commerce never fail to be tedious in narrative, and it is no part of my intention to bore the reader willingly. It is enough to say that for over two years I sat daily in the newly built offices of the company and completed satisfactorily the labor we had undertaken by selling over a million pounds of property and materially increasing the revenue of the balance. These transactions, aided by the accumulated profits of the business, wiped away a large slice of our load of debt and paved the way for the retirement of the executors and the termination of the Chancery proceedings. The ultimate plan we had in mind was a public flotation of the sort that had been intended nearly ten years earlier; but before this could be undertaken it was necessary to remove from our path the Receiving Order, which all this while had been lying harmlessly dormant. The executors therefore applied to the Court for permission to pay on my behalf a portion of the business income that had been amassing during the past five years to the Official Receiver, who rejoiced greatly and departed from our midst. This stirring event took place in the spring of 1923, and although the Order had been next door to a dead letter, it was none the less a relief to get rid of it, as its existence served to remind that there was an ever-present cloud in my sky.

But this period taken as a whole was without doubt the most tranquil and orderly that I had known since my first entrance into public life. The settled routine of office work furnished the most complete contrast to that of the opera house, where such things as regular hours were a frank impossibility. It had not been an uncommon experience for me to spend the entire day in the theater, conduct a performance at night, and remain there until well into the early hours of the next morning, disposing of problems that had arisen out of the belatedness of a production or the sudden indisposition of a singer. During one particular season I did not leave the building for a moment during three days and nights, sleeping on a sofa in my room.

Looking back on my business years, I cannot but believe that they were a fortunate interlude in every way beneficial for me mentally and physically. For over a decade and a half I had been working at high pressure with little opportunity for recreation, and the affairs of the musical world had become a slightly unhealthy obsession. The migration into an wholly different environment reestablished an equilibrium slightly unsettled by the prolonged concentration on a single task, and the contact with a class of mind which looked with another vision upon the interests which had been of paramount importance to me, helped to readjust it upon a steadier basis.

I was fortunate too in the character of the job I had undertaken, which had none of the tedious round of ordinary office duties. For it was no typical commercial concern I was assisting to direct and develop, but a highly complex organization with an individual system of its own. The Covent Garden market, although constituted as we know it today in 1825, is of much greater antiquity, being formerly the convent garden of an ecclesiastical establishment of the middle ages. Through centuries it grew from the modest state of a private possession to the proud position of the world's most famous entrepôt for fruit, flowers, and vegetables. The produce of every quarter of the globe finds a way into its shops and stalls, and London throughout the year has a fuller and more regular supply of them than any other great center. Working under a Royal Charter, it is a community picturesquely set apart from most others, vaunting a police contingent of its own and a group of public houses freed from the customary restrictions of licensing regulations. Most of the heavy work that goes on, the arrival and unloading of goods in trucks and lorries, begins about eleven at night and continues through the earlier part of the morning. By six o'clock in the evening an area that for about eight hours has been the most congested in the metropolis takes on the appearance of a deserted village, through which one may stroll without meeting any but a few officials or passers by. But while the machine is running at top speed the scene to the casual visitor is one of bewildering confusion and creates the impression that no method yet invented can ever restore it again to a condition of seemliness and calm.

From time to time proposals have been advanced to shift the market to some outlying and less centralized locality, where it might interfere less with the transit of private motor cars or perambulators. These have generally emanated from that type of political brain which finds its greatest happiness in uprooting some ancient and useful institution. In the present instance it was entirely overlooked that it is in the nature of a market to be a hub, and the more thronged it is, the more unmistakably is it fulfilling the purpose for which it exists. But moving around historic landmarks, together with thousands of persons whose occupations are linked inseparably with them, offers no difficulty to that mechanized species of intelligence, which, in this writer's opinion, is one of the major curses of an age, whose respect for the value and dignity of human life is less than has been known for a thousand years.

My freedom from the responsibilities of musical management had given me more opportunity for travel, and in 1922 I went over to Germany. My first point of call was Cologne, and I stopped at the hotel which I had known before the war. The manager related how severely they had suffered from the air raids of the Allies, not so much through actual damage as from the noise of the machines, whose constant comings and goings had robbed the inhabitants of sleep for about six weeks before the armistice. The train which took me along the Rhine to Wiesbaden had no blinds on the windows, and as it was a very hot day the journey was distinctly unpleasant. Homburg, which I remembered as a fashionable and flourishing spa, was almost empty, and an air of gloomy desolation hung over the place. One day I drove into the pine woods to a large châlet for lunch, which formerly at this time of day was crowded with people of every nationality. Two waiters attended to my wants, one of whom before the war had been at the Midland Hotel in Manchester, while the other had looked after the floor in the Grand Hotel, London, where Jimmy White had had his first suite of offices. They both asked me if I could take them back with me, but I reminded them that the French and British armies of occupation were still in their country and, from what I knew, were likely to remain there for some time. Until their departure and for some time after it, I felt certain that no ex-enemy alien would be admitted to England to take up any kind of job.

Frankfurt proved to be a little brighter, but the shadow of defeat darkened the atmosphere there also, and the cycle of the mark's dizzy flight into a financial stratosphere had already begun. It was in this district that a year later I witnessed a spectacle calculated to turn white in an hour the hair of any Victorian economist and pull down for all time from its high seat the majesty of paper money. In one portion of it, under French (or English) control, the value of a cow was in the region of fifteen of our pounds, while a few miles off, where a mark was the unit of currency, a sister of the same animal could have been bought for a penny.

From here I went through Strasbourg to Paris, which I had not seen since the spring of 1919 when it was filled with the envoys of fifty nations and their satellites, and almost in a state of carnival. This time I could not help noticing how much more slowly it was recovering than London; and how the French seemed to have been hit more severely by the war than the English. The general tone of the city was subdued, some of the old restaurants had fallen by the way, and the cuisine in many of the others was not as in olden days. I went out to Fontainebleau to see Delius and was worried by his appearance, which had deteriorated since his last visit to London two and a half years ago. I questioned his wife, who admitted that he was having trouble with his eyes and a general lassitude in his limbs. As I scrutinized him, I recalled the vigorous athletic figure that had climbed mountains with me only fourteen years before. He was not yet sixty and had no business to be looking like that. I begged them to call in a specialist, as they were employing a homeopathic doctor, and they promised to do so. I did not see him again for some years, when I learned that my advice had not been followed, that the malady which then had been in an incipient stage, had taken a firm grip of him and that it was almost too late to save the situation. I made one more effort by bringing over from London an authority on such cases, who prescribed what it was ascertained afterwards was the only course of treatment likely to be effective. But once again the blind belief in homeopathy prevailed and nothing came of it. The disease took precisely the course my expert had predicted, and Delius, although surviving another eight years, spent the last six of them in total blindness and paralysis.

During the summer of 1923 I spent a few pleasant weeks in the execution of a long cherished design for which I had never before found the time or opportunity. For several years a play-giving society, the Phoenix, had been giving special performances of old pieces, mainly of the Elizabethan and Restoration epochs. I cannot say that they were very well done, for the conditions of production were haphazard and the time available for necessary preparation too limited. But most of the best actors and actresses of London took part in them at some time or other, and I considered that with adequate rehearsal and a handsome production, it should be possible to bring off a revival of Fletcher's *The Faithful Shepherdess*. Since the day I first read it in the library of Montserrat, this lovely work had been an especial favorite of mine; I had never seen it on the stage, I could find no record of it having been given for years, and I thought it high time it were rescued from neglect and the public reminded of its existence.

I secured Norman Wilkinson to design the scenery and costumes, four of the most charming actresses in town, and a highly accomplished *régisseur*, Edith Craig. As the play contained several songs and choruses, and seemed to cry out for additional music here and there, I tried the experiment of having an orchestral accompaniment throughout; but so arranged as to interfere in no way with the clear enunciation of the text. I selected fragments from Handel, Mozart, and my old friends the French masters of the eighteenth century, and added a few connecting links of my own. But I could find nothing to fit Fletcher's lyrics, and happening to meet a gifted young Italian who had a pretty knack of writing in some of the old styles, I procured from him a set of songs which we ascribed to fictitious composers and which were hailed by the cognoscenti as authentic period pieces. The judgment of the audiences was that here was a delightful entertainment, and Havelock Ellis, as good an Elizabethan scholar as any, sacrificed a summer day by the sea to come up to town and write an appreciation of it in his *Impressions and Comments*.*

The admirable zeal of the Department of Inland Revenue, which a few years earlier had sought to obtain income tax returns from the authors of *The Beggar's Opera*, written over two hundred years before, was now directed to the case of Fletcher who died in 1625. One day I received a request for his address which they had been unable to trace, and on the principle of being helpful whenever possible, I replied that to the best of my knowl-

---

* "Now for the first time I clearly realize what the Arcadian Pastoral of which this is so admirable a type represents in the history of the human spirit.

"That the Pastoral is the manifestation of an artificial mood of unreal playfulness in life seems usually to have been taken for granted. And it was so. But so to regard it and to leave the matter there is to overlook the motive source of its inspiration and the cause of its power. How it arose, the really essential question is left unanswered.

"When we consider that question we see that however artificially unreal the pastoral poem, novel, or play may seem to us it arose primarily as a reaction against an artificially unreal and dissolving culture. The pastoral never originated in an integral, simple, vigorous, straightforward stage of culture still within actual sight of true pastoral life. The pastoral belongs not to an age of strong faith and rugged action but rather to an age when faith has become uncertain and action hesitant or tortuous, an age when criticism comes to be applied to what seems a dissolute time, a time to find and hypocrisy a time which has lost its old ideals.

"Fletcher, following the Italians who had earlier realized the same thing in their more advanced culture, understood or else instinctively felt that the time had come in the course of the Renaissance mood, then even in England approaching its end, to find enchanting by contrast with his own age the picture of the old, strong, simple, pagan age such as tradition represented it, yet touched with a tincture of what was sweetest and purest in the Christian world. Such a form of art, a pastoral tragicomedy, Fletcher called it, has its superficial aspects and artificial unreality but beneath that is the life blood of a genuine impulse of art exactly adapted as such a spirit of Fletcher's, so sensitively human and so finely cultured, could not fail to make it, to the situation of the immediately post Elizabethan age of the early 17th century.

"For the general public, at all events that of the theatre, it appeared a little prematurely because they were not themselves yet clear where they stood. It was not till after a century later that the age having become more conscious of its own state was enabled to enjoy *The Faithful Shepherdess* and Pepys' notes that it is 'much thronged after and often shown.'

"Today after centuries of neglect, by those few people privileged to be present, it is again approved and is perhaps the most genuinely and enthusiastically applauded of the Phoenix's excellent revivals of old plays."

edge it was the South aisle of Southwark Cathedral, that he had been there for quite a time and in all probability was not contemplating an early removal.

During the autumn and winter I was employed constantly over the business of achieving independence for the various interests still involved in the Chancery scheme and subject to the yoke of the executors. I had make the acquaintance of a man of arresting personality, Philip Hill, who talked more sense about the position of our affairs than any one else I had yet met, and invoked his aid to prepare in collaboration with Nicholas a project which would successfully accomplish my purpose. This he agreed to give if I would also make use of the services of Sir Arthur Wheeler of Leicester, an outside broker of repute. As he could have called up the Witch of Endor for all I cared, provided she could have been of assistance, I accepted the condition without demur.

The basis of the project was to unite the Covent Garden Estate and the St. Helens business in one entity, the former representing solid capital value and the latter the lure of substantial income. Something like two million pounds were to be raised by a public issue of debentures and preference shares, with a much smaller denomination of ordinary shares, not at present to be marketed. The consent of all parties concerned was required, but as each one was about to receive the maximum to which he or she was entitled, there was no opposition. The customary amount of "squeezing" and "greasing" which had been expected was forthcoming and accommodated at the eleventh hour. In most big deals there are always certain people who, without the smallest legitimate claim to a farthing, have a nuisance value through being able to pull a string or two the wrong way at a critical moment. The financial arrangements being completed, we proceeded to the Chancery Court for its approval and blessing, and there we were first met by some of our counsel (there were about a dozen altogether, representing mostly children born and unborn), who informed me that in their opinion the scheme as it stood had little chance of receiving the sanction of the Court. Would it not be better to amend it in such a way that judicial approval would be assured beyond doubt? This was really too much, and I told them that we had spent nine solid months in preparing this particular scheme, that we had not the slightest intention of altering one word of it, and that we were going before the judge there and now. And in we went. The document having been duly read, the judge asked if all the parties were in agreement, and the answer being in the affirmative, directed that the order which we were seeking should be made. The hearing was over; it had lasted less than a quarter of an hour, and the learned ornaments of the Bar could hardly believe the evidence of their ears.

Thus ended the troubled and anxious period which began with the death of my father in October of 1916 and ended that May morning of 1924 in the High Court of England. My task was completed, and I could now resume my old career, or take up another. Anyway, I was free once more to do as I liked.

POSTSCRIPT

I have not carried my story beyond this point. It would have been difficult to give an account of my activities between 1924 and the present day that had the unbroken line of continuity visible throughout the earlier period. Within twelve months after the conclusion of the proceedings related above, I retired from direct participation in all business matters without re-entering definitely for some years the musical field. It is true that in every season I conducted a number of concerts and occasionally an opera performance, but these events were not of my own organizing and formed no part of any outstanding project. I had abandoned my old role of impresario, propagandist, and artist in one, many fresh factors having appeared to bring about the change.

A new opera company had risen upon the ruins of the old, younger musicians were coming to the front, and, more important than all, the invention of radio held the threat of revolutionizing the social body of the land. When I had finally completed my commercial labors, the England which I surveyed had undergone some marked changes and for the time being stood in no need of any enterprise of mine. This phase continued until the collapse or ill-success of one venture after another brought me back toward the close of the twenties into the arena of practical musical affairs. Meanwhile I had availed myself of an immunity from managerial cares to extend my purely artistic work to other countries. I appeared regularly in nearly all the great continental centers and in 1928 paid my first professional visit to the United States. In 1931 I brought back the Russian opera to London; in 1932 I founded the London Philharmonic Orchestra and in the same year renewed my association with the Covent Garden Opera House. From that time until the outbreak of war I held there the post of Artistic Director and during our various seasons introduced to London a fair number of new works, of which the more notable were the *Ángelina* of Strauss, the *Koanga* of Delius, the *Schwanda* of Weinberger, and the *Don Juan de Mañara* of Goossens. In the concert room the London Philharmonic Orchestra had earned a reputation second to none in the world and took part in the bulk of the important concerts of the metropolis. While the fatality of war has proved powerless to interfere with the career of the orchestra, it closed the doors of Covent Garden, for without the cooperation of French, Italian, German, and American artists, no further seasons of international character could be undertaken. In 1940 I fulfilled a long standing promise to visit Australia and, on the conclusion of a lengthy stay, made my way to Canada and later on to the United States, where I have since been resident.

INDEX